U0439924

林慶彰 總策畫

民國時期稀見期刊彙編

第一輯

政學科研究年報 ①

臺北帝國大學研究年報

第十五冊

政學科研究年報

第一輯

臺北帝國大學文政學部

國家の理念と刑法

安平政吉

目次

序論

本論

序論

イエーリングもその著『ローマ法の精神』において力強く主張してゐる如く、法律はもと實現されむがために存在する。實現は法律の生命であり、眞理であり法律そのものである。現實に還元されないやうな法律、單に法文として紙上に姿を留めてゐるにすぎないやうな法律は、それは一つの外觀法（Scheinrecht）であり、虚空な言葉にすぎぬ。これに反して、法律として實現されてゐるところのものは、たとへそれが法規として存在せず、從つてまた一般國民や法律學徒にその存在が見出されないとしても、なほそれは法律たるのである(一)。この主張は、今日我我にとつては、むしろ當然の事理とされてゐるところであるが、さて一方『法律認識』の實際において、この理論通りに爲されてゐるか、どうかを顧みるとき、そこにはなほ若干の疑なきを得ぬものがあるやうである。

一定の實證的なる法律を確實に認識し之を適用して、そこにイエーリング謂ふ所の『法律そのもの』を見出さんがためには、我々はまづかゝる法律を自己のものをすること、卽ち之を精神的に支配することを要する。が、今日多數の複雜なる法規を充分にマスターすることは、たとへその專門家と雖も頗る困難とされてゐる所である。そこに『法律技術 (Juristische Technik)』なるもの丶存在する所以を見出す。

法律技術の全活動は多樣に亘るも、その主なる使命とする所は、次の二つの事項に歸せられる。第一は、『法の適用を容易ならしめんがために、法律を量的にも質的にもできるだけ簡單にすること』であり、第二は、『個々具體的の場合における法律適用の目的をば、いかなる手段方法によつて確定し實現せんとするや』との手段に關する(一)。從來の法律學の任務とする所は、主として右第一の使命を果さむがために存するものとされ、そして右、第二の使命の解決は主として實務上における熟練によつてこれを爲すの外なきものとされてゐたのであるが、なほ此兩者は立法上の手段によつてこれを廣範圍に解決しおくこともでき得るのである。

(一) R. v. Jhering, Geist des römischen Rechts, 2 Teil, zweite Abtheilung 4 Aufl. 1883. s. 322. イエーリングの同著におけるこの點の論述は、『法律學の何たるやの論理的解明』として、今日なほ最高の文獻をなすものとせらる。イエーリングは、同所になほ語を續けて曰く、『故に一定の法律の價値を決定するものは、法規における抽象的な內容ではなく、また紙の上における正義でもなく、言葉の上における道德でもなく、實際生活上におけるその法律としての客觀化、すなはち、それは必然的に認識され宣明されてゐる或物として實際上に行使され貫徹されてゐる力(die Thatkraft)の點にあり。しかもその價値は、單純に法律がみづから實現してゐるそれではなく、むしろ、それによつて、いかなる事實關係が惹起されてゐるかとの、それによつて決定されるのである』と(a. a. O. S. 322)。

(二) v. Jhering; a. a. O. S. 327. sagt: „Die gesammte Thätigkeit der juristischen Technik lässt sich auf zwei Hauptzweck zurückführen. Wer das Recht mit Sicherheit anwenden will, muss dasselbe zunächst sich aneignen, es geistig beherrschen. .....Die Erleichterung dieser Arbeit mittelst der möglichsten quantitativen und qualitativen Vereinfachung des Rechts ist die eine der beiden Hauptaufgaben der Technik. .....Die zweite Aufgabe derselben ist gegeben durch den Zweck der Anwendung des Rechts auf den concreten Fall.“

二 すなはち、法律學一般は最初から次の二つの問題を解決せんがために存してゐる。それはかつてビンヂングなどによつても指摘されてゐる如く、第一には、現在に對して、成法に關する統一的精確なる認識を與へんとするものであり、第二には、これによつて未來に對して、より良き立法の準備を與へんとするものである(三)。前者のためには法律學はまづ現在の法律狀態がいかにあるやの觀察幷に解明を必要とし、後者のためには將來の法律がいかにあらざるべからざるやの理念定立を必要とする。そこに法律學は最初から相對立する二つの異なる使命方向を包攝してゐることになるのである。この兩使命は、とかく實際としては矛盾し易い。

けだし、現在に忠實を欲するものは現在の規範を以て絶對の信條となし、之が維持にこれ努め、その輕視または打破を甚しく厭ふ。 之に反して未來に憧れんとする者は往々にして現實の規範を輕視しこれが克服を企圖せんとするに至る。 法律學における謂ゆる『積極主義』と『消極主義』との態度の相違、法律學の主たる使命を以て、專ら現存法形態の機能性の闡明の點に求めんとするや、はたまたその理念定立の點に之を求めんとするやの見解の相違なるものは、かくして法律學に內在する右の如き兩分子の何れを重しとなすやの信條の問題に歸するのである。 但しこの兩立場の相違はもと〳〵法律そのものに內在する二つの價値方面に連關するものといはねばならぬ。 けだし、法律は一派の哲學者も指摘してゐる如く、その本質は、人類のよりよき狀態に到達せんが爲めの現存秩序の維持といふことにあるのであるが、それは、一面に於て現存文化諸價値の維持を目的とするものといふべく、他面においてさらにその終局目的とするところは、人類生活全體としての永久價値を確保し、實證せんとして存在してゐるものとも考へられるからである。

(三) K. Binding; Strafgesetzgebung, Strafjustiz und Strafrechtswissenschaft in normalen Verhältnis zu einander (in Zeitschrift f. g. Strafrechtswissenschaft, 1Bd. S. 17—8).

三　從來の法律學においては、一般に優秀な學徒によつて、『眞の法律學は、必ずや成法的實際的のそれでなくてはならぬ』と主張され(四)、そこには主として法形態の論理的なる運用を目的とする法律解釋學が高く評價され、法律科學といへば、この解釋學を指稱するものゝ如く考へられ、今もなはその惰性より去り難き狀態にあるのである。しかしながら、解釋法學の、しかく尊重する法規としての規範そのものにつき仔細に考へてみるに、少くとも法律が規範たることを以てその本質とする限り、それは一定の當爲の法則を化體せるものと云はねばならぬ(五)。この一事は、その反面に於て、法律規範の背後には、何等かの法形態設定者による一定目的分子の存在せることが豫定され居るものなることを意味する。

かくして、あらゆる法律制度は、本來一定の目的實現上の手段、換言すれば、政治的性質を有するものと考へらるゝが故に、その本質の終局的解明は、かゝる目的觀、政治的觀點よりして爲さるゝにおいてのみ最も明確なるものがあり、合理的なるものがあり、有價値なるものがあり、而してまたそれは同時に、將來の法律を考ふる上において甚だ示唆多きものあるやに考へられるのである。乃ち、すでにジョン・モーレーの言として世に知らるゝ『法律の始まらざるところ、また法律學の終るところ、そこに政治が存する』の一語が、いまあらためて再認識さるべきことゝなる。

(四) Binding; ibd. S. 19.

(五) M. Grünhut; Methodische Grundlagen des Strafrechts (in Festgabe für Frank 1. Bd. S. 6). 我國では、最近この點に關し、美濃部博士對横田教授のケルゼンを中心としての國法及び國際法理論の爭に於て、横田教授の力強き主張ありしを見る。

四

法律科學はこの見地より茲に、一先づ從來の法律解釋學萬能の立場より離れ、目的論的政策的の方面、政治的の方面、立法論的の方面に着目さるゝの必要がある。一切の文化科學に於けると同じく、法律學が進歩せんがためには、その『根本概念』を少くとも次の二方向、卽ち、一には、その根本概念を一層明確にすることと、他には、それを一層深刻ならしむることとの兩面に進展せしむるを要するのであるが(六)、これがためには、法律が社會の發展に對して持ち得る機能如何、法律が全社會過程に於て持つてゐる意味如何、そして現實の法律が如何なる作用を營みつゝあるやについて確實なる認識を持つことが絕對の必要事である。而して、かゝる認識の獲得には、法律を國家社會生活全般との相關において觀察することが最も有效である。從來の法律學は、餘りにもその內部の機構點檢のみに囚はれすぎた憾みがある。今や世界の諸文化一般の轉向に從つて、法律及び法律學の諸方面も、その建築の全體が根本的に動搖しつゝありかゝる時期に際して法律全體性の認識には、我我はまづ何よりも、法律的工作の外圍を目的觀に訴へて檢討するの必要がある。事實においても、いま世界の多くの學者は法文なる形式より、社會を眺めてそこに法律を運用せんとする從來の傳統的解釋方法を棄てゝ、一先づ社會の實狀を究め、この見地より法律を眺めんとする謂はゞ法律における社會理想の認識(七)、または政治第一原理を確立せんとしつゝあるのである。一派の學徒も言つてゐる、『人人は現實逃避的な純粹法學や、規範主義的安住の地を去りつゝある。人々は法律の中から社會を眺め社會を判斷する代りに社會的立場から法律を理解し判斷し批判し始めたのである』と(八)。そこに一般文化における指導原則の交替が餘儀なくせられると同じく、從來の法律學も一定の方向に轉換を餘儀なくされる。從來の規範主義の法律學は、政治一般の理論の法律的干渉を甚しく厭つたものである。今やそれが必要避け難き所とされる。いな、法律學を政治學に取扱はず、傳統的に規範的に取扱はんとするところに、法律學の科學的使命は終焉したりとまで極言されてゐる。そこに神經過敏の學者をして文化危機、法學の危機を叫ばしむるものがある(九)。が、事實は文化そのものゝ危機に存せず、問題は『文化形式の方向轉換』(一〇)ないし『法學の方向轉換』において存する。そこに法律學徒として今日大に論ずべく、研究を要すべき幾多の問題を存するのである。

(六) O. Gierke, ;Die Grundbegriffe des Staatsrechts und die neuesten Staatsrechtstheorien, 1915 S. 1, ギールケは、一切の科學が進歩せんがためには、その根本概念を ,,Klären" し、且つ ,,Vertiefen" するを要すとなす。

(七) 田中耕太郎『株式會社改正の基本問題』(法協第四八卷一號第三七頁)は、法經學の一面たる立法學方面の重要性を論じて曰く、『先づ法律學の立法に對する任務を考ふるに、法律學が單に法文の註釋又は目的を意識せざる概念構成を以て能事畢れりと爲すに於ては、其の任務を果すことを得ざるや明瞭である。立法の要求する法律學は一方社會理想に對する關心と、法律の規整する社會的實在に關する徹底せる認識とを必要とする。これ理想と現實との間に跨つて存在し、平均人を漸次理想に誘導せんことを欲する法律の性質に基因するのである』と。

(八) 木村龜二『法曹社會主義』(法志三三卷第七號第一〇七頁)。

(九) 今中次磨『政治理論に於ける文化危機學派とその分野』(國家學會雜誌第四七卷第八號第一九頁)に曰く、『文化の危機とは、Kultur の Krise であるが、現代の危機は、社會的轉向の切迫が減ぜられ、且つこの切迫せる轉向を正しく指導する必要が認められる意味に於て、特に政治的決定、すなはち Politische Entscheidung が重要なる關心事とせられてゐる。……(略)……かやうな意味で、文化危機の理論は、また實踐と強く結びついてゐる。或は社會的實踐に、或は政治的實踐に結びついてゐる。現實に文化危機の理論が種々な意味で夫れ夫れの實踐團體を有すると共に、この理論自體が實踐と離れずに構成されやうとしてゐる』と。その論旨は、直接には、現代文化の危機は、政治的主義の決定又は實踐と密接の關係を有する所に、特色を存する旨を論じたものであるが、なほその反面には、文化の危機の內實は、國家社會上、經濟上乃至政治上の急激な變化に際會して、これに對應しての新文化理論構成の必要なることを意味し、從つてそれは、從來進展し來りし過去の文化乃至文化理論の方向轉換を意味するにあることを指示したものといはねばならぬ。

(一〇) F. W. Jerusalem; Gemeinschaft, und Staat, 1930. S. 5 ff.

五　右の如き傾向は、特に刑法學方向において著しいものがあるやうである。けだし、現代の刑法はいふまでもなく國家法であり、公法の系脈に屬するものであるが、およそ公法なるものは、ある意味において國家政策的理念の沈澤物として存する場合が多いのであつて(一一)、ことに刑法及び刑罰權の行使においては、それは疑ひもなく國家權力行使上の有力なる一方面をなすものであり、從つてまた國家目的、政策上の變更、政治觀念の推移によつて影響を受けることの必然的且つ甚しい方面たるからである(一二)。思ふに近代と言はず、古くより政治理論なり、國家政策の問題とする所は、歸着するところ『自由の理念』を中心として、そこに個人と國家との間にいかなる調和妥協を見出すや兩者連關上の理念定立にありとされてゐるのであるが(一三)、近代的國家法としての刑法は、かゝる見地より眺めて、國家と個人との關係を特に代表的に表明せる一方面と云ひ得るのであつて、そこにおいては、國家が個人の自由範圍を侵害することの最も強度なるものも見受けられるし、また國家權力の限界性も濃厚に認めらるゝのであり、そしてまたその國家的權力範圍の限界といふこと、竝に個人利益に對する法律的侵害といふことに於て、他のいづこにおけるよりも最も明瞭に、且つ意義深く、自由を中心としての個人と國家との相互關係が表現の下に置かれてゐるのである。從つて、この方面の眞の理解及び運用には、どうしても右の如き國家政策との相互關係といふやうなことが相當に深く吟味さるゝを要するのである。

(一一)　H. Dannenberg; Liberalismus und Strafrecht im 19. Jahrhundert, 1925 S. V.

(一二)　vgl. (1) Carl Georg v. Wächter; Beilagen zur Vorlesungen über das deutsche Strafrecht, S. 12. (2) Derselbe; Lehrbuch des deutschen Strafrecht 1881, s. 8. (3) Richard Schmidt; Die Aufgaben der Strafrechtspflege, 1895. S. 18. u. S. 172. (4) Eberhard Schmidt; Strafrechtsreform und Kulturkrise, 1931. S. 5.

(一三)　南原繁「ホルシュタイン＝ラレンツ國家哲學」(國家第四七卷第十號第一三〇頁)。

六　いつたい單に刑法といはず、法律一般が時代文化の反映であり、人類歷史の所產であることは、古くザビニー及びウエヒター一派の歷史法學派の高調せし所であり、いなその哲學的先驅者としては、ライプニッツ、法律哲學のそれとしては、トマジウスによつて唱へられた所であり(一四)、かのイェーリングの『法律における目的』の理論といへども、かゝる歷史法學の延長としてこの點を高調せむとせしものであり(一五)、そしてまた刑法においては、第十九世紀後半來のイタリアの刑事人類學派、社會學派、實證學派并にドイツのリスト一派の社會政策學派は好んで刑罰現象と『社會的』との連關を高調し來つたのであり、その他の刑法における舊派の學徒と雖も、例へば古くはウェヒター、及びビンヂング、近くは、リハルド・シュミット、アルフェルド、ベーリングの如きは、刑罰理念の何たるやは、結局、國家理念の何たるやによつて、決定されざるべからざると論斷してゐたのであり(一六)、要するにかゝる思想なるものは、決して耳新しいものではなく、從來の歷史學派はもとより、自由法學派、社會法學派等の力強く主張し來つたところである。

然るに昨今特に國家觀乃至國家政策または政治觀念と刑法との關係が注目されなければならなくなり來つたのは、それは國家社會における文化一般の急激なる轉換といふことによるのであるが、その直接的の動機は、大戰終焉後西歐諸國においてとかく國家政策又は政權行使方法の急激なる變化に支配されて、從來進展し來つた刑罰組織が屢々根本的に變更を受くるの事實に刺戟されしによる。その顯著な例として、曩にソヴェート・ロシャの刑法あり、近くはイタリヤのファシズム刑法、またドイツのナチス刑法改正運動あり。これらの新立法は、一般文化史上よりしても、その意義と影響は重大である。けだし、イエリネックも言つてゐる如く『刑法は時代文化の徵表である』ならば、一九三三年ナチス政府成立後に於ける刑法改正運動の如き、過去三十有餘年に亘る自由主義的、社會(改良)主義的、理想主義的、文化主義的改正事業を原則的に無意義とし、新に國民社會主義の見地より改正事業を進行せしめ、方向を一轉するに至つたのであつて、これはまさしく一般文化の轉向を意味するものたるからである。事實においても最近の國民革命なるものは、これ一七八九年のフランス革命によつて成立するに至つた一切文化の清算であり、之に對する文化史的回答であるとされてゐる(一七)。玆において獨逸の刑法學徒は、新しい社會觀、經濟觀、及び政治觀に對應して刑法理論に對する根本的なる修正を試みんとしてゐるのであるが(一八)、ドイツ以外の諸國と雖も、最近の文化の潮流一般において程度の差こそあれ、なほ一脈の同じきものを存する限り、これらの諸傾向を看過し得ないものがあるのであり、そして玆に國家政策目的といふやうな見地から法律を再認識するの必要に逼られてゐるのであつて、そこにこの兩者の關係問題は今日格別の意味を持つことになつたのである(一九)。

(一四) Alfred Manigk; Savigny und der Modernismus im Recht, 1914. S. 25.

(一五) E. Hurwicz; Rudolf von Ihering und die deutsche Rechtswissenschaft, 1911. S. 7ff.

(一六) vgl. (1) Carl Georg v. Wächter; Beilagen zu Vorlesungen über des deutsche Strafrecht, S. 12., (2) Derselbe; Lehrbuch des deutschen Strafrechts 1881. S. 8. (3) R. Schmidt; Die Aufgaben der Strafrechtspflege, 1895. S S. 18. u. S. 172. (4) P. Allfeld; Lehrbuch des Deutschen Strafrechts, 8 Aufl. 1922. S. 10. (5) E. Beling; Grundzüge des Strafrechts 1930. S. 5 (6) E. Schmidt; Strafrechtsreform und Kulturkrise, 1931 S. 5.

(一七) Dr. Dietrich Holtz; Volkstum und Staat im neuen Staatsrecht, (D. J. Z. 38 Jhg. S. 1523).

(一八) vgl. (1) I. Heimberger; Freiheit und Gebundenheit des Richter in weltlichem und kirchlichem Strafrecht, 1928. S. 23 (2) E. Wolf; Krisis und Neubau der Strafrechtsreform, 1933. S. 5. 卽ちウオルフは云ふ『今後の刑法の改正といふやうなことも、それは法律理論の問題ではなく、政治政策、從つてまた法律的政策の問題である。而してまた法律政策は特に專門家的特殊の問題として、その充足は全政治的活動より獨立したやうなものではなく、それは國家政策の一分脈である。それは社會的一般的な保育政策や國民的權力政策と共に一切の國家政策の基礎を構成し、この國家政策の見地よりして、はじめてその意義を取得するものである。何れとするも、刑法改正の如きは、これを欲し、これを支持せんとする當該國家の政治的要求と云ふことにその基礎を有す』と。

(一九) ナチス革命については世界の人々は種々の方面より各樣の批評を加へてゐる。事實ヒットラー政府の文化政策が一般に、從來の自由主義や個人文化を排斥することを揚言してゐるる以上、これに對し多方面の反感を惹起し來ることはむしろ當然といはねばならぬ。勿論その中には單なる反動的、ナチスの政治思想擁護以外の何物でもないものゝ含まれてゐることは明らかである。しかし、その凡てが皆自己宣傳であるわけではない。そこには、これらの國民革命の理論と結びついて、或一種の新文化理論の擡頭しつゝあること、卽ちその中には今後の人類社會を支配せんとする普遍的な世界觀、社會觀、政治論惹いては法律理論の一脈が構成されつゝあるのを認め得る。之等は善い意味においてすると惡い意味においてするとを問はず、苟くも世界新文化の流れを廣きに亙つて吸收せんとする者の看過すべからざる一點である(同趣旨、新明正道『ドイツ國民革命の理論鬪爭』(國家第四八卷第一號第一一頁)。

七　しかしながら、法律、ことに刑法を觀察せんとするに、かくの如き國家政策目的より爲さんとすることに對しては、固より大いに警戒を要すべきものがある。法律を以て謂はゞ一時的なる政策目的の手段と考へることは、場合によつては法律を蔑視することになるのでもあり、また法律獨自の文化機能性を威嚇することにもなるのである。問題は、その謂ふ所の『國家政策』とは何ぞや、それは純粹なる『國家目的』又は『國家理念』を指すや、『政治觀念』又は時代的なる『國家政策』を指すやに關する。この點は本論において詳言する。

要するに、刑法は今や目的觀、ことに國家全般としての文化的合目的觀より照明され、その本質が解明せらるゝことによつて、その具有せる法形態の社會的實現化は、はじめて正當なる方向に於て認識され得べく、又刑法學は、その取扱はんとする成法の概念を通じて、そこに當然に豫定せられたる一定の社會目的ないしは國家の理念とする所を刑法に於て實證せしめ展開せしむることによつて、法律における概念的な現實分子と、法律における未來的なる理念分子の外見的對立は克服される以てその眞の使命を發揮し得べきことになるのである。すなはち今後の刑法學は、刑法を觀察するに國家社會全般との外圍關係を一層考慮し、これに調和するものでなければならないといふ一つの要請の下におかると共に、他面にはまた、成法の概念を越えて國家政策目的によつて支配されてはならない。そこに刑法のなほ刑法たる規範的使命が嚴存する。約言すれば、刑法は一面において、國家の理念に支配されなければならず、また他面においてこれに支配されてはならないといふ、二律背反裡に、自己のいかなる行歩を續けて行かねばならないかといふ一問題に逢着するのである。

八　本稿は、如上の見地より、國家の理念が、過去における刑法に對し、いかなる影響を與へ、それはまた現在諸國の刑法をいかに支配せりや、これらを視察することによつて、刑法は國家理念の反映として、そこに文化全般の進化過程の上にいかなる使命を遂行し來りたるや？　またそれがためにいかなる弊害を惹起したりや？　これらの諸點を吟味することによつて、今後の我國における刑法改正は、いかなる國家理念に訴へて遂行されなければならないか？　時代の推移は一方においていかなる方向を辿りつゝあるや？　これらを參照することによつて、茲に刑法學徒は、今後の刑法上の指導原則を那邊に定立せざるべからざるや？　我國に於ける謂ゆる國家の理念と刑法のコロラリテイにつき、若干の觀察を爲すと共に、これに對する私見の一端を披瀝せんとすることを以て目的とする。

本　論

一

一　我々は今日疑ひもなく國家なる社會を結成して生活してゐる。國家は、これを社會學的に觀察するとき、それは多數の國民や、國民の定住する領土や、國民を支配する政治的、法律的組織を要素として成立せるものとされる。しかし國家は社會學的に見ても、たゞそれだけの存在ではないことは明白である。人民のある部分が失はれ、領土の一部分が離れ行き、統治組織が變更されても、なほそこに本來なる國家の存續を見ることは屢々であるからである。問題は然らば、右の如き國家構成の三要素に還元され得ない國家の本質的なるものは何かといふことである。この解答は所詮、國家の本質を精神的方面に求むるより外はないものと考へる。近時、やかましい現象學の徒などが、國家を本質的に眺めて『國家は法律と同じく一つの觀念的な對象として存在する』となしてゐるものゝ如きは(一)、斯る傾向の一つに屬する。法律的にこの點を力說して有名なのはケルゼンの一派である。一國家は自然界の領域に屬せず、精神の世界に屬するといふのがその主張要點となつてゐる(二)。素朴的、無批判的の經驗論者及び社會科學者の一派は、かゝる國家觀を以て『觀念的』な『哲學的』のものとして一笑に附するのであるが、謂ゆる「本質的現象學」の見地及び法實證主義者、竝に國家を以て法秩序と同一視せんとするの一派は、國家の本質をかく精神的のものに認むるところに、そこに眞の『實在』の意義があるとなしてゐる。

しからば、いかなる意味においての『觀念的存在』であるか。私はこの點の解明は、今日ケルゼン學派によつてなされてゐるところよりも、むしろ古く碩學ゲオルグ・イエリネックによつて與へられてゐる國家の定義に興味を感ずる。

イエリネックによれば、國家はその社會學的概念においては『固有的なる支配者權力を以て武裝せる定住的人類の團體的單一體（Der Staat ist die mit ursprünglicher Herrschermacht ausgerüstete Verbandseinheit sesshafter Menschen）』である(三)。國家の成立する基礎を一定の領土的人民、及び武裝的權力なる實證的事實に求めながらも、なほその一方において國家の本質を以て、定住的人類の『團體的單一體』なる精神の世界に求めてゐるところに、よく現象學的に國家の本質を把捉し、解明したものと思惟されるものがあるのである。ギールケが、國家を以て『一定の有機的團體（eine organischen Verbände, aber Gemeinwesen, welche in immer grösseren und umfassenderen Kreisen den Zusammenhang alles menschlichen Seins, die Einheit in seiner bunten Mannichfaltigkeit, zur äusseren Erscheinung und Wirksamkeit bringt.）』となし(四)、或は『國家は、政治的行動の共同體であるが、その現象形態は組織的權力であり、その使命は目的意識的なる活動である』となし(五)、ヘーゲルが『國家の本質は、それ自體としては普遍的な、意思の合理性であるが、なほそれ自ら認識し活動する一主觀性であり、現實としては、一つの個性である（Das Wesen des Staates ist das an und für sich Allgemeine, das Vernünftige des

Willens, aber als sich wissend und bethätigend schlechthin Subjectivität und als Wirklichkeit ein Individuum.』となし(六)ザビニーが『精神的なる民族共同態の肉體的構成が國家である(Diese leibliche Gestalt der geistigen Volksgemeinschaft ist der Staat)』となしてゐるのも(七)、畢竟これと同一思想に立つものと考へられる。

(一) 尾高朝雄『現象學と法律學』(法律時報第五卷第十號第二一頁)。

(二) H. Kelsen, Allgemeine Staatslehre, 1925. S. 14. sagt; „Nicht im Reiche der Natur, sondern im Reiche des Geistes steht der Staat."

(三) vgl. (1) G. Jellinek, Allgemeine Staatslehre, 1905. S. 173; von Walther Jellinek, bearbeitete Aufl, 1922. S. 180—1. 其他同趣旨(2) L. Waldecker; Allgemeine Staatslehre, 1927. S. 213. (3) O. Koellreutter; (in Handwörterbuch der Rechtsw. 1928 5Bd. 585). (4) H.Krabbe; Die moderne Staats-Idee, 1919 S. 1. (5) 美濃部博士『憲法撮要』第四版第一二頁。(6) 野村博士『憲法提要』上卷昭和七年第一〇頁。

(四) O. Gierke; Das deutsche Genossenschaftsrecht, 1 Bd. 1868. S. 1.

(五) O. Gierke; Die Grundbegriffe des Staatsrechts und die neuesten Staatsrechtstheorien, 1915. S. 6.

(六) G. W. F. Hegel; Encyclopädie der philosophischen Wissenschaften im Grundrisse, III Aufl. 1830. S. 531.

(七) von Savigny; System des heutigen Römischen Rechts, 1840. 1Bd. S. 22.

二　國家の本質は右の如く、一定人類の團體的單一體である。しからば、かゝる單一體はいかにして實現され得るか。それは要するに、『それを構成せる肢體としての個人が一定の統合關係において見出さるゝこと、すなはち各個の行動に際しては純個人的に自己決定をなすものと考へらるゝ個人が、全體との關係において一定の矛盾なき共同生活上の精神的單一體として見出さるゝ』においてのみはじめて可能である(一)。

この點につき、我々は特に注意を要しおくべきものがある。それは、かゝる團體的單一性といふことは、これ人類共同生活のたゞ一面にすぎないのであつて、決してその全面ではないといふことである。人類の生活をもし、かゝる單なる團體的の統一性原理によつてのみ支配せんとするならば、そこには人類の精神生活と、人類の向上進化及び卓越性は固定し、つひに滅却するに至るであらう。すなはち、人類生活の他の一面においては、右の團體的統一性と同等の資格と重さにおいて、他の基本原則たる『個人生活の自由 Der Gedanke der Freiheit』の觀念が存在してゐなければならないのであつて、この點はかの『團體法』の著者ギールケにおいてすらも、自己の所說の冒頭において高調してゐる所である(二)。そして歴史を眺むるに、眞に『自由の理念 Freiheitsidee』を理解せる國民にして、はじめてよく『統一性の理念 Einheitsidee』を理解し得る。而して、およそ過去の民族發展の歴史において、ゲルマーネン民族ほど、この相對立する兩理念を深刻に、且つ威大に享有せしものはなかるべく、從つてまたそこにおけるほど、この兩者の調和が保持されてゐた民族は他にあり得ないであらうとは、これギールケがドイツ民族に對して與へた絶大の讃美であつたこと(三)人の知るところである。要するに、かゝる眞の意味における『團體性』又は『共同態』の觀念のみ、よく偉大なる國家統一を導き、且つまたそれと同時に、その反面において、個人の自由をも確保することができるのである。かるが故に、イエーリングは、前述『ローマ法精神』の冒頭においても云つてゐる、『ローマの世界史的意義とその使命とを、一言にしてこれを云ふならば、それは普遍主義思想による民族性原理の征服といふことにあつたのである(Die welthistorische Bedeutung und Mission Roms in Ein Wort zusammengefasst ist, die Ueberwindung des Nationalitätsprincips durch dei Gedanken der Universalität.)』と(四)。

(一) F. W. Jerusalem; Gemeinschaft und Staat, 1930. S. 7.

(二) O. Gierke; Das Genossenschaftsrecht, 1Bd. S. 1.

(三) Gierke; ibd. S. 3. sagt; „Dieses Volk (germanische) allein berufen wäre, Staaten zu schaffen, die zugleich einig und frei sind."

(四) v. Ihering; Geit des rönischen Rechts, 1 Teil, S. 1.

三　しかしながら、事實において、この兩原則の調和は、しかく容易なものではなく、いな實際上においては、殆んど不可能に近く、それが理想的に實現された歴史上の事實も稀の如く觀ぜられるのであつて、この兩原則の闘爭をいかに解決するかは、過去人類歴史一切の謎であり、ある意味において、人類の歴史は、この兩者の妥協點をいかなる地點に求めんとするやに關して發達し來つたものと云ひ得るのである。實際、人類生活における現實として、この兩原則が眞實に調和を得たることはむしろ珍らしき現象なのであり、歴史の實際は、その兩者の何れかゞ優越するか又はその下位に立つ原則が、その優越性を獲得し恢復せんとして闘爭を演じたるかの兩者何れかである。かくして、人類の生活は、個人、民族が闘爭したばかりでなく、この二つの理念そのものゝ間に於ても、絶えず抗爭を見てゐるのである。歴史はこの兩理念の辯證法的展開であつたと云ひ得る(一)。現代の國家生活においてもまたこの統合關係を導かむとして、種々の新文化發生を見つゝあるのである。宗教、道德、慣習、社會諸規範、政治、經濟活動其他文化活動の一切はこの目的のために存するものとも考へられる。その一つとして特に強力的なものはいふまでもなく以下觀察せんとする法律である。法律强制なるものは、實にかゝる統合を實現せんがための有力なる實力手段なのであつて(二)、この意味に於て、イェーリングが法律は權力の政治であると洞破したのは、よくその一面を表現したものである。法律は、個人の自由と國家全體の秩序との調和維持を機能として存在する(三)。それは社會共同の福祉(bonum commune)と、各人に彼のものを與ふること(suum cuique tribuere)とを目的として存在するものといふべきである(四)。

(一) O. Gierke; ibd. S. 2.

(二) R. v. Stammler; Wirtschaft und Recht, 1896. S. 571.

(三) 法律の機能そのものゝ根本形式が、畢竟、個人の利益とこれに對立する社會一般的の利益との兩者の可能限度における調和にあること、從つて法律解釋の要諦もこの兩者利益の調和にあること、今日一般學說の是認する所である。この點刑法學については特に、(1) Leopold Zimmerl; Aufbau des Strafrechtssystem, 1930. S. 5. (2) W. Sauer; Grundlagen des Strafrechts, 1921. S. 283 u. S. 391. (3) v. Hippel; Deutsches Strafrecht, II Bd. S. 191 Anm. 3. (4) v. Mezger; Strafrecht, S. 204.

(四) 田中耕太郎博士著『世界法の理論』一卷六〇頁。穗積陳重著『法律進化論』第一册の冒頭に『法は社會力である。法は社會力が公權力狀態に於て行爲の規範となるものである。人類の共同生活の形態が漸次進化發展して國家なる獨立政治團體を作すに至れば、その團體力の發動は必ず二樣の狀態を呈す。第一は國家の政治的作用であり、第二は、法律作用であつて、團體中の對內作用が特に國の公權力が人民の行爲の規範として現はれる』と主張されてゐるのは、法律を社會的に且つ、政治的に照明された頗る敎示に富む言である。

四

法律のうち、刑法はまた個人の存在と國家全體としての秩序の維持との兩者を調和せしめんとする色彩において濃厚な方面である。それは國家權力の一面たる刑罰なるものを手段として、これにより國家社會生活及び文化を維持せんとするものであり、惹いては人類の社會的行動の一般を統制せんとするものである。そこに法律一般、ことに刑法なるもの丶手段性が濃厚に認識さる丶譯であつて、もとより各法律にも一定の目的あり、いな法律をかく目的見地よりして眺むるにおいてのみ、それは生きたものとなることは今玆に喋々を要しないところであるが、しかし目的それ自體は、ジンメルも云つてゐる如く、法律それ自體よりは一先づ離れて存在するものといはねばならぬ。法律それ自體の機能は、どこまでも人類乃至國家社會生存に於ける一定目的に奉仕するの手段たることが遺却されてはならないのである(一)。イエーリングの『法律における目的思想』の論と雖も、この見解と矛盾するものではなく、いなこれと一致するものである(二)。

そこに今日、生きた法律、社會的の法を考へんとする者にとつて、法律の背後を支配する國家目的の何たるや、社會生活上の客觀的目的の何たるや、時代に對應しての社會目的再認識の必要がある。

(一) Stammler; ibd. S. 572. sagt, „Die Rechtsordnung ist ein Mittel im Dienste menschlicher Zweck. Ihre

Sinn ist die Herbeiführung einer gewissen Art des Zusammenwirkens und Verhaltens vom Menschen gegen einander" 但し H. Kelsen; Allgemeine, Staatslehre 1925. S. 16. における如く、『國家の存在を以て規範的適用のそれなり』とし、國家と法律秩序を同一性と視るにおいては、法律の手段性は否認さるべきことにならう。

(二) v. Ihering; Zweck im Recht, 1Bd. II Aufl. 1884. Vorrede; S. VIII. において、次の如く主張せるは、法律の手段性を說けるものと考へる。"Der Grundgedanke des gegenwärtigen Werkes besteht darin, dass der Zweck der Schöpfer des gesammten Rechts ist, dass es keinen Rechtssatz gibt, nicht einem Zweck, d. i. einem praktischen Motiv seinen Ursprung verdankt."

五　而して右の如き目的の何たるやの回答は、これ結局、各人の世界觀の問題に歸することといふまでもない。たゞ併しながら、これを特に國家の立場より普遍妥當の形式をもつて表明するならば、それは前述の國家の觀念に徵して容易に知り得らるゝ如く、『人類の國家生活全體としての恒久的維持發展』といふことにあるや勿論である(一)。この點に我々は『國家の一般的目的(Der Staatszweck)』を見出す。實際上においても、今日の國家社會生活の目的とする所が、單に現在的なる一定の國民の生活維持といふことのみではなく、さらにその外に、それらを超越して、そこに歷史的に血族的に結成された永遠の發達過程にある一定の團體的生活體そのものを維持し發展せしめんとして努力してゐることは疑ふべくもない(二)。則ち

『抽象的意義においての國家理念(Staatsidee)』とは、かゝる國家目的を指稱し、それは不變型のものであつて各國共通のものであり、從つて茲においては、此點は問題とはならない(三)。

右に反して、一定の具體的なる歷史的の國家における各時代に對應しての『特殊』なる目的はいつたい何であるか？　この問題はその時代とその國家內における各法律部門を正當に理解せんとする上において、重要なる意義を有する。けだし、前述の如く、法一般は、ある意味においてこれら「特殊」目的實現上の手段たるものに過ぎないからである。しかし、この目的內容は、アプリオリーに決定され得べきものではない。それはたゞ歷史的に制約された具體的國家のみが、各時代々々に對應して、四圍及び內部との關係上、その是とするところに從つてのみよくこれを決定し得る(四)。いづれとするもこの意味における國家の卑近目的なるものは、他言を以てすれば、それは『具體的意義における國家の理念』とでも稱せらるべきものである。現實としての歷史的具體的國家は、かくの如くにして、右の如き具體的意義においての國家の理念、卽ち卑近目的實現のためにその構成分子に對し、各時代時代に對應して、特有なる幾多の行動形式を要求し來るものである。この機能を稱して、私は假りに『統制機能(Apperzeptionsvollmacht)』と指稱する(テッアールによる)。而して國家には、かくの如き理念を存するが故に、そこにまた事實としてこれが實現のために幾多の『國家政策』又は『政治的、社會的理想(politische sozialer Ideale)』を展開し來る(五)。

かくして、あらゆる時と處における一切の法律制度は、いづれとするもかゝる具體的なる國家の理念によつて大なり小なり支配を餘儀なくされる。そこに、本文以下において論ぜんとする『國家の理念と法律乃至刑法との相互關係』は、理論的に一定の根據を見出すことゝなるのである(六)。しかし、この點は、以下本論文の理論的基礎をなすものであるから、なほ詳細に論究しおくの必要がある。仍て次にこの點より論じてみやう。

(一) Stammler; ibd. S. 573.

(二) 此點は特にファシズムの政治理論において顯著である。例へば、アルフレド・ロッコ著、長崎太郎譯『ファシズム政治理論』(昭和八年)第四六頁。なほこの點は、法律哲學に於けるミュンヒ一派の『先天的、歴史的、批判主義 transzendentale Historio-Kritizismus』などが想起さるべきであらう。vgl. Münch; Kultur und Recht, 1918. S. 46.

(三) vgl. E. Wolf; ibd. S. 9.

（四）Tezar; Staatsidee und Strafrecht, 1914. S. 1.

（五）この點にテンニースなどが、純粹社會概念として定立せる社會と、國家との相違を存するものとす。vgl. (1) F. Tönnies; Gemeinschaft und Gesellschaft, 6/7 Aufl. 1926, S. 51. (2) Tezar; ibd. S. 7.

（六）從つて玆に問題とせる『國家理念と刑法』といふことも、その實質は『事實上の國家觀 Weltanschauungen』又は『政治的、社會的理念 Politische-sozialer Ideale』と刑法との關係が問題となるのであつて、純粹なる『國家の理念』又は『國家目的』と云ふやうな一般的抽象的なるそれではない。かやうなものは謂はゞ不動であり、殊に我國では格別に問題となり得ない。要するに玆に問題としてゐる國家の理念といふことは、テッアールも指摘せる如く、『國家理念の實現としての歷史的具體的國家における卑近目的の遂行活動』といふことに關するのである。このことは、最近にウオルフも明らかにして居る（vgl. E. Wolf; Krisis und Neubau der Strafrechtsreform, 1933. S. 9）。

二

一　國家の觀念より眺めた刑法の本質を明確にせんがためには、何よりもまづその前提として我々の社會生活における『基本的なる豫定事實そのもの』より明確にして行かねばならぬ。

田中博士は、近著『世界法の理論』において、此の點に關し、『我々の素朴的經驗及び直觀よりして萬人が爭ひなきものと認むるを得る事實』は、次の四つだと爲して居られる(一)。第一は、吾人々類が地球上に生活し、自然界を支配し、自己の生存に必要なる手段たるべき外界の財貨を獲得、利用又は消費する事實の存在、第二は、我々は單獨に此の地球上に生活するものではなく、社會を成して生活せることゝ、第三は、社會生活内には一定の秩序を存すること、第四は、法律秩序の如き強力的規範の存在せることとであつて、而して博士は、右の如き、社會生活及び法律秩序は、人間の本性に出づる。曰く、社會ある所に法あり、法ある所に社會あり、法は社會の生活條件の確保なり(イエーリング)、法は社會的合法性の條件なり(シュタンムラー)と。要するに『法は社會生活の條件であり、法なき社會は存在し得ぬ』との一般公式を是認して居られる(二)。

この主張は、今もなほ絶對に正しい。人類の生存はまづ何よりも第一に、一箇の自然的事實であり、またこの見地より觀察さることを必要とする。必らずしも唯物主義の見地よりして法の階級性を高調するの意味において、これをなす必要はないが、少くとも、そこには、その重要なる部分において、なほ自然界を支配せる必然的法則の嚴存を認容して行く意味において必要である。この見地よりして、法の理解には、その基礎となれる經濟との關係が看過されてはならないのである(三)。

が、人類の世界は多數共同的のそれである。之を『社會』といふ(四)。この社會は人の天性に基き必然的に發生したものである。曰く『人は社交の動物なり』曰く、『人の人たる所以は、人と人との結合にあり』と(五)。しかしながら、社會の發生存續には其間おのづから一定の目的分子がある。社會を目的觀に訴へ觀察するときは『社會は一般的の利益、卽ち生存維持を共同的に追ふ人類の目的團體である。』蓋し、人若し絕對獨個の天地に孤立せむか、其類只亡びんのみ。玆を以て人は家を成し、部落を成し、國を成す、皆これ共同生活を爲すにより相倚り相扶けて相互の生存維持を計らんとするにあるや勿論である。しかしながら、かくの如きは社會に對する目的觀の產む理想である。社會生活を現實として觀察するとき、社會生活は右の如き理想と全く相反する現象の幾多を見る。卽ち社會は全般として存續を計らんが爲めには之に相反すると見ゆる個人の生存主張は容赦なく之を排斥する。そこに社會生活の特性が認められる。實に社會生活の實相は古くよりの公式であるが、次の二點に於て永久の矛盾を含むものである。曰く、

第一に『社會生活は單純なる個人生活と相反して、生活利益滿足の爲めには社會人は互に協力する』。第二に、『それと共に他面に於て求むる利益に限界あり、衝突

あるよりして玆に勢ひ所謂『生きんが爲めの一般的鬪爭(生存競爭)』を演出するの一事である(六)。人類の共同生活は、かく一面に於て協力と、他面に於て鬪爭との二者相錯交する複雜無限の連鎖に外ならぬ。かるが故にまた社會には幾多の文化現象を見る。

要之。マックス・エルンスト・マイヤーも指摘してゐる如く、社會に於ける現實と理想の矛盾は當該社會文化の動因たるものであつて、其矛盾の程度が高ければ高いほど、文化發生の潛在的動因はより强いものと考へらるゝのである。

(一) 田中耕太郎著『世界法の理論』第一卷第四四―五頁。

(二) 田中博士、前揭第四七頁。

(三) 史的唯物觀の法律論に曰く『法律關係並びに國家形態は、それ自からも、またいはゆる人間精神の普遍的發展からも理解しうるものでなく、むしろ、それは物質的の生活關係に根ざし、該諸關係の總體はヘーゲルが、これを第十八世紀の英佛人の例に倣つて「ブルジョア社會」の名の下に包括したところのものであるが、ブルジョア社會の解剖は、これを經濟學に求めねばならぬ』と(平野義太郎編『史的唯物論と法律』第三頁)。しかし法律現象は唯物論だけでは、充分に説明され得るものではないこと勿論である。この點は後に述べる。

(四) vgl. F. Tönnies; Gemeinschaft und Gesellschaft, II Aufl. S. 48.

(五) O. Gierke; ibd. S. 1.

(六)　此點特に牧野博士著日本刑法第一頁以下參照。　尙 Stammler; Wirtschaft und Recht, 1896. S. 411.

二　『文化』とは、ミュンヒやコーラーによれば、『認識の過程において、藝術的の構成過程において、さうしてまた物質的支配の過程において、すべての自然的所與の克服によつて、人間の獲得するところの全體を指稱する』(一)。それは、また、人類が人力によつて自然狀態に反抗し、一定の理想に接近せんと努力し行く行程を意味する(二)。　其内容は、(1)人間自然的本能の淨化、(2)人間生來の欲望の善美化、(3)自己の養育完成、(4)自然界の征服支配、その本質は、(1)完成の行程に於ける進化の思想、(2)幷に一定理想への接近の點である。　科學、藝術、道德、宗敎、經濟、商取引、交通、法律みな然らざるはない。　たゞ茲に一つ遺却されてならない一事は、之等の諸文化は常に多數人の協力によりて效果せられ、一定の業蹟を見たといふ一事である。　此意味に於て文化の勃興と衰滅は多くの場合に於て一定社會に於ける共同生活の反影に外ならないことゝなるのである。

(一)　vgl. (1) F. Münch; Kultur und Recht, 1918. S. 3. (2) J. Kohler; Einführung in die Rechtswissenschaft 6Aufl. 1929. S. 5.

(二)　文化なる概念はらてん語の cultura に出で義育 Pflege 完成 Ausbildung を意味す。　養育完成の對象物は、語源當時は土地 Boden であつたが斯くの如き狹き意義は既にラテン語時代より棄てられた所、今日吾々の通常使用する廣き意義に於ては文化の對象物は人類活動の全範圍である。畢竟文化なる概念は一定對象物に對する保育完成を意味するものである。

三　社會が、右の如き意味における文化の行程に立つ限り、そこに必然的に『秩序』の觀念を產み來る。社會はもと構成分子の生存維持を目的として發生したものであるが、一旦其の存立を見るや社會は屢々その構成分子との間に衝突を免れない。假りにそのことなしとするも、構成各人間に利益の衝突を來たす。故に社會が其の理想の方向に歩まんとする限り其の眞先に於て必要視し來るは秩序の觀念である。

秩序ある社會は共同生活の參加者に對し必然的に一定の『規範』を要求し來る。之を『文化規範 Kulturnormen』と云ふ。其內容は社會人に對し、當該社會の利益に一致した行動を要求する命令及禁止の全體である。諸文化活動卽ち商取引、農業、工業、交通、衞生、科學、藝術、陸海軍事、宗敎、道德、慣習上の諸規範みな之に屬する。法律上の規範もその一つである。

文化規範は種々雜多であるが、其內には大別次の二種を認める。一は『敎示的特性 belehrenden Charakter』を主とするものであり、他は『命令的特性 befehlenden Charakter』を主とするものである。後者は人の意思に對する活動の基準として、社會人は此の準則の示す所に遵つて行動すべきことが要求される。此種の規範は『人は如何なることを爲すことが許容されたりや、禁止されたりや將又如何なることを爲さざるべからざるや、爲すべからざるや』を定める。此の規定を爲すもの、法律の外に慣習あり、宗教あり、道德あり、此等社會生活上の行爲規範を總稱して或學者(A. Merkel)は『倫理的權威 Die ethischen Mächte』と呼ぶ。

四　しからば、かくの如き『秩序』乃至『規範』は何人がこれを維持せんとするか。これ近代の人類の社會に、『國家』なる特殊の社會が結成されて居る所以であつて、現代においては、一先づ國家が、その任務に當つてゐることといふまでもない。ケルゼンの『國家なるものは、法律秩序の擔當者である』との一語はこの點を最も明確に表明したものである。但しイェーリングによれば、『國家は、人類の社會的目的遂行上の第三階段として發生してゐるものであつて、その目的を更に展開するならば、やがてや第四階段として、世界人類社會目的遂行上のある物に還元されなければばならないもの』である(一)。わが田中博士の『世界法の理論』はやゝ右と趣きを異にし、どちらかといへば、自然法的の思想を展開されたものである(二)。しかし茲では、ひとまづ國家を以て、最も完成された社會的秩序維持の强制威力保持者として考へおかんとす。

かくて、國家は如上の目的のために、種々なる活動を演出する。それらの一切は政治活動と稱せらるべきものである。而して、政治現象の全體を『存在として沒價値的』に研究せんとするは政治科學の任務に屬する。この方面では、かゝる政治上の事實を蒐集し、分析し、比較し、綜合し以て一定の理論を構成せんとする。この方面では、その判斷とする所は、事實が正確であるか、不正確であるかに關する實證的判斷であつて、事柄が善いか正しいか一定の規範に合致するか否かに關する主觀的價値判斷を求めんとするものではないやうである。從て政治理論方面では『事實的知識の體系』を作らんとし、それは決して『善惡正邪の價値體系』を作らんとするものではない(三)。この點に一般政治と、法律政治との間に區別さるべきものがあるやうに考へられる。

(一) Ihering; Zweck im Recht, 1Bd. IIAufl. S. 307.

(二) 田中博士は前記『世界法の理論』第一卷において『法と國家との間には、概念上、必然的の牽連が存しないものと考へる』とせられ(同書第四二―三頁)、而してそれが立證として、先づ法そのものゝ本質を凝視するの必要ありとせられ、實に堂々たる理論を展開して居られる。この點において、私は近く、エリツヒ・カウフマンが、一九二六年なりしかの『國法學者大會』において、„Der Staat schafft nicht Recht, der Staat schaft Gesetze; und Staat und Gesetz stehen unter dem Recht" (Der Veröffentlichung der deutschen Staatsrechtslehrer, 1927, S. 20) となしてゐるのを想起せざるを得ない。古くザビニーがその著 System des heutigen Römischen Rechts, 1Bd: 1840 S. 39, において „das Gesetz ist das Organ des Volksrechts" と爲してゐるのと、結局同樣の思想である。しかし、田中博士は、さらに『法の概念』中より、『民族』の分子をも解放されんと努力して居られるのである。

(三)　高橋清吾著『政治科學原論』(第七三八頁)。

五　右の如き一般政治と異り、幾多の文化規範中、重要なるものを國家の力により保護せんとし、しかも實力的なる『規範的形式』によつて之を保護せんとする所に、國家法律なるものを生ずる。それは一種の規範的政治である。

すなはち文化規範中特に國家なる社會に必要欠くべからざるものは、どこまでも之を維持しなければならぬ。立法者は國家生活の立場より特に必要とする文化規範は、之を法律なる名目の下に統整形式化し、之に國家的保護を與ふることに依り其の存在を確保せんとする。これ法律規範である。この意味において、法律は國家に依りて承認せられたる文化規範である。故に人若し國家なる特殊社會の存在を否認し、之を以て單なる共同利益追求の目的團體に過ぎずと解するに於ては、今日法律家一般の信じ居るが如き法律規範の特殊性は遂に認容さるゝの餘地なく、それは單なる文化規範の一に過ぎざることゝなる。故に文化規範と法律規範とを對立せしめ、後者の特殊性を考ふることは恰も廣義の社會學研究に於て、國家と他の社會とを對立せしむると同樣、必要且つ理由あることとなるのである。かくて法律規範は其性質單純なる文化規範とは異なるも、尚且つ、其の終極的根底とする所は、國家なる社會の生活規範たる點にありといふことになるのであつて、この點に法律一般の本質と目的とが認められる譯である。法律は『人類社會に於ける生活及び文化を維持し、促進せんがための强制的なる行爲の法則(規範)である』(一)。そして『法律の目的は結局、國家なる社會の生活條件の確保である』と(二)いふことになるのである。

(一) vgl. (1) v. Ihering; ibd. S. 320. (2) O. Gierke; Die Grundbegriffe des Staatsrechts, S. 102. (3) v. Hippel; Deutsches Strafrecht, 1Bd. S. 1. (4) 小野淸一郎著『刑法講義』(昭和七年)第一頁。

(二) v. Ihering; ibd. S. 443. sagt., „Was ist nun der Zweck der Rechts? Ich habe früher (dasselbe Buch S. 9) auf die Frage: was bezweckt das Handeln des lebenden Wesens? die Antwort erteilt: die Verwirklichung seiner Daseinsbedingungen, und daran knüpfe ich nunmehr an, indem ich das Recht inhaltlich definiere als die Form der durch die Zwangsgewalt des Staates beschafften Sicherung der Lebensbedingungen, der Gesellschaft"

六　今日の刑法は、國家法の一種に屬する。『刑法は國家の裁判に依る科刑、卽ち刑の言渡及び執行に關する法則より成る法律體系である。其は社會生活及び其の文化を保護せんがために、國家的刑罰の强制を必要とするといふ基本的事實に基き、其の正義に從つて行はるゝことを擔保せんがために、科刑の條件及び範圍に付き法則を設けたものである』(一)。刑法は、實力手段による法的秩序の維持を目的とし、機能とせるものであつて、その重點、または『刑法それ自體』の社會的機能は、法的秩序維持の有力なる手段たる點にあり。もとより、法的秩序の維持は、刑法乃至刑罰のみによつて保たれるものではない。宗敎、道德、敎育、社會事業其の他萬端の文化設備、約言すれば、社會的敎育手段の全體系によつて全うせられる。刑法及び刑罰は、これらの敎化手段の力及ばざる場合、實力的强制手段のあるものによつて之を爲さんとする所にその特色を有するのである。『法的秩序の維持』ひいては、これによる『人類の生活利益の保護』、これが刑法の最終、且つ最大目的である(刑法の第一次的特質 —— 法益保護としての刑法(二)。

刑法はかく國家の刑罰行動に關する法則であり、其は刑罰を制裁とすることによつて社會生活及び文化を維持せんとするものであり、それによつて社會的行動一般を統制せんとするものである。併しながら、其の直接に規律せんとするは國家の刑罰行動である。即ち、刑法は「人を殺してはならぬ」といふ一般的な行動の規範を前提とする。しかし、刑法は直接に之を一般國民に向つて命令するものではなく、(其は宗教、道徳の行動である)むしろ「人を殺したる者は何々の刑に處す」といふ如く、刑罰權の條件及び之に對する科刑の範圍を限定するものであつて、從つて直接その法律の對象となるは國家の行動である(三)。

そこに刑法の第二次的特質としての『制裁法としての刑法』の本質を存する。即ち、刑法は、第一次的には法益保護の手段として一般人に對し行爲不行爲義務を敎示せる『規定規範 Bestimmungsnorm』であるが、第二次的には、此義務侵害の場合に於ける(犯罪發生)制裁如何を一國刑事司法機關に對し命令規約せる『判斷規範 Beurteilungsnorm(裁判規範)』なりと理解することができる。

何れとするも、以上によつて刑法は、こゝに國家の目的乃至國家政策又は、國家の理念と思惟さるゝものの實現手段上の不可避的のものとして(四)、これに對し重要な奉仕の地位に立つことが知り得らるゝのである。

（一）　v. Beling; Grundzüge des Strafrechts, 1930. S. 6. 小野教授、前掲第二頁。

（二）　(1) v. Hippel; ibd. S. 14. (2) Liszt=Schmidt; Lehrb. d. Deutschen Strafrechts, 25 Aufl. S. 4. (3) J. Heimberger; Strafrecht 1931. S. 15. (4) E. Mezger; Strafrecht 1931. S. 503

（三）　M. E. Mayer; Der allgemeine Teil des deutschen Strafrechts, 1923. S. 33. 小野教授、前掲第四頁。

（四）　故にラードブルは『法律の目的一般』について次の如く云つてゐる。„Während die Frage der Gerechtigkeit unabhängig von allen Zweckmössigkeitsfragen und so auch vom Staatszwecke zu stellen und zu beantworten was, tritt im Rahmen der Frage nach dem Zwecke des Rechts der Staat zum erstenmal in den Gesichtskreis unserer Betrachtungen. Da Recht zu wesentlichem Teile Staatswille und der Staat zu wesentlichem Teile Rechtseinrichtung ist, sind die Fragen nach dem Zwecke des Rechts und dem Zwecke des Staates untrennbar„ (Rechtsphilosophie, III Aufl. S. 50) 私はかゝる國家目的と法律との相互關係は、上述の如き理由によつて、特に刑法に於いて顯著なものがあるやうに思はれるのである。

三

一　かく國家の理念なる超刑法的觀點より刑法の本質を眺めんとする態度に對しては、從來の傳統的なる刑法學の立場より甚だしく疑惑の眼が投せらることと想像される。現に牧野博士は次の如く論じて居られる。曰く、『社會觀は固より刑法の背景乃至素地を爲すものとはいへ、實は刑法を超越した問題といはねばならぬ。刑法は、社會を防衞すべきものとして構成されねばならぬのであるが、しかし、その社會が、いかなる見地に於て理解されねばならぬかは、更に別に考へねばならぬところである』と(一)。なほ次のやうな抗議も豫想される。曰く、『刑法は原始社會以來幾世紀來の人道に關する問題である。かゝる方面を支配する原理は、昨日や今日の一時的流行思潮、たとへ、それが國家觀、政治觀であるとしても、それによつて支配され、影響されなければならぬやうな浮動的のものではない。刑法は正義の擁護を基調として立つ。刑法が、謂はゞ時代思潮たる國家觀、社會觀によつて支配されねばならぬとなすが如きは刑法を冒瀆するも甚しい』と(ラードブルフ)。

しかしながら、かくの如き見解は、從來の文化過程における法律學獨自性の原則をいつまでも絶對の信條となし、法律を社會全般より抽象して眺めんとせる、謂はば時代超越の考想であり、法の社會依存性を顧慮せざるの言と云はねばならぬ。

由來、十九世紀來の人々は、社會の諸文化方面、ことに法律領域を、あまりにも國家全體行動に對して自主的に考へすぎてゐたのである。それは自由資本主義の維持としては止むを得なかつたかも知れぬ。が、近時の時代思潮なり、國家活動は、この文化現象における『自由資本主義』を斥ける。統制經濟は單なる經濟問題のそれにあらずして、國家社會における文化一般方面に對しても、その原理の適用を要請する。されば近く一派の學徒は云つてゐる。『國民的國家觀念の下においては、國家はその問題として、そのあらゆる領域における全國民的生活の形成を包容する。國家はさう呼び慣らされてゐるやうに、「全體的國家」と成り、そのなかで國家と社會との對立は、凡ての社會生活を政治的な部門に包括することによつて止揚せられ、經濟と文化の問題さへも、また政治的な性質を帶びんとしてゐるのである』と(二)。全體的國家主義は、その統制の立場より茲に自己固有の理念を一切文化に投影せんとするに至つたのである。そしてそこにやうやく『政治主義の原理』とも稱せらるべきものが、主張されんとしてゐる。曰く、『世界史における諸國民の興廢を決するものは、從來、唯物論者の主張せしが如き經濟ではなく、政治である。內面的な精神的力は、物質力よりも重い。精神の力には、限界はない。之をして盛ならしめ得る人民は繁榮する』と(三)。かくて法律及び刑法上における指導原則いかんといふやうな問題も、從來の如く、純粹理論又は批判的精神に訴へて之を定立することが排斥され、そこに一定の具體的歷史國家における現實なる世界觀、政治觀念より出發して、その信條に基く、法理觀、刑法觀が構成されなければならなくなりつゝあるのである。かくて、古くライプニッツは、註釋法學萬能の時代に於てすでに『如何に法律家が哲學を輕蔑しやうとも、哲學なくしてその正義を見出すことはできない』となしてゐた一語は、今やそれは一般現實の要請となつた。そして刑法學の方面においても、徒らに從來の個人主義、自由主義、法治主義、資本主義、責任主義の理論に虜はれて、法律論を局部的に考へんとすることが排斥され、玆に刑法學は須く視界を高次の段階に轉じ、法律一般との關係に於て檢討さるべきは勿論、更に進んでは、國家の理念、いな今日では遙に一歩を進め、廣く世界人道の觀點より、その本質が解明され、指導原則が立てられなければならなくなつてきたのである。

(一) 牧野博士『刑事政策に關する若干の問題』(警察研究第四卷第十二號第三〇頁)。なほ同趣旨のものとして、Tezar; ibd. S. 7.

(二) 新明正道『ドイツ國民革命の理論鬪爭』(國家學會雜誌第四八卷第一號第一〇九頁)。

(三) 新明正道氏、前掲第一一〇頁。

二　我國における最近注目すべき『教育刑論者』(主として牧野博士、木村教授を指す)によつて主張さるゝ『文化國の理念』なるものは、後にも詳論するであらうが、要するに、刑法における教育刑主義に出發し、刑法の領域より眺めた國家理念を定立したものである。その背後には、自由主義、社會(改良)主義、民主々義、社會連帶主義、文化至上主義、人道主義、合理主義といふやうなものが、當然の豫定事實となつてゐる。私はその理念とさるゝ內容そのものにつき敢て異議を差挿まむとする者ではないが、少くともその理念定立の方法に至つては、まさに逆轉ではなからうかを疑ふ者である。一般的の國家理念が定立され、然る後、これに基いて刑法理念も定立さるべきではなからうかと考へる。かくする所に、その『理念』は、なほ實證的の根據を有することになるのではなからうか。但し、牧野博士一派の態度は察するに、これは大體において、現象學的方法に則して、謂ゆる『實質的本實學(materiale Wesenswissenschaft)』的の態度をこの方面に應用されたものと想像されるのであるが、若し然りとすれば、それは今後の刑法構成上の指導原理の定立としては、現象學の適用を逆轉せるものと云はねばならぬ。今後いかなる刑法形式を定立せんとするやとの、刑法改正上のそれとしては、まさに設問が反對たるべきである。けだし、一定の成立せる刑法に基いての現象學的本質理論の定立なるものは、これ解釋上の指導原則誘導の場合に限らるべく、立法上のそれとしては、いかなる國家理念に立脚して刑法形態を定立せんとするやといふことにあらねばならぬからであり、そこに刑法立法上の指導原則を定立せんとする場合における正しき實質的本質學の運用があるのであり、また相對主義の理論たる、價値體系の更に高次なる價値體系への展開(ein System der System zu entwickeln)』ないしは、ヘーゲル主義による法律哲學的理論の或る運用が存するやうに思はれるからである(一)。 教育刑論における『文化國の理念』は、その內容において、まことに敬服すべきものを含むのであるが、要するに、それは從來の自由主義の國家の安定と合理主義の惰力性に支配されて、社會文化の諸方面、刑法領域を今後も過去と同じ脈絡を辿るものと之を不動視しすぎ、自主獨自的に眺めすぎ、刑法のみの『社會觀』または『國家理念』が、あまりにも實社會、現實國家と切り離され過ぎて論定され、これに反して現實的な全般的な國家理念が、あまりにも奧深に追ひやられ過ぎ、ないしは看過され過ぎてゐるやうに思はれる。 從つてそれは不知不識十九世紀來の諸文化、自由主義の弊に陷つたものといはねばならぬ。 但しそれが良いか、惡いかは、しばらく別問とする。 玆には、少くともそれが余りにも現實と離れすぎてゐることを主張するに止める。

かくの如く、今日の刑法及び刑事司法の運命が、その本質に於て國家政策的の問題であるとするならば(二)、玆に今後の新刑法の構成問題を論せんとする者にとつては、どうしても、先決として、國家理念の明確なる認識、並に之と今後の刑法との相互關係が、眞摯に研討さるゝを要することゝなるのである。 私は右の見地よりして、以下、この兩者の相互關係を一先づ吟味せんとするのであるが、それには一應、兩者相互關係の歷史的發展の跡、並びに今日の世界諸國において、この兩者がいかなる關係において展開され居るやを檢討するの必要を認める。

(一) ラードブルフ及びケルゼン一派の相對主義の本質たる『價値體系』の『さらに高次價値體系への展開 Radbruch; Rechtsphilosophie III Aufl. S. 25』を法律論に採用するにおいては、一定法律の價値は、それ自體の領域よりしてゞはなく、國家生活の全般よりして論定さるべきことゝなる。またビンター一派の新ヘーゲル派の全體國家主義、乃至はカール・ラレンツ、ワルター・シエーンフエルド等の新ヘーゲル、または新自然法、法律哲學における歷史的、超個人的、普通主義的、理論によれば、法律を考ふるに、國家の理念はその必然的前提となるであらう。

(二) W. Gallas; Kriminalpolitik und Strafrechtssystematik unter besondere Berücksichtigung des Sowjetrussischen Rechts, 1931. Einleitung; S. 1.

四

一 一切の刑罰法規は、ある意味において個人自由の制限である(一)。 國家がその刑事立法を爲すに際して常に問題とし、最も苦しんでゐるのは、全體としての國家秩序の觀念は、いかなる限度に個人の自由を認容し、いかなる意義と觀點においてこれを制限せんとするかに關してゞある(二)。而して一方、政治哲學乃至一般に哲學の課題とする所は、これ亦遍へにこの自由の觀念の問題であり、これと國家の理念とをいかに關係づけるやにあり(三)。かくして、刑法上の理念と、國家理念とのコロラリティーは、人類歴史の最初より發生し、また幾多の哲學者、政治法律學者は、その兩者の關係を不可分に認識しつゝ自己の世界觀を展開し(四)、以て現在に及びたるを見る。

すなはち、刑法の本質及び目的の解明に關しては、古くより幾多の議論を存し、これらは恰かも國法學に於ける國家理論の對立と同樣の觀を呈したのであつたが、それらの各理論なるものは、これを主張する者において、意識せると否とに拘らず、その間大なり小なり、時代の思潮に支配されたるを洞察し得るのである。されば近代的刑法理論の新黎明と稱せられる一八八二年、リストのマールブルヒ大學綱領なる『刑法における目的思想(Der Zweckgedanke im Strafrecht)』に基く新派の諸主張と雖も(五)、なほそれは第十九世紀後半に於ける自然科學的文化の刑事思潮にもたらした必然的歸結としても稱せらるべきものであつた。

その由來、近代的刑法の使命とする所は、一般に次の三つの點にありとされる。その第一は、正と不正との道德的感情の維持滿足であり、第二は、國家機關の主觀的擅斷に對する保障機能の實證であり、第三は、犯罪人を出すに至つては、でき得る限り、之を再び社會の有用な一肢體たらしめんとするか、又は其の不可能な場合は、之に對し社會を防衞の態度に出でしめんとするにあり(六)。併しながら、この三個の使命を同時に、而も無限に充足せしむることは困難であり、往々にして三者の間に矛盾を生ずるものあることは、刑事學徒及び實際家の一般に認むる所であり、その調和は、人類における刑法歷史の永遠の謎とされてゐる所である(七)。たゞ大體の傾向につきいふならば、古代及び中世における諸刑法にあつては、右第一使命の點が高調され、近世フランス革命後のそれにおいては、第二の使命が頗る高く評價され、第十九世紀の末葉より第二十世紀最初の四分の一時代までは、右第三の使命が高調され、最後に極めて最近には再び、第一の點が高調されんとする傾向にありとなし得るのである。而して之等の諸傾向なるものは、何れもその各時代の社會思潮なる國家の理念に支配され、各個の形態をとるに至つたものと思惟される。

仍て、私は以下、各時代思潮及び國家社會觀の變遷に從つて、刑法の形式は、いかに推移したりや、その瞥見を試みることとする(八)。

（一） Kohlrausch; Industoriespionage, (in Z. f. g. Strw. 50 Bd. S. 34)

（二） (1) Zimmerl; Strafrechtliche Arbeitsmethode de lege ferenda, 1931. S. 33., (2) H. Dannenberg; ibd. S. 1,

（三） 南原繁氏、前掲、第一三〇頁、

（四） Tezar; Staatsidee und Strafrecht, 1914 は、要するにギリシア國家において、その哲學者等は自由の觀念と刑法との關係をいかに思惟したるやを詳細に研討したものである。 第十九世紀における自由主義と刑法との關係のアルバイトとしては前掲 Dannenberg 參照。

（五） マールブルヒ刑法綱領に關する最近の我國の文獻としては、（1）拙稿『マールブルヒ刑法綱領五十週年』（臺法月報第二六卷、第二號、第三號、第十二號）、（2）拙稿『リスト「刑罰の量決定の原理」』（臺法第二七卷第一號）、（3）拙稿、『リスト目的刑理論の展開』（臺法、同卷第五號）、（4）牧野博士『刑法における新機運の半世紀』（同博士著、刑法研究第四卷第一頁以下）、（5）木村龜二『リストの刑事政策的基礎觀念』（同氏著、刑事政策の諸問題第一頁以下）。

（六） E. Kohlrausch; über Strafrechtsreform 1927. S. 23.

（七） Kohlrausch; ibd. S. 24.

（八） 獨法を中心として眺めた西歐刑法の沿革は最近特に v. Hippel: Deutsches Strafrecht I. Bd. S. 38ff. に於て詳細な論述がある。 玆にはこれらを參照しつゝフランス刑法學者の流儀に從つて、刑法の史的發展の要領のみを概括的に示すこととする。 此點特に、(1) A. Prins; Science penal et droit positif, 1899 S. 2ff. (2) E. Garçon; Le droit pénal, 1922. 其他(3)勝本博士著刑法要論(總則)四百以下、(4)牧野博士著『日本刑法第三四頁以下參照。

二

さて、刑法の原始的形態如何の吟味であるが、これは最初より、一つの社會的事實として發生し、今日一般に考へられてゐるやうな、或は復讐とか懲戒とかいふ比較的個人的のものでなかつたことは、リストの前記マールブルヒ大學綱領などに於ても高調されてゐるところである(一)。 即ち、古代の人類社會は、宗教分子に支配さるゝこと多く、いな刑法はその反面であつた。 從つて、古代における刑法が宗教的及び道德的色彩の甚だ强いものゝあつたことは今更めて云ふの必要はないであらう。 その典型は印度のマヌー法典、猶太のモーゼの刑法の如きものである。前者はゲルマーネン古法に類似し、すでに『安穩喪失』及び『贖罪金』の制度を認め、後者はタリオの精神の外に、犯罪に對する『神政的觀念(theokratischen Auffassung)』の强かつたものである。 この外になほ、埃及の刑法を擧げることができる。 しかし、これは比較的新時代のものに類似したものであり、すでに强制勞働を以て、刑罰手段の一つとし、多數の警察的法規を存してゐたといふ。 そこに埃及の文化的(君主と勞働主義)世界觀が古くから刑法に反映してゐる事實を認め得るのである(二)。

國家の理念と刑法との相係がまづ問題となつて來るのは、ギリシャの都市國家(Stadtstaat)に於てゞある。 この點は前述テッアールの詳細な研究があるのであるが、茲に詳論の餘裕なきを遺憾とする。 たゞ彼はその著の結論において、『ギリシャに於ては、要するに、市民は獨立的なる人格として國家に對立した。從つて個人に對する刑法的自由制限に關する指導的原則は、個人の自由を許すことが國家の目的とする所と相矛盾するといふ限りにおいて、卽ちその矛盾を排除する上におい て必要なる限りに於てのみ、刑罰權は正當視されてゐたにすぎぬ』となし、そして『ギリシャ國家制度の衰退と共に、そこに國家理念の刑法的反映はひとまづ退却するに至つた』と論斷してゐる(三)

ギリシア時代における刑法觀念の代表的なものは、『刑罰の正當性』に關するアリストテレスの次の如き見解においてこれを見る。曰く、『刑罰は犯人が國家幷に社會一般に對し不正を爲したるの故を以て科せらるゝ反應である。國家社會は不正を爲した者が自ら苦に陷ることによつて、其の全搬秩序を維持し得べきものである。何となれば、國家生活に於ては、一切人の同權維持が主題となつてゐるのであつてしかも、このことは、他者の權利を侵害した者は、亦自己の權利も奪はるとなすことによつて、可能となるからである。故に、犯人に對して何等の應報をも行はず、法律僭越(Rechtsanmassung)と、法律不平等(Rechtsverschiedenheit)とを默認するが如き國家は、最早之を以て法律平等原則上に立てる法的社會と稱することを得ない、奴隷國家といはねばならぬ。實に應報の原則は平等化を求むる正義たるのである。應報觀念は單に罪と罰のみに限らず、人類一切所爲に關し、行爲者の利得と損失とを相殺せんと欲するものであつて、刑罰が此の人類一般原則に立脚する所に、其の正當性を有する』と(四)。畢竟アリストテレスは、應報の法律的本質を以て不平等の相殺なりとし、刑罰の正當根據を此點に求めたのである。そこに個人的自由主義都市國家における世界觀なるものが、『相殺的の正義觀』として、刑法的に明白に表示されて居る事實を見受け得る。

(一) v. Liszt; Der Zweckgedanke im Stafrecht (Original Heft) 1882. S. 9.

(二) Ph. Allfeld, Lehrbuch. S.

(三) Tezar; ibd. S. 255

(四) v. Hippel; ibd. S, 493.

三　次いでローマ時代における帝國の理念が何であつたかは、茲に說明を要しないであらう。ローマ法においては、人も知る如く、民事法は裁判法によつて發達を見たのであつたが、刑法はこれと趣きを異にし、立法によつて次第々々にその發達を見たのであつた。最初、古代ローマにおいては、私刑法(delicta privata)であり、それは永く續いた。しかし共和制時代となり、かの十二綱表の如きものの發生を見たのであつたが、さらに共和制の末葉となるや『公刑法 leges judiciorum publicorum』の制定を見た。其後、帝政時代となり、一面においては判例法の發達により、他面においては、その大なる部分に亘る補充立法により、公刑法は、ます〳〵完成されたのであつたが、なほ、當時の刑法においては、個人分子が尊重され、一方において、(1)犯人の身分の相違によつて刑罰を異にしてゐたのみならず、他方、(2)裁判官の自由裁量範圍が甚だ強いものであり、この二點にローマ刑法の特色を存したのであつた(一)。そこにまた、ローマ帝國の理念が刑法的反映を見る譯である。ローマ刑法觀念の何たりしやは、セネカの刑罰觀において、吾人は、ほゞこれを想像し得る(二)。

(一) Allfeld; ibd. S.

(二) v. Hippel; ibd. S. 465—3. に曰く『ギリシヤ哲學は前二世紀の中葉よりローマに移入された。ローマに於ては特色ある刑法理論の發生を見なかつたが、只代表的のものとして觀察に値するのは、セネカの說であつて、彼は大體に於てプラトーの見解を採つて曰く、「何人と雖も憤怒の感情に支配せられざる者にして、始めて犯人の爲したる所に分相應するの刑罰を秤量し得べし。人は屢〻他者に犯罪あることを認むと雖も、犯人に於て改悛の情あり、犯意はたゞ皮相的に止り、別に深き根底あるものにあらずと認むるときは、之を所罰せんと欲せざることとあるべし。また大犯

罪と雖も錯誤に基くか、乃至は惡意に基かざる場合は、小犯罪と雖も根强き惡意に基くものより
かも輕く罰することあり得べし。要之、同一の犯罪と雖も犯人の異るによりて刑罰を同じくせ
ず。何となれば既にプラトーも云ひし如く其の目的一般人威嚇幷に犯人の改善 (Abschreckung
und Verbesserung)に存するものなればなり」と』。

四　ゲルマーネン時代(germanische Zeit)。

中歐における民族移動期における『國家的團體制 staatlichen Verbände der Völkerwandlung』の下においては、國家構成の一要素たる『領土』の觀念は著しく輕視され(二)、種族的人的關係の重きを爲した時代であり、從つてその下における刑法は、近くラードブルフも指摘してゐる如く、階級觀に訴へて、之を眺むるにおいて、甚だ明瞭視さるゝものがあるやうである。

プリンス一派の刑法學者が、刑罰思想發展史を五分して、その內、第一期として『復讐時代 (Période de vengeance)』(原始時代)、第二期として『賠償時代(Période de compensation)』(中央權力發生時代)となせる前後二期は、この時代に該當し、またドイツ刑法學者が『ドイツ古法時代(Das Strafrecht der ältesten Zeit)』と稱するものこれである。

卽ち、原始歐洲の社會は一般に親族關係に基いて成れる所謂血族團體(Sippe)を中心とし、之等團體は其相近きもの相倚つて更に大なる部族團體を作り、以て一般

社會を構成せしものの如くである。而して各血族團體には其首長あり。彼等は自己に屬する眷屬を卒ひ、森より森に水草を逐ひて移り、遊牧の生活をこれ事とせしものの如し。現行西歐諸刑法の起源は、實に之等遊牧時代に於ける血族團體生活の慣習に其源を發するものであつて、其主なるもの丶一は、一團體内に於ける懲罰、他の一は團體外の者に對する復讐これである。而してこの兩者は、共に現在ヨーロッパ諸刑法の發端を爲すものである。いま此等復讐と懲戒の兩者につき詳述の遑はないが、たゞ兩者の本質を檢討するとき、そこに特に吾人の注意を要するものは『刑法の本源は、自己保存律に基く復讐本能にあり』となすこと、世に廣く是認せらる丶ところであるが、固より之には多少訂正註解を要するの一事である。即ち第一には、前述懲戒にせよ、復讐にせよ、それは決して侵害に對する單なる個人的反應ではなく、一定團體の秩序維持者としての首長又は社會安寧保持者としての血族團體自體がなす團體的反應たりしの一事であり、第二には、かかる反應のよりて爲さる丶原因たる加害行爲は、それが直接的なると間接的なるとの差こそあれ常に血族團體の一般的共同利益(團體の安寧秩序)を侵害するものと考へられてゐた一事である。そこに前に一言したリストの主張たる『刑罰は最初より非社會的行爲に對する社會的反應として存在してゐた』との主張が立證されてゐる譯である。團體的國家觀に基く刑法機構が最初より展開されてゐたのである。

以上の如き血的復讐は、多くの場合其一方が全滅さるゝか、又は双方共に倒るゝ迄戰鬪を繼續することゝなる。而も斯くの如きは、人類社會の到底永く堪え得べきところではない。玆に於て、復讐は、次第々々に社會公力によりて一定の制限を受くるに至つた。其後、時勢益々進み、人皆一定の土地に定住し、古代の純然たる血族團體は自ら解散し、其の首長に代るに中央權力の進展を見るや、(中世の後半)刑罰制度は玆に一進歩を來たし、第二期たる所謂『示談主義＝賠償主義　das Kompositionsystem』に移つた。其主なるものは、贖罪金 Sühnegeld の制之である。卽ち、暴力的復讐に代へて被害者又は其家族は加害者に對し贖罪金を支拂はしむるの契約を爲し、以て互に和解するの方法である。其中には、(1)殺人の場合に支拂はるゝ贖罪金(Wergeld)と、(2)其他の場合に支拂はるゝ贖罪金(Busse)との區別あり、兩者とも個々具體的場合に於ける被害者の地位、年齡、男女の區別等により、額に段階を認める。此の制度は、最初、(1)復讐と並び行はれ、其の何れを擇ぶやは當事者の任意とされたが、(2)當事者は此の契約を爲すこと通常なりしが故に、後には贖罪金支拂要求は被害者に屬する權利とせられ、加害者は之を支拂ふの義務あることゝなつた。而して之が支拂を爲すことのできない者は『債務奴隷 Schuldknechtschaft』として勞役に服しなければならぬ。又、此の法的責任を回避した者は、法律保護の外に置かれる。此の賠償時代の終りに於ては、また加害者は被害者に對し、前述贖罪金を支拂ふ外、更に所謂『平和購買金 Friedensgeld』をも支拂ふべきことゝなつた。これは裁判所又は君主に對し支拂はるものであつて、加害者は社會一般の平和をも破つたものであるから、之が恢復の贖ひとして、平和維持の主體に對しても、一定の賠償を爲すべきものとの思想に基づくものである。これ、加害者は個人に對する損害を賠償する外に、社會に對する侵害の代償として、社會全般にも一定の給付を爲さゞるべからずとする罰金制度の起つた所以であつて、かくして、民事責任と刑事責任は相分化するに至つたのである。

一方において、懲戒に基く刑罰も此時代に入つて變更を見た。即ち、往時の無制限にして、衝動に相近き犯人殲滅的反應は、漸く其光を失ひ、犯人を平和團體より放逐するの刑は其姿を消して、之に代るに、其重き者に對しては、死刑、體刑、有期無期の流刑、其輕き者に對しては、各種の財産刑が行はるることゝなつた。無期の流刑を科すが如きは其實質に於て初めの所謂「安穩喪失」に相異ならざるものの如くであるが、其精神に於て差異がある。前者は。尙犯人の法的人格を認むるが故に、後者の如く、受刑者を傷害するも無罪とならない。是等新刑は、實に其精神、加害に對する生命、身體、自由による贖罪と見るべく、畢竟、賠償主義の一適用と謂ふべきものである。かくして刑法はそこに姿を變じて領主たる支配がその政策を行ふ一手段となつたのであつた。ラーブルヒは、そこに刑法は階級化したものとなして居る(二)。

(一) Koelleutter; (in Handbuch der Rechtswissenschaft, 5 Ed. S. 585)

(二) Radbruch; Autorittires oder soziales Strafrecht ? (Gesellschaft, 10 Jhg. 1933. S. 217—8) 同所に曰く、『刑法の生成と發達は史的唯物視の方面よりこれを照明するにおいて、明確なるものがある。人は刑法の原始形態として復仇の制度と、その解消によつて發生した賠償と、宗教上の死刑とを擧げる。この兩者は、人類歴史の一定の發達を遂ぐるに至るまでその發生をみざりし所であるが、兩者共に平等者間の權利として存した。然るに、これら上層的なる平等個人の足下に、一定の民族成層、それは挑戰には余りに微弱であり、賠償には余りに貧困なる者を生じ來るやこゝに犯罪處置においても、それは個人的事件としてゞはなく、社會的衆團的のそれとなり來つたのであつた。かくて、フランク王朝の大封建制度となるや、奴隸階級を產み、これは合體して領主に服從し、而して一部の自由市民階級は、この領主の支配權より獨立して、玆に刑罰制度は、自由市民間を支配するの る公刑法の外に、奴僕に對して行使さるゝ領主の刑法の兩者を生ずるに至つた。前者に端を發し、近世の刑法の一部は成立するに至り、またこれに關連してそこに初めて一定の意識された刑事政策を生ずるに至つた。之を要するに、この時代よりして玆に刑法は、(a)財産を有する者に對する刑法と、(b)無産者に對する刑法の二者を生じ、而して無産者は有産者が財産を以て賠償する代りに、その身體を以て賠償するに至つたのである。かくの如くにして、社會的、經濟的に基礎を有する刑法の階級性は開始された』と。

五　中世中央集權時代。即ち學者のいふ『威嚇時代 Periode d'intimidation』に入つては中央權力としての國家組織は益々强固となり、君主の權力漸次伸張を來すや、これに支配されて、刑法における從來族長乃至個人に屬したりし復讎及び賠償の權は、次第々々に君主の手に移り、玆に私的性質を持つてゐた刑罰は、變じて國家的刑罰となつた。かくて、犯人に對する刑罰は第三者としての國家が感情に捕はるることなく、冷靜、且つ公平に賦科することとなつた。そこに『刑罰の客觀化 objektivierung der Strafe』を見る。此時代に於ける刑法の精神とする所は、一般人威嚇にあり、其結果、刑罰は甚だ峻酷となつた。蓋し、國家の權力未だ確固不動ならざりしが故に、君主は、此の權力確立以外に顧るべき何物もなく、從て國家の存在を危くせんとし、又は國家社會の秩序を亂さんとする者に對しては、容赦なく峻刑を科し、以て一般人を誡告し、國家の秩序維持を計らんとせしに依る(一)。

（一）此時代に於て注意すべき現象は次の三つである。(1)刑罰が私刑の姿を脱して國家刑となり、其の客觀化を來すや、刑制は公平劃一的となり、甚しく理性的のものとなつた。(2)此時代に入つて賠償制度を廢して新に身體刑を生じた。蓋し十字軍以降中世に於けるヨーロッパの天地は、武門すたれて之に代るに自由都市の勃興を來たし、之が爲め經濟組織は一變して貧富の懸隔甚しくなるや、其間無產階級に陷りし者、并に無籍者、浮浪の類は擧げて犯罪人社會に屬することとなり、これがために從來の賠償制度を以てしてはとうてい是等無產者に對する刑罰目的は到達することと不可能となりしによる。(3)當時に於ける國家は概ね所謂警察國と稱せらるゝものであつて、刑制に於ては所謂『罪刑專斷主義』が行はれた。從つて此時代に於ける刑事訴追の方式は所謂『糺問主義 inquisitorischen Verfahren』に屬し、裁判所は公益の爲め、職權を以て自由に活動し、自ら訴追審判する。そして斷罪上證據は必要とせられてゐるが、其證據は自白に制限せられてゐるの結果裁判官は犯人の自白を求むること性急に應々苛酷な拷問が行はれたのであつた。

六　近代的國家の發生、卽ち『博愛主義時代 (Periode humanitaire)』。第十六世紀より第十七世紀に亘り、西歐の天地に於ては自然科學と哲學は、遂に宗敎の羈絆より脫した。法律方面に於て、此點に付き特に功績の顯著であつたのは、一六二五年に於けるグロチユースの „de jure belli ac pacis libri tres“ であつたこと、人の知る所である。其後十八世紀に入り、個人覺醒の思想旺盛となり、所謂啓蒙期の出現を見るや、モンテスキユー、ボルテール、ベツカリア等の政治哲學者は、擧つて人權擁護の主張を爲し、或は個人の自由は天賦の權利なる旨を說き、或は個人は國家の爲めに存するにあらずして、國家は却つて個人のために存する旨を說くに至り、玆に大革命を見、以て近代的國家を產むに至つた。而してそれに支配され、刑政上にも大なる變革を見たのであつた。

かくして、近代的國家の理念と刑法は、第十八世紀の革命を受けて發生した第十九世紀初葉よりの新國家思潮と、一九〇八年のナポレオン法典より初まる。すなはち、新國家理念の何たるやは一七八九年八月二十六日の『人權宣言』第二條を眺むれば最も明白である。曰く『凡ての政治的結合の目的は人の天賦且つ不可讓の權利を保持するに在り。これ等の權利は自由、所有、安全及び壓制に對する反抗を內容とす (le but de toute association politique est la conservation des droit naturels et imprescriptibles de l'homme. Les droit sont la liberte, la propriété, la sûreté et la resistance à l'oppression)』と。 個人自由の實證の爲めに必要且つ適當なる限り、國家活動はそこに制限を受けなければならないとするのである。かゝる思想が、從來の法律一切を本質的に變質せしむるに至つたことは、今更めて玆に論ずるの要はないであらう(一)。

刑法に關し、なほ右の人權宣言第七條は『何人と雖も法律に於て豫じめ規定されたる場合の外、訴追され處罰さるゝことなき』旨を規定し、同第八條は『法律は只必要なる刑罰のみを科し得、一切の刑罰の賦科は之に先行する法律を必要とする』旨を定めた。これ實に近代に於ける罪刑法定主義なる原則の濫觴を爲すものである。その一方において、刑事訴訟の方式は往古の糺問主義を棄て、所謂彈劾訴訟主義を採るに至つたのである。刑法はかくして、新國家が合理主義の下に成立せし如く、また甚だ合理的の體系を具有し來つたのであつた。

かゝる自由主義に基く刑法觀の代表者は、アンセルム・フォン・フォイエルバッハである。近代的刑法學は、彼より始まるのであり、また近代的刑法の進化、卽ちその合理化の行程への決定的行步は彼によつて開始されたのであつた。彼の刑法觀は人も知る如く、カントの道德論に立脚するのであるが、その特色とする所は、カントと異り、道德性(Moralität)の問題と法律性(Legalität)の問題とは截然と之を區別し、刑法そのものを以て個人に對し、一定の法律に保障された自由範圍を認容するの必要ありとの思想に基くものとし、而して何故にかくの如き個人自由範圍を是認するの必要ありやに關ては、それは各人をして法的强制から自由な、卽ち道德的行爲それ自體をして可能ならしめんがためにありとし、こゝに法律以前の問題として、初めて刑法の道德性を認めたのであつた(二)。即ち彼によれば『犯罪とは國家契約によつて保障され、刑法に因つて保障せられた自由の侵害』である(三)。フォイエルバッハは、かくして刑法上に於て、玆に、(1)道德と法律とを嚴に區別し、(2)刑罰を以て全く國家の合目的觀に基く處分なりとして之を正當化し、(3)罪刑法定主義の原則を確立し、彼は後世、刑法の範圍における自由主義なるものの創始者となつたのであつた(四)。しかもこの事實たるや、新らしく發生した近代國家理念の刑法的展開を示す以外の何物でもないやうに思はれるのである。

(一) Dannenberg; ibl. S. 8
(二) vgl. (1) Grünhut; Anselm v. Feuerbach und das Problem der Strafrechtlichen Zusrechnung, 1922. S. 4 ff
(2) Döring; Feuerbachs Straftheorie und ihr Verhältnis zur Kantischen Philosophie, 1906.
(三) A. von Feuerbach; Lehrbuch des gemeinen in Deutschland gültigen peinlichen Rechts, 14 Aufl. 1847. S. 45.
(四) vgl. (1) E. Schmidt; Strafrechtsreform und Kulturkrise, S. 9. (2) Radbruch; ibd. S. 369.

七　然るに其後間もなく、ドイツ等を典型として帝國主義の進出を見るや、右に對應して國家哲學においてもヘーゲル一派の思想をみるに至つた。かくて前述フォイエルバッハが、法治國の理念に基いて刑法理論を建設したるに對し、ヘーゲルは、權力主義的國家觀に基く刑法思想を主張するに至つたのであつた。そして、彼は、刑罰を理解するに、それは侵害せられた國家の權威を恢復する意味においての應報、國家すなはち刑罰を以て、絕對的意思の否定たる犯罪人意思の否定として、之を理解せんとするに至つたのであつた。

次いで、一八七一年にはビスマルクの獨逸帝國が成立した。これは當時の時代精神たる國民的自由主義と保守的國家主義又は官僚的國家主義との妥協的產物たるものに外ならなかつた。從つて刑法においてもこれらに對應して、應報と威嚇主義とが併せて高調せられしを見る。が、この應報の思想は、容易に法治國の思想に連結され易い。何となれば、それは權力的性質の外に、また法治國家的自由の分子をも持つてゐるからである。かくの如き意味において應報刑なるものは、また『法律刑』として理解され易い。かくして刑法は、たゞ行爲責任に相關するものであり、犯人の人格に相關せざるものとさるゝに至つた。

かゝる意味においての應報思想中には、一見相對立するが如き、國家權力主義と個人平等の思想が併合されてゐるのであつて、かゝる自由主義的且つ權力主義的思潮併合の典型的代表と見らるべき刑法學者は、かのカール・ビンヂングであつた。そしてまた事實においても、一八七一年のドイツ現行刑法なるものは、その基礎において、當時のビスマルク帝國が法治國且つ官僚國家であつた如く、これに對應して自由主義、權力主義兩分子の併合裡に構成されたものであつた。

八　科學時代（Periode scientifique）。一方において、右の如き自由主義、且つ法治國家はさらに第十九世紀の末葉以來『保育國家（Verwaltungsstaat）』に推移し、國家の諸法律制度の如きは皆目的觀念に立脚して考察さるゝに至つた。その影響を受けて玆に刑罰の如きも、たとへ其反面には過去の歴史は忘れられず、刑罰は應報衡、動に基く正義觀念の實現なりと解せらるると雖も、其反面、刻一刻目的觀念は刑罰にも移入され、刑罰威嚇幷に刑罰執行による諸效果は、要するに人の生活利益を保護し、以て國家幷に社會に有用ならしめんと、する功利目的の爲めに存するに外ならずと考へらるゝに至つた。この傾向を助長したものは、第十九世紀中葉に源を發し、その後次第々々にイタリアにおいて發達を見た、ロンブローゾ、ガロフアロア一派の『刑事人類學派』及び『實證學派』であつたこと云ふまでもない。

これらに刺擊されて、獨逸においては、一九〇〇年頃を區劃として、前述、自由主義、法治主義國家觀に代るに、『自由主義的且つ社會主義的』思想の發生を見、それらに支配されて刑法上の學說においても、はたまた之が實際的解釋方面並びに修正的立法方面においても、自由主義、社會主義、兩者の妥協の途を步まざるを得なくなつた。此の傾向に屬する刑法學的代表者は實にフランツ・フォン・リストであつた。リストはかくて、從來の官僚國家における自由、且つ權力的なる刑法より、之が改正への運動にまで事態を次第々々に導き來つたのであつた。彼も本來はまた一個の徹底した自由主義者であつたとされてゐる。けだし、リストがその刑事政策論においても、濃厚に犯人主義を主張しおきながらも、なほその一方なる刑法理論においては、到るところ客觀的理論を採用し、それによつてすでに克服されたとまで見えし自然法的の時代思潮を主張せしことは、一見不可解とされてゐた所であるが、その實、彼の刑法理論に於けるかゝる客觀的傾向なるものは、それは彼がこれによつて自由主義的な法律確實性への要求に應せんとするにあつたことは、彼の有名な刑法典を以て『犯人のマグナ、カルタ』とせし一語に徵して明白たるからである(一)。

しかしながら、リストはかく、自由主義の相續者たりし外に、同時に彼は社會主義的法律見解の先驅をなしたのであつた。彼は犯罪を以て、一面には非社會的行爲とし、他面には社會的に條件づけられた行動とし、その何れとするも、それは社會的現象としてこれを理解しこれを揚言に努めたのであつた。そうして刑罰といふことに關しても、それは單なる應報的のものではなく、本質的には犯人を再び社會に復歸せしむるの手段として存するものとなし、また犯罪人に對しても、これまた(行爲者)なる人格として眺め、それは生理學的社會學的の特殊なる人格型であり、その間には、大體三つの型、即ち(1)瞬間的犯人、(2)改善可能の狀態犯人、(3)改善不能犯人の三類型ありとなし、そうして右の(1)は威嚇さるべく、(2)は改善さるべく、(3)は淘汰さるべきものとなしたのであつた。

要するに、かゝる單調的な犯人概念の背後には、犯人もなほ『個人的人間 individuelle Mensch)である』との觀念が登場してゐるのである。しかも、かゝる個別化は、はやすでに、リベラールな個人主義を意味するものではなく、そこにはまさにそれと反對に『個人々格の看過(Abselien von der Person)』を當然の豫定事實としてゐるのである。何となれば、その個別化は、個人の利益の爲に存するのではなく、社會的復歸なる社會目的の爲めに存するからである。但し、リストの自由的且つ社會的刑法改正の思想なるものは、リスト自身の意識としては、かかる政治觀たる自由主義社會主義的見地よりしての改正でもなければ、また人道化的のそれでもなく、その最根底においては、實に『刑法の合理化』といふ思想に胚胎してゐたやうに見受けられる。

リストの刑法改正思想は今日問題の焦點となつてゐるので、これは後にも再言するであらうが、玆にさしあたり一言しておきたいのは、彼の刑法思想においては『社會』の概念が力強く主張されてゐるに反し、『國家』の概念が甚しく等閑に附せられてゐるの一事である。いな、單にリスト一人と云はず、過去半世紀に亙る刑法學界の趨勢は、犯罪の理解においても、刑罰の理念においても、そこに常に社會といふことが論ぜらるゝに反して、直接に國家そのものを云爲するもの少く、從つて國家の理念よりして刑法の本質使命を論ぜんとする傾向は著しく看過されてゐるの傾きがあつた。イタリアの實證學派及びドイツの刑事政策學派の徒一般において特にこの傾きを見る。但しこれには、確かにその然る所以の理由があつたとされてゐる。その理由に曰く、『謂ゆる新派主張の特別豫防高調の思想なるものはそれが成立するに至つた具體的なる精神文化史的の見地よりしてのみ理解され得る。すなはち近世における經濟組織の發達及びそれに並行して自然及び社會科學の進展の當然の歸結としての國民の社會的地位上における絶えざる分化なるものは、人類の社會をして益々より深刻に理論的討究の對象たらしめ、且つまた積極的なる政治的行動の出發點たらしめた。これに支配されて、その背後に立つ國家的思想なるものも、おのづとその內容を喪失せしめ、それはたゞ形式的なる秩序維持のそれにすぎざるものにまで、自らを褪色せしむるに至つた。其の結果、刑法的思索に於ても、かのビンヂング等の法律刑的實證主義に對する反對を助長し、犯罪の理解及び之が鎮壓方法に關しても、勢ひ一定の社會的連關への要請が擴大されたのであつた。そして玆に刑事司法の方向と、その行使程度とは國家に服從をするものに對する支配的要請のそれとしてゞはなく、むしろ社會的に役立たざる者、從つて社會全體生活において、治療を要する分子に對する處置なる見地よりして決定せらるべきことになつたのである。かくして、新派の學徒が、勢ひ個人的に考へられた社會概念を高調し、これに對立せる國家思想そのものを等閑視するに至つたのは無理もないことである』と(二)。

(一) vgl. E. Schmidt; ibd. S. 14.

(二) W. Gallas; Die Krise des Strafrechts (Z. b. g. Strw. 53 Bl. S. 24—5)

九　右の如き思想は、一九一九年のワイマール憲法に基くドイツ共和國の出現によつてその絶頂に達した。それによる新ドイツ國家の理念は、自由主義と社會主義との混合であつたとされてゐる。かゝる國家理念に支配されて一九一九年後の刑法思想は、まづ第一に、刑事司法方面における實質的なる三權分立主義の破壞といふことにおいてその表明を見、第二に、目的論的概念構成理論の勝利によつて、裁判官の世界觀は新軌道を歩むに至つた事實、並びにその結果、法規の絶對規律性は事實において解消されたこと、第三に、應報刑の排斥、特別豫防的思想による極端なる教育刑理論の進出といふことにおいて、その持色を發揮するに至つた。が、それらの高調は玆に一つの悲劇を産み來つた。けだし、その自由主義＝社會主義なるものは、勢ひそこに事實上に、おいて極端なる個人主義を助長し、刑法上においてもたゞ、個人的なる犯人利益の點のみが顧慮せられ、この見地のみよりして刑法の修正的改正の幾多が試みられ、そこに謂ゆる刑法の軟弱化、國家權威の失墮を來たしたからである。そうしてそれらは玆に一九三三年の國民革命によつて清算さるゝこととなつたのであつた。このことに就いては、なほ別項に詳言する。

一〇　國家の觀念と刑法との關係に就ては、なほ飜つて東洋の方面を觀察しておかねばならぬ。主として支那を先駆とし、我國の發展經過が觀察されなければならないのである(一)。但し、茲にこれらを詳述するの餘裕なきを遺憾とする。

たゞ大體において支那は民本主義の國であつたと云ひ得るであらう。從つて特に、國家の理念反映としての刑法を考へんとする立場よりしては、多く論ずべきものはないやうである。たゞ中央集權の初めて完璧を見るに至つた、そして、そこに固有の文化を發生せしめたりと見らるべき、唐代のそれが問題となるのである。此點、小野博士は主張される。『刑法は支那に於て最も古く發達した。唐の永徽二年(西歴六五一年)に制定された唐律は、その公刑罰の觀念を確定せしめてゐる點よりいふも、其の立法技術の緻密なる點よりいふも、古代國家の刑法として當時、西洋の如何なる民族も有せざりし完成の域に進んでゐたのである』と(二)。しかし、法律は序論にも述べし如く『法典』といふ『法文形式』の點にその本質を存せず、要は社會的なる規範的力としての實際適用の方面に存する。この見地よりして、唐の右刑法典がそこに社會的規範力として、當時の實社會との間にどれだけの相關を有してゐたのであるか、私共には疑はしく思はれるものがある。怖らく事實は、他のすべての支那の文化において見受けらるゝが如く、かゝる法典によつて支配さるるよりかも『道德律』が主として支配してゐたのではないかと想像されるのである。

(一) 此點に關する系統的敍述としての文獻左の如し。(1)萩野由之、小中村義象著、日本制度通卷二、明治二三年。(2)同萩野由之、小中村義象共著、日本古代法典(全)、明治二五年。(3)法學博士文學博士有賀長雄著、日本古代法釋義(明治四一年)。(4)池邊義象著、日本法制史、明治四五年。(5)法學博士岡田朝太郎著、刑法總論講義案、大正四年。(6)法學博士勝本勘三郎著、日本刑法要論、大正二年。

(二) 小野清一郎著『刑法講義』第十八頁。

二　最後に我が邦を見る。我國もまた、建國の精神は『人道を實行する』にありとせられ、道德國家である。國家の理念とする所は、この意味に於て、人道的自由的のものであるが、西歐などの謂ゆる純然たる自由主義でもなければ、さらばと云つて、西歐における謂ゆる團體國家主義でもない。家族を本位として『家』を社會單位とする一種獨特のもの、兩者の中間に位するものといはねばならぬ。もとよりわが社會は大體において、(1)古代族制時代(古有法時代、太古より天智天皇十年迄)、(2)王政時代(天智天皇十年以降建久元年に至る五一九年間)、(2)鎌倉時代(延元元年に至る一四六年間)、(4)室町時代(慶長八年に至る四一三年間)、(5)江戶時代(明治元年に至る二六五年間)、(6)明治維新後、と時の經過につれてその間に思潮の變遷あり、また國權行使の實際に於てその間推移を免れなかつたこと勿論であるが、刑法思想上の問題としては、大體において、西歐の變遷の形式、並びに支那における經過と、同樣の段階を踏み、以て今日に及びしことを認め得るのである。

すなはち、その瞥見を試みむに、我が刑罰制度は、最初、西歐におけると同じく、原始時代に於ける復讎乃至懲戒刑の行はるゝを見たる後、彼の大化の改新に入つて始めて隋唐の制度を倣ひたる太寶律令制定され、茲に我國最初の成文刑法とも稱せらるべきものの發生を見たのであつた。しかしながら、當時此等の律令は單に其形式に於て存在したのみであるか、はたまた現實に社會一般に對し一定の影響を與へたるものなりやは頗る疑問とされる。其後政權、武門に移つてより、德川幕府の崩壞に至る迄、其間鎌倉時代に於て、貞永式目の制定あり、而して該式目に制定なきものに付きては、太寶律は依然として不完全ながら其效力を保有したものゝ如くである。足利時代に於ては、更に建武式目あり。德川時代に入つては最初成文刑法を定めないことを以て主義としたが、後に『御定め書百ヶ條』の如き武斷的刑法を設くるに至つた。明治維新に及び、王政復古と共に、支那法系に則つた刑法主義を復活し、太寶律令を補ふに、明、淸の律を以てした『新律綱領』なるものゝ出現を見たが、其後恭西の新思想に支配され、多少之に修正を加へて、『改定律令』なるものを頒布するに至つた。しかし、當記既に西歐に傚つた刑法を立法せんとの議あり、遂に佛人ボアソナード氏を聘して其任に當らしめた。彼は佛國刑法に範を採り、草案を作成し、案は明治十三年七月布告第三十六號を以て刑法典として公布され、同十五年一月一日以降實施された。これが舊刑法である。

其後舊刑法の規定中、大いに改正を要するものあり、政府は改正刑法案を帝國議會に提出すること、第一帝國議會以來前後五回に亘り、數回の修正を重ねた結果、遂に第二十三議會を通過し、明治四十年法律第四十五號を以て新刑法として公布さるゝに至つた。これが現行法である。

かくの如く、我國において、國家の觀念が、刑法上問題とされるのは、主として明治維新後においてゞある。而してそれは過去六十有餘年の間に、西歐における近代國家發生より現在に至る迄の經過を急激にこの短期間中に廻轉し盡したと云ひ得るのである。これわが邦、維新後文化一般の急激なる轉化當然の歸結である。

國家觀念の推移と刑法との關係は、以上の如き經過を辿つたのであるが、この兩者の關係が特に密接に現れ來つたのは、今次の獨逸の國民革命であるから、次にこの點につき一言する。

五

一　ドイツにおいては、今次の國民革命によつて憲法の根底が覆へされ、國家政觀治念に變革を來した。これに支配されて法律一般、ひいては刑法及び刑事司法方面にも大なる動搖を來すべきことは容易に想像され得る所なのであるが、その改革が余りにも急激な鮮かなものであり、またこれに對應して一部、いな大多數の刑法學徒の理論的轉向が、あまりにもきはだつたものであり、眺め方によつては、第十九世紀初葉來の文化の流れを一切放擲するに至つたとさへ思はしむる所に、異常に、われ／＼の眼を惹くものがあるのである。

由來市民的法治國家の理念が大戰前の獨逸國を支配しこれを以てあらゆる文化施設の基調となしてゐたことはすでに前段にも明かにしておいた所である。併しながら、大戰とそのもたらした災害とは、かくの如き國家理念を根底より覆し、ワイマール憲法實施後十年の星霜を經るに至つて、彼國の社會的狀勢はこの理念の維持において甚しく疑問視さるゝものを生じ、一九三〇年以降は、そこに必然的に謂ゆる『國民的社會主義國家』又は『國民的法治主義國家』なるものの出現を余儀なくせしむるものゝあつたこと、世上周知の事實である。

そしてドイツの一部公法學徒、例へば、スメッド、ケルロイター、ビンダー、カール・シュミットの如きは、かゝる狀態に到達する以前なる共和國時代より、一樣にワイマール憲法に反對し、かゝる强權的な反民主的な國家出現の必要を主張し、ことにケルロイターの如きは『現在の如き一般社會的狀勢の下においては、獨逸國はどうしても國民的法治國家の色彩を特に顯著ならしむべき絕對の必要がある。この主義を確信し、この主義に整頓さるゝ國家のみ、よく法治國家の理念を破壞することなく、現在の緊急狀態を克服することができる』といふやうなことを主張してゐたのであつたが(一)はたせるかな、一九三二年二月二十八日の大統領令は、右の如き時代思潮に反對する言論の自由を奪はんとするの企圖に出たのであり、そして一九三三年三月二十四日の國民革命法、すなはち『獨逸國及び國民の緊急克服に關する法律(Gesetz zur Behebung der Not von Volk und Reich)』は、茲にリベラーリズムとデモクラシーの二つを理念とせるワイマールの憲法に死の宣告を與へ、これに代つて、一つの新なる法治國家、それは權力的國家の名詞を以て特質づけらるゝものを出現せしめたのであつた(二)。

（一） Koelleut'er; Der nationale Rechtsstaat, 1932. S. 35

（二） この法律内容については、宮澤俊義『國民革命とドイツ憲法』（國家、第四七卷第九條第一一四頁參照）。

二　ナチス政府の何たるやは茲に詳論すべきの限りではない。たゞその下における刑法思潮の理解に必要なる限りに於て、その政權行使上の基本原理につき一瞥せんにこの點、主宰アドルフ・ヒットラーの一九三三年五月一日におけるナチスの政策綱要演說（Programmrede）なりとして、世に傳へらるゝ所によれば、新國家形式の特質とする所は、次の三つだとされてゐる。第一は、『法治主義の基礎に立つ權力主義の國家』たること、第二は、從來の個人的精神によつて分散的にまた平等觀念によつて民主主義的に構成されてゐた國家政治形式に替ふるに、『一定の組織的な職業的地位的な政治構成』のそれを以てせんとすること、第三は、從來の多數決主義より離反して、獨裁指揮主義』を採り、從來の繁瑣極まる衆人合議制より離れて『創造的な指導方法』を開拓せんとすることである。かくの如き國民的法治國家の出現によつて茲に、從來の個人的世界觀に立脚したドイツ國における民主々義發展の歷史は、一まづ閉幕されたと稱せられてゐるのであり（一）、そしてそれに代ふるに一つの新傾向を現出せしめた。それは一言にして云ふならば『民族的なる社會主義的思想』であつて、この見地よりする幾多の『社會政策的目的の貫徹』といふことに『新國家存立の理念』は存し、且つ新國家活動の正しき方向は存するものとされる(二)。

(一) Eduard Graf Westphalen; Vom demokratischen zum autoritären Staat (in D. J. Z. 1993. S. 934.)

(二) Hartung; Um die Zukunft des Strafrechts (J. W. 1933. S. 146)

三　さて、かくの如き意味における國民社會主義擡頭が、刑事方面の思想にもたらした影響は何であつたであらうか。それは今日彼國刑法學徒の間に、殆んど標語に近くなつてゐる一語によつて表示するならば『自由主義の刑法より權力主義刑法への移行 (der Übergang vom liberalen zum autoritären Strafrecht)』といふことである(一)。

從來の刑法理論においては、學者は餘りにも屢々應報主義對目的主義、道義主義對政策主義、或は一般豫防主義對特別豫防主義、客觀主義對主觀主義乃至は行爲中心主義對行爲者中心主義といふやうな對立において論議を重ねたのであつた。

しかし今やこれらの爭は、その姿を變じてここに『今後を支配すべき刑法は、權力主義のものたらざるべからざるや、それとも依然として自由主義のものたらざるべからざるや？（autoritäre oder liberale Strafrecht ?）』が爭の焦點となり來つたのである。刑法理論上の爭點が、かく權力刑法なりや、自由刑法なりやに移動し來つたことは、一九三三年初葉における若き刑法學者ダームの論文によつて宣告された所であり(二)、爾來ドイツでは盛んにこの問題が學者の間に討論されてゐるのであり(三)、そうして事實また、ナチス政府の進出以來、幾多の刑事立法において、從來の自由主義的なる刑法、刑訴、行刑法は、根本的に修正を受けつゝあるのである。そこに一部の學徒をして『刑法の危機』を叫ばしむる所以のものがある。

（一） vgl. Schäfer ; Das neue preussische Strafvollstreckungs=und Gnadenrecht (in Juristischen Wochenschrift, 1933. Hft. 35. S. 1919.)

（二） G. Dahm ; Autoritäre Strafrecht, (in Aschaffenburg's Monatsschrift, 1933. S. 162)

四 權力主義刑法論は今日多くの學徒によつて唱へられてゐる。その第一派は、ニコライ及びグライスバツハの主張である。第二派は、ダーム及びシャッフスタインである。第三派は、ギュンター及びエトケー等の見解である。第四派は、ナーグラー、ザウエル、ドロスト、及びウォルフであり、第五派は、シェーファー、ペータース等の實務家によつて代表され、第六派として、首相ヒットラー及び司法參與官フランク博士など直接當局者たるもの丶懷く見解を、その一つに算へることができる(一)。これらは主として舊派學徒よりナチス的理論へ轉向を見たもの、または新派における右派より權力主義、反動主義に傾いた學徒によつて提唱され、その間には、法理學者ニコライの『民族學的法律理論(rassengesetzliche Rechtslehre)』が立論の基礎におかれてゐるやうである。

いまそれら各主張のうち、特に注目を要すと思惟さる丶論旨の若干を茲に掲記せんに、まづ(1)グライスパッハは、今後の刑法は、ドイツ國民共同態の要請への手段たらざるべからざる事を主張して曰く、『若い新運動の根本原則によれば、法治一般從て刑法は、たゞ獨逸國民共同態の要請とその最高懲戒への手段たるものでなくてはならぬ。獨逸國民共同態は、共通なる祖先と相續文化とによつて結合された一つの人類の共同態であり、從つてそれは、最高の單一體として思惟さるべきものである。その目標とする所は、人類淘汰の意味における民族的高次の發展であり、また民族的特性をでき得る限り發揮して行くことである。かるが故に、獨逸國家の法律に滲透せる外國の法律思想は排斥されなければならず、また立法者の外國模倣衝動は鎮壓されなければならないに反して、古い獨逸の法律思想は、充分に再認識されなければならず、また古い獨逸法律制度は、吾人の現在的關係、殊に經濟的事情の許す限り、復活されねばならぬ』(S. 165)。『若い法律の出發點はもはや個人の自由といふことではなく、むしろ全體の福祉といふことである。全體はその部分または肢體に優越する。先天的に個人利益範圍に局限された何等かの法律規則はもはや是認さるべきではない』(S. 156)。『法律と道德との矛盾はいまや排斥される。民族共同態に有害なる行爲、それは從來單なる不道德的行爲にすぎずとされしものも、之は犯罪事實視さるべきであり、また一方、行爲の動機が深き顧慮の下におかれねばならぬ』(S. 156)。

要するに『刑法における制裁の基礎は責任であり、刑罰は應報である。たゞ獨逸固有法の精神に訴へて、犯人の性格及び動機が顧慮さるゝを要するのみ』、『墮落せる犯人は、國民共同態より陶汰さるるを要す』、『死刑は本來の刑罰體系における必然的なる構成分子とさるべきである』、『刑罰の外に保安處分を必要とするも、これは刑罰と嚴に區別さるゝを要す』(S. 156)と(1)なし、(2)さらにナーグラーは、イタリアのロッコーのファシズム理論に追從して、未來の刑法における基本的見地は、たゞたゞ普遍的＝理想主義(universalistische＝idealistisch)のものでなくてはならないことを主張して曰く、『個人のみを考へることによつて刑罰制度の去勢を來すが如き事は、新國家形態の下における權力的＝社會主義的の刑罰制度の下においては、もはや適當でない。今日では、もはや犯罪は犯人個人の生活に對し、何を意味するやが問題となるのではなく、犯罪といふ法的安全を破壞するの行爲は、國家といふ組織的な民族全體に對して何を意味するやが主たる問題となるのである。卽ち犯人といふ個人に對する保育行政的のことが問題視さるべきではなく、國家規範の維持による一般法益の保護といふ點が主要問題視さるべきである』となし(S.20)そうして『昨今の時代の動きを精細に視察してみるに、永遠の姿における世界觀、または國家理念が、やはり今後の刑法の基礎とならなければならない。而してその下における刑法は次の如き思想的變化と氣脈を一つにするものでなければならぬ。卽ち、最近獨逸精神生活のあらゆる領域に行はれつゝ思想的變化は、個人主義よりの離脫、個人の民族的共同態への編入(die Einordnung des Einzelmenschen in die Volksgemeinschaft)道德及び慣習の强調、道德と法律との分離を意味する所の自由主義を否定し、國家及びその法律的秩序を道德の基礎の上に確立すること、及びドイツ民族生活の傳統的價値の認識といふことにある。一言にしていへば、「民族思想への轉向」(Die Wendung zum nationalen Gedankens)である(S. 3)。從つて今後の刑法は、いつまでも犯人に對するマグナ、カルタとしてのそれではなく、おそらく一つの新なる國民的な、而して社會主義的なる時代に對してのカルタといふことが、主題となるのであらう。が、その進み行くべき行程は、なほ自由に解放されてゐる』と(三)となし、(3)ザウエルは現代においては、刑法は、民族的福祉に奉仕し、社會的倫理的價値判斷の基調に立つて今後の改正上の諸問題が論定せらるゝを要する旨を主張して曰く、『而してこれら精神文化一般の轉向に從てこゝに强力國家の是認、文化的、國民的、法治國家への轉向が余儀なくされてゐる』(S. 3)となし、これらに支配されて、『現代においては總ての刑法上の問題は、民族的福祉に奉仕し、社會倫理的價値判斷の基調に立つて論定されなければならない』と(四)なし、更に(4)エトケーは、最近に一種の苦痛刑理論を主張して曰く、『刑法の第一次的且つ最高目的は、新派主張の如き改善でもなければ、犯人威嚇でもなく、それは、法律を破つた者を罰すること卽ち、行爲者の痲痺せる法律意識を再び正常に恢復せしめんがための一定の感覺的害惡の賦科の點にあるのである。新派主張の改善威嚇の如きは、たゞ右の如き刑罰目的の陪果たるにすぎない。近時の刑事司法は司法本來の使命である劍の鋭利さを適用の下におくことを放擲し、その司法を一つの治療行爲にまで墮落せしめてしまつた。が、今やかういふ思想は根本的に修正を受くべきことゝなつた』と(五)なし、(5)ハルトゥングは、刑法の一般的豫防を高調し、その權威維持を主張して曰く、『刑法は同時に、權力的であらねばならぬ。而してこのことは、必然的に從來新派の主張し來つた特別豫防の外に、一般豫防の觀念が再び重要なる意義を獲得し來ることゝなるのである。そうして世相を注意深く眺めてゐる一部の學徒は、刑法のかゝる傾向に着目して、それはヘーゲル主義の絶對刑法理論へ復歸しつゝあるものとなし、或は應報理論への再生なりとまで極言せんとする。しかしながら、新時代を支配せる現實主義にして疑ひのさし挾まるべき餘地なき限り、かゝる陳腐の考へを今日眞面目に徹貫せんとする者はないであらう。が、何れとするも、今日の刑法が、特別豫防の觀念の傍らに、或はこれと同等なる資格において、一般豫防のそれを許容しなければならなくなつてゐる事實だけは認めなければならないのであつて、しかもそのことは、はやすでに刑法觀念が多大に變化せることを意味する』と(六)なし、(6)ダームは『刑事刑法が社會全般に對して有する地位そのものに對する根本的の再認識の必要』を主張して曰く、『刑事司法の社會に對して有する機能の何たるやは、もとより刑事司法における個々の現象に徴して論定せらるべく、而して近時これを個別的に視察するとき、そこには合理的と認めらるべきものもあるが(例へば教育刑)なほそれらを全般として觀察するとき、そこには國家權威の失墜と衰退を意味するとせらるべきものを認めざるを得ない』(S.169)『特に其所には(a)目的論的觀念構成による犯罪事實解釋の軟弱化、(b)謂ゆる超法律的違法阻却原因の是認によるそれ、(c)特別豫防的なる刑事政策的見地よりする刑法責任論の破壞、ことに期待不可能性の責任排除論、(d)少年裁判所法、(e)量刑における次第々々に緩刑への傾向、などが顯著である』となし(S.172)『今日の行刑教育の使命は、そもそも教育一般において見受けらるゝが如く、單なる社會復歸ではなく、むしろ犯人を國民的社會國家へ復歸せしむることにあらねばならぬ。この目的到達には、今日の如き行刑の外に、特に精神的教育を施すの必要がある』(S.177)。『吾人はもとより自由主義、個人主義的要素より全く離れた刑法を要請するやうな世界觀的及び政治的の純粹性を主張すべきではなく、また吾人の文化と全く相反するやうな刑法(ロシヤを指す)そこには、個人の自由範圍も認められないやうなものを考へんと欲するものでもない。が、一方的な軟弱主義、特別豫防の曲解による刑法觀の如きは、第十九世紀後半の安全時代における個人擁護の法律時代ならば格別、今日の如く大戰の結果として或はインフレーション、或は失業により、個人の價値が著しく抹殺され、個人はただ自己を國民全體の上におき、國家に上のおき、社會的團體又は宗教團體の上におくことによつてのみ、初めてその存在を全うし得べきやうな時代においては、それは是認さるべくもない。偏見的な特別豫防の高調、刑法を以て犯罪鎭壓の技術と墮落せしむるが如き思想は、國家を以て技術的なる營業、又は實際上の事務を處理する上においてのたゞ一組織と考へる國家觀の下においてのみ可能である』となし(S.174)かゝる見地より『將來の刑法立法に於ては、次の如き十一項目が顧慮されねばならぬ。第一は、典型的な經濟的窮迫に基く犯罪に對しては刑罰規定の緩和を計ること、第二は、右と正反對に全體又はその大部分に對する典型的犯罪に對してはその法定犯罪事實を擴張すること、第三は、罰金刑の重いものに對しては懲役刑に擴張し得べきことゝすること、第四は、國家及び一般公企業に對する犯罪の擴張、第五に、重き稅法及び經濟犯をば、刑法典に移入し、以て私利的なる詐欺行爲に對し、鎭壓を計ると共に、その不名譽性を高調すること、第六に、國家に對する經濟的謀反に對しては彈力性ある處罰を設くること、第七に、勞働力に對する刑法的保護、第八に、訴訟をある程度に糺問式とすること、第九に、複雜なる經濟訴訟には豫審制を採用すること、第十に、かゝる經濟訴訟の證據調に關しては裁判官の職權主義を認めること、第十一に、かゝる事件に備へるために鑑定家により構成さるゝ特別裁判所の設置とそれがための特別裁判官と檢事を養成するの必要あり』となし(七)、(7)ペーテルスは、從來の個人主義の刑法に代つて、『團體的精神 (kolektivistischer Gedanken)』に支配された刑法の進出すべきことを主張し(八)、(8)ドロストは、新國家理念と刑法原則との合致の必要を高調し(九)、(9)ウエグネルは、また刑法が時代的でなければならぬことを力說してゐるのであつて(一〇)、概して、それらは從來のリスト一派の刑法理論に反對し、その主張による刑法改正を以て非時代的なりとし、こゝにナチス的刑法改正の必要を高調し、この觀念に基く刑事司法を要請してゐるのである(一一)。

(一) 權力主義刑法理論の紹介及び批評に關する我國の文獻としては、(1)拙稿『國家社會主義と刑法』(臺法月報、第二十七卷第一號)(2)木村龜二『所謂權力主義的刑法の價値』(法學志林、第三十五卷第七號)。(3)同氏『刑法に於ける國家の理念』(法志、三五卷十一號十二號)(4)拙稿『自由主義刑法論と權力主義刑法論の對立—ナチス支配下における刑法理論の爭ひ—』(臺法、第二七卷第十一號第十二號、第二八卷第一號以下)、(5)佐伯千仭『刑法學の危機』(改造、昭和八年十二月號)、(6)牧野博士『刑政における自由と權威』(警察研究第五卷第一號)(7)不破武夫『獨逸國民革命後の刑事立法』(司法協會雜誌第十三卷第一號)(8)三宅正太郎『最近ドイツに於ける治安保持法令の變遷』(法律時報、第五卷第十一號十二號)

(二) Gleispach; (in Mitteilungen der Internationalen Kriminalistischen Vereinigung N. F. 6Bd. 1933. S 165)

(三) J. Nagler; Staatsidee und Strafrecht, Ein Beitrag zur Strafrechtsreform(in Gerichtssaal, 103Bd. S. XX.)

(四) W. Sauer; Wendungen zum Nationalen Strafrecht, (in Gerichtssaal, 103Bd. S. 3 ff.)

(五) vgl. Danckelmann; Der deutsche Juristentag in Leipzig (in Deutsche Juristen-Zeitung: 38 Jlg. S. 1318)

(六) F. Hartung; Um die Zukunft des deutschen Strafrechts (Juristischen Rundschau, 1933 S. 147)

(七) (1) Dahm=Schaffstein; Liberales oder autoritäres Strafrecht? 1933 (2) Dahm; Autoritreäs Strafreht (in Aschatfenfurg's Monatsschrift. 24 Jlg. S. 162 ff.)

(八) Karl Peters; Nationalsozialismus und Strafrecht(in Juristischen Wochenschrift, 1933. S. 1563).

(九) (1) H. Drost; An der Wende des deutschen Strafrechts (Zeitschrift für Politik, XXIII. Bd, 1933 S. 302 ff)
(2) E. Wolf; ibd. S. 5. u. S. 24 ff.

(一〇) Wegner; Staatsgedanke, sozialistische Doktrin und Strafrechtsreform, (D. J. Z. 38. Jhg. S. 598 ff.)

(一一) 木村龜二『刑法における國家の理念』(法學志林第三五卷第一二號第五二頁)には、『新しい古典的派の民族的刑法への轉向』及び『ナチスの民族學的刑法理論における共通的な傾向』として次の如く論ぜられてゐる。曰く、『これらは、現代ドイツの政治的社會的事情の特殊なる發展とともに、その中から生み出されたところの思想であつて、この個々の主張の中には、それぞれの差異を認めることを得るが、同時にそこには共通な傾向が明白に示されてゐる』となし、共通現象として、『その共通傾向の第一は、刑罰の目的について一般豫防的立場を强調し、その限に於て、應報刑を認めることであり、第二は、刑罰の責任を道義的責任に求め、刑罰の內容を峻嚴たらしめ特に死刑の重要性を主張することであり、第三は、刑法各則の中に民族的特質を反映せしめんとすることであり、第四は、犯罪を道義的現象なりと見るに傾き、その原因的事實の考察につき制限を立て、特に環境說を排斥することである。 そして、最後に、第五は、全體として、超人格的・普遍主義的・國家主義的見地を强調し、刑罰を以て單に犯罪鬪爭の手段たらしめるに止めずして、それに依つて、國家の威嚴・强力を誇示するところの手段たらしめんとすることである』と。

五　かくの如くにして、リスト刑法學說の支配すること茲に五十年のドイツ刑法學界は、國民革命の絕大なる影響を受けて、リスト一派の標榜する市民的自由主義の刑法理論は種々の方面よりこれが廢絕が要請さるゝにあらずんば、その方向轉換が强要さるゝことになつた(一)。 少くともリスト一派の學說は今日、次の五點より修正を受けなければならなくなつた。 その第一は、彼等一派の刑法理論において當然の豫定事實となつてゐる『自由市民的なる國家觀』といふことに關してであり(二)、第二は、彼の『社會』といふ概念に關してゞあり(三)、第三は、彼の『犯人』なる概念に關してゞあり(四)、第四は、彼の『刑罰』なる概念に關してゞあり(五)、第五は、全體としての彼の理論が、刑事司法の實際に效果し來つたと稱せられる『刑法の軟弱化』といふことに關してゞある(六)。

(一) vgl. (1) Hasso v. Wedel; Franz v. Listz's geschichtliche Bedeutung als Ueberwinder des strafrechtlichen Positivismus (Schweizerische Zeitschrift für Strafrecht. 47 Jhg. S. 324 ff.) (2) H. Kelsen; Vom Wesen und Welt der Demokratie, II Aufl. 1929 S. 1 ff.)

(二) vgl. (1) Hartung; ibd. S 147. (2) Nagler; ifd, S. XVIII.

(三) vgl. (1) Meyer (Bonn); (in Mitteilungen d. I. K. V. N.F 6 Bd. S. 186) (2) Hasso v. Wedel; ibd. S. 339 (3) Hartung; ibd. S 147 (4) 我國ではこの點は木村龜二氏の詳細なる研究がある。同氏著『刑事政策の諸問題』第五二七頁以下。

(四) E. Wolf; Vom Wesen des Täters, 1932.

(五) Schäfer; Das neue Gnadenrecht v. 1. Aug. 1933.

(六) Dahm=Schaffstein. S. 26.

六　リスト刑法理論の右の如き運命に對し、新派の學徒より幾多これが辯護の理論が公にされた。特にラードブルフは、『權力主義思想は階級闘爭主義、資本主義擁護のための反動にすぎず。眞に自由主義を展開するならば、社會主義となる。今後の刑法はこの社會主義理念に合致するものでなくてはならぬ』となし(一)、ユーゴー・マルクスは『かくの如き權力主義の刑法は何等の理念的意義を有せず、力の行使以外の何物でもない』ことを說き(二)、ミッテルマイヤーは『それは反動的なる感情を以て刑法を觀察せんとするものである。何等の積極的なる科學上の理論を有せず』とし(三)、グリューンフートは『社會主義、自由主義の妥協なる精神文化機構による現代的の刑法を以て墮落となすは失當なり』とし(四)、ガラスは『刑法軟弱化の原因は、新派の理論そのものに存せず、これを誤解した司法權の行使による』旨を說き(五)、更に我國においては木村敎授は、かくの如きは、思想的ハルトロージッヒカイトの好典型となし、『これは疲勞と困憊と社會的政治的混亂との最下層に沈沒せんとしつゝあつたドイツの一時的現象であつて、文化發展の本流的傾向ではない』と極めて思ひ切つた明確な判斷を下されたのであつた(六)。

が、これらの反對的思想存するに拘らず、ナチス政府は、斷然として、そこに刑法の從來的進行を立法的に急速に變更せしめた。過去の市民的社會主義的なる刑法改正の運動を中斷せしめ、以て自己の理念に合致した立法をなし、現に爲さんとしてゐるのである。その注目すべきものゝ一は、一九三三年八月一日のプロシャ新行刑令の制定であり、これによつて曩に共和國が恰度十年前の一九二三年八月一日に公布した「プロシア自由刑執行の原則」及び一九二九年六月七日の「累進行刑令」

は廢止されたのであり(七)、他の一つは、刑法改正準備書の作成である(八)。　これら諸立法を吟味するとき、そこにはナチスの國家理念が遺憾なく刑法上に發現してゐることを認め得べく、それは政治觀念と刑法との關係を考ふる上に於てある重要なる暗示を提供するものである。　そして、主として新派學徒によつて構成されてゐたかの「國際刑事學會ドイツ部會」の代表者は、この傾向に支配され、一九三三年六月十日に『强力國家への轉向が適當である』旨を決議し、これを公表するに至つたのであつた(九)。

(一)　Radbruch; ibd, S. 229.

(二)　Hugo Marx; Autositäres Strafrecht oder die Wiederkehr des Gleichen, (Die Justiz 8. Bd.S. 242)

(三)　W. Mittermaier; Zur Frage der Strafrechtsreform (Die Justiz, 8. Bd. S, 61. u. 63)

(四)　Max Grünhut; Kriminalpolitische Wandlungen (in Z. Strw. 53 Bd. S. 6)

(五)　Gallas; (in Z. Strw. 53 Bd. S. 18)

(六)　木村龜二『行刑における宗教と科學と國家』(刑政、四七卷一號三七頁)

(七)　vgl, (1) Edgar Schmidt; Strafvollzug und Fürsorge im neuen preussischen Strafvollstreckungsrecht (Freie Wohlfahrtspflege, 8 Jhg. 1933 S. 347 ff.) (2) Schäfer; (in Juristischen Wochenschrift, 1933 Hft. 35. S, 1919 ff.)

(八)　vgl, (1) Sauer; Nationalsozialistisches **Strafrecht nach der** Denkschrift des Preuss. **Justizministers**(D. J. Z. 38 Jhg. S. 1462), (2) Klee; Nationalsozialistisches Strafrecht (Archiv f. Str. u. Stp. 77 Bb. S. 321 ff.) (4) Die Denkschrift des Preuss. Justizministers; „ Nationalsozialistisches Strafrecht " (5) v. Gemmigen; Strafrecht im Geiste Adolf Hitlers, 1933

（九） vgl. (1) Entschliessung des Vorstandes der Deutschen Landesgruppe der J. K. v (in D. J. Z. 38 Jhg. S. 961 ff.) (2) Drost (in Zeitschrift für Pplitik, XXIII Bd. S. 304, Aum. 18) (3) Zeitschrift f. g. Strw. 53 Bd. S. 348.

六

一　かくの如くにして、現在世界文化諸國において新しく成立し、又は現に成立せんとする刑法の諸形式を觀察するに、そこには從來の傳統的なる刑法思想は、現在的なる國家理念の諸形式に對應して、次の五方向に展開され、または展開されんとしてその誘惑に直面しつゝあるを見る。その第一は、社會民義々義乃至は合理主義、文化主義刑法への移行であり、第二は徹底したる純然たる社會主義への移行であり、第三は、全體的國家主義、謂ゆるファシズムへの移行であり、第四は、國民的社會主義への移行であり、第五は、共産主義、マルクス主義刑法へのそれである。

ナチス革命前のドイツ、オーストリア、及びチェッコ・スロヴァキア及び我が改正案は右第一に屬し、エンリコ・フェリーの作成した一九二一年のイタリア刑法改正豫備案は右第二に屬し、現行一九三一年のイタリア刑法は第四に屬し、現行ソビエト・ロシアの刑法は右第五に屬する。

これらの諸刑法は外形によれば、大差なきものゝやうであるが、立法の背後に存する國家理念を異にするよりして、その本質とする所は、根本的に異るものであり、從つてこれが運用の結果においても甚しく趣を異にしてゐるものである。例へば、近時我刑法學界において問題とされてゐる敎育刑といふやうなことに關しても、從來のドイツ改正案の豫想せると同じく、ファシズムの刑法においてもボルシエビイキの刑法それからドイツのナチス刑法案、並に我改正案においても何れも一應之を採用せんとする。しかし、ファシズムの現行イタリア刑法の如きは、同じ犯人の敎育といつても、ドイツ改正案等におけるが如きものと趣を異にし、犯人敎育そのものゝ爲めに敎育するといふやうなものではなく、むしろ國家權力の絕大性を敎示する意味における敎育の點に眼目をおく。それは犯人を罰することにより、犯人個人若は一般人を威嚇し、以て國家の治安を維持せんとする意味においての敎育である(一)。之に反しロシアのボルシェヴィイキ刑法における『犯人』とは、『犯罪といふ惡行』を爲したものではなく、只『社會的(主としてプロレタリア階級)に危險ある者』であるから(二)、その敎育とはプロレタリア階級に對し危險なる性格を排除することゝ、換言すれば、プロレタリアなる支配階級の意識に適合した性格の人に作ればよいのであつて、その結果が人道に合致すると否とは、さしあたり問題とはならないことゝなるのである。

以下各刑法の精神とする所と、その豫想せる國家理念とにつき觀察してみやう。

(一) E. Schmidt; Strafrechtsreform und Kulturkrise, S. 19

(二) E. Schmidt; ibid S. 17.

二　一九〇二年に源を發し一九三〇年に至るまで進展を見たドイツの刑法改正案(その間、一九〇九年、一九一三年、一九一九年、一九二五年、一九二七年、一九三〇年の數回に亘り内容の變更はあつたが)(一)これと姉妹の關係に立つオーストリア改正案(二)、右諸草案と相前後して發展したスイスの刑法草案及び一九二七年のスイス軍刑法(三)、及びチェッコ・スロヴアキアの改正草案(四)デンマークの新刑法(五)近くは一九三二年に成立したフランスの刑法改正案總則編(六)等は、その内容において互に相異るものあることは勿論であるが、大體においてそれらは、從來の自由主義的、法治主義的國家理念を維持しつゝ、なほそこにこの兩者を吸收し得る限りにおいて廣く社會民主々義的なる文化的刑事政策を是認し採用せんとするものなる意味において、『社會民主々義の刑法』と稱し得べきものであつて、ある意味において、かのアントン、メンガーなどが、その『新國家論』などにおいて考へてゐた『法曹社會主義的なる國家理念』(七)に對應するものとも云ひ得べきものである。社會民主々義國家の何たるやについては、これは政治學者の説明に委ねる。たゞ茲にその下における刑法特質を理解せんとする前提として、該主義による『國家權力の行使』なるものにつき一言せむに、それはダルムステツターも云つてゐる如く次の如きものであらうと考へる。曰く ,, Die Herrschermacht des Staats soll dazu dienen, das Geben und Nehmen vom Wohlfahrt unter den Staatsbürgern, der Staatsbürger untereinander Vermittelnd zu ermöglichen, das, was an Wohlfahrtsmöglichkeiten hier ruht, wirklich werden zu lassen. Der Rechtsstaat soll Wohlfahrtsvermittler, nicht Wohlfahrtsspender sein ,, (八)。

右の如き社會民主々義的刑法は、一言にしてこれを云ふならば、應報主義の刑法に對立する意味においての『社會防衞主義の刑法』となすことができる。その內容とするところは、罪刑法定主義の原則を維持しつゝ、また責任主義の原則を確保しつつ、刑罰はその基礎において應報であるとなしつゝ、なほ之を補充するものとして、刑法典中に『保安處分』なるものを認め、以て傳統刑法の遠州灘とせし、『累犯の防止』

を企て、以て慣習犯人乃至職業犯人、又は勞働嫌忌者、アルコール犯人等の如き、人類學的、心理學的、及び社會學的原因の優越せる犯人に對抗せんとするものである。その極致として主張さるゝものが敎育刑理論となるのであつて、故リープマン一派による『敎育刑主義』と『法治國理念』の二標柱併存是認の刑法理論は、この刑法主義を最も赤裸々に表現したものである。わが日本改正刑法案も大體において、この方向を歩めるものであるが、この點は後段において別個に視察する。

たゞ茲に今日われ／＼が大いに考へてみなければならない一事は、かゝる合理的なる刑法が獨逸を主とし、中歐の天地において發生しながら、何が故に遂に三十年を通じて成法化しなかつたかとの一事である。そこにこの理論による刑法には實際として、いづこかに欠陷を含むものではなからうか、少くともなほ一般國民にして、かくの如きを以て刑法と確信せしむる素質を缺くものではなからうか？或は他に原因をなすものありや、が反省されなければならないのである。

（一）　vgl. (1) Entwurf eines Allgemeinen Deutschen Strafgesetzbuchs nebst Begründung und zwei Anlagen, 1927. (2) Aschrott-Kohlrausch; Reform des Strafrechts, 1926. (3) 右邦譯『法學志林第二九卷、第九號第十號、同第三十卷第一條乃至第十二號』。(4) 小野淸一郎『ドイツにおける刑法改正事業に就ての研究』（法志、第二五卷第九號、第十二號、第二六卷第一號、第三號）。(5) 拙稿『獨逸刑法改正運動と刑法の根本問題』

(臺法月報、第二一巻第十一號第十二號)。

(二)　vgl. (1) F. Kadecka; Der österreichische Strafgesetzentwurf vom Jahre, 1927. (2) Von Weber; Aufgaben der deutsch-Österreichischen Strafrechtsvereinheitlichung 1913. (3) 小野清一郎『ドイツオーストリアの刑法統一問題』(法志第二四巻第一〇號第一一號)。

(三)　vgl. (1) Botschaft des Bundesrates an die Bundesversammlung zum Entwurf eines schweizerischen Strafgesetzbuches, 1918. (2) E. Delaquis; Die kulturelle und rechtspolitische Bedeutung des Entwurfes zu einem Schweizerischen St. G. B. (Schweizerischen Zeitschrift für Strafrecht, 46 Jhg. S. 173. ff.) (3) 大塚學士『瑞西の軍刑法典について』(法志、第三〇巻第一號)。

(四)　vgl. (1) Die Justizministerium; Vorentwurf eines Strafgesetzes über Verbrechen und Vergehen und eines Übertretungsgesetzes, 1926. (2) Karl Jadrnicek; Die tschechoslowakische Strafgesetzgebung, 1931. (3) 小野清一郎『チエツコ・スロヴアキアの刑法草案について』(法志第二五巻第七號)。

(五)　Dr. F. Lucas; Das neue dänische Strafgesetz, (Monatsschrift, 21 Jhg. S. 641 ff.)

(六)　voir, (1) Revue internationale de Droit Pénal (9 Anné 281 pp.) (2) Zeitschrift f. g. Strw. 52 Bd. S. 837 ff. (3) Donnedieu de Vabres; (Revue de Droit pénal et de Criminologie, 13 Anné P. 49) (4) 大塚鄉二『フランスの刑法改正豫備草案』(法志第三五巻第一號)この案は、一九三二年のオステルンに、總則偏が完了された。これは一九三〇年の十月、當時の司法大臣 Chérom によつて提案され、大審院檢事 Matter 議長の改正委員會において決議されたものであるらしい。この案は、現行法の體系と内容及び形式をできるだけ保持に努むると共に、なほ近時の西歐の諸草案又は立法に刺戟された諸理論、ことに刑事政策的要求を案に採り入れたものとされてゐる。

（七） A. Menger; Neue Staatslehre II, Aufl. 1904 18 ff. 木村龜二『法曹社會主義』（法志三三卷七號一〇一頁以下）。

（八） Fr. Darmstaedter; Grenzen der Wirksamkeit des Rechtsstaates, 1930. S. 21.

三　右の『社會防衛』の觀念を更に徹底せしめそこに成立するに至つたのが一九二一年イタリアのフェリー案である（一）。これまた遂に成法化するに至らなかつたものであるが、刑法將來の行歩を暗示するものとして重大なる意義を有するフェリーの刑法思潮は我國においては牧野博士が屢々雄辯に祖述されてゐる（二）。フェリーの主張要旨は、木村教授も指摘されてゐる如く、『一方では、最も危險なる犯人に對しては犯罪現象に對する社會防衛をしてそれが從來ありしよりかも遙かに有效なるものとすること、他方において、危險の程度の小なる犯人に對してはそれを從前よりも遙かに人道的に取扱ふべきことである。特にこの危險の程度の輕い犯人の數は、量的にも最も多いのであつて、これ等に對しては、國家は、刑の執行の期間において之を再教育し、刑の翌日においては、自由にして且つ善良なる勞働者として、再び有用なる社會の一員に復歸し得るやう、之を教育する義務と利益を持つて居るのである』となすものであつて（三）。右一九二一年案は、かゝる思想を法典に採用し、刑罰觀念を全然排除して、これに交替せしむるに『制裁』の觀念を以てし、廣く社會制裁を活用の下におかんとしたものである。その豫想してゐる國家理念は、端的に云はゞ、社會主義的の國家と云ひ得べきものである。近く、ラードブルヒなどが『過去における階級觀の刑法を回顧するとき、それがいかに暗黒なりしやを慨嘆せざるを得ない。今後の國家においては國家市民の平等をモットーとする社會主義の刑法が、嚴存しなければならないのであつて、そこにはもはや階級保護の刑法が許さるべきではない。刑法は、一切平等市民の社會的保護として、刑法は感情的分子より遙かに遠ざかつたもの、階級を超越したもの、合理的のものでなければならぬ』と(四)主張してゐるのは、その用語に差ありとはいへ、内容において、フェリーと同じく、社會主義的國家理念に立つての刑法形態を考へたものといはねばならぬ。

(一) (1) Ministero della Giustizia; Relatione sul progetto preliminare di codice penale Italiano, (Libro 1) 1921, (2) Lenz; Ein Strafgesetzbuch ohne Schuld und Strafe, 1922. (3) 右譯文(法志、第二三卷第九號第一二號)。

(二) 特に(1)牧野博士『刑法の實證論的改正の企』(同博士著、刑法研究第三卷第五〇八頁以下)。(2)同博士『刑法の改正に關する基本問題』(同博士著『刑法における法治國思想の展開』第三一一頁以下)。

(三) 木村龜二著『刑事政策の諸問題』第四八七頁。
(四) Radbruch; Autoritäres oder soziales Strafrecht. (ibd. S. 219).

四　フェリーの右草案は、本國たるイタリアにおいては採用する所とはならなかつたが、その社會防衛の見地を支配階級擁護の立場よりそのまゝ採用し、これよりして個人の自由はいかなる程度において制限されなければならないかに重點をおいて立法せられたものが、ソヴェート・ロシアの現行刑法である(一)。今日、彼國のマルクス主義的刑法學徒の一派は、ロシア刑法は決して資本主義、ブルジョア學徒によつて唱へられた理論を採用してゐるものではないと稱し(二)、一面にはこれが根本的に修正を企圖せる形跡も見受けられるのであるが(三)、一九二七年一月一日以降實施にかゝる現行刑法が、大體においてフェリー案を模倣してゐることに相違はない。私はいま茲に、ロシア國家の理念とする所が何であり、その下における法一般の理論が何であるかについては全く之を論ずる資格はない。たゞその下における刑法を考ふるの前提として、いつたいボルシェビズムとは何ぞや、學者の說く所を聽くに、その謂ゆる共產主義ボルシェビズムなる概念は、必ずしも明確なものではないさうである。その中には、(1)共產主義としてのボルシェビズムと、(2)共產主義實現への道程(メトーデ)としてのボルシェヴィズム(或は社會主義としてのボルシェヴィズム)、(3)ボルシェヴィキと稱する人々が現に爲しつゝある實行上の諸事項の三者を含むとのことであるが(四)、玆にロシア國家政策實現としての刑法論の立場より問題視しさるべきは、右第二の意義においてのそれである。この意味におけるロシア革命の思想なるものは、最近に矢内原教授の説明によれば、『唯物一元論を以て世界萬人共通の哲學的基礎と爲すものであつて、差別を認めないではないが、その思想の根本においては差別よりも共通を重んじ、個別よりも全體に着目する所の世界主義である。フランス革命の思想が個人主義的なる自由平等でありしに對し、ロシア革命の思想は唯物論的社會主義を特色とするが、その世界主義であり世界的適用を要請する世界同化主義である點においては自由平等主義と異ならない』とのことである(五)。要するに私も『ソヴェート・ロシアの現狀は、從來の資本主義的國家から新しい共産主義的社會への過渡的國家である。その理想とされてゐる共産主義的社會においては、國家もなく、從て法律もない世の中が實現せられるのであるとされてゐるが、しかし、そのかくの如き社會に到達するの方法として勞農國家なるものが、今、過渡的に經營されてゐるもの』と(六)解しておきたい。

さてかゝる國家理念に基くロシア刑法においては、立法者は、その刑法的構成を從來の資本主義國家において見受けられし、法治國家的罪刑法定主義の原則より解放せしめ、一切のブルジョア的刑法のイデオロギー的上層建築より獨立せしめ、全くそこに『プロレタリア獨裁制の保護』なる『合目的的利益保護の思想』上におかんとしてゐるのである。換言すれば、ロシア刑法の本質とする所は、たゞ勞働者と農民の社會主義的國家の保安をば、侵害せんとする一般的危險行爲、ソヴェート政府の基礎を威嚇せんとする行爲より保護せんとする所にその重點を存する(一九二六年刑法第一條第六條參照)。この目的到達の爲めに努力されてゐる方法中、特に注目すべきものは、(1)その第十六條に於て、類推解釋を許容せること、(2)社會保護處分の適用による一般的並に特別的豫防の深刻化(特に第九條第一項)、(3)而して應報はそのいかなる形式においても排斥されるとなし(同條第二項)(4)『犯人』は『犯行』を爲したものと限られない『社會的に危險ある者』であれば、社會的危險行爲を爲さずとも、これに對し『社會的保護處分』は適用されるとなす等の諸點である。

抑もこれらは何を意味するものであらうか? それは國權の專擅に對する個人の自由保障の盡くの撤廢を意味するものではなからうか。エンゲルスの云つた『國家は階級支配のアパラートなり』との觀念が(七)遺憾なく刑法に反映されたことになるのではなからうか。

(一) (1) W. Gallas; Strafgesetzbuch der Russischen sozialistischen Föderativen Sowjet-Republik vom 22. November 1926, 1931. (2) Derselbe; Kriminalpolitik und Strafrechtssystematik unter Berücksichtigung d. Sow. rus. Recht, 1931. (3) Krylenko; Die Kriminalpolitik der Sowjetmacht, 1927, (4) P. Stutschka; Das Problem des Klassewrechts und der Klassenjustiz, 1922. (5) E. Paschukanis; Allgemeine Rechtslehre und Marxismus, 1929. (6) Schwarzkopf; Das Strafrecht Sowjetrussland, 1929, (7) マゲロウスキー編、山之内一郎譯『ソヴエート法論』第四卷。(8)ア・ピオントコフスキー著、井藤譽志雄譯『マルクス主義と刑法』(昭和六年)。(9)牧野博士『刑法における法治國思想の展開』第二四〇頁以下。(10)木村龜二著『刑事政策の諸問題』第四八四頁以下。

(二) 前掲、ア・ピオントコフスキー著第八四頁。

(三) 木村前著、第五四五頁以下。

(四) 福田徳三著『ボルシエヴイズム研究』第三九頁。

(五) 矢内原忠雄『民族主義の復興』(改造昭八、十一月號四頁)

(六) 牧野博士、前著第二四〇頁。

(七) Fr. Engels; Die Entwicklung des Sozialismus von der Utopie zur Wissenschaft, 7 Aufl. 1920. S. 48

五　國家意識の强化と、民族意識の深刻化ならびにこれに隨伴して國家權力行使の强度化とは、今日世界各國を通じての一般的現象である。一部の學者も主張してゐる如く、今日の國家及び法律生活の諸狀勢は再び權力への呼びかけを餘儀なくせしむるのであるが、その先驅を爲し、その最も極端に走つてゐるものと見らるべきは、イタリアのファシズム國家觀念である。

ムッソリーニ一派の政治觀念によれば、自由主義なるものは、相表裏して民主々義に傾く、だが民主々義なるものは必然的に社會主義に轉向する。しかしながらさらに社會主義をば徹底して實現せんが爲めには、そこにどうしても獨裁的な權力を必要とする。かるが故に、社會主義はまた必然的に謂ゆるファシズムに陷らざるを得ざる運命を持つとなすのである。

しからばファシズムとは何ぞや？　ロッコーの說く所によれば『ファシズムの本質は、個人の存在を遙かに超越して、連續的の生命を有する社會なるものを斷定し、茲に國家社會なる一つの有機體的の生存發達を絕對の原則とし、この『社會の爲めの個人』を考へて、從來の如き『個人の爲めの社會』なる觀念を排斥せんとする所に存する(一)(但し個人を無視するものにあらず)。これを端的に云へば、社會的集團は眞に其の團體自身に固有なる生命を有してゐるものであり、而してその中に介在する各個人のまさに爲すべき眞道德は、個人を犧牲にしてこの有機的、歷史的存在なる國家社會の生存發達を企圖する所にありとなす。されば、ファシズムにとつては、社會は目的であり、個人は手段である。ファシズムの全生命は社會の目的の爲めに個人を道具として用ひる所にある。だからロッコーは論結して云ふ、『古き諸理論に於ける社會の根本問題は、畢竟それは個人の權利といふことであつた。……ファシズムはこれに反して、國家の權利及び個人の義務を高調する。個人の權利は、それが國家の權利の中に包容せらるゝ場合に限つて認めらるゝに過ぎない。余輩は此の義務を高唱する點にファシズムの最高の倫理的價値を見出すのである』と(二)。

かゝる國家觀念の下に成立してゐるのが一九三〇年十月十九日制定翌三十一年七月一日以降實施の現行イタリア刑法典(三)である。その精神とする所は全く、從來の舊派及び實證學派の主張せるものと異り、その第一次的の眼目を『全體國家の保護及び政治的便宜への奉仕(opportunità e convemienze politiche)』といふことにおき、從來のコード・ペナルに基く個人保護の精神に反對して、絕大に『社會的な又は團體的な及び國家的な利益保護』の傾向に立てるものである(四)。もとよりその第一條においては、罪刑法定主義を明言してゐる。が、これは社會民主々義の政正案におけるもの等と甚だ趣を異にし、それは國家の權力維持と矛盾せざる限りにおいてのみ是認され得るに過ぎないのであつて、從來の如き無制約的の個人自由の意味においてのそれではないのである。フェリー案と異り、責任主義を認めて、責任能力及び責任條件の存在を認め、刑罰と處分とを區別し、從來の獨逸草案等よりも遙かに國家權力の行使範圍を擴張して、玆に彈壓としての刑罰と、社會的對策としての保安處分の手を廣く行使の下におかんとするものである。その刑罰敎育は、ドイツ案などが犯人の改善を人道的に考へてゐるものと異り、國家威力の前に犯人を威嚇せんとする權力的意味においてのそれである(五)。

(一) アルフレド・ロッコ著、長崎太郎譯『ファシズム政治理論』(昭和八年(第四六頁)。

(二) 同第四九——五〇頁。

(三) vgl. (1) Gennaro Marciano ;Il nuovo Codice penale (Innovazioni. Neapel 1932) (Kritik von Wilhelm Pohl; in Juristische Wochenschrift 62 Jhg. S. 422) (2) Giulio Battaglini; The Fascist reform of the penal law (Journal of Criminal Law and the Criminology vol. 24 No. 1 P. 278) (3) 牧野博士『刑法研究』第六四頁以下。

(四) A. Köhler; Die neue italienische Strafgesetzgebung (Gerichtssaal, Bd 102 S. 163—4) 牧野博士前著、第六九—七〇頁。

(五) E. Schmidt; Strafrechtsreform, S. 18—9.

六 國家觀念の餘りにも急激な、鮮明な刑法的反映として最後に注目さるべきは、最近のナチスの刑法である。それは、さしあたり部分的には、現行法の補充立法として、一九三三年五月二十六日の『ドイツ刑法の部分的變更に關する法律』、其他同年八月一日の『プロシア行刑法及び恩赦法』、一九三二年六月十四日の大統領令なる『司法及び行政の範圍における處分に關しての緊急令』、一九三三年六月十四日『墮胎』をある程度に認容する刑法補充法及び同年七月十四日の『斷種法』といふやうな特色ある諸立法に徵して認められるのであるが、それよりかも、玆にナチスの今後の刑法形態の何たるやを豫約するものとして、特に吾人の注目を要するものは、プロシア司法省の一九三三年發表せる『刑法改正の假案として改正覺書（Nationalsozialistische Strafrecht; Denkschrift des preussischen Justizministers)』である(1)。

ナチス政府の下における未來の刑法は、(1)刑罰は謂ゆる新派に反對して、意思責任に對する應報としての害惡性を再び獲得せしめねばならない。(2)さらに右に一歩を進めて、國民社會主義の刑法における終局目的は、謂ゆる古典學派に反して、刑罰の適用範圍を次第々々に排斥することによつて、刑罰を克服し行かねばならぬ。(3)刑罰の全充足性機能は從つてかゝる廢絕行程への前には、たゞ經過的のそれとして存する。(4)國民社會主義の刑法は、自由主義のそれに反して、過渡期の例外的處置として刑法の嚴格性を主張せんとする、との刑法プログラムを發表してゐたのであつたが(二)右覺書の公表によつてそれが具體化された譯である。

右覺書によると、それは從來の刑法典の形式を破り、各則が前に立つ。法益を大別して、第一編は、國民共同態に關する犯罪、その第一章は國家の秩序保護、第二章は人種及び民族の保護、第三章は、家族の保護、第四章は、國民法益の保護である。第二編は、國民各員に關する犯罪であり、その第一章が各個人保護、二が勞働保護、三が經濟活動の保護となつて居る。總則編において最も注意するべきものは、從來の罪罪刑法定主義は破られ、たとへ明文を以て可罰行爲が規定されてゐなくとも、苟しもそれが健全なる國民觀念の上より道德的に誹難さるべきものである限り、而してそれらの所罰が、これに類似する他の刑罰法規より要請さるゝ限り、裁判官は、その類推の基礎になれる法定刑の範圍内において所罰することが認められてゐる一事である。また公安を害すべき常習的犯人なることが明にせらるるときは、重き懲役が言渡され若しそれが國民社會共同態に教化の見込なき者なるときは、これに無期刑又は死刑を言渡すべしとなす。これは、ある意味において教育刑を放棄したものである(三)。

要するに、右の如き改正綱領なるものは、まだ確定的のものではないが、これらによつて、國民社會主義的國家理念に訴へたナチス刑法が將來充分に豫想さるべく、そこに世界は第五の刑法形態を持つこととなるのである。

(一) vgl. (1) Sauer; (in D. J. Z. 38 Jhg. S. 1462) (2) Klee. (in Archiv f. Str. u. Stp. 77 Bd. S. 321) (3) 牧野博士『ナスチ刑法の基本原則』(法志第三六卷第一號)。

(二) O. Rilk; über „Strafrecht in Geiste Adolf Hitlers" (in Juristischen Wochenschrift 1933 S. 2260)

(三) vgl. Hachenburg; Juristische Rundschau, (in D. J. Z. 38 Jhg. S. 1348) 牧野博士前掲論文(法志、第三六卷第一號第一〇二頁)。

七

一　さて最後に我國のそれについて考へてみよう。わが司法當局は、いままさに刑法の全部的根本的改正を終了せんとしてゐる。それは、どちらかといへば自由主義的立場をおいての改正である。が今日の如く自由主義の敗退權力主義の進出は、ひいてはわが今後の草案に對し一抹の暗影を投ずることになりはすまいか？　案の重要なる指導精神に對して何等かの修正を要求し來ることになりはすまいか？　そこに問題を存する。そもそもわが改正は人も知る如く、大正十年、時の政府が臨時法制審議會に對し、諮問第四號を以て『政府は主として左の理由に基き現行刑法の規定中攻正すべきものありと認む。其可否如何。若し可とせば改正の綱領如何。(1)現行刑法の規定は之を我國固有の道德及美風良習に稽へ改正の必要あるを認む。(2)現行刑法の規定は人身及び名譽の保護を完全にする爲改正の必要あるを認む。(3)輓近人心の趨向に見て犯罪防遏の効果を確實ならしむる爲、刑事制裁の種類及執行方法を改むるの必要あるを認む』と(一)。かくて臨時法制審議會は大正十五年『刑法改正の綱領』四十項目を決議し、以て右諸問に對する答へとなし、次いで司法當局は、昭和二年改正豫備案なるものを作成し、(二)これらを議題として改正委員會は昭和六年改正案總則編を決議し(三)、昭和九年中には、各則及び留保條項の決議脱稿を見るべく、近き將來の議會に提案さるゝことゝ豫想されるのである。

(一) 刑法沿革綜覽(大正十四年)諸言第九頁。 池田克『保安處分制度の原因的考察』(警察研究第三卷第十號第一、二頁)。

(二) 牧野博士著『刑法改正の諸問題』昭和九年第二頁。

(三) 法律時報第四卷第五號は、該案に對する諸家の意見を集錄する。

二 然るにわが刑法改正案における指導原則なるものは、必ずしも明白なものではなく、それは强いて端的に云ふならば、國民革命前のドイツ草案などに甚だ似通つたものであり、ある程度においてスイス草案、イタリアの一九二七年草案等の或部分を採り入れたものであり、謂はゞ社會民主主義的のものである。必らずしも、改正の動因として政府の諮問理由とする所に外見上相一致するものではない。いなわが國の學者によつては、美風良習に基く刑法の改正といふことは必ずしも刑法の改正されねばならぬ理由とはならないことまで論究してゐるのである(一)。そこで茲に二つの問題を生ずる。その一つは、いつたいわが刑法の改正は、いかなる國家理念において之を爲さんとするものであるかとの點である(二)。その二は、わが案の實質的先驅をなした西歐諸國一般においてかゝる刑罰構成を以てしては、今日もはや時代の要求に適せずとし(たとへ特殊なる政治的變動ありしとはいへ)之を放棄するに至つた今日、しかもこれら諸國と一般文化において、全然趣を異にするものとまで考へることのできない、いな寧ろ、少くともその一脈においてこれらと趣を同じくするやに見ゆる我國現在の文化過程において、ひとりかくの如き案を依然として維持し、之を立法しこれを運用して行くことが、果して眞に今後の我國情に適し、またわが國家の理念とするところに合致し、當を得たるものとなるや否やの一事である。しかしてこの問題は一面において、我國の國情、社會的諸狀勢の洞察の問題であり、他面において、わが刑法上における當爲としての國家理念を那邊に定立するやとの問題でもある。この問題の解決は、いふまでもなくその一方において、今後の社會的實情を洞察するの必要あること勿論であるが、それのみに支配さるべきではない。他方において時代をどう仕向けて行かねばならぬかとの理念が定立されてゐなければならぬが、かかる理念の定立に際してもやはりそこに、時代の背景が看過されてはならないのである。この意味において刑事立法は、他の立法一般と同じく、而してまた從來多くの實際的法律家の考へ居たるが如く、すべて、その法律制度を定立せんとする社會的環境との相對的關係においてのみ有意義であり、有價値たるのであつて、まさしく法律は、時代を支配する國家理念に先行してはならず、またこれに後れてはならないのである。ことに法律立法に際しては、まづそれが適用の下におかるゝ時代を洞察し、これに對應して構成さるゝことを要する（三）。

（一）　牧野博士『刑法改正の諸問題』（警察研究第二卷第十號第三頁）

（二）　近時の諸國の刑法改正は、何れもその國家性質に對應せしめんとして爲されてゐる。ことに確たる一定の國家意識に基いて爲されてゐるやうである。

(三)　M. Liepmann; Die Reform des deutschen Strafrechts, 1921. S. 4. sagt „Wir Wollen doch ein Gesetz nicht für die Vergangenheit, auch nicht bloss für die Gegenwart der heute Lebenden schaffen. Wir brauchen ein Gesetzbuch für die Zukunft, ein Gesetzbuch, das lebenskräftige Werturteile und Massstäbe auch für die kommende Generation ausprägt."

三　しかしながら今後、わが邦における一般文化、政治機構が何所に赴かんとするか、今日の自由主義文化は、いつまでも保持され行くものであるかどうか、或は次第々々に廢絶に歸し行くものでなからうか、といふやうなことは、今日何人と雖も確實に豫言し得べき限りではない。たゞ、やゝ理論的に大勢を想像して云ふならば、それは主として今後の日本經濟組織がどう推移して行くかとの事實發展の經過によつて絶大に支配されると爲し得るのみである。しかし、この經濟機構と雖も、それ自體はその反面において今日の政治がどう動いて行くかによつて重大に支配されるものとすれば、この回答は結局循環論に了る。從つて今日西歐などに發生した權力主義などの刑法論が、今後我國の刑事思潮をどれだけ支配するに至るやは、これまた大體においてわが邦の今後の社會發展の結果に徵するより外に判斷の根據はないことゝなる(一)。

かくて今後の刑事立法及び司法がいかなる方向を辿るべきやは、その先決として今後の社會が一般にどう動いて行き、これに支配されてまた國家政策的理念が、いかに推移し行くやによつて決定さるべきものであるとするならば、茲に今後の刑法構成上の指導原理のいかんは、結局今後の實證的事實が、どうなるかとの事實洞察によつてのみ決定さるべく、いなその事實の發生を待つより外に方法はないことゝなる。從つて、若しこの態度を採るときは、刑法の科學的勞作は茲に完全に休業狀態に入らねばならぬ。しかしながら、ひとたび考へ方を轉じて、今後の事實の發展はいかに成り行くとしても、當爲としての法理念を定立するを以て刑法學の重大なる使命とする他の立場を採るにおては、この點大體現狀に則して、今後いかなる國家理念を定立することが最も合理的であり、より有價値であるかを論定し、之に基いて刑法上の諸原則を樹立しおかねばならなくなる。そこに刑法立法原則の定立に關して、方法論上の爭が存するわけである。即ち、一方は實證的なる立場において理想を構成しようとするのであるし、他方は理念的なる立場において當爲を演繹しようとするのである。すなはち、前者は實證科學的な所與を考慮し、この所與に適合するものとしての刑法上の理想を組織立てようとするのであるし、これに對し、後者は專ら心理的な觀念的な信條を基礎とし、これに因つて、形式論理的に刑法の内容を論定しようとするのである(一)。 前者はどちらかと云へば現象學的方法といふべく、後者は客觀的理想主義の立場に近いものといふべきである。 古くからの哲學的對立である現實主義と理想主義とが、そこに對立を見る譯である。 この兩者は、結局において、その何れもが最善の努力を爲す限りにおいて、各自の價値を見出し得ることは容易に想像され得る所であるが、しかし吾々はこの兩者をさらに止揚して、より高次的な國家及び法律理念上の新領域に到達しなければならない。 而してこれに到達する方法は種々に考へられ、また幾多の學者により種々考へられてきたのであるが、茲に端的に、私見の結論のみ掲げるならば、結局右現象學的方法と、客觀的理想主義との兩者により、しかもこの兩者を橋渡としての辯證法的克服の原理によつて、そこに現實的な國家及び法の理念を定立するの外はないと考へる(二)。 即ち、一方に於て、現實の國家、現實の社會、並に現實の法を凝視しながらも、他方に於て、客視的に、妥的的な有價値の理想を定立し、しかもさらにこの理想に訴へて、その現在的事實に對する可能限度の修正を試み、以てそこに實證的な現實的支配力ある理念を構成しなければならないのである。 而してこれが為めには謂ゆる方法論は單一的であつてはならないので、どうしてもそこに方法論的綜合を必要とする(四)。

(一) Gerhard Colm; Die antikapitalistische Massenbewegung und die Gegenoffensive des Liberalismus (Zeitschrift für Politik, XXIII Bd. 1933. S. 272). 我國における或る思想家はいふ、『日本におけるリベラリズムが今後次第〳〵に廢絶され行くか、どうかは、たゞ今後の日本の經濟と政治機構の推移のみが之を決定する』と。若しこの論によるときは、『我が刑法における自由主義、權力主義の兩觀念の何れが是なりやは、それは科學上の議論としては、今後の政治、經濟上の事實上の成行きのみが之を精確に決定する』といふことになる。待ち遠しい話しでもある。

(二) 牧野博士『行刑における思想的、倫理的社會的及び國家的』(刑政第四七巻第一號第六頁参照)。

(三) Karl Larenz; Rechts und Staatsphilosophie der Gegenwart, 1931 S. 103 ff. Sagt „ An seine Stelle ist einerseits die Phänomenologische Methode, andererseits der objektive Idealismus getreten. In diesen beden Richtungen verkörpert sich, heute der alte philosophische Gegensatz des Realismus und des Idealismus . (S 108) ..... So ergibt sich aus unserer Betrachtung für die Rechtsphilosophie die Dialektik alo ihre Methode und die Rechtsidee als ihr Gegenstande " (S 100)

(四) シュヴィンゲは、此點に關し、『方法論における帝國主義』は、精神的科學方面では無價値である、一切の單一的方法は限界性を持つ、『方法論的綜合 methoden Synkretismus』に據らねばならぬ。而してその內容は、法律哲學と人生生活兩者の結合にありとなす。vgl. E. Schwinge; der Methodenstreit in der heutigen Rechtswissenschaft. 1930. S. 28 ff. sagt; Wir wollen keine Rechtsphilosophie, die rein logisch ohne Rücksicht auf Anwendung betrieben wird, sonderm fordern Hinwendung zum Leben, teleologische,, materielle" Einstellung, damit endlich die oft beklagte Unzugänglichkeit und Unfruchtbarkeit der Rechtsphieloso-phie ein Ende nehme und einer auf Anwendung ängelegten dem Leben nützenden Theorie der Rechtswissenschaft Platz machen."

四　はたして然りとすれば、まづ吟味を必要とする一點は、現實のわが國の社會思潮の流れをいかに把捉するや、これらに立脚して、今後のわが國の文化の動きをいかなる方向に認めんとするや、現實を中心としての未來洞察の問題である。一派の學者も主張してゐる如く、法律問題はやはり一應素直に與へられた事實を凝視し、然る後これに基く科學的勞作に移るべく、我國における法律學界の兎角病弊たる、素朴的に與へられたる對象を凝視しつゝそれよりして一定の理念を定立することを爲さずして、最初より、方法論的の純粹理論を主張するが如き態度は、極力警戒しなければならぬ(一)。しかしながら、現實のわが社會の動きをいかに見るやは、これ全く廣汎な社會方面の諸現象を觀察するを要すべく、頗る困難な問題であり、しかも各人の視る所、考ふる所によりて見解を異にすべく、加ふるに、我々の如く、たゞ一箇の法律學徒にすぎざる者にとつて此點の洞察、ないし論議を爲すことは全く資格を缺くものといはねばならぬ。

たゞ、此點に關し、一言消極的に論斷し得べきことは、法律ことに刑法學のごく一局部分のみより出發して、社會の全般を論斷することは、そこに一定の眞理を發見し得ること勿論であるが、しかし往々にして全く事實と相反する結論に陷ることもあり、大いに注意を要するとの一事である。最近にわが司法省の正木書記官は、主として行刑方面よりわが社會政策及び刑事政策の大勢を論斷して次の如く主張し居られるのを見受ける。曰く『昭和八年中のわが社會政策と刑事政策とを見よ。兒童虐待防止法の制定實施はそも何を意味するか。又行刑方面に於て公布された少年行刑敎育令及行刑累進處遇令は何を意味するか。前者は遺棄せられ路傍に泣く人間のはしくれに對しても國家の慈悲をたれようとするのである。後者は犯罪人のはしくれにも國家の惠みを與へようとするのである。換言すれば、最近のわが社會政策及び刑事政策は何れも最後の一人の生存權を保障せんとするところに核心の置かれて居ることが極めて明かにされつゝあるのである』と(二)。これは法律家でありながら、その觀察の爲し方がやゝセンチメンタール的であり、且つ個人方面の觀察に捕はれすぎた論である。これを國家全體の見地より眺むるときは、最後の一人の生存權をも國家が干渉しなければならぬ破目に立至つてゐる所に、近時の國家はいかにその行步において困難なるものあり、それと同時に、自己の地位擁護上、その權力を進展强化して、從來の個人自由主義を排斥し、個人の自由放任を制約して、そこに一定の國家干渉を試み、自己の政策を展開せんとするに至つた一種の權力政策の發展を意味するものとも考へられるのである。

但し、何れにしても、これらの立法は例外法といふべきものであつて、この一局部より社會の大勢を直ちに論斷することは少しく早すぎる。尤も例外法は、原則法を創るとの原則は、たしかにある一部の眞理を有する。しかしながら、廣い社會生活の原理を論斷するに、かかる特殊の一、二立法、しかも比較的例外的な立法、ないしは特殊少數階級に對する政策的立法よりしてこれを爲すことは、往々にして間違を生じ易いのである。問題は右の如き論斷よりかも、今日我々は何が故に、兒童虐待防止法を必要とするか？　これを必要とする現代社會の實相は何であるか？何が故に行刑累進處遇令を必要とするか？　監獄の實情はどうであつたか？何故、吾人は今日もなほ余りに問題の多すぎる監獄を依然として必要とするのか？何故、そこに累進制なるものが認められなければならないのであるか？　累進制によつて眞に利得恩惠を受ける者は、はたして犯人であらうか？　むしろ國家社會そのものではなからうか？　今日監獄の背後を支持してゐる社會の一般觀念はどんなものであらうか？　およそ、これらの社會的實相そのものを論斷することなくして、その手段たる成法、しかもその特殊なるもののみを眺めて議論を爲すが如きはこれまさしくピラミット塔上に、踏みならす階段のみを眺めて、ピラミットの形は、四角形の石段なりと速斷するに等しいであらう。さにあらずして今もなほ刑法におけるピラミットの形態は全體として三角方錐形を呈するのである。要するに、我國におけるかゝる三つの法律とともにこれ一種の全體國家主義の展開、國家社會政策の一適用、自由主義に對する相當深刻なる修正形式にして、而も、その根底においては、なほ帝國主義治下における資本主義擁護上の立法として理解せらるべきものである。その本質とするところ、結局、ドイツの國民社會主義治下における『斷種法』の立法などと、相去る遠からざるものである（純理論的本質において）。法律は手段の一種にすぎない（サビニー、イエーリング、シュタンムラー）。從つて、社會全般の目的とする所は、必らずしもこれらの手段そのものよりして必らずしも速斷せられ得べきものではないことが今少し深察さるべきことゝなるのである。

(一) 田中耕太郎著『世界法の理論』第一卷第三〇頁

(二) 正木亮氏『刑事政策の動搖に對する偶感』(法律新聞第三六四三號、昭和九、一、八日、第四頁)。

五 されば我々は、現在日本における社會的動向の何たるやの認定は全く、この方面の深き體驗者、または研究者の知識を借らねばならぬ。この點、私は最近に、わが政治學者小野塚博士が次の如く論じて居られるのを參考にしたい。曰く『卑見を列擧的に述ぶるならば、(1)國際的には一層協調主義が增進すべく、(2)國內部には議會主義への轉向が顯著となるべく(議會の改造は企てらるべく)、(3)社會政策の修正が行はれ、過度に社會社策の實施せられたる諸國においては今後其の縮少を見るべく、其の不充分なる諸國においては其の增進を見るべく、(4)經濟統制が概して强化せられて資本主義の部分的訂正を見るに至るべく、(5)ロシアにおいては資本主義への讓歩へ更に現出すると思ふ。けだし前述の現狀は不幸にして、或は尙兩三年を繼續するならんも、更に依然として其の儘にて推移せば、國際間には感情上、利害上の牴觸は益々激甚を加え、終には再び世界大戰の覆轍を履まぬとも斷言でき難かるべく、各國內部においても國狀の不安定は極度に達し、一般人民はその弊害に堪えざるに至るであらう。「動」あらば「反動」あるの物理的原則は人間社會に於ても等しく行はるゝと思ふ』云々。そしてなほ曰く、『上述の豫想は、文明各國を通じて概括的に陳述したのであるが、大體において、我國の將來も、この中に包含して居る』と(一)。

さらにまた、美濃部博士も、今日の時代が社會的轉換期に立てることは、世界的であり、日本も同様なることを論斷され、我國における自由主義が現在修正されつつあるの事實を認識されて曰く、『端的に言へば、私は現今の社會轉換期においては、社會狀勢が、最早自由主義をして過去におけるやうな働きを爲すことを不可能ならしめ、それに或る程度の修正を加ふることを必要ならしむる時期に到達してゐるのではないかを疑ふものである。それは何故かと云へば、今日の所謂社會轉換期は、多くの人によつて主唱せられて居る如くに、經濟生活における自由競爭を基調とした所謂資本主義の行詰りに基調してゐるもので、資本主義を是正してある程度まで、金融、産業及勞働を强力な國家的統制の下に置く必要が迫つてゐる爲めに外ならないからである』と(二)。また曰く、『私は今日の時局を以て、あたかも戰爭の危機が目前に迫つて居るものの如くに論じ、その意味において今日を非常時にありとする思想には反對するものであるが、しかし今日の時勢が決して平靜無事ではなく、政治の軌道においても、舊套を追うて滿足し得る時代ではないことを信ずるものである。　あたかも封建制度が崩れて、明治の維新が必要となつた如くに、資本主義經濟の行き詰まりに基いて、今日は正に社會の轉換期に遭遇して居るもので、もし語を強くしていへば、明治の維新にも匹敵すべき程の重大な社會改革を要する時期でなからうかと思ふ』と(三)。

以上の如き見解は、私どもが主觀的に見解してゐるところ、卽ち從來の自由主義なるものは、個人自由そのもの丶保護を基調としてこれと全體社會國家との調和が問題視されてゐたのであつたが、現在ではこれと反對に、國家社會秩序の統制を基調とし、これと矛盾しない限りにおいての個人自由が尊重さるゝに至つたとなす所と、同じ事實を認めたものである。　刑法においても同樣なことが主張される。そこに於ては、同じく自由主義と稱せらるゝものであつても、その內容は今日に於ては古きそれと異りつゝあること、牧野博士のとくに主張して居られる所である。曰く、『新しき法律としての社會法の出現は、自由競爭が、社會生活の第一原理ではなくして、社會的統制に因る全生活の調和が法律の目標とされねばならぬことをわれ〳〵に暗示するものである』と(四)。　さらに牧野博士は『批判原理としての自由主義』といふことに關して曰く、『この意味においての自由主義は、批判主義たることを意味する。それは、個人主義たることを意味する從來の自由主義を新たに批判したところに成立したものである。されば、自由法論は、むしろ文化法論とも呼ぶべきであらう。乃至協調法論ともいふべきであらうか。十九世紀の個人主義が漸次分解しつゝある點において新たな或ものを構成しようとするものである』と(五)。また曰く、『惟ふに、個人主義としての自由主義は、漸次清算されねばならぬ。しかし、傳統から解放される意味においての自由主義は、やはり存續しなければならぬ』と(六)。

惟ふに、階級の對立は、第十九世紀の西歐の天地が產んだものゝうち最も大きな惱みであつた。その因を爲したものは、世に謂ふ自由經濟主義とかの原則であつたとされてゐるのであり、從て之が解決は、結局、各階級の特殊的利益觀念の否定の承認、並びに從來の經濟機構に替ふるに全體統制關係への移行創造であること、世の多くの識者の說いてゐる所であつて(七)、一言にして之を云ふならば、經濟學者の謂ふ經濟機構の合理化、統制經濟主義と稱せらるゝそれになるのであらう。而して、右の如き經濟機構が次第〳〵に我國に於ても展開されんとしてゐることは疑ふべくもないやうである。これらに支配されて茲に人民生活の管理者としての國家機能、ないし政權行使上の指導原則も次第〳〵にその內容を改め、國家全體としての立場より、そこに從來の自由主義が絕大に制限されんとしつゝあるの傾向は我々にも容易に看取し得るのである。

而してかくの如き近時の國家社會狀勢の推移を目して、それは(1)一定の社會的行政國家(Sozialen Verwaltungsstaat)へ移行しつゝありとなすと[八](2)それは從來の法治國が文化國への行步を進めたるものとなすと[九]、(3)從來の合理主義的、個人主義的、民主主義的、議會主義的なる國家が、茲にその理念を變更して非理性的、社會主義的、保守主義的、獨裁主義的、一言以てすれば、國民社會主義的(Nationale Sozialismus)に推移しつゝありとなすと[一〇]、或は(4)それは我國の事象としては、むしろ國家社主會義(Staatssozialismus)の名稱を以て目せらるべきものであるとなすと[一一]、(5)或は、それは金融資本主義への反逆としてそこに社會主義的なる經濟政策の進展を見つゝあるものなりと爲すと[一二]、はた(6)それは資本主義なるものが、一面においては內部的に統制經濟の方向へ、他面においては、外部的に自給自足主義への確定へと變質つゝあるものなりとなすとは、要するに眺むるものゝ見解の相違に歸すべく、何れとするも、事實そのものは、世界諸國の多くにおいては國民全般としての社會生活を實證せんが爲めに、勢ひ從來より以上に、個人自由の範圍を制限せざるを得なくなり、從てまた漫然たる理想主義、世界主義的理論なる政策を唱ふる代りに、現在の具體的、歴史的自國の最高至上性を主張し、これが擁護の爲めに、その内外において自己の權力を强化し、しかもその態度は甚だ積極的且つ能動的、全一的、統制的に活動しつゝあることは、もはや疑ふべくもないのであつて、もとよりその程度に差異は認められるが、大體においてかゝる方向に立つてゐることだけは事實のやうである。そしてまた、わが國とてもこの方向より免れることのできないものであることも多くの識者の說く所である。

(一) 小野塚博士『昭和八年三月三十一日、東京帝國大學卒業式に際して』學士會月報第五四一號第六頁)。
(二) 美濃部博士『我が議會制度の前途』(中央公論昭和九年一月號第九頁以下)。
(三) 美濃部博士『政黨政治の將來』(東京朝日新聞、昭和九年一月二十二日朝刊記事)。
(四) 牧野英一『法律における轉向現象』(經濟往來、昭和八年八月號)
(四) 牧野英一『行刑における思想的、倫理的、社會的及び國家的』(刑政第四七卷第一號第一〇頁)。
(六) 牧野英一『刑政における自由と權威』(警察研究第五卷第一號第二三頁)。

(七) G. Albrecht; Vom Klassenkampf zum sozialen Frieden, 1932. S. 101–2.

(八) Drost; Das Problem einer Individualisierug des Strafrecht, 1930. S. 22.

(九) (1) Fr. Darmstaedter; Die Grenzen der Wirksamkeit der Rechtsstaates, 1930. S. 22. (2) W. Flintner; Die Erziehunz und der neue Staat (in Nene Lehrbucher für Wissenschaft und Jugendbildung, 6 Jhg. 1930. S. 696 ff.)

(一〇) Scheunemann; Der nationale Sozialismus, 1931. S. 47

(一一) 長守氏『經濟往來』(昭和八年一月號第一六六頁)。

(一二) W. Scheunemann; ibd. S. 7.

五　時代一般の思潮・政治的觀念の推移はたして右の如くなりとすれば、我が今後の刑法立法においても、これに對應して、その姿を新にして來なければならないこと必然の勢である。刑法はすべての法において見受けらるゝ如く、その形態はとうていいつまでも永久不變のものたり得ない。このことは本論の殆んど全面において論じ來つたところである。

しかしながら一方、法を立つる者は、たゞ徒らに時代の大勢に支配さるゝのみで、そのなり行くが儘にこれを傍觀視し、事態を放任してはならないのであつて、時代の流れに從ひつゝも、なほその流れをして一定の理想の方向に向はしむべく、できる限り、現實を合理的に有價値に牽制し、これに仕向くることに努力しなければならぬ。刑法が時代思潮に接近しこれを徴表すること深ければ深いほど、その刑法はまた半面において廢絶に近いものを含んでゐるものと考へられるからである。そこに第二として、然らば吾人の理想上より我々の國家理念をいかに定立するやとの問題を生ずる。刑法學のある重要部分の使命もこの點に存する。而してこの論定は、刑法の方面のそれとしては、畢竟いかなる國家理念の下に、刑事司法を行使せしむることが、より文化的であり、有價値的であるかの考慮によつて決せられる(一)。換言すれば『刑法理論の對立と見る本來的且つ決定的の分岐點は、刑事司法が社會全般に對して支配せんとする最高原則の問題、刑事司法の貫撤せんとする最高精神の何たるやの問題に歸する。而して人若し一切の有效なる現在的刑法改正の必要的前提を以て、現在の國家思想の內實的貫撤を企圖すること、及び國家に對する統一的意思を養成することに求めるならば、そこには此點に關して一つの根本的に相異る思想形式を見る。その一は、國家的支配力を維持せんとするの考へ、卽ち國家的法律的權威を實證せんとするを以て刑法の任務と解せんとするものである。二は、國家の社會的使命を高調せんとするの思想、卽ち共同社會生活の實證といふことを以て刑法の直接的なる任務とし、そこに支配原則を認めんとする立場である。ドイツ學徒の言を藉りて云ふならば、『權力的刑法か、社會的刑法か(Autoritäres oder soziales Strafrecht ?)』または『法律刑か、教育刑か(Rechtsstrafe oder Erziehungsstrafe ?)』の對立を産む(二)。

(一) 而して前者なる權力的刑法の刑事政策上における理念とする所は、刑法を以て國家的優越性を表明の一手段として考へんとするのみならず、か丶る優越性を表明の下におくことを以て刑法の本質的使命とし、國家の法律的支配性の確保を以て、刑事司法の最高機能として理解せんとするものであり、それはユーゴー・マルクスによれば、『全國民的國家に對して、權力主義の國家型を認め、民族的國家に對立せんとするものである。また理論上、歴史上、又は理想上基礎づけられた保守主義當然の歸結として倫理的なる自由主義を以て、謂はゞ原始的な、要するにカント哲學的のものにすぎずと考へ去らんとするもの』である(三)。か丶る權力的なる國家觀に基く、權力的刑法なるものは、その本質において、一定の支配的要請の必然的貫撤として、國民に對する國家的法律權威の維持以外の何物でもなく、從つてそこには犯人の社會的復歸手段としての教育刑の思想などは、とうていこの想思と一致し得べくもない。從つてかくの如きものは、犯人は、その政治的法律的意義においては、全く一つの支配の客體物として考へられるにすぎない。社會的全體性の一員として考へらるゝことは不可能なことである。權力的刑事政策の目的とする所は、刑罰の本質を以て、犯人をして國家に服從せしむる强制となすにあり、犯人の全人格に對する社會的敎化の必要に基く、一種のやむなき强制手段、法益侵害となすものではないのである。

（一）(1) Gallas; ibd. S.　(2) E. Schmidt; Strafrechtsreform, 1931. S. 19—20. に曰く『この決定は純正認識の問題ではなく、一つに『斷』の問題である。而してその『斷』には『感情からして』のそれではなく、晴やかな熟慮(unter Einsetzung hellsichtige Überlegung)よりして爲さるゝを要す』と。
（二）E. Wolf; ibd. S.　（三）Hugo, Marx; ibd. S. 241.

（二）これに反し、社會的刑法「卽ち敎育刑主義の國家理念とする所は、我が牧野博士によれば、『文化國の理念』であり、その內容は近時數回に亘り同博士によつて次第〳〵に展開され來つたのを見る。その主張の第一に曰く、『國家は、權力の主體たると同時に、好意の主體として考へらるゝを要する』と。而してこれが解明に曰く、『國家の活動をしかく積極的なものとして理解せむがためには國家は、權力の主體たると同時に、更に好意の主體として考へられねばならぬのである。國家は個人と相爭ふものでもなく、また個人が互に相爭ふのをながめてゐるものでもなく、實に個人に對して好意を持ち、その好意の故をもつて、個人相互の間にまた好意あらしめむとするものと考ふべきからである』と(四)。第二に、『その好意なる理念の實現には、國家は手段として「技術」を持たねばならぬ』。とされる。解明に曰く『文化國の特徴として、「好意と技術」といふことをわたくしは主張せんとする。文化國は、その國家的行動においてまづ好意を持たねばならぬ。さうして、更にその好意を行ふのに技術をもたねばならぬといふのである。好意なき技術は盲目である。そのいかなる權能も何等の意味なきものに歸着せねばならぬ。技術なき好意は空虛である。そのいかなる作用も何等の效果を擧げ得るものではない。國家は、好明と技術とを結びつけ、好意をして效果的ならしめ、技術をして目的的たらしめるところにその文化的存在としての意義を發揮し得るものと考へるのである』と(五)。第三に、『文化國の理念はそこにあまねく個人に對し「信義誠實の原則」を基調とせるものでなくてはならぬ』とされる(六)。第四に、『それは國家權力の實現化を文化的に、合理的に、倫理的に、社會的に發揮せしめんとするものである』とされる。その解意に曰く、『刑、殊に行刑は、國家の權力の實現化である。傳統的な罪刑法定主義は國家のかやうな實現化を、法律に依つて控制しようとした。しかし、今、敎育刑論は、新たな罪刑法定主義に依つて、國家のかやうな權力の實現化を、文化的に、合理的に、倫理的に、社會的に發揮せしめようとしてゐる。これが、かの法治國理念に對する文化國理念である。そうして、かやうな意味において、敎育刑論は、最も國家的な思想である』と(七)。第五として、それは『自由にして、且つ權威あることを內容とせるものである』と主張される。解明に曰く、『刑法は國家の權威を明かにするものでなければならぬ。國家の權威は、國家が犯人と鬪爭するところに成立するものではない。この意味において、權威刑法は、文化國の理念を刑法の範圍において化體するものでなければならぬ。さうして、文化國刑法の下に犯人さへが國家的同化、すなはち社會的復歸を全うせしめられるといふ意味において、そこには、新らしく、道德的意味においての個人乃至自由が充實されるわけになるのである』(八)。そしてなほ曰く、『自由刑法か權威刑法かの問題に對し、わたくしは、わが國の刑法の運用乃至改正の立場においては、自由にして且つ權威ある文化國刑法を、敎育刑論の基礎の上に構成せねばならぬ、と考へる。刑法の領域においても亦、自由と權威とは、相對立するものではなくして、相調和せねばならぬものである。……この意味において、われわれは「强い國家」を主張するのである。そうして敎育刑は、强い國家に依つてのみ實現されるものであることを信ずるのである』と(九)。

最後に第六として、『文化國家は、從來の法治國が消極的たりしに反して、その理念においても、機能においても勢ひ積極的且つ能動的たらざるを得ぬもの』とされる。解明に曰く、『從來の自由主義の下における國家――法治國――は、一方において、無限絕對なる主權の主體とされながらも、他方、事實においては、個人の生存競爭を傍觀する消極的なるものに過ぎなかつた。しかし、今、國家の任務が、しかく積極的なものでなければならぬとして見ると、文化的任務を全うせねばならぬ今後の國家――文化國――は、その理念においても、その機能においても、從來の見解において見るが如きものとは、全く趣を異にせねばならぬことになつたのである』と(一〇)。

右と同樣な見解は、最近に木村敎授の主張においても之を見受ける。尤も木村敎授の說明によれば、いつたい同じく『敎育刑論』といつても、その間には、(1)刑法において、自由主義を第一にして、刑法の社會化を主張する者と(リープマン一派か?)(2)社會(改良)主義を第一において、自由主義的立場からこれが制限を主張する者(ラードブルヒ一派か?)との兩極が存在することは之を認めねばならぬのであるがそのいづれの側から見ても、教育刑論は、之を『自由主義と、社會(改良)主義との結合・調和である』として、特徴づけ得るものとされる(一一)。然らば、その主張される教育刑の豫定せる國家の理念とは如何なるものであるか？、木村教授の説明によれば、『それは國家と個人との對立、社會と國家との對立、個人と社會との對立を調和克服して、社會化せられたる個人と國家とを通じて、文化の發展を目ざすところの文化的綜合的國家の理念である』と(一二)。さらに他の場所において之を詳言して曰く、『それは或人には「福祉國家(Wohlfahrtsstaat)」と呼ばれ、他の人には「民衆國家(Volksstaat)」又は『文化國家』と呼ばれて居る所の國家理念である。この國家は、權力的國家と同様に、超個人的普遍主義的な價値の支持者ではあるが、單なる權力的な國家ではない。又、それは、古い自由主義的國家と同様に、「形式的な法治國(formaler Rechtsstaat)」の理念は之を保存するが、單なる「中立的な國家(Neutraler Staat)」ではない。それは、國家と個人との對立、社會と國家との對立、個人と社會との對立を調和克服して、社會化せられたる個人と社會化せられたる國家とを通じて、文化の發展を目ざすところの文化的綜合的國家である』と(一三)。

(四) 牧野博士著『刑法研究第四卷』はしがき第二頁。

（五）　同博士『文化國に於ける好意と技術との原理』（刑政第四六卷第七號第十三頁）。
（六）　同博士『刑法における信義誠實の原則』（法學協會雜誌五十周年記念論文集第一卷第三一四頁）。
（七）　牧野博士『行刑における思想的、論理的、社會的及び國家的』（刑法第四七卷第一號第二四頁）。
（八）　同博士『刑法における自由と權威』警察研究第五卷第一號第二三頁）。
（九）　同博士前掲第二四頁。
（一〇）　同博士『全法律と信義誠實の原則』（法志第三五卷第一號第五頁）。
（一一）　木村龜二『刑法における國家の理念』（法志第三五卷第一二號第五六頁）。
（一二）　木村氏『行刑における宗教と科學と國家』（刑政第四七卷第一號第三八頁）。
（一三）　木村氏『前掲』（法志第三五卷一二號第五八―九頁）。

（三）　以上、牧野博士における『文化國の理念』及び、木村教授による『文化的綜合的國家の理念』なるものは、何れも、刑法なる領域、ことに、刑法理論における一派なる『教育刑理論』を絶對の信條とし、これを當然の豫定事實として、その上に構成された國家理念なりといふべきである。そこには『刑法の文化的自主性』といふことが當然の豫定事實となつて居り、また『教育刑論の絶對眞理性』といふことが立論の基礎となつてゐる。が、そこには刑法以外における一般的國家觀、政治觀念、または『現實どしての具體的國家の理念』が立論の基礎におかれてはゐないやうである。それは純然たる理念の定立であり、刑法における一理論の上に、さらに定立された理念であり、方法論として謂はゞ空中樓閣の上の、さらに空中樓閣に屬する。かかる定立も確に一方法であるが、悲しむべきことには、さういふ建築は、昨日と今日と考へ方が一つ變れば、根本的に壞れて了ふといふことである。社會科學では、さように教へてゐたやうに記憶する。社會的實證的事實に基礎なき國家理念は、これ社會的に眺めて、全く學徒の一夢に外ならざることゝなるのである。要するに、國家の理念の何たるやは、たとへよしそれが一箇の理念なりとするも、なほ實證的な國家政策の一般より論定さるゝを要すべく、狹い刑法、況んやその中の一學派の理論よりこれを爲すことは無理だといふことになるのである。大體において刑法における國家の理念といふやうなことは、部分より全體を速斷せんとするもの、如く思はれ、設問は何人が眺めても逆轉してゐるやうである。問題は、いかなる國家理念に基く、刑法なりやにあらねばならぬ。現に、いづこの學者の說く所を見ても、『刑法における國家の理念』なるものを定立してゐるのをあまり見受けない(認識不足かも知れぬ)。木村教授は、自己の所說は、『グリューンフートの最近の表現たる「自由主義的國家における社會的刑法(ein soziales Strafrecht im liberalen Staat)の理論に基いて理念を定立したものである』と主張されてゐるが、右のグリューンクートの表現によるも、一般的實證的なる國家觀念に基いて刑法上の理論を構成してゐること明白であつて、刑法より、國家の理念を構成してはゐない。 刑法における國家の理念といふやうなことは事實として何を意味するか？ 刑法における一種の理想、卽ち、國家は、刑法方面よりしてはかくの如きものであつて欲しいといふ希望を意味するものであらうか？、もし然りとすれば、それは刑法改正上の指導原理としては、近き將來に、實現可能性のものでなくてはならぬ。 牧野博士の『自由にして且つ權威ある文化國』は、ギールケの『Frei und Einig』の原理に近いものとして、右に該當し得るとするも、木村敎授の『國家と個人との對立、個人と社會との對立を調和克服しての文化的綜合國家』となすに至つては、少しく實現は難く、實として實現には頗る道遠いもののやうに思はれる。

從つて、刑法改正上において、そこに問題となる國家の理念は、かゝる純粹のそれではなくして、いま少しく社會的實證的のもの、事實としてある程度に存在し、存在すべき國家目的、客觀的なる理想、具體的に云へば、例へば、ドイツ學者も主張してゐる如く自由主義とか、社會主義、民族主義、國家主義、國際主義とか、或はそれらの關係を具體的にいかに結びつけんとするか、であつて、『調和克服』とか、『文化的綜合』とかいふことは、結果に對する判斷であり、それを導かんとする手段の內容を解明する表示としては、やゝ難きをたゞ言語の上でのみ表示することにはなりはすまいかと考へられる。

かるが故に、玆に國家理念の定立にして、今日實際上に問題視されてゐるのは、それは『自由主義國家か』『權力主義國家か』ないしは『社會主義國家か』といふやうなことにあるのである。されば、ドイツの一部新派の學徒の如き、かゝる意味においての國家理念の定立を爭つてゐるのであつて、而してそこには、今日、自由主義の國家觀念が、放棄さるべきや否やが、主なる論議の對象となつてゐるのである。

(四) そして、右の意味においての自由主義又は社會主義理念を力強く主張しこの思想に基く刑法擁護のために最も有力なる辯護的論述をなしてゐるのはラードブッフの前述『權力的刑法か、社會的刑法か？』の論文である。いま玆にわが刑法改正上の國家理念定立に關しその論旨が參照されねばならないのである。ラードブルフは、この論において、階級觀に基く刑法の史的展開を試み、かゝる階級觀による刑法がいかに不正義を働くものなるかを明らかにしたる後、謂ゆる權力主義的刑法論の理念とする所は、結局、この階級擁護といふことに外ならざるべく、かくの如きは一時的反動としては是認さるべくも、自由主義眞精神の展開としての今後の社會主義の社會においては、とうてい認容せらるべくもないこと』を(一四)明らかにしてゐるのである。そして彼は一方において、『自由主義的な國家觀を以て、一切國家の文化的可能形式と考へたい』となし(一五)『刑法の進化とは、刑法が感情分子より遠ざかり、無用の刑罰より遠ざかり行き、刑罰がそこに合理化し行くことを意味する』と(一六)なしてゐる。

さらに參照さるべきは、コールラウシュの自由主義擁護論である。コールラウシュは云ふ、『もしも今日の時代が、自由主義罵倒のそれであるならば、自由主義なるものは、今日地上に投げ棄てらるべき最大のものであるか、または寸時も放棄されてはならない或物でもある』と(一七)。

さらにエー・シュミットの自由主義論が參照さるべきである。彼れ曰く、『自由主義の刑法的表現なる罪刑法定主義は、第十九世紀の傳統である。これは今後と雖も殘留されねばならぬ所であり、それが排除さるゝにおいては、その結果はいかなる事象を招くやは、現在のロシアを眺むれば明白である。若しも刑法にしてこの原則を含めるが故に、自由主義的と稱せらるべきならば、吾人はむしろこの自由主義的なる刑法改正に向つて突進すべきを確信する。これらの價値形態は、吾人の文化そのもの丶ために、現在及び將來に向つて保持されねばならぬ』と(一八)。

(一四) Radbruch; ibd. S.
(一五) Radbruch; (in Mitt. d. IKV. NF. 6 Bd. S. 174)
(一六) Radbruch; autoritäre oder soziale Strafrecht, (ibd. S. 219)
(一七) Kohlrausch; Die geistgeschichtliche Krisis, S. 19.
(一八) E. Schmidt; (in Mitt. d. IKV. NF. 6 Bd. S. 178)

(五) そこで問題の要點は、實證的なる意味においての國家觀念の定立問題としては、然らば、この永久相抗爭し、しかも兩者何れも廢棄を許されない團體主義的な權力主義の理念と、自由主義理念との兩者何れを第一次的、または主位において考ふべきや、その何れを以て重しと認むべきや？　それは單純なる理念上のそれよりしてではなく、歷史的なる、過去の時代との繫がりにおける現實日本社會のそれとして、はたまた未來に對し、日本をより良く導く上のそれとして、この點が決定されなければならないのである。兩者何れかの排斥ではなくして、その併用を是認せんとするのであるが、その何れを主とすべきやに、問題の要諦を存する。

けだし、權力觀念のみ支配するところ、そこには人類文化の向上は阻止される。その反面にはやはり『自由の精神』が認められねばならぬ。これと反對に、自由主義の横行するところ、そこに事實として、國家全體は弱いものとなり易い。その反面には、必らずや、國家全體としての統制が强く働かねばならぬこと、前段ギールケの主張に徵しても明白たるからである。そうして、この兩觀念の鬪爭をいかに解決するやが、實際、過去における刑法及び刑法學說史上の一切の謎であつたのであり、またある意味において過去の刑法は、この兩者の調和を求めんとして發達し來つたものと云ひ得べく、しかも事實において、この兩者の調和妥協は云ひ得べくして實現され難く、いづこの歷史上の刑法を見ても、これが調和の實證されたものは殆んど稀であつたのであり、事實は二者何れかの優勝に歸し、而してその一方の優勝は、やがてや次の時代にはその反動として、他方の全勝利を導き來り、その間に調和を見ることは甚だ稀であつたのである。このことは、團體主義一般と自由主義一般について、ギールケも同樣に論斷してゐる所である(一九)。

かるが故に結局、木村敎授も次の如く主張されるのである。曰く、『我々は、かくて、最後に、權力的國家か社會的民家國家か、從つて、權力主義的刑法か、敎育刑的刑法かといふことを考察せねばならぬ。換言すれば、國家は、その持てる無限の實力を刑罰の峻嚴を發揮し得、且つ、その文化價値を增加せしめ得るであらうか？　若くは、國家は、自己の把持する强力なる實力に因つて、社會生活における弱者をも援助し、その落伍者をも救ひ、犯罪者をも自己の有用なる一員として、自己の中に包容復歸せしむることによつて自己の權威を高からしめ得ることゝなるのであらうか』と(二〇)。

　そして次で兩者の本質を吟味、檢討することによつて、木村教授は、權力主義を排斥されるのである。曰く、『先づ權力的國家と民衆的國家との意義について考察して見るに、權力的國家の特質は、國家的支配を專ら外部的な力によつて維持し、その支配の根據を被支配者たる民衆とは別個の、且つ、これを超越したところの力に―そして、その窮極は神に―求めんとする者であり、民衆國家はその支配を精神的な力―民衆の信賴―に因つて確保し、その支配の根據を被支配者たる民衆の心の中に、卽ち內在的な力の上に置かんとするものである。然るに、國家理念の變遷の歷史は、外部的支配から內部的支配へ、神意に基く政治から民意に基く政治へと發達して行きつゝあることは否定し難い事實である。かゝる意味に於て、權力的國家の理念の主張は、思想の歴史的進化に逆行するものであるのみならず、國家は、單なる外部的實力の强大に因つてよりも、精神的支配の强固さに因つての方が、一層多く自己の文化的價値を豐富ならしめ、且つ、自己の權威を高からしめることとなるのである』と(二二)。

しかし、その論には、惜しむべし、ごく最近の世界文化の時代的轉向の觀察が不問に附せられてゐる。なるほど國家觀念の變遷は、神意に基く政治から民意に基く政治へと發達した。しかしそれは可なり以前よりのことである。がその民意に基く政治は、過去一世紀を經る間に、はたしていかなる事象を惹起するに至つたことであらうか? 民意の政治文化が、事實として時代性を支配するに適しなくなり、これに對應して止むなく權力主義なるものの發生を見たからと云つて、どうしてそれが、直ちに思想の歴史的進化に逆行するものと速斷し得やう? 人類文化の歴史の歯車は絶えず回轉する。民意の政治は必らずしも恒久の絶對眞理ではあり得ない。今日の權力主義は、たとへその名目又は外見において、舊國家のものと同様に見えても、その意義において古きものと今日のものとは異る。過去のものは、支配者のための權力であつた。今日では、少くともそれは全國民のそれといふことになつてゐるのである。

(一九) Gierke; Genossenschaftsrecht, 1Bd. S. 2.

(二〇) 木村氏、前揭、法志三五卷一二號第七二頁。

(二一) 木村氏、同上第七三頁。

(六) 私見は、わが日本の國家觀念の定立に關して右木村敎授とやゝ趣を異にする。木村敎授は、純理論的に、內容的に定立されたのであるが、私はやはり、この場合と雖も、歷史的に、實證的に、わが國家觀念、民族確信なる社會的事實に立脚してこれを爲したいのである。

私見によれば、西歐諸國は、いざ知らず、我が日本國は、そも〳〵最初から比較的自由主義的色彩において濃厚な國家であつたと解する。太古の族制國家のことは今姑く別問とする。大體において、王朝以來、我國の社會は、西歐と異り、家族なるものを以て社會の單位とする。家族制度は、ある意味において小團體制であるが、ある意味において、自由主義に近いものである。この意味において、我國には極端な自由主義なるものもなければ、極端な團體制も發達しなかつたのであるし、また今後と雖も、この兩極の一に走りさうにもに見受けられぬ、少くとも健全なる社會常識はかく判斷する。もとよりかく云へばとて、私は日本の過去の歴史的過程においてそこに武門政治なるものが發生し、その間封建制度の發生と共に、右の原型は大なる限度に修正を受けてゐた事實、及びごく最近に至り社會の一般的經濟狀況に徵して、そこに漸く一定の統制的集團的方向に動きを見せんとしつゝある事實を敢て否定せんとするものではない。この點は後段になほ詳論する。が、その故を以て、多年少くとも明治維新以來、訓練され來つた自由主義の精神は、少くともそこに理念として一朝一夕には抹殺さるべきものではないことを主張せんとするものである。從つてたとへ今日、或はファシズム、國民社會主義、權力主義といふやうな國家理論が流行し、それが一時我が國を强力に刺擊することありとするも、そういふものは我國においては、とうてい終局において永續性なきものと確信するのであつて、また理論としても、まさしくそうでなくてはならないものと考へる。

　此點は、前段にも言及せし如く、我國の一部有力な公法學者などにして今後の國家觀として、『我國も强力な國家權力の存立を必要とする。しかし、獨裁は、わが國體を冒瀆する。明治維新の大精神を滅却する』旨を主張し、（美濃部博士）、また刑法方面においても、例へば牧野博士などによつて、『國家は、その强いこと、いかめしいこと、おそろしいことに因つて、國家としての文化的機能を營むものではない』(二二)。『勿論、國家は、個人を超越して個人の外に存在するものである。この故に、――國家を以て、單に、個人の爲めに存するの制度に過ぎないものとは解したくない。この意味において、國家の運命は、個人の爲めに左右せらるべきではない。しかし、それが爲めに、個人を以て國家の下に成立し、國家に隷屬してのみ生き得べきものとは解したくない。個人の存立は、國家の爲めには無條件に否定せらるべく、あまりに確實なものであり、また貴重なものである。――この故に、個人を支持し、個人を尊重し、個人をして其の生を遂げしめるところに、國家の最高使命が成立するのである。國家は、いとも小さき一人の已ぶをも歡迎すべきでない』と(二三)主張され居ることなどが何よりの支持である。

が、しかし玆に一つ大いに考へなければならないことは、本論の冒頭にも一言せし如く、ギールケが『眞に自由主義を理解せる國民にして、始めてまた眞によく團體主義を理解し得るのである。この意味において、過去の世界民族のうち、ゲルマーネン民族ほど、右の兩者をよく理解し、以て單一にして、自由なる國家を作り來りしものは他にないであらう』との讃辭が、今や、我が日本民族に對して最もよく妥當し、適用されなければならなくなるのである。問題はそこにある。『自由の觀念』を眞によく愛し、この主義をどこまでも維持せんとする限り、そこには、また必然的にその反面において『全國家的統制の理念』即ち實際としては『權力主義』がその基礎として要請され、是認され、實際に行はれなければならなくなるのである。それは國家より眺むれば、權力主義の徹底であり、個人より眺むれば自由主義の貫徹、而して全體として眺むれば、そこに社會連帶主義理念の實現と云ふことが、そこに今後の國家理念として主張され、定立さるべきこと〻なるのである(二四)。この意味において今後のわが國家理念としては、徹底したる自由主義、即ち全體的權力主義と云ふことが高調されて然るべきこと〻なる。過去の歷史を顧みても、十九世紀の自由主義なるものは、舊國家、即ち絕對國家主義の反動として起つてゐるのであり(二五)、そして最近の新國家なるものは、その外見においては、このフランス革命來の自由主義の克服、その文化史的清算として發生してゐるのであるが、やはりその內實は全體としての、個人の自由獲得といふことが原動力となつてゐるからである(二六)。此點に關し、注目すべき提案と見るべきものは、牧野博士の『全社會主義の淸算論』である。曰く、『新らしき淸算としての社會法の出現は、自由競爭が社會生活の第一原理ではなくして、社會的統制に因る全生活の調和が法律の目標とされねばならぬことをわれわれに暗示するのではあるまいか』と(二七)。

私はかくの如きを以て、まさに今後の刑法改正の根本を支配すべきわが國家理念の原型と解したいのである。

(二二) 牧野博士『刑法改正の諸問題』(警察研究第二巻第十一號第五頁)。
(二三) 牧野博士著『生の法律と理の法律』はしがき第二頁。
(二四) vgl. T. Litt; Idee und Wirklichkeit des Staates in des staatsbürgerliche Erziehung. 1931. S. 6.
(二五) Tannenberg; ibd. S. 3.――4.
(二六) Dietrich Holtz; Volkstum und Staat in neuen Staatsrect, (DJZ. 38 Jhg. S. 1522 ff.)
(二七) 牧野博士『法律における轉回現象』(經濟從來、昭和八年八月第一二頁)。

六　かく觀じ來るにおいては、われ〳〵は今日の文化國理念又はそれに基く教育刑理論及び權力主義の國家理念の兩者何れの理論にも、一部の眞理性を認めると共にその反面において、從來主張され來つたような刑法における教育刑偏重の理論が今後の刑法の全部を支配するものとも考へなければ、また一派の學徒、例へばナーグラーの云ふが如く權力主義刑法論が永久絕對の原理とも考へることはできない。されば、ウォルフも云つてゐる、曰く、『吾人はいつまでも、現在の地點に停滯してゐてはならない。單純なる從來の刑法理念に基く刑法改正の中斷、及び權力主義的なる刑法の構成といふ古い傳來的形式への退却は、これ結局事態の反動化を意味する以外の何物でもない。かるが故に吾人のさらに一歩進めた問題の提示方法は、自由主義刑法なりや權力主義刑法なりやに存せずして、他のことを意味する。即ち、それは「權力主義的反動的刑法なりや、それとも權力主義的社會的刑法なりや？ (autoritär-reaktionäres oder autoritärsoziales Strafrecht ?)」或はまた「刑法に對する反動的復古的の新構成なりや？ それとも刑法に對する國民的社會的の新構成なりや(reaktionäre Restauration oder nationalsozialer Neubau des Strafrechts ?) といふことである。而して、この點の解答は、私の確信する所によれば、次の一語によつて爲さるべきものと考へる。曰く、いづれとするも新構成へなりと(Neubau)』と(一)。

かくの如くして、要するに、今後、我が刑法改正案において採用さるべき刑法上の基本理論なるものは、それは、近時、イタリアの第三派に屬するバッタグリニーの著『新立法における刑法の原理』などにおいて主張されてゐるやうな次の如き提案に、甚だ接近せるものとなるのである。曰く『……即ち第一には、絕對的の理論に依據することを效棄することによつて、その反面によろしく一定民族の時代精神を立法に化體せしめつゝ、また第二には、刑法の倫理的基礎を强調しつゝ、第三には、人は原則として一定の行動に際しては意識的動機決定性を有し、また生れながらの選擇の自由を有すとの意味における意志の自由を確認しつゝ、第四にはまた保安處分によつて刑罰を補充しつゝ、從つて危險防衛の思想と責任主義、應報の理念とを有機的な統一において一定の社會倫理的の基礎理念の下に結合せしめつゝ……およそ刑法立法者たるものは刑法の實際的目的の貫徹に向つて努力せざるべからず』と(二)。

(一) E. Wolf, Krisis und Neuban der Strafrechtsreform, 1933. S. 6.

(二) Giulio Battaglini; Principii di Diritto Penal in rapporto alla Nuova Legislazione, P. 85 (Wolf; Literaturbericht iu Zeitschrift für die gesamte Strafrechtswissenschaft, Bd. 51. S. 276)

そうしてかりに國家統制的な社會政策が今後刑法において廣く展開さるゝとするも、それが眞にその理念とする所を展開するならば、その下における刑法形式は、從來、新派主張のものに甚だ似通つて構成されなければならなくなるのである。

事實においても我々の刑法草案の實際は幸か不幸か必ずしも從來の罪刑法定主義のみをどこまでも貫かんとするものではないやうに見ゆる。この意味と見地よりして、日本刑法改正案は、かりにその形式において從來のドイツ案に近く、自由主義の所産なりとするも、これは今日原則として非時代的であるとなすことはできないものである。けだし案の意味と內容は、現行刑法に比較して、遙かに非自由的のものたるからである。それは自由主義法律思想を典型的に採用したと見らるべき現行刑法における(1)罪刑法定主義への努力と嚴格なる犯罪事實の法的規定、(2)外視的可能形式による短期自由刑の優越的支配、(3)行爲と刑罰との間における外部的等價の原則、(4)形式的なる犯意の理論及び動機並に犯人々格への不顧慮の原則等が、草案において中絶されんとしてゐるからである。とりわけ、その非自由性の第一徵表は、『罰すべきは行爲ではなく犯人なり』との原則を豫定せる一事であり、その第二は、裁判官は刑罰の外に、改善及び保安處分を課し得ることであり、第三は、或程度に不定期刑を採用せる一事であり、第四は、釋放者保護監察を認めしことであり、第五は、社會的復歸の思想が刑法及び行刑法を支配しなければならぬとし、第六に、案の各論の大略をみるもその傾向は、嚴格なる法定事實よりの弛緩といふことであり、これらに徵して、犯人のマグナ・カルタとしての刑法思想は合理的な程度に退却してゐるからである。かるが故に改正案における改善と保安處分の規定は、ドイツでは全く誤解さるゝに至つたやうであるが、それが正しく理解され行使さるるにおいては、刑法の軟弱化を來すものではないことゝなるであらう。國權强化の刑法理論は、新派の主張する保安處分と必らずしも矛盾するものではない。いな、むしろその本質においては、これと氣脈を通ずるものであり、從つて兩者の妥協は可能である。兩者ともに國家權力の保護に至つては同じたるからである。

要するに、我が刑法改正案の今後の發展は、まさに右の如き國家理念を基礎として遂行されなければならない。しかし、かゝる理念に基く刑法の實現は、これ單に法文の設定なる勞作に盡きるものではなく、むしろ法運用の實際において、かゝる國家精神に基いてなさるゝことにおいて重いものがある。從つてこの理念の不斷的實現は、法の解釋方面に重點を存することゝなるのである。

八

以上、私は國家の理念と刑法一般の關係に議論を進め、この關係が歷史的にいかに展開され來りたるや、また現在の世界諸國においていかに展開され居るやを觀察することによつて、我が現在における刑法改正上、この關係が、いかに理解され、その間いかなる國家理念の下に改正事業が促進されなければならないか、その基本原理につき論及した。これによつて私は本論出發に際し最初目的としてゐた所を一應充足したことになるのであつて、いま茲にあらためて『國家理念と刑法』との問題につき結論として、揭ぐべきものはないやうである。但し、右の如き一般基本原理を刑事立法、司法、執行及び刑事訴訟法の實際における個々の重要問題につきいかに適用すべきやとの具體的問題に關しては、大いに論究を要すべき幾多のものを存する。しかしこれはこの一小文のよくし得べき所ではない、この點の吟味は、後日の機會に讓らねばならぬ。茲にはたゞ、刑事立法上、刑法基礎理論の構成上刑法の解釋上、刑罰の執行上、幷びに刑事訴訟上に關し、上述の如き國家理念の觀點よりする若干の感想なり、希望的私見の一端を述べ、以て本論全體の結論的部分の補充に供したいと思ふのである。

一　まづ、いまあらためて再認識さるべきは、一切の國家政治は、現在においては既存の法律制度の批判に源を發し、それは新たな實證的秩序設定の問題に歸すると同様、一切の法律はその反面において形式的に實現された政治であるとの一事である(Politik ist Werdendes Recht, Recht ist Verwirklichte Politik)(一)。従つて刑事立法においても、そこに何等かのイデオロギーがなくてはならぬ。問題の第一は、それらのイデオロギーは何であるか？　第二は、その實行方法いかん？　第三は、その實際的にもたらす價値いかんの險討にあり(二)。　しかしてこの點の吟味には、何人かも云つてゐる如く、『いま一の國民は他の國民から學ばねばならぬ。また學び得るのである。……これによつて他國民の嘗めた、生みの苦しみを大なり小なり短縮し、緩和し得るの效力あることは事實である』との原則が想起さるべきである。

二　これを特に刑事立法につき考へんに、いま世界の大勢は、『刑法は國民法の機關である。　制定刑法は、民族、國家社會大衆の法律意識と、法的要求の背景上に立つてゐなければならぬ』ことが要請されてゐる(三)。　この意味において、かつてサビテーの言たる『法は民族の確信、國民の欲求、國民の精神の表現たるものでなくてはならぬ、法規はたゞ民族法の機關たるものにすぎないからである(Das Gesetz ist das Organ des Volkstecht』との理論が(四)、參照されねばならぬのである。

すなはち、刑法の立法に際しては、たゞ法律理論だけでは足りぬ。　そこにはやはり社會的、經濟的、政治的の外圍に對する豐富なる知識を今日特に必要とする(五)。

從來の犯罪各則の現定中には、今日必らずしも必用としないもの多々あり、一方今日の需要を充足してゐないものが多數に存する。ことに經濟的諸方面の取締に關して此點は顯著である。刑法各罪の取扱ふべき所は、なほ人類の社會生活利益の擁護たるべきことが、再認識さるべきである(六)。この點は、ナチスの刑法草案準備書が、各則を眞正面において立法せんとせることなどが參照さるべきである。ナチスの刑法理論が、吾人に敎ふる最大の事項は、法規の生成發達には、種々の理論が附加せられ、幾多の感情分子も加はるも、それらの假面を徹して最後に根底となつてゐるところのものは、一國經濟機構のいかんといふことであるとの一事である。いかに民族的感情、反動分子が新運動の直接の動因となつても、その根底には、經濟事情が立つてゐるとの一事である(七)。そして、刑法立法には、何よりもまた、國民的正義の觀念に合致してゐなければならぬこと勿論であるが、しかしその正義の何たるやの内容を科學的に吟味してみると、その多くは、やはり經濟的事情がこれを左右してゐるとの一事が考察されねばならぬ。かくの如くにして、わが刑事立法には、かつてリープマン敎授によつて指示されてゐた、『刑法典の立法精神と技術に對する三大要請 (Drei grossen Forderungen an den Geist und die Technik eines

Strafgesetzbuches)』が顧慮されなければならない。而してその第一は、『いかなる事象を以て「可罰價値性(Strafwürdigkeit)ありとなすべきやは、たゞ〳〵一定時代における國民の確信と、一般的文化とが、何を以て社會的の拘束力あるものとせられ居る秩序に對する重大侵害と見らるべきやによつて決定さるべきである』。第二原則は、『改正の基本原則として考へられなければならないのは、可罰行爲に對する刑罰の量決定が適當なりや否やは、それが可罰價値性ある行爲に對して、はたして一定の效果を收め得るや否や、或はそれをかく罰することが却つて不良の反作用を惹起するものと一般に考へらるゝにあらずや、との考慮に出發さるゝを要する』。第三原則は、『刑罰立法の正當なる限界づけの原則は、今もなほ、一切の刑事罰は一つの害惡である。それは單に犯人に對してのみならず、罰を加ふる國家に對しても、その一構成員の人的力を殺ぎ、その人的價値を侵害する意味において害惡であるとの考慮に出發しなければならぬ』との點である(八)。ことに我國における謂ゆる『美風良俗に訴へての刑法改正』といふことは、リープマンの右第一原則を高調したるものとして理解さるべきである。

かくの如くにして、わが改正立法においても、その立法綱領の基本原則とするところは、第一に、有責者に對する正當應報、第二に、これが補充として一定の保安處分の併用、第三に、右の原則と反しない限りにおいて、行刑上の教育手段の採用といふ點に目標を存すべきである。この社會(改良)主義と、自由主義との妥協に基く國家社會的政策的な立法態度は、現代文化としては相對的なる眞理性を有するものである(九)。しかして、ナチス以前のドイツ、オーストリアの刑法改正案の方針は、右三原則に立脚してゐたものである(一〇)。刑事立法には、必らずや一定の一般的基本原則がなくてはならぬとされること、フォイエルバッハよりの傳統的觀念であるが(一一)しかし、これに基く一定の系統的な立法は、必ずしも一原理のみを追ふ必要はないのであつて、要は、それら諸原理の間に一定の確たる統一があればよいのである(一二)。

(一) van Calker; Wesen und Sinn der politischen Porteien, 1930 S. 17.

(二) Schwinge; ibd. S. 11.

(三) Nagler; Staatsideel und Strafrecht, (in Geriohtssaal, 103 Bd. S. I.)

(四) Savigny; ibd. S. 39.

(五) J. Heimberger; Freiheit und Gebundenheit des **Richter's** in wellichem und **Kirchlien** Strafrecht, 1928. S. 23.

(六) Dahm; Die Zunahme der Richtermacht im modernen Strafrecht, 1931. S. 16.

(七) (1)牧野博士『現代の文化と法律』第五版第二七頁。(2)田中博士『世界法の理論』第一巻第八八頁。第三八八頁以下。

(八) M. Liepmann; Die Reform des deutschen Strafrechts, 1921. S. 9.

(九) Grünhut; ibd. S. 6.

(一〇) E. Beling; Grundzüge des Strafrechts, 1930. S. 5—9.

(一一) Anselm Feuerbach; Themis, oder Beitrag zur Gesetzgebung, 1812. S. 51.

(一二) vgl. (1) H. Seuffert; Ein Neues Strafgesetzbuch d. Deutschland, 1902. S. 9 ff. (2) Zimmel; strafrechtliche Arbeitsmethode de lege ferenda, 1931. S. 28.

三　次に刑法を一般に運用する上の基礎理論、卽ち刑法學上の謂ゆる刑法理論としては、茲に『刑法機能分化の理論』が再檢討されねばならぬのである。この點は、すでにマックス・エルンスト・マイヤーによつてその先鞭が打たれてゐる。私は微力ながらも、過古數年來、なほフォン・ヒッペルに刺擊されて、實際上にこの點を高調する必要を認め、この理論を展開してきたつもりである。これを高調せざるを得ざるの理由は、右に述べたる如く、我が改正刑法と雖も、要するに、責任主義と危險防衛主義の兩理論を併用して二元主義に出で居るのみならず、實際においても、刑法論は、これを(1)立法問題として考へる場合と、(2)刑事司法、裁判として考へる場合と、(3)

行刑として考へる場合と、(4)社會政策として考へる場合とは、各機能獨自の原則に從つて、どうしてもそこに趣を異にし來らざるを得ぬものがあることは、否定し難い事實たるからである。ことに我國における如く一派の學徒によつて、恰も教育刑論萬能の如く主張されるに際しては、少くとも刑事司法上、裁判上、その理論が誤解されて不當なる適用を見る危險より之を防衞せんとするの意味においても必要である(尤も我が刑事裁判官には、こういふ理論を誤つて適用するが如き人は、一人もないこととは信ずる)。

則ち、刑法典の立法に際しては、刑法各則の立法は、いまなほ一般的豫防、應報主義に從つて主法さるゝことが最も刑事政策的である。そこには裁判及び行刑と機能を異にし、國家對一般人の規範的關係が問題とされてゐるからである。

これに反し、裁判を支配する原則としては、裁判は、單に、法律の規定する規範のみを維持して、こと足れりと爲すべきではない。その外に、(1)行爲に對しての社會的正邪が判斷されねばならぬ。これ犯罪は、行爲の違法、すなはち社會的條理の違反たることを實質とせる當然の論結である。(2)さらに、行爲に對する道德的價値判斷が爲されなければならぬ。これは今日の犯罪は、なほ責任に反する行爲、即ち不道徳的行爲たることの當然の結論である。(3)右の諸原理に相反しない限りにおいて『裁判官の政治』といふことが考へられねばならぬ。我が刑法は裁判官の量刑の範圍を世界いづこの刑法よりかも廣く認めてゐる。これ他なし、裁判官の政治的活躍を唯一に期待してゐるからである。

最後に行刑に至つては、これは、本來の刑法と離れた、人道問題であり、技術の問題である。そこには、刑事責任判斷はひとまづ終了して居る。殘るは、その賦科せられた刑事責任をば、犯人幷びに國家がこれに協力して、いかに解削せしめ行くべきであるかといふ問題のみである。そこには應報、犯人をことさらに苦しめるといふやうなことが問題となり得やうはずがない。一途に、責任解除方法を考ふること、卽ち犯人の社會復歸を目標としての敎育刑理論が第一次的とならなければならぬ。但し從來のやうな、國家の方面からのみ考へられた、敎育刑が高調されてはならぬ。問題は、むしろ、犯人の方面から考へられた『刑事責任解除の原理』卽ち私の後に述べる『人格的の賠償理論』が高調されねばならぬ。これのみが合理的であり、實效的である。國家は、刑法の立前としては、犯人を、特に敎育しなければならぬ義務はない。もし刑罰行使の間に何等かの義務ありとすれば、それはむしろ犯人の側において、『賦科された刑事責任を自ら解除』する、それあるのみと考へられるからである。

要するに、教育刑は、主として行刑上の理論である。これを刑罰一般論に擴張することは、社會の秩序維持制度としての刑法機能性をその重大なる部分において破壞することゝなるのである(一)。

近く、新ナチスの刑法準備案においては、刑法の新使命を以て、犯人より國民共同態を保護することに重點をおき、一般的の利益を絶對的に重要視し、この點をして、犯人の顧慮よりかも優越せしめんとする方針をとれることを揚言してゐるやうであるが(二)、かくの如きは、むしろ刑法機構としては、當然のことゝ云はねばならぬ。

(一) 小野淸一郎『木村龜二著、刑事政策の諸問題』(法學協會雜誌第五一卷第十一號第一三二頁)。
(二) Dr. Schafheutle; Das Gesetz gegen gefährliche Gewohnheitsverbrecher und über Massregeln der Sicherung und Besserung, (Juristischen Wochenschrift, 62 Jhg. S. 2794.)

四　刑事司法、裁判につき言及しておきたいことは、法律自體と裁判とは、やゝ異る使命を有してゐるとの一事である(一)。特に前に一言した『裁判官の政治 Gouvernement des juges』といふことが問題となるのである(二)。この見地より、單純な規範的刑事裁判の方向轉換が餘儀なくされるわけである。尤も刑法における政治原理の活動は、成法に對する目的論的概念構成なり、目的論的解釋といふことによつても廣範圍の活動天地を見出す。また本論の前段に述べた、新國家の理念と刑法との關係理論はまづ、第一に立法に際してある重要な政治を演出するのであるが、しかしこれらの立法上の仕事は、一度立法が終了すれば、また幕を閉ぢる。目的論的概念の構成も要するに、その政治的活動を演じ得る範圍は、形法概念構成のそれに止まる。しかし裁判官の活動範圍は、たしかに法律概念を離れてそれ以上のあるものである。そこに茲に云ふ裁判官の政治の固有の領域がある。裁判官の活動、刑事司法はしかのみならず立法行爲終了後における永久的なる不斷の勞作である。從つて國家理念の刑法的反映といふことも、實際問題としては、廣義の刑法適用解釋上、すなはち、茲に云ふ刑事裁判官の政治上の點においてはじめて、重要な意義と設割を演ずるものといはねばならぬ。然らば、國家の理念は、裁判上いかに處理されなければならないか？ この點の詳述は茲に之を爲すの餘裕を持たぬ。たゞ大體について一言するならば、從來の市民自由主義の下における刑事司法は、罪刑法定主義に基き、犯人の自由擁護を主位として、刑罰法規の運用を計つてゐたのであつたが、近時の如く、國家全體主義を第一次的に考へて、法を運用すべきことになると、いつまでも罪刑法定主義を嚴守して居る譯には行かないといふ一事である。そこにさしあたり一定の限度に、『類推解釋』といふことが是認されなければならなくなる。ロシア刑法はもとより、ナチス刑法案も、この手段を國家全般利益の爲めに認容せることが注目さるべきである。

なほ特に問題となるのは、一般豫防の點である。これはナチスの刑法、ファシズムの刑法には何れも高調されてゐる點であり、近時我國においても高調されんとしてゐるのであるが、しかしなほ綿密に考察するならば、此點はやはり牧野博士の主張さるゝ如くあまり實益のないことである(三)。一般豫防なるものは、理論的には、一般大家が甚だ法律的無知識、卽ち刑罰の賦科によつてのみ刑法の何たるやを知り得ることを前提としてはじめて價値あるものである。我國の一般輿論も、必らずしも、この一種の威嚇的刑罰主義を歡迎はしてゐないやうである(四)。刑政の社會防衞的效果は、かゝる威嚇主義にあらず、刑による權威の維持は、刑の重きに求めらるべきではなくして、むしろ捜査と科刑との敏速と正確とに在るやうである。從つて從來の自由主義は、刑事訴訟の手續をして頗る煩瑣ならしめ、この點について遺憾とせらるべきものが甚大なのであつて、この點の救濟は、訴訟と行刑の敏速といふことに求めらるべきことゝなるのである。

ただ併しながら、今後の刑法は、立法においても、解釋においても特にその道德性方面を高調するの必要ありと考へる。刑法は單に、社會防衛上の一處分としてのみ考へられてはならないのである。たゞ、その刑罰の確定と實行とには、刑罰行使の背後に立つ、全社會文化との關係が遺却されてはならないとするまでである』(五)。

(一) H. Drost; Das Problem einer Individualisierung des Strafreurts. 1930. S. 3.

(二) 牧野博士『全法律と信義誠實の原則』(法志第三五卷第三號第二三頁)。

(三) 牧野博士『刑法における信義誠實の原則』(法學協會五十周年記念論文集、第三〇九頁)

(四) 例へば、東京朝日新聞、昭和八年十一月十日朝刊の『五・一五事件の判決』と題する社說は、『卽ち嚴罰によつて、世人を敎ふる必要のなかつたことを認めねばならぬ』と論じて居る。但し、これに反對する思想は、被告人佐郷屋留雄に對する大審院の昭和八年十一月六日に爲したる上告棄却判決の理由說である。

(五) Münch; Kultur und Recht, 1918. S. 62.

五 行刑に關しては、昨昭和八年十二月二十五日司法當局が、『行刑累進處遇令』

を制定し、同九年一月より實施するに至つたのは、時代性に鑑みて當然といふべく、至當といはねばならぬ。但し、この制度は今日一派の學徒がやゝ偏見的に主張してゐる如く、必らずしも犯人のためのみのそれとして高調さるべきものではなく、むしろ國家社會主義的の見地より特に必要視されたものといはねばならぬ。

行刑において今日再檢討さるべきは『敎育刑主義』である。この原理も如上の國家理念より一定の修正を免れないものがあるやうに考へられる。卽ち、從來の敎育刑は、あまりにも一方的に國家の敎育目的方面のみが高調されたのであつた。しかし敎育は、敎育される犯人の『心意』が問題の中心である。敎育刑の要締は、犯人がみづから自己敎育をなして、科せられた刑事責任を解除してゆくといふことにあるのである。この見地より眺めて最近に、司法省行刑局長、鹽野季彥氏が『行刑における自力の原理』なるものを主張せられ、『今日の行刑が何故に未だ十分なる再犯防止の效果を擧げ得ないかといふ事を冷靜に考察しまするに、長い間の過去の行刑史は、因人の感化方法として他力本願を出でなかつたのであります。卽ち、役人が囚人の手を曳いて之を善に導かうとしたからそこに親根が殘されてゐるのではないかと思ふのでありますといふやうなことを述べて居られるのは(一)、大いに傾聽に値ひする。　私はまた別個の方面より最近時、『刑罰における人格的賠償の理論』なるものを主張してゐる。　けだし刑罰は最初、(1)力の取引力の賠償、卽ち應報として發生したのであり、(2)次は、財產的の取引卽ち損害賠償として重きを爲したのであり、(3)さらに時代は移り、財產なき者を生ずるや、それは肉體的の取引、卽ち身體刑と變じ、(4)その後これが非文化的なることを悟るやそれは再轉して、(5)個人自由の取引卽ち自由刑として、近代、刑罰は主としてこの方面に發達してきたのであつたが、私見によれば、今や刑罰は人と國家社會との取引、人格的の賠償、卽ち自己の人格を造り直すこと、自己人格を改造することによりて、人格的に國家社會に對して賠償しなければならなくなつたのであつて、そこに刑罰における人道的、文化主義の發展があるわけである。　從つて行刑の基調は、かかる人格的賠償義務ある犯人の自發的なる自己敎育、換言すれば、卽ち鹽野氏の謂ゆる『自力の原理』が高調されなければならないのである(二)。

　ナチス政府の最近に公布した『危險慣習犯人に對する保安及び改善に關する法律』などは、この理論に對し、ある暗示を提供するものである(三)。　しかして、この見地よりするときかつて刑罰に關して、コーラーの說いてゐた『贖罪淨化の理論』などがいま多少科學的に解明されたことになるのであり、近くプロシア司法省の公布したナチス新行刑令も、かかる見地に立脚してゐるものの如く考へられる。

しかし、今日いふ行刑における敎育とは、通常の敎育と異り、その本質は、要するに『勞働への慣習の植付け』であり、改化といふことではない。かるが故に、謂ゆる『敎育不能犯人を是認するや否や』の問題に關しても、たとへ事實上、さういふ者のあることは否定され難いとしても、强力なる國家主義の行刑原理としては、右の如き意味においての、敎育的希望だけは放棄されてはならないのである。これは、恰も病人に對し、たとへその快復の見込がないものとしても、なほ之を治療するの希望だけは捨てられてはならないのと同じである。

(一) 鹽野季彦『行刑一年の回顧と展望』(刑政第四六卷第十一號第四頁以下)
(二) vgl. Radbruch; (in Gesellschaft, XJhg. 1933. S. 281)
(三) vgl. Schafheutle; ibd. S. 2794 ff.

六　最後に、刑事訴訟につき一言せむに、この方面上の問題としても、要するに上述の如き理念に基く立法手段による新思想の展開といふことよりかも、さらに一層必要なことは、かかる精神に訴へて訴訟法を實際に運用して行くといふことが重きを爲すべきこと丶なるのである(一)。

か丶る見地よりして、特に問題視しさるべきは、『刑事訴訟における迅速の原理』の高調である。古くかのベッカリアも、『刑罰(判決の確定)が犯罪になるだけ接近して迅速に爲されれば爲されるほど、それは有用であり、又正當となる。それが正當だと云ふわけは、さうすることによつて何時如何なる刑が與へられるか不確定である爲に生ずる慘酷にして無駄な苦痛を被告に對して省いてやる事が出來るからだ。此の苦痛は、被告の想像力の程度と、被告自身に弱點があると云ふ感情の多寡とに比例して愈〻甚しくなる。裁判の迅速が正當なのは、更に次の理由による。即ち、自由の喪失それ自體が既に一の刑罰であるから、嚴格な必要が要求する以上に處罰を超過させてはならないのだ』となしてゐたのであつたが(二)、しかし迅速を要する理由は、現代においては、ベッカリア時代の個人主義のものとは異る。現代では右の如き理由の外に、いふまでもなく、一般社會の秩序維持の見地よりして必要なのである。

この點、最近に、わが邦では、末弘博士が刑事裁判迅速の必要を主張せられたるに對し(三)、名古屋控訴院長立石判事は、それは現代の裁判組織では無理な註文であるとして、一種の反感を示されてゐる(四)。　實際、この迅速の實現は、理論の問題ではなくして、人の質及び數、從つて惹いては一國財政が之を許すや否やの問題であるが、しかし理論として、末弘博士の主張さるゝ所は、立石氏のやうな實際上の止むなき事情よりして反對することは、理由なきものと云はねばならぬ。　私は、いかなる意圖において、立石氏が、この論を公にされたのであるか、理解に苦しまない。　ほゞ見當がつく。　怖らくそれは、末弘博士の見解に對する攻撃ではなくして、主意は、一般社會人に對し、今少し我國の刑事裁判官及び檢察官の數を增員するの必要なきやを巧妙なる手段によつて訴へられたものであらうと考へてゐる。

右何れとするも、刑事訴訟においては、一方において、かの當事者主義なるものは、今後一定の限度に制約されねばならぬのである。　そこにある限度において、謂ゆる新糺同主義が勢ひ擡頭し來ることゝなるのである。

(一) Hartung; ibd. S. 149.
(二) 風早八十二譯『ベッカリーア、犯罪と刑罰』第一一〇頁。
(三) 末弘博士、卷頭言(法律時報第五卷第十二號、昭和八年十二月發行)
(四) 立石甫水(謙輔氏)『末弘博士に一言』(法律新聞第三六四三號、昭和九年一月八日發行)。

七　最後に一言する。　社會生活より犯罪を驅逐せんとする全政治的活動の下においては、『刑罰』の概念は、必らずしもそこに指導的の役割を演じ得べきものではない。　ラードブルヒも指摘してゐる如く、人を罰する刑法を考へるよりかも、むしろ、社會より犯罪を驅逐せんとする『改善法』卽ち、社會政策的立法に向つて努力する方がより有效である(一)。　從つて、若しそれ文化的、法治的、全體主義國家の理念が、さらに遙かなる行を進めて、積極的且つ有效に犯罪の鎭壓といふことに向はんとするならば、そこには犯罪鬪爭上に最も有效なる方法は、單なる刑法の改正といふやうなことではなくして、その犯罪のよりて生ずる母胎をなす『社會生活關係そのもの』の改善であること、多く言ふまでもないことであらう(二)。　犯罪を減少せしむる原動力は刑法ないし刑罰の影響又は效果よりかも、社會的環境の方が、犯罪の發生以前に於ても、はたまた以後においても、より重大であるからである。　今や、この一事が社會一般人によつて深刻に再認識さるゝを要すべき時期に到達してゐる。　謂ゆる文化的全體主義の國家理念が、刑法及び、社會一般に對し敎ふるところは、まさにこの點に歸着するのである。

しかしながら、靜かに近時わが邦における刑事立法の趨向を眺むるに、右の頗る平凡なる理論は、必らずしも立法のすべてにおいて遺憾なきまでに實現されてはゐないやうである。いな、事實としてかくの如きは、『遙かなる未來の音樂』に屬し、却つてそのあるものに於ては、刑罰制裁の擴大深刻化を見んとし、刑罰による一般人威嚇的の理論が、刑法學說の一般に承認すると否とに拘らず今もなほ高く評價されんとしてゐる。刑罰立法を企つる以前においてまさに爲さるべき社會政策的立法勞作が後廻しにされ、一先づ刑罰手段による荒療治的の工作のみが急速に展開されんとしつゝあるやうに、眺められる。が、かくの如きは新國家理念のとうてい永久的に認容し得べきところでない。世界の人々が恰も狂的の如く見るナチスの刑罰立法理念においてさへも、刑罰はその終局的過程においては、國民社會主義の理念と一致しない、他のものによつて排斥さるべきものである。現在の政權は、たゞ過渡的なる中間現象としてのみ刑罰立法の必要を認むるにすぎずとまで主張してゐるのである。世の人はいま過去の人類が、幾世紀を通じて相續し來つた吾人の『刑罰なる觀念』について、深刻に反省してみなければならぬ。それは人類の先天的感情たりし『應報の觀念』と共に發生し、これと不可分の關係に立つて今日に及んだものである。いまや應報の觀念は、刑法理論上、ひとまづ清算されたにも拘らず、『刑罰それ自體』の清算は、わが邦においては、まだ何人も之を試みむとしてはゐない。 刑罰觀念の克服は、實際としては、まづこれが代用制を考案するに若くはないであらう。 しかり、その代用としては『社會的保安處分』といふ廣い廣い領域が刑事政策家の出現を待つてゐるのである。 かくの如くにして、今後の社會における刑法上の指導原則は、それは『刑法における國家社會的政治第一原理』による第十九世紀來の『個人主義的刑法理論の修正』といふ一點に存することとなるのである。

(一) G. Radbruch; Rechtsphilosophie, III Aufl. 1932. S. 166.

(二) Radbruch; Autoritäres oder sozieles Strafrecht, (Gesellschaft, 10 Jhg. S. 223) (完)

(昭和九年一月三十日稿)

私法法源としての慣習法と判例法

宮崎孝治郎

一　序　言

法典は時代の潮流の中に聳え立つ巨巖である。其の制定の初めに當つては、よく此の潮流を堰止むることを得るであらう。而して法典は動かざるが故に重きをなすが、潮流の生命は流動に存する。從つて時代の潮流はいつしかこの巨巖を迂廻して流れ、或は之を崩壞しつつ進む。遂には此の巨巖をも押流さねば止まぬのである。是れ成文法主義を採用する諸國に於て法典の制定後數十年にして若くは、數百年にして法典改纂の必要に迫まらるるに至る所以である。之を他の言葉を以て表現すれば法典を These とすれば之に反する慣習は Antithese として現はれ、更に新立法に於て Synthese たる綜合狀態に達するに至り、古から遠い將來に亙つて同一の現象を繰返へして行くであらう。更に之を他の表現法を籍りて謂へば、嚴格なる法は寛大なる法に要求せられて遂に後者に其の席を讓れば、法の不安定は再び嚴格なる法制を要求するに至る。

ローマ法に於て jus civile が jus praetorium を要求し、英國の Common Law が Equity

を要求し、或は其の昔驛路毎に法律を異にしたといふ獨、佛に於て、一大法典編纂の氣運が促進せられたが、法典の確立を見た後、中央集權、法典編纂主義に對して自由法學、社會法學の叫びの起つたのも此の理由で說明し得るであらう。

萬物は流れるものかも知れないが時代の流れ程、その範圍の廣く其の影響の遠いものはあるまい。時代の潮流に從つて隱顯する法律現象も此の大なる時代の流れと其の運命を同じくして居る。

然し乍ら制定法は其の本質上、法制史的の過去の事實に適用せられざると共に、當該の制定法存立の基礎を成して居る社會機構が全く變更せらるるやも知れない不知の將來に對してまで效力を有する筈が無い。故に此の意味に於て、法的認識は一定の時期に制約せられて居るのである。從つて一定の法制の下に立つ法律家、殊に裁判官が或る事件の處理に當面した場合に、固定せる大法によつて裁く可きか、或は其の個々の事件に妥當した判決を下す可きやに迷ふのが當然であらう。これ大津事件に於ける兒島惟謙の心境であり、赤穗事件を裁いた永井伊賀守等の苦衷であつたであらう。而して固定の大法を守らんとすれば、當該事件に對する判決の結果が妥當を缺き、後者を活かさんとすれば前者を殺さねばならぬ。

茲に於てイプセンと共に「貴方は曾つて一度でも、ある矛盾に遭遇すること無しに、何等かの思想を最後まで考へた事がありますか」といふ問の眞なるを認めざるを得ない。

Descartes が一切を疑つて後 "Cogito ergo sum" の自覺から其の哲學的思索を始めた樣に、法律家は、其のあらゆる思惟をこの「法的安全を重んずべきや、個々の事案の妥當なる解決を主として期す可きか」といふ根本的立場に立歸つて、常に其處から出發せねばならぬと考へる。而して此の二者の中何れを重しとすべきかといふことに就ては、勿論法的安全を第一とせねばならぬ。何となれば此の問題は結局、法の安定ある社會が幸福か、之無き社會が幸福かといふ點に歸し、且つ個々の事件の妥當なる解決を總ての人に保障することは、實に法の安定を其の前提としなければならぬからである。私は此の見地に立つて、法典は判例集の Index であるとさへ主張せらるる現代に於て、法典、慣習法、判例法等の價値を再吟味することは極めて重要であると考へた。是れ私が本稿を起した理由である。

二　所謂慣習法は成文法改廢の效力を有するや

法律學上に於ける近代的運動の基礎聲調は法律殊に成文法に對する何等かの懷疑である。これが「法の欠陷」の問題と結び付いて或は自由法學の提唱となり、或は信義誠實の原則の主張となり、或は法律社會學の基礎づけを促した。而して此等の諸傾向は、最初は成文法と相對立して、法源としての慣習法の獨立性を强調し、後には、慣習法は成文法を改廢する效力を有することを主張するに至つて、此點に關する限り、一九世紀の Savigny, Puchta 等の華かなりし、歷史學派全盛時代を再現したかの觀があり、我國に於ける最も有力なる民法學者にして斯の如き見解を懷かるる人人は相當に多い(註一)。然し私は此等の學者は、慣習法と判例法とは獨立なる法源と認められつつ、而かも尙此の慣習法に依つて成文法が改廢せらるることを理論上主張せらるるのは充分の根據が無いものであると考へる。

で、私は先づ慣習法理論發達の沿革を略述し、之が法源としての判例法との關聯を述べ、更に所謂慣習法が成文法改廢の效力を有す可きや否やについて所見を述べ度いと思ふ。

ローマ法に於ては慣習法は ,,tacitus consensus" に基いて基礎づけられて、其の效力は通常の lex に比較されて居た(註二)が、慣習法理論の眞の黄金時代は歷史法學派の時代である。故に先づ歷史法學派の理論及び其思想史的前提を硏究せねばならぬ。獨逸に於ける歷史法派の勃興とフランス革命とは密接な關係がある。十八世紀末に於けるフランス革命は到る所力强い自由に對する憧れを喚起し、且國民尊重の念を非常に高めたのであつた。加之此の運動には Jean Jacquos Rousseau に依つて典型的に代表されて居る樣に、原始的な、本源的な狀態に對する或種の偏愛が結び付いて居たので、此の情勢が十九世紀に於て歷史派の主張を促したものと見ても大過あるまいと思はれる。歷史派の法律成立理論は主として慣習法理論である。卽ち法は先づ慣習と民族の信念によつて、次いで法律學によつて形成せられるのであつて、一般的に謂へば、法は內的の靜止的に働らく力によつて成立せしめられるので、立法者の恣意によつて成立せしめられるものでは無いといふのが Savigny の慣習法論の骨子である(註三)。然し乍ら歷史派の慣習法論の主たる代表者は、Georg Friedrich Puchta である。Savigny は主として此派の歷史家であるとすればPuchtaは其理論の組織者であらう。Puchtaは其の著 „Das Gewohnheitsrecht“ に於て、一切の法は民族的性質を有し、且それは民族精神より發生し、而かも此の民族精神は法律的な、民族の確信(Volksüberzeugung)に於て表示せられるものであることを說く(註四)點に於て——其の說明の詳細なる點を別とすれば、——Puchtaの說は既にSavignyの一般的法源論に、其の萌芽を有して居つたものであらうが、Puchtaは民族を如何なる意義に解したか、といふに、民族といふ觀念は共通の血統といふ自然的の基礎を持つて居るのであるが、然しPuchtaは此の自然的近親關係を以て民族の基礎とすることに滿足せず、更に進んで、民族を一の文化團體として理解したのである(註五)。斯の如く「ドイツ歷史派」の慣習法論は之を要約すれば「法の主格は民族であると爲し、法は民族意識(Volksbewusstsein)に存し、法信(Rechtsueberzeugung)に生ずるものであるとしたから、法の本體は民族の心意狀態に存し、民族間に此共通的心意狀態あるが爲めに、其行爲も自然に其の形樣を同じくし、竟に慣習を生ずるに至るものである」(註六)としたのであるが、この民族精神と謂ひ、民族意識といふものも、正に謎の如き構造物に過ぎず、法律的認識を超越した、形而上學的のものであつた爲めに、實證的な立場に在る人人によつて攻擊せられたのは當然であつた。

Christiansen や J. F. Kierulff が之に屬する。

又國家を神化し、成文法を以て唯一の法源とした、Hegel が慣習法に好意を持たなかつたことは、自然であるが、次の點に於て彼の思想は、尖鋭的に現はれて居る。「太陽も遊星も亦其の法を有するが、彼等は之を知らぬ。野蠻人は本能、習俗、感情に依つて支配せられて居るが彼等はそれについて何等の意識を持たぬ。法律が定立せられ、且つ知らるることによつて、感情、意見、復讐の形式、同情、利己の偶然が消滅し去つて、法は始めて其の眞の確立性を得、其の榮譽を有するに至る」(註七)。

而して此等の實證的の立場に立つ諸學者は、國家に於ては、一の最高の立法意思が存し、從つて國家に於ける、總ての法律が最後の淵源として、之に關係するものであるといふ見地から、慣習法は國家の承認によつて其の法たる性質を獲得するものであることを唱へた。例へば Kierulff は其の有名な著書(註八參照)の總論に於て次の如く述べて居る。「法律の理論は其の對象として、或る特定の國家に於ける特定の時期に行はれて居る法律原則、卽ち一般的に承認せられた單純な最高規範を有するので、此の原則的規範から、此の國に實際行はるべき全體の法律が出て來なければならぬのである。第一次的の、法律的には證明し得ない原理が存し、此れが實際上の訴訟事件の裁判に役立つ法律の細目に對して其の原則を形づくるものである」と主張した(註八)。

Reinhold Schmid は慣習法に於ては、國家權力の側からの事實的承認が慣習法成立の一條件として見らる可きであるとし、其の理由として「何となれば一旦或る國家が成立するや否や、國家自身がよつて以て成立せしめられた、民族の法律創造力を吸收したものだからである」と謂ひ、又「國家權力は一切の成文法の唯一の淵源である。然し之を以てあらゆる法は其の內容について、國家から出發せねばならぬものであると言ふのでは無い」と謂ひ、又「國民の間に成立した慣習法は國民の法としての認識だけで法源となるといふ說は、法の實施義務ある國家權力を他の權力に服從せしめ、從つて最高獨立の權力の單一を以て其の本質とする國家の實體と相矛盾するに至るのである」と論じた(註九)。正統ヘーゲル派の Adolf Lasson が此の點について承認說をとつたことは又異とするに足らぬ(註一〇)。しかし其の理論に於て前者の說に特別な新しさを加へたものとは謂へない。

尙承認說をとる著名な學者に刑法學者としての Karl Binding (註一一)公法學者としての Paul Laband (註一二)がある。Laband は慣習法の廢前法的の效力に就いて次の如く論じて居る。 曰く「原則として、慣習法には成文法廢止の效力が歸屬して居ないといふことは、成文法(Gesetz)の觀念(そのもの)から生ずる所である。 國家が或る法規は效力を有すべしといふ命令を維持する限り、國民及び官憲は此命令を無視することを得ず、且況んや此の命令を不從順によつて廢止することは、尚更ら出來ないことである。…… 故に慣習法の所謂廢止的效力は、法典の解釋及び「法典自身が適用せらるることを欲しない場合には、法典は適用せらるべからず」といふ原則に還元し得るのである」と論じて居る。

次いで發達し來れるものは事實說又は法規慣行說とでも謂ふべきものである。之を從來の說と比較すると、歷史派は慣習法を成文法の上に置いた。 換言すれば歷史派は成文法はいはば、慣習法の一つの特別なる場合であると解したのであるが、承認說は慣習法を成文法から演繹して、それによつて前者を成文法の下位に置いた。 此點に關し事實說の特色は此兩者を主として、同位に置くことに存する。例へば Levin Goldschmidt (註一三) は „Usance“ の章下に於て主として「法規の慣行」を要求し、しかも二重の關係に於て之を要求する。 即ち慣行の內容は法規でなければならず、且つ其慣行は法規の實行として欲せられなければならず、從つて確信の中に現はれて來る法規は現存する法規として慣行されて居らなければならぬとするのである。Fridolin Eisele や Ernst Zitelmann も大體この傾向に屬するものであらうか。

次いで二十世紀に入つてから、最も華々しい活躍を法學界で初めたのは、不正確ではあるが包括的な言葉を用ひれば社會學派である。此の派の大體の傾向を Sinzheimer の語をかりて言表はせば「社會學的方法が其の探究を „geltendes Recht" ではなくて „wirksamos Recht" に向けて居ることによつて、法律的存在の新しい淵源が現はれて居る。法律界はあるが儘に其の科學的認識から推論される。此れによつて何等の豫斷無く、何等傳統的の觀念無くして、物の本質にまで押し進む實證主義の精神は亦法律學的觀念をも征服する」(註一四)と主張する點に存するであらう。然し乍ら法律を社會學的觀點から取扱つた最初の學者は Eugen Ehrlich である。しかし氏は社會學的法律政策家として、より重要な地位を占めて居るので、社會學派の最も徹底せる理論家は Ignatz Kornfeld であると稱せられる。しかし社會學的法源論は、„Gewohnheit" を „die fundamentale Quelle allen Rechtes" として看ること、換言すればすべての法は其の最後の段階に於て慣習法であると看る傾向に於ては一致して居るのである(註一五)。此の傾向は――此は社會學的基礎の上に立ち彼は歴史哲學的基底に立つの相違はあるが――一脈十九世紀初期に於ける歴史法學派の主張と相通ずるものがあるのである。

判例法の理論卽ち裁判官の爲す判決が法律創造的機能を有するといふ思想を獨逸に於て初めて唱へ出したのは、I. F. Kierulff であると謂はれる。氏は法典缺陷論から立論して、裁判所の機能について左の如く述べて居る(註一六)。

„Das Gericht ist das Organ des Staates, welches den im Gesetze abstrakt vorhandenen Willen des Staates konkret wirklich macht. Diese Verwirklichung geschieht durschs Urteil, welches ist die Affirmation des richterlichen Wissens vom konkreten Recht, daher der ausgesprochene Wille, dass auch das, was er als Recht für den ihm vorgelegten Fall erkennt, auch sinnlich realisiert werde, zum Dasein gelange. Das theoretische Erkennen wird im Richerspruch zum praktischen Erkenntnis, der letzten Stufe der Entwicklung und Selbstoffenbarung des nationalen Willens.“

此の學說が Heinrich Thöl, Franz Adickes 等の理論的研究、August S. Schultze の歴史的研究を經て Bülow, Erich Danz に至つたのである。

然し純然たる判例法國である英國に於ては、判例法の法律學的基礎づけは、己に旣に、Austin によつて行はれて居た。卽ち、John Austin は一八三二年に出版された、

"The Province of Jurisprudence determined" に於て、之を述べたのである。然し Austin の考へを徹底せしめて、英法上に於ける判例法の理論的基礎を明かにしたのは、W. Jethro Brown ではないかと思はれる。氏は裁判官は何處から其の法律創造行爲に對する權威を得るかといふ問に答へて「裁判官が其の判決に於て、其の時代の精神なり、希望なりを表明する限りに於て「深い意義に於て社會の奉仕者」だからである。然し此の事は彼等の行爲に對して一種の內容的適正を與ふるに過ぎない。彼等が議會及び其の制定した法律に嚴格に服從することから次の事が生ずる。……多くの裁判官が創造した法則が行はれるといふのは彼等自身の力によるのでもなく、又は組織なき社會の力によるのでも無く、主權の力によるのである。」とし、從つて判例法は主權者より授權せられた法に過ぎぬとした(註一七)。

我が國の私法學界に於ては一概には勿論言はれない事であるが、法源としての慣習法の價値に就ては、法律社會學的の見方と、成文法尊重主義と歷史派の主張との折衷說とでもいふべき見方とが並び行はれて居る樣に見えるが、慣習法の主要なる成立要件としては慣習の存在(同型の行爲が永く反覆せらるるとき一の社會則を生ず。之れ卽ち慣習なり。」と法的認識(法的認識又は法的必要觀念とは、國民が慣習を以て法的社會則と認むることを謂ふ。)を擧げるのが普通である(註一八)。

而して前述の如く、有力なる學者にして斯くの如くにして成立した慣習法は、成文法改廢の效力あることを主張せらるる人人が多いのであるが、私は理論上に於ても又我が國法の解釋上に於ても斯る說を採ることを得ない。

第一に解釋論として、我が法例第二條は「公ノ秩序又ハ善良ノ風俗ニ反セサル慣習ハ法令ノ規定ニ依リテ認メタルモノ及ヒ法令ニ規定ナキ事項ニ關スルモノニ限リ法律ト同一ノ效力ヲ有ス」と規定して任意法規に反してすら慣習法は成立し得ないことを認めて居る。

又理論上からは法的安全を尊重すべしとする見地から所謂慣習法が成文法と同一の效力を有すといふことに反對するのである。

其の第一の理由は、慣習法の不明瞭性である。慣習法の獨立なる法源たることを强調する學說は、上述の如く、一定の事項に關して繰返へされたる一定の行爲の集積に法的確信の加はつたことを以て、慣習法成立の要件とするが、此の所謂慣習法の效力が問題となつた場合に、第一の要件卽ち一定の事項に關して一定の行爲が繰返されて居る事實は、或は多數の證人を召喚し、多數の文書を蒐集して證明することが出來るかも知れないが、其慣習が國民間に法として認められて居る心理狀態――法的確信――を證明することは、ほとんど不能に近いであらう。若し此等の事項を簡易なる手段を以て證明し得るものとすれば、著しく法的安全を害し健訟の弊を誘發し得ることは、見易き事實であり、逆にあるサークルに屬する人人が特定の法規を以て自分等に不利益なるものとし法と爲す意思を以て一定の成文法に反する行爲を反覆し、問題が生じた場合に此の事實を裁判所に於て主張すれば、裁判所は之に法的效力を認めなければならぬものであらうか！　現今占有理論についても所謂占有意思に關し「(一)意思は之を制限するを得ざるが故に自由に之を變更するを得べく、占有者は乍にして所持者に變じ又乍にして占有者に變じ得べく、(二)單に外部の擧動に依りて内部の意思を決定するは殆不能に屬す。此く推知するを得ざる内部の意思に占有の成立を繫らしむるは立法政策上當を得たりと云ふを得ず、(三)内部の意思は、外部の事實に依りて之を定むるは困難なり。故に是れ占有者に殆、證明不能なる事實を證明せしめんとするものにして、占有訴權の保護を與へたるの實益なきに至らしむること」を理由として所謂占有意思を以て、占有の要件とすることを否定せんとすることは、(註一九)常識であるのに、慣習法の成立についてのみ法的認識を云云するのは妥當であらうか。

其の第二の理由は、慣習法の非單一性である。慣習法なるものは、元來常に相接觸し且絶えず取引關係に立つ人人のサークルの中に發生するものであるから、從つて同一の事項についても甲の地に於て發生した慣習と乙の地に於て發生した慣習とは相互に異る場合が少くないのであつて、同じ日本の中でも地方によつて、慣習が異つて居るのであつて、之を以て、國内に統一的に行はるる成文法の規定を變更する力あるものとするのは、危險であり、法的安全を害することは甚しいであらう(註二〇)。更に近代國家に於ては立法機關が繼續的に働くのであるから、輿論の力、國民の希望が以前よりも容易く且迅速に成文法の形を採り得る機會が多く、從つて、成文立法が法律の典型的形式となる傾向が强いといふことを注目すべきであり、從つて慣習法を以て、成文法を改廢する力あるものとすることは、國家が其の法定機關によつて制定した法典を强行して居る事實に反するのであつて、斯の如きは成文法主義の自殺であると謂はねばならぬ(註二一)。

所謂慣習法の效力を誇張する事に於て極端に走つて居らるるのは石田博士で

あつて、「わが國法は成文法主義をとることを宣言してゐるけれども、法規を以て生きた國民の生活關係から自然に簇生する慣習法の成立を阻止しようとすることは不可能であり、又法の進化から見ても有害である。現にわが國に於ても任意規定の內容と牴觸する幾多の慣習法が實際上適用されて居る。從つて私は、法例第二條の規定自身が既にそれに牴觸する慣習法の發生によつて、廢止されたものと解し度い」と主張せらるるのであるが（註二二）我が國に於ける成文法主義を宣言した法例第二條の如き重要なる規定が社會の慣例によつて全く廢止さるるが如きことは、Rümelin も指摘したるが如く「斯る過程は從來の憲法の代はりに、他の國家的の規範が憲法によらざる方法で定立せらるる革命の場合に存するのである。……慣習法の範圍內に於ても亦上述したると同じやうな過程が考へられるのみである」（註二三）。而して博士の說は、法的認識は一定の時期によつて制約せらるるものであることを忘れたものである。

然らば成文法は、時の經過に從ひ、社會事情の變遷に應じて何等の變更を受くることは無いであらうか。私は、此の點について、高柳教授が指摘せらるる如く「成文法と慣習法との關係に就いては何れが優越した力を持つのであるかといふことは畢竟時代に依り又法律の各部門に依つて其の趣を異にせざるを得ない相對的な問題」だと考へるので私は今私法の範圍に限つて議論を進めようと思ふ。

私は私法の範圍內に於ては所謂慣習法について獨立な私法の法源たる地位を否定し、從つて所謂慣習法は、成文法を改廢する效力を有すると主張する說に反對するものであるが、判例法による成文法の改廢を認むるものである。

慣習法說の謂ふ慣習法(一定の事項に關し、一定の行爲の繰返へされたる事實に法的確信の加つたもの)を法として裁判所に提出した場合に裁判所は之に依つて拘束せらるるものであらうか、私は此の點に關し裁判所は當事者の提出した所謂慣習法そのものに、拘束せられずとするのが、現今の司法構成上の事實であると思ふ。何となればある一定の取引關係に立つ人人の間に、一定の行爲が久しきに亙つて繰返へされ、その取引範圍に屬する人人の間に之を法とする確信を生じたといふことは、現今の法制上に於ては、裁判所の認定を經なければ斯く謂へないことだと思ふ。何となれば苟くも法たる以上は、其の規範について何等かの爭が生じた場合に之を裁判所に提出して其の保護を受け得るものでなければならぬからであつて、所謂慣習法なるものの基底が社會上に行はるる事實である以上、先づ事實承審官に於て、斯る事實が實際上存するや否やを檢討し而して、當該の慣行が、廣く且長く、且確實に、行はれて居ることが、證言鑑定等によつて明確なりと認定された場合に、初めて裁判所は、之を以て慣習法なりと宣言するに過ぎないのである。所謂慣習法は私力救濟の禁じられて居る、現今の社會に於ては、其の强制力を國家による承認及び保護によつて有するに至るのであつて而かも、此の承認及び保護を與へるものは、國家の裁判所なのである。又此點について、Gaston May も論ずる如く、「慣習法なるものは、何人も、此の規則を一定の日に宣布した者は決して無いのであるから、人は、或る慣習法を存在しないと主張することが出來るし又それを否定するに付て、利益を有する場合には蓋し左樣に主張するであらう。無論人人が之を援用することが其の利益である場合には之が存在を肯定するであらうけれども、然し斯の如くんば誰か二人の敵對者を決定するであらう。而もそれに付ては、證人を召喚し訊問を開始せねばならぬ。人は特に選ばれた特殊の人人に對して當該の場合に普通適用せられる法規の存在を知るや、否やを問ふであらうけれども、然し經驗に依れば斯る訊問は幾多の錯誤の機會を包藏することが知れる。尚各人は、實際單なる一事實の確認が問題となる場合でさへ、人間の記憶に賴ることが如何に冒險的なるかを知る筈である。然らばより强き理由を以て、一の原則、一の規則即ち各個人の大多數が爲し得る所の抽象力の範圍を超ゆる、一般的秩序の觀念を調査する場合に於ては尙更然りであると云はねばなるまい」(註二四)。而して裁判官が慣習的命題の適用性に就いて判斷し得るといふことは、慣習そのものには何等獨立な法的權威が内在して居らぬことを示すものである

所謂慣習法の成立に關し穗積博士は「慣習法とは、社會に於ける慣行によつて發生した社會生活の規範が不文の原形の儘社會の中心力によつて法律的規範として承認强行せらるるものを云ふ。即ち社會の中心力が其慣習の違反者を壓迫制裁して其慣習を强行することが必然的に豫期され、人民が此豫期によつて其慣習を遵守續行する樣になると通常の社會生活規範であつた慣習がここに法律的規範たる慣習即ち慣習法となるのである」(註二五)と主張せられ、我妻敎授も亦「社會の慣行によつて發生した慣習律は一の社會規範として社會生活を規律するものであることは謂ふ迄もないが、この慣習律が所謂社會の法的確信又は法的認識によつて支持せられる程度に達すると社會の中心勢力はこれを法的規範として、承認し强行するやうになる。この程度に達した慣習律が即ち慣習法である」(註二六)と、

論じて居られるけれども、其の所謂社會の中心力又は中心勢力と稱せられるものは果して何であらうか。この社會といふ意味を多元的に解して一國内の各種の取引社會といふ意味に解するならば、斯る社會の中心力は慣習律を――成文法を改廢してまで――承認强行する力を持たないことは現今の法制上明白であるし、若し此の社會といふ意味を一元的に解するならば、社會即ち國家といふことになつて、而かも國家の法の解釋、適用等の機能を司る裁判所（特に大審院）といふのと同一義になりはしないであらうか、若し然りとすれば、私の考と同一になるのではないかと思はれるので、果して然らば慣習法と判例法とを各々獨立な法源として、認められる充分な理由が無くなるのではあるまいか。

裁判所は抽象的に存する國家の意思を具體的に實現せしむる國家の機關である。此の實現は判例の形式で現はれる。

私は、所謂慣習法なるものも裁判所を通じ、國家意思の承認を得て、始めて强制力を有する法となるものと考へるのであり、更に進んで私は裁判所はある程度の立法權を有することを認むるものである。通常立法と司法とを峻別して、裁判所には立法權無しとせられて居るが、元來、立法、司法、行政の三作用を明確に區別せんとすることは、フランス革命當時よりの政治的のスローガンに過ぎないので、實際上の法律生活に於ては、現に我が國に於けるのみならず、世界の總ての國に於て、又世界に裁判所の制度の設けられた、當初から今に至るまで、裁判官は常に或る程度の立法を爲しつつあるのであつて、これは司法機關なるものが法の解釋適用を爲す機關たる必然的の結果である。何となれば如何なる成法も完全に其の規律せんとする對象に對して詳細妥當なる規定を設くることを得ず、又如何に優れた法律家によつて立案せられた法典も非常な勢を以て、變轉して行く時代に、凡ての點に於て、追從することを得ない事は人類の久しきに亙る經驗によつて明白な事柄であり、且一方に於て「成法上に規定のない事項に就ては、裁判を拒絕し得る」積極的な規定の無い限りは、此の限度に於ては所謂司法的機能の中には、立法的機能が本質的に含まれて居るものと解するのが正當であると信ずるのであつて、ローマ法に於て法又は權利が訴訟手續から發達し、ゲルマン法上の判決は常に同時に法發見であり、且法の適用であつたことは、この立法と司法との必然的の關係を示す適例ではあるまいか(註二七)。

然かも又、普通典型的な、慣習法國と稱せらるる英國の法制の根幹を爲して居る

Common Lawは實に、訴訟手續から、發達し來つたものであつて此點に關し Maitlandは"Each procedural pigeon-hole contains its own rules of substantive law."と確言し又"the forms of actin we have busied, but they still rule us from their graves"と述べて居るのでも明かであつて(註二八)巴里大學のLévy-Ullmann教授も英國判例法を歴史的に研究して、"C'est de la procédure qu'est issue toute la Common Law"と斷言して居られる(註二九)。

此の意義及び範圍に於て、裁判官は立法權を有し社會的慣行に對して、法たる權威を附與する機能を有するものであると解するものであつて、斯く解することによつて所謂明認方法に關する諸判例(註三〇)が民法一七七條を或程度に於て、變更し、又白紙委任狀附記名株式讓渡の有效を認めた諸判例(註三一)が、商法一五〇條を變更したるものであることを理解し得るのであつて、判例法ならざる所謂慣習法が成文法典を改廢したる實例は、何處の國にも發見することが出來ないのであつて、私は、從來の一切の「慣習法理論は、ロマンチックな歴史的空想の産物である!」と叫び度い(註三二)。

又以上の如き見解は、民法、商法の如き私法を裁判規範として、考へることが現在に於ける吾人の法律生活を如實に説明し得る(註三三)ことと密接な關係があるのである。社會には民法、商法の豫見しない多くの私生活上の事象が生じて居るが、それ等の態容が著しく社會の安寧秩序を害する場合に、警察權の發動を見る丈けで、國家は此等の事象に直接干渉することは無い。唯其等の諸行爲が、裁判所の前に提出せられた時に國家が當事者の主張を許し、其の主張に國家權力に依る保護を與ふべきや否やを決する場合に、民法典、商法典、社會的慣行が裁判官の判斷に對して標準を示すものであり――尤も法典は、法律的客觀的拘束を裁判官に與へ、社會的慣行は裁判官に事實的主觀的拘束を與ふるに過ぎない區別はあるが――此の裁判所の承認を得たる社會的慣行が法として更に同樣な事件について成文法と同一の權威を以て標準となるので、判例法が成文法典を改廢することのあるのは、同一の權威ある法源から發生した二つの規範の間に於て、"lex posterior derogat priori" が行はれるに過ぎないのである。

成文法を以て靜的成法とすれば判例法は動的成法と呼ぶことを得ると思ふ。

私が以上に述べた所は、理論であるといふよりも寧ろ、現在の法律生活を直觀して得た歸結に外ならぬのである。

（註一）穗積博士改訂民法總論四二頁、我妻教授民法總則（民法講義I）一四頁、石田博士物權法論二一頁、但し石田博士は、判例法を以て慣習法とは獨立な法源と認めらるるか否か不明である。

（註二）恒藤恭氏「羅馬法に於ける慣習法の歷史及理論」參照

（註三）Von Savigny; Vom Beruf unser Zeit für Gesetzgebung und Rechtswissenschaft, 3 Aufl., S. 14, 1840.

（註四）Puchta, Das Gewohnheitsrecht I. S. 143

（註五）A. a. O., S. 135

（註六）穗積陳重博士「慣習と法律」一五六頁、

（註七）Hegel, Rechtsphilosophie, S. 340

（註八）Kierulff, Theorie des gemeinen Civilrechts, S. XXIV, 1839

（註九）Reinhold Schmid, Theorie und Methodik des bürgerlichen Rechts, S. 229—236, 1848.

（註一〇）Adolf Lasson, System der Rechtsphilosophie.

（註一一）Karl Binding, Handbuch des Strafrechts, I. S. 201, 1885.

（註一二）Paul Laband, Das Staatsrecht des Deutschen Reiches, II^4, S. 69, 1901.

（註一三）Levin Goldschmidt, Handbuch des Handelsrechts, I^2 § 35, S. 316 ff. 1875

（註一四）Hugo Sinzheimer, Die soziologische Methode in der Privatrechtswissenschaft, S. 24f. 1909.

（註一五）Alf. Ross, Theorie der Rechtsquellen, S. 305. 1929

(註一六) Kierulff, Theorie des gemeinen Civilrechts, S. 41.

(註一七) W. Jethro Brown, The Austinian theory of Law, PP. 301—302. 1926.

(註一八) 鳩山博士増訂改版日本民法總論六頁以下、尚、註一參照
Vgl. Ludwig Enneccerus, Lehrbuch des Bürgerlichen Rechts, I. 1. S. 82 ff

(註一九) 石坂博士改纂民法研究上卷三九九頁以下

(註二〇) Henri Capitant, Introduction à l'étude du droit civil, P. 44. 1929.

(註二一) 高柳教授　法律哲學原理三二七頁以下參照、但し高柳教授の結論は「現代に於ては成文法に反する慣習法は認め得ないと云ふことは大體の傾向としては言ひ得るであらう」と謂はるるに止まる。

(註二二) 石田博士物權法論二一頁、

(註二三) G. Rümelin, "Das Gewohnheitsrecht" Jahrbücher für Dogmatik, 27. Band, S. 242 ff, 1889

(註二四) Gaston May, Introduction à la Science du Droit, PP. 35—36
吉田久氏「ガストン、メイ教授の法學概論に就て」法學新報四三卷一二號九九頁、

(註二五) 穗積博士改訂民法總論三九—四〇、

(註二六) 我妻教授、民法總則(民法講義 I)一〇頁以下、

(註二七) August S. Schultze, Privatrecht und Prozess in ihrer Wechselbeziehung. I. S. 47—100, 1883.

(註二八) Maitland, Lectures on the Forms of Action at Common Law. Lecture 1. PP. 296—298.

(註二九) Henri Lévy-Ullmann, Le système juridique de l'Angleterre. t. I. p. 135.

(註三〇) 我妻教授、物權法(民法講義 II)一〇三頁以下參照

大正五年九月二〇日大判(民一四四〇頁)
大正九年二月一九日大判(民二〇二八頁)
大正九年五月　五日大判(民六二二頁)

(註三一)　明治三八年六月二七日大判(民一〇四七頁)
明治三五年六月一七日大判(民九四頁)

(註三二)　Oskar Bülow, Beiträge zur Theorie des Gesetzes und Gewohnheitsrechts. S. 109, 1901

(註三三)　末弘博士民法講話上卷七頁以下、

三　現在及び將來に於ける判例法の任務

經驗宗敎及び Logos に對する Ethos の優位は、神學的近代主義を要求した。神學的近代主義が信條論の代りに、より大なる宗敎的豫言者の人格の天啓的經驗を置かんとしたるが如く、法律的近代主義は、形式的の法律に對して王者たる裁判官の人格を庇護した(註一)。これは裁判官の人格に於けるより以外に司法の保障は無いといふ思想に基く。

私は前段に述べた樣に、立法と司法とは本質的に全く相分離し得るものではなく、其の兩者の間に於ける必然的關係から司法官に、或程度の立法權のあることを論斷した。

しかし乍ら、私は勿論、司法官が自己の前に提出せられた當該の事件に對して恣意を以て立法することを認むるものではなく、社會に行はるる良き慣習に服從すべき道義的義務を強調し、良き社會的慣行を明確に認識し之を促進し、之を法律的に規整する明敏なる判斷を司法官に對して要求するものである。

何となれば慣習の由つて來る所は甚だ遠く、且非常に根柢の深いものであつて之を法律的に活用することは、國民の生活の進展に於ける缺くべからざる條件であるからであつて、我妻教授が「近時小作關係に關する特別の立法が論議せられて居るのは、社會の慣習を民法の規定によつて阻止せんとして能はざりしことに其の重大なる一因を有するものと理解して居る」(註二)と主張せらるるのは、眞實であり又 V. Coquille が其の著、"La coutume" (四頁)に於て "Le but principal de la coutume est d'assurer l'existence des classes ouvriers" と主張したのも、よく社會慣習の實質を捕へたもの·であり更に同書三三頁に於て「帝政ロシアに於て、ロシアの教會は離婚を認め、上級社會の人人は之を實行したが、庶民階級の人人は、離婚を解するものの様には見えなかつた」と述べて居るのは、如何に慣習の根強いものであるかを證するものである。

然し乍ら一方に於て、借地借家關係に關する慣習が成文化され、又我民法上主として其の規整が慣習に委ねられて居る小作關係、入會關係について、多くの爭議と、多年に亙る幾多の困難にして複雜な訴訟を惹起したことは、人の良く知る所であつて、これは先に私の指摘した如く、所謂慣習法の不明瞭性と非單一性とに基くものであつて、所謂慣習法なるものが獨立の法源として認むべく、如何に、法律的效力の薄弱であるかを、示すものであつて、所謂慣習法が國民の必要缺く可からざる生活關係を規律する規範として、法的安全の見地から、物足りなさを感ぜしむること切なるものがある。宜なる哉、慣習法を以て、獨立なる法源なりと强調せらるる諸學者も小作關係、入會關係、婚姻關係等について或は溫泉に關する諸種の複雜なる物權關係について、立法的確立を主張せられざるを得ざることを見るのである。又佐藤百喜氏が其の入會權公權論の最後、(五三九頁)に於て「入會權ノ本質ハ我國ノ制度ニ從フモ、「ゲルマン」ノ制度ニ從フモ、其ノ成立ノ當初ヨリ、公法的ノ部分ヲ多分ニ包有スル權利ナルガ故ニ、入會地ハ公物トシテ、國又ハ市町村ニ之ヲ所有シ、永遠ニ之ヲ住民ニ利用セシムルコト最モ能ク其ノ權利ノ沿革本質ニ適合スルノミナラズ、其ノ私權化ヲ止メテ、入會地ノ分散ヲ防ギ、將來ニ亘リ、住民ノ權利ヲ保障スルコト、社會政策上極メテ必要ナルコトヲ切言セザルヲ得ズ」といふ主張に對しては、現行法上に於ける入會權の法律的性質に關する議論としては、兎に角、將來に於ける立法論としては入會に關する慣習の不明と、不統一より生ずる諸種の弊害と、農村住民の保護の不徹底を痛感する私としては、氏の主張に滿腔の贊意を表せざるを得ないのである。

“Ubi societas ibi jus” と謂ひ、Montesquieu が Les lois, dans la signification la plus étendue, sont les rapports nécessaires qui dérivent de la nature des choses ; et, dans ce sens, tous les êtres ont leurs lois.” と言つたのは、一面に於て眞理であらう。然し乍ら吾人の社會生活に於て遵守せらるべき又は遵守せられて居る總ての規範が法であるとは謂へないと思ふ。フランス民法、一一三四條第一項は、“Les conventions légalement formées tiennent lieu de loi à ceux qui les ont faites” と規定した。契約も當事者が之を遵守すべき點に於ては、當事者間に於ては、或は、之を法と呼んでもよいかも知れない。然し當事者の自由に締結した、契約を以て、成文法改廢の效力ある法と呼ぶことは、何人も躊躇するであらう。　更に、定款、內規、就業規則、勞働協約、若くは所謂contrat d'adhésion の範疇に入るべき、諸種の契約に於ては、通常の賣買契約、贈與契約等よりは、之に關與する當事者は遙かに多く、其の規律の行はるる範圍は、一つの小社會を成すことがあるかも知れないが、斯る性質の規範を以て、國家の法定機關によつて、制定された成文法と並立すべき法源と認むることを得ぬ。　何となれば、其の數の巨多なる、其の性質の區區たる、之をしも法と呼ぶならば、普遍的に劃一的に行はるることを以て――是れが公平の保障となるのであるが――生命とする法典の大目的に反し法的安全は得て望まれないからである。　所謂慣習法に至つては、上述の契約的規範よりも、其の行はるる範圍も更に廣く、其の繼續の期間も永いが、之を以てしても、國家機關の承認を經ざる單純な狀態に於ては、成文法を改廢する效力を認める事は出來ない。　何となれば「人間は、不意の事變に依つて動もすれば變化する諸事態に直面して、內在的な、安全の欲求を經驗する。　この安全の欲求は慣習の中には依つて以て滿足すべきものを發見しないのである。　人は法の存在を知らぬと非常に不利の目に遭ふが、此の無智は、所謂慣習法が固定し、十分に確固なるものと假定しても、其の存在を確認することの困難なる原因からも起つて來る」(註三)からである。

斯る觀點から看れば、判例法は、所謂慣習法よりも、其の一般的に公示せられ、少くとも法律家には、容易に其存在を知られ得べき狀態に在り且判例の趣旨と異つた行爲の價値は國家權力によつて――場合に依つては、强制執行の方法に於てすら――否定せらるることが頗る多く、確實性、固定性に於て遙かに、所謂慣習法に優るものであり、又判例によつて成文法の改廢せられることは、今日謂ふを俟たない所で、これは獨り我國のみならず、世界のあらゆる法典國に通ずる確定した事實だからである(註五)。卽ち、判例法の生成に於ては、社會に行はるる慣習の內容に先づ法的形式が加はるのである。其の手續はどうかと謂へば、國家が其の法的形式に依つて確定せられたものを承認し且生活關係の支配に於て、慣習によつて生成せしめられた內容の實現に、腕を貸すこととなのである」(註六)。然し乍らこの判例法の效力範圍は、前にも一言したるが如く、裁判官の個人的考量によつて決せずして、客觀的道義的格率及び國家の根本機構によつて定まるのである。何となれば正義の諸原理の觀念及び種々の生活關係の評價は本質上各民族に內在する人生觀に依存して居るものだからである。從つて裁判官は斯る標準から見て不可とする慣習に法的效力を與へないであらうが、然らざる限り、國民間に行はるる、慣習を其の儘に採用するのが常であらう。然し前段に詳述したるが如く、裁判官の立法權は、立法と司法とが本質的に分離し得られざる基底の上に立てるものであるし、又裁判官が慣習に拘束されると感ずることは單に、道義的拘束であり、之を以て法律的拘束と解すべき根據は無いから、裁判官は慣習法に拘束せらるるものであると概念的に論ずるのは妥當を缺くのである。從つて私は商法第一條に所謂商慣習法も商事に關する判例法の意に解する、而して判例法の權威を、强めるものは、“Was dem einen Recht ist, ist dem anderen billig” の原則である。末弘博士も最近の論文に於て、此點を力說して、「元來法の權威は其規定する內容が「正義」に合致すると言ふことよりは寧ろ同樣のことに對しては、同樣の法律的取扱を與ふべきであると言ふ「公平」の要素によつて保持されて居るのであつて、司法政策上類推が價値を有するのはそれが爲めである。……判例法の法律性も「類推」の原理によつて說明せらるべきものである」と言つて居られる(註七)。

斯の如く、現在の法律生活の實際を直觀すれば、私法の法源は、成文法と判例法に、還元し得るが故に、現在及び將來に於て、司法官の職責、其の地位の重大なることは今更らいふまでも無い。彼の英國に於て、比較的少數の裁判官が一國の信望を其身に集めて、世界有數の大貿易國、大工業國の非常に複雜なる法律關係、訴訟關係を極めて、適切に處理し、其の判例に現はるる、斬新妥當なる法理――例へば債權の第三者に依る侵害は不法行爲を成す――は數十年後に大陸學者によつて、其の基礎付けを見るに至るも、英國に於て如何に優秀なる人士を裁判所に集め、英國民の裁判官に對する彼の絶大なる信賴は如何に公平なる人格の士を司法部に見出し得るかを思はしめる。Lévy-Ullmann 教授が、此の意味に於て、英國裁判所の地位を其の大學の地位に比較したのも理由あることである(註八)。

我國に於ても、裁判官の職の將來益々重大性を増す可き必然性を認識する者は、司法官の榮譽と待遇を更に向上せしめなければならぬことを痛感するのである。法律進化の歷史も他の一般の社會制度のそれと同じく、無意識的、不可知的なものを意識的可知的なものとなすことを示して居る。獨り法源論に於てのみ、實質に於て Savigny 時代のそれと變らない慣習法論を、今日尚ほ振りかざして、他の科學の駸々たる進歩に、とり殘されて居てよいものであらうか！

法に確實性と固定性が無ければ、社會の安寧を保つことが出來ず、法が社會の進化に順應することが無ければ社會を法の犧牲とするものである。この法律上の antinomie を解決することは實に、優秀にして科學的なる立法と、明敏なる判例法の活躍に俟たなければならぬ。私は敢て、立法の文化性と判例の法源性とを高唱するものである。

(註一) Hans Mokre, Theorie des Gewohnheitsrechts, S. 88.

(註二) 我妻教授、物權法、現代法學集、二〇卷三五一頁、

(註三) 我妻教授、物權法(民法講義II)二四六頁、

(註四) Gaston May, Introduction à la Science du Droit, P. 35.
吉田久氏「ガストン、メイ教授の法學概論に就て」法新四三卷一二號九八頁以下、

(註五) E. H. Perreau, Technique de la Jurisprudence en Droit Privé 1923. には此點に關する幾多の適例を載せて居る。

(註六) Adolf Lasson, System der Rechtsphilosophie, S. 413, 1882.

(註七) 末弘博士「解釋法學に於ける法源論について」法學協會五十周年記念論文集第二部三九八—三九九頁、

(註八) Henri Lévy-Ullmann, Élements d'Introduction générale à l'étude des sciences juridiques, II, Le système juridique de l'Angleterre, P. 162.

（終）

昭和九年二月七日午後八時
文政學部研究室に於て

法と言語

（學說史の一斷面）

杉山茂顯

目次

緒言

法と言語との關係、其の各々が社會現象として有する類似點、其の發達過程の近似等の問題は、法といひ、言語といひ、共に人間の社會生活にとつて極めて重要な地位を占めてゐる事象であり、其の作用の範圍も甚だ廣汎であるが故に、外國に於ては古來多くの學者によつて採り上げられ來つた。然るに、吾國に於ては寡聞にして此の問題に關して法學者の側からの突込んだ研究のあるのを聞かない。以下述べるところは、吾學界に於て閑却されてゐる此の重要でもあり、且、興味もある問題に就いて、法律學者が採つた從來の態度、幷びに、學說の現代的地位を敍述し、之に關聯する種々な問題を提起して、此の問題に就いての關心を高めると同時に、完結した體系的な論述への準備に資することを目的とするものである。

法と言語との關係についての問題は、前述、法と言語との發達過程、夫々の重要な性質の對比を以て其の最も主要なものとするのであるが、其の他にも、太初に言葉があつたか行があつたかの聖書的哲學的の問題を初めとして、民族精神の發現としての法と言語、之と對立するものと考へられる世界法の理論と世界語(一)の提唱、『法(レヒト)』と『言語(レーデ)』との言語學的關聯(二)、法曹語と普通語との關係(三)、言語を異にする人相互間の法律關係(四)等數へ來れば殆んど際限がないやうに思はれる。以下、吾々が取扱ふ範圍を歷史的生成の類比、現象としての形象の比較(五)、法律學と文法との比較の三つの問題に局限しやうと思ふ。

(一) 世界語に就いては現在相當の勢力を持つエスペラントに先立つて "Pasilingua," "Volapük," "Zahlensprache" 等の主張が行はれた。ライプニッツと共に科學を『概念を以てする計算』と解する法學者は特に『數語(ツァーレンシプラッヘ)』に會心の感を抱くであらう。

(二) Frensdorff, Recht und Rede. In „Historischen Aufsätzen, dem Andenken an Georg Waitz gewidmet"—— 1886 —— SS. 433—490. 彼によれば Rede (ahd. redia, reda, mhd. rede) は oratio の意味と ratio といふ意味とを併せ有し、後の意味に於ては啻に裁判所に於ける解決といふ意味のみならず、法律事件、更に進んでは主觀的權利及び客觀的法律の意味をも有する (jus, iusti ia, lex, ordo)。最後に ratio は人が解決を確保する手段、卽ち裁判所で行つた供述 Rede ともなつた。このことは今日の用語に於ける „Rede stehen" 又は „jemanden zur Rede stellen" の意味を考へて思半ばに過ぎるであらう。

(三) 所謂『法曹獨乙語(ユリステンドイッチュ)』の問題に付いては L. Günther, Recht und Sprache——1898 に詳細に論ぜられてゐる。序乍ら云ふ。ギュンテルのこの著述は、主目的は法曹語の問題の解決に存するが、法と言語との一般的な關係に就いての論述、特に豐富な文獻の引用は此の方面の研究に有益な材料を數多提供してゐる。

(四) 法域と言語と共に異なる者、法域を同じくして言語を異にする者、言語を同じくして法域を異にする者、等の關係があり得る。 一部分は國際私法又は共通法の問題であり、他の一部分は裁判技術的な能率の問題である。

(五) 生成の問題と本質の問題とは勿論密接な相互的關係に立つ。 玆でかうした區分と順序とを擇んだ理由は近代に於ける學說發達の順序と敍述の便宜とに基く。

第一 歷史的生成の類比

文化發達の初期に於ける總ての民族に就いて見るに、其の法は著しく民族性の反映としての性質を示してゐる。 何故かといへば此の時代に於ては民族を組成する各人が立法及び裁判に就いて個人的の參與を認められた程度が極めて大きかつたからである。(一) 希臘の歷史も、古代羅馬史も此の事實を裏書する多くの材料を提供する。(二) 事實、特殊階級としての法曹階級が生れたのは中世に到つて初めてであると云つて差支ないであらう。 法のこの點に着眼して法と言語との關係を一つの傾向として採り上げたのは、通常歷史法學派と稱せられてゐる處の一列の法學者達である。 フーゴー、プフタ、サギニー、ギールケ、エリング等を數へ得る。

(一) Gierke, Der Humor im Recht, 2. Aufl.—1887, S. 7.『法の少年期は一切の範圍に亘つて直接且全的の民族創造、民族活動によつて特徴づけられてゐる。古代法は未だ尚分裂せざる民族の平等の所有物である。法は民謠と同樣に民族の靈魂から湧き出る。』Gierke, Über Jugend und Altern des Rechts, S. 20. 參照。Brunner, Deutsche Rechtsgeschichte, I, § 15.『ゲルマン人の法律知識は信仰や言語と同樣に民族の共同財(ゲマインダート)である。』

(二) Schellhas, P.—Ideale und Idealismus im Recht. Gedanken und Forderung zur Hebung des Richterstandes.—1896—S. 98—100. 羅馬の文學に於て到る處、法律制度が一般人周知の常識的な事柄として取扱はれてゐるのを見る。法律上の術語は頻繁に、然も何等の固苦しさもなく出て來る。一例を擧げるならば、Plautus の劇は法律生活がいかに人民の常識であつたかを示す好い見本である。希臘に於ても同樣の現象が見られる。例へば Aristophanes の『熊蜂』は希臘人の生活に於ける法律の地位を示すに足る。

十九世紀の前半以來流行を見た『正確なる科學的方法』の法律の範圍に於ける應用は、自然法思想に對して起つた歷史法の思想として先表はれた。歷史法派の祖と考へられてゐるフーゴーは『民族の實定法は其の言語の一部分である』と說き(三)、プフタは『法は言語と同樣に方言(プロヴィンツイアリスメン)を持つ』と考へた(四)。併し歷史法學派の主張が光輝ある絕頂に到達したのはティボーとの法典論爭で勝利を博したサギニーの出現を俟つてゞあつた。法と言語との關係についてのサギニーの見解を見る爲めには彼の著『立法及び法律學に對する現代の使命』(五)の第二章『成定法の成立』に眼を向けることを便とする。彼は曰ふ。

『民法は夙に言語、風習、制度と同様に其の民族に固有な一定の性質を持つ。否、此等の現象は決して離れ離れの存在ではなく、性質上不可分的に結合して或る民族に特有な性質を構成する。此等の諸現象を全體として結合するものは民族の共同の確信である。』

『民族的信仰が固持せられんが爲めには或る有形的な存在を必要とする。其は言語についていへば不斷の使用であり、憲法についていへば外面的な公權力である。』

『此等の形式的行爲(古代の要式行爲に於ける種々な象徴的な行爲)は此の時代の法律の獨特な文法と見られ得るものであり、古代羅馬の法律家の主たる任務は此等の行爲の支持と其の正確な適用に在つた。』

『法律と民族の本質との有機的關係は時代の進行中にも表はれるものであり、此の場合にも法は言語に比較せられ得る。卽ち言語に於けると同様に法に於ても絶對的停止の瞬間はない。』

『文化の發達に伴なつて民族の總ゆる活動は益々分化する傾向を有する。營ては共同に營まれたものが今や個々の身分によつて行はれるに到る。此の如き分化せられたる一つの身分として法曹が出現する。法は今や言語の中に形成せられ、學問的な傾向を具へ、往昔全民族の意識の中に生きて居たと同様に、今や法曹の意識裡に落着いてゐる。……法の存在は、一方に於ては法以外に亘る全民族生活の一部として、他方に於ては法曹の手に在る特殊な學問として二重の生活を持つことによつて一層人工的な複雑なものとなつた。』

此に掲げたサギニーからの引用は各段夫々吾々の問題に就いての重要な提案を暗示する。法と言語は共に民族精神の發現であること、民族精神を固守する手段としての法及び言語に對する態度の決定、象徴的な要式行爲を文法と見る見方(六)、法と言語とは常に生成の過程にあるものであり、共に動的な觀察を必要とするといふこと、自然的に生成する法(サギニーの所謂『法の政治的要素』)と學問的な法(『技術的要素』)との競合等が是である。此等の點に就いての檢討に先立つて、エリングが吾々の問題について如何に考へたかを見やう。

(三) Gustav Hugo, Ist Gesetzgebung die einzige Quelle **der Gesetzen**? Civilistisches Magazin, 1814.

（四） Puchta, Cursus der Institutionen, I. B, S. 15——1881——

（五） Fr. K. Savigny, Vom Beruf unserer Zeit für Gesetzgebung und Rechtswissenschaft.——1814——

（六） 此の點については後述エリングの法律的アルファベットの提唱と對比して興味がある。

エリングは法の生成に關する歷史法派の一般的な前提を認めながら、法のアルファベットに就いて興味ある提案をしてゐる。（七） 此の點に關する彼の所說を簡單に要約して見るならば、

人間の最も偉大な、最も有效な、而も最も簡單な發明の一つはアルファベットである。同じ觀念を法律にも應用できないであらうか。法の技術はアルファベット化し得られないか。アルファベットは分析を基礎とする。卽ち、言語は或る基本的な發音の樣々な結合から生れるといふことから出發して、先此等の基本的發音を發見し、それからして任意の語を組み立てる。若しも立法者が總ての法律關係について夫々の規則を打ち立てねばならぬとすれば、思想の進步が不斷に新語を生み出すと同樣に、人間の相互關係の進展は常に新たなる法律關係を生み出すものであるから、複雜極まるものとなり到底手が付けられぬやうになるであらう。處か、幸にして新たな法律關係は單に或る基礎概念の新たなる結合又は

修正に過ぎない場合が多い。だから法の範圍に於ても言語に於けると同樣に比較的に容易な支配の可能性がある。其は材料を分析して簡單な要素を發見することである。そこに法の化學とも云はるべき技術の使命が存する。法の範圍に於ける材料の分析によつて普遍的な法律命題と具體的な法律命題とが析出される。其をアルファベットに引き較べて見るに、前者は子音に、後者は母音に相當する。卽ち抽象的、普遍的要素は極めて大きな適用範圍を有する。例へば錯誤の概念は、契約にも、引渡にも、支拂にも、遺贈にも起り得る。之に對して具體的な要素は常に極めて固定せられてゐる。例へば賣買契約とか遺言とかは空間的にも時間的にも制約せられた存在である。他面に於て、抽象的要素は獨立し得ないが、具體的要素は獨立して存在し得る。抽象的要素は其が具體的に實現せられんが爲めには常に具體的な要素と結合せねばならない。

判決は讀解(レーゼン)と同じ作用である。讀む場合に字母を判讀して其によつて示された音の全體を言語的の統一體にまで總括すると同樣に、裁判官は法律事實を形成する諸概念を個別的に捉へそれを分析し、最後に其の總體としての結論を確定する。Entscheiden は Scheiden を基礎とし、Urtheilen は Theilen を基礎とする。

法のアルファベットは言語の夫に比較して其の應用の範圍が著しく狹い。法の抽象的要素のみが言語上の字母に匹敵し得る。其の結果として字母の數は法に於ては言語の場合よりも遙かに多くなければならない。別の理由として法のアルファベットが言語の夫よりも遙かに正確であり且固定的でなければならぬといふ點がある。言語のアルファベットが少數の記號で足りるといふことは大部分は言語上の音が文字を通じて再生される場合の不正確さに基く。假りに、特に母音の發音に於ける細かいニュアンスの一切が文字によつて示されねばならぬとしたら、現在より遙かに多數の記號が要求される。文書は單に言語の未熟な複製でしかない。言語を知つてゐる人には充分かも知れないが、書いたものによつて言葉を學ばうとする者にとつては全然不充分である。法に就いても、其の發達の最初の段階に於ては之と似通つた現象が見られる。成文法は法の Sprechen に對する甚だ不正確な據り處を提供するに過ぎなかつた。法が書かれてゐる通りに sprechen せらるべきものならば、其は sprechen せらるべきやうに書かれねばならない。言語に就いては、內國人に關する限りは、話(シプレッヘン)すことと書(シユライベン)くこととの合致は何等實際的の重要性を持たないが、法にとつては極めて重大である。さればこそ法に於ては言語の場合よりも遙かに多くの字が要求されるのである。此のことと關聯して更に他の相違點が生れる。即ち、言語のアルファベットは言語の變遷を通じて常住不變であり、且、一の言語のみならず言語族の全體を通じて本質的には同一であるに對して、法のアルファベットは時間と場所に應じて異なることを常態とする。何となれば、形式的な普遍的な法律概念を論理的に思惟することは可能でもあり、有益でもあるが、實證的な法は究極に於ては制定に左右されることを認めざるを得ないからである。此の如く實證性を負はされてゐるに拘はらず法のアルファベットは時に驚くべき恒久性を示す。例へば所有權、地役、債權等の概念は羅馬法以來今日に到るまで其の根本の性質に於ては殆んど變遷を見ない。

（七） R. v. Ihering, Geist des römischen Rechts, 6 u. 7 Aufl.——1923——§ XXXXIX. Die juristische Analyse (das Rechtsalphabet).

エリングの所說の主眼とする處は法に對する分析的研究方法の唱導に在る。言語のアルファベットと併立するやうな法のアルファベットの提唱は單に歷史派の人々が好んでする比喩的な說明方法の一例であつて、說明の器用さをこそ表明するが、同様のことは法以外の多くの現象にも當て嵌められ得ることであつて、必らずしも法と言語との關係の本質に觸れてゐるとは云ひ難い。畢竟するに法のアルファベットは法の最普遍的部分の唱導であり、一般法學の主張の中心思想であり、科學的正確さを法律學に導き入れやうとする十九世紀法律學の典型的な例であり、全然歸納的に獲得せられた其の諸原理は、非哲學的經驗主義の產物として早晩其の妥當範圍を疑はれるべき運命を擔つてゐたのである。

歷史法派のテーゼの中で最も吾々の注意を惹く點は民族精神に對する法と言語との關係である。法と言語とは民族精神に對して同一の關係に立つか否か。人間性は社會生活を要請する。社會生活に於て法と言語とは必然である。個々の社會に於ける法なり言語なりが當該社會を構成する人々の特殊性に制約せられることも當然である。其故に法と言語に關する歷史法派の主張は、此の限度に於ては、全然正確と云はざるを得ない。併し此のことには重要な若干の條件が附加へられねばならない。第一に、是は他の社會からの外的影響によつて全然攪亂せられない內的發展の場合に限られねばならない。第二に、第一と關聯して、或は無關係に、法に及ぼす人間の意識的な文化活動(サギニーの所謂技術的要素)を極めて輕く見るか、又は、全然度外視した場合に限られねばならない。要は、附加へられるべき此等の條件の中に法と言語とを區別する根本的な要因が存するか否かの點に歸する。

第一の點に就いては、圓滑に好結果を以て行はれた法の包括的繼受の實例に乏しくないに對して、言語に關して同樣な現象を歷史は示して呉れない。又、第二の點に就いて云へば、制定による新法の發生、舊法の改正は日常の現象であるに對して、新語の制定は、一般の使用を保し難い(八)。第一の點によつて言語は法よりも民族主義的色彩が濃いことが確かめられ(九)、第二の點によつて法がより理想性を有し、言語がより事實性を有することが證明せられる(一〇)。

(八) 國定教科書に採擇せられる言葉、アカデミー・フランセーズによる辭書(ディクシオネール)への編入等も決して恣意的な創造語でなく、一般の使用といふ背景を持つてゐるものであること勿論である。

(九) 歷史派法の人々が總て法に關する民族主義的見解を有するものとは云ひ得ない。例へばサギニーは羅馬法思想を通じて普遍的な法律論を行た。(田中耕太郎教授『サギニーに於ける國際主義と自然法思想』山田教授還曆祝賀論文集三五四・三五五頁參照)。(田中教授は『世界法の理論』に於て、法の概念を民族の概念から解放する意圖の下に、歷史法派の法律觀を論じ『法を言語と同一視するは歷史法學派の犯した最も大なる誤』とされる。其他、法と言語との相違に關する幾多の有益な所論を含む。『世界法の理論』第一・二四四—二七〇頁參照)。

此に直接の關係はないが、言語學者の側よりする觀察は殆んど例外なく法の民族主義的性質の肯定を含む。一例を擧げるならば、安藤正次教授は其著『國語學通考』に於て『國語は國民精神の發現である。國法が時と處を異にして別異に成立するが如く、國語も亦時と處を異にして別異に成立する。國法が自然的に發達し變遷するが如く、言語も亦自然的に發達し變遷する。』と論じて居られる。（二五頁）。

（一〇） 此の點に就いても、歴史法學派の總てが全然制定を否定するものではない。サギニーが自然的の法と併んで學問的な法を認めたことは吾々が既に見た處であり、エーリングも亦、法の學的形成を肯定する。『眞の法學者は場所と時の相違を超越して同じ言語を語る。』――Geist des röm. Rechts 6. u 7. Aufl.――1923――S. 315.

第二　形象の比較

法と言語とに關する歴史法派の所説に於て、吾々に何となく物足りなさを感ぜしめることは、法と言語との歴史的生成過程の類似が漠然と示されてゐるに止まつて其の現象形態の比較が閑却されてゐる點である。近時、現象學的な法律學者ゲルハルト・レーディッヒ教授によつて發表された『法、貨幣、繪畫、言語』（一）と題する論文は此の點を補ふ好個の材料を提供する。論文の目的は他のものと比較することによつて法の構造の本質を明らかにするに在る。三章に分たれる。以下、章の順序を追ふて、吾々の問題に關係ある點を摘要して見やう。

(一) Gerhard Ledig, Recht, Geld, Bild, Sprache. (Strukturvergleichende Studien.) Revue Internationale de la Théorie du Droit. VII, 3—4. 1932—1933. pp. 186—247.

第一章は『意味構造(ジンゲビルデ)としての法、貨幣、言語の構造比較』と名付けられる。

犬といふ概念が、例へばポチといふ現實の犬に於て實現せられる、といふ云ひ方が許されるならば、之と類似のやり方で、法、言語、將棋、劇、音樂等の精神的構造が實現される、といひ得る。此等の意味構造の中で法を特徴づける點は、法が音樂、劇其の他の場合と異なり、法自身が其が實現せらるべき場合を規定してゐる點に存する。即ち、一定の事態が發生した場合に實現せらるべきことは法が自ら規定するのである。其の結果として、法律規範は必らず假言的な形を採らねばならない。從つて、法律秩序は之に屬する法律規範の適用を假言的な形成によつて自ら命令する意味構造である、といふ特徴を有する。

實現に關して前述意味構造を分類する第二の標準がある。其は全部的實現が考へられ得るか否かの點である。劇や音樂の場合と異なり、法、言語、將棋等に於ては全部的の實現は意味をなさない。無限の變化を含む一切の可能性の中から其の一つを採り出して實現することによつて初めて意味をなす。

法の實現を特徵づける他の點は法律規範の實現には二重の意義があることである。第一には具體的當爲を制約する事實の發生である。かゝる事實の發生は觀念的な法律規範の中に單に假言的(潛在的)に含まれた當爲を現實的なものとするものであるから、之を法規範の現實化的實現と稱し得る。之に對して、かゝる事實の發生に應じて現實に法律效果が生ずるか否かを法的效果實現の問題とする。此等の實現は、そして特に後者は、原因結果の機械的關聯を示さない。自然的な因果關係とも異なり、法律規範の純然たる論理的關係とも異なるもので、『法的な意味因果關係(ジンカウザリテート)』とでも云はるべきものである。裁判官の意味實現的な行爲は、意味構造たる法律規範とは無關係な、多くの個人的な、具體的な條件によつて制約せられる。

意味構造と目的との關係は如何。言語は一つの客觀的な目的を有する。それが何であるかについて問題はあるけれども、種々な意味構造と目的範疇との關係の說明の爲めには、簡單に、言語の目的は思想の傳達に在るとして足りる。

傳達を目的として語られた言葉の客觀的意味が語る者の主觀的な意思と喰ひ違ふ場合がある。法に於ける意思表示の解釋に就いて意思說と表示說とが存する所以である。法の客觀的目的に關する探究は法の目的に種々の段階があることを知らしめる。先第一に、總ての法律秩序に內在的な目的として、法的狀態の確保といふことを擧げ得る。法的狀態の本質は、社會的活動可能性の向上であるとして大過なからう。次に、此の一般的な法の目的に對して、個々の法律規範は夫々其の特殊な客觀的の目的を有する。法の解釋に於て屢々問題とせられる立法者の意思は特定の具體的の立法者ではなくして法規からして客觀的に歸結せられる目的要因であらねばならない。條文の文意以外に存する此の客觀的、目的論的な要因を如何なる範圍に亘つて探究すべきかは法律解釋の根本問題である。更に、此等二つの目的の中間に位する第三の客觀的目的がある。其は、例へば獨逸のとか露西亞のとかいつたやうに或る具體的の法律秩序から、其の最高の目的として示されるべきものである。此の目的の確定は、爲にする人達の側からの主觀的な、恣意的な解釋の目的物となり易いからして、疑を殘す餘地のない程明確であることを要する。勞農の社會主義的國家の確保を目的とすることを明言してゐる處のロシア刑法第一條は其の適當な例である。

言語は飜譯せられ得る。言語を組成する二つの要素の中で發音は飜譯によつて變化するが意味は變らない。法に於ても同樣のことが可能である。事實は不變の要素であり、法的效果は可變の要素である。法に於ても言語に於ても二つの要素の結合は必然的でなく、人爲的である。

法の現象と貨幣の現象とは次の意味で類似する。近時の法律理論(例へばケルゼン)に從へば、權利は客觀的な法律規範の反射作用であり、他の者が作爲又は不作爲に義務づけられてゐるといふことからして權利者の爲めに生ずる狀態に他ならぬ、とされる。貨幣に於ては、貨幣の通用の基礎は、貨財に換へて貨幣を受け取ることを社會の人が認容することに存するのであるが、是は法に於ける客觀的な法律規範に相當し、此の客觀的な貨幣の通用が貨幣所有者に就いて起す主觀的な反射は彼に於る貨幣價値を構成する。貨幣價値は、第一次的には貨幣を構成する物質と、第二次的には貨幣の所持者と結合する。

言語と貨幣とは次のやうな關係に立つ。貨幣の通用を形作る要素は貨幣の材料と價幣價値とである。前者は言語に於ける音響的要素に當り、後者は意味に相當する。併し次のやうな相違點を有する。第一に、音は事象であるに對して、貨幣を形成する材料が物質であることは云ふまでもない。より重要な點は次のことである。即ち、言語に於ては意味は概念的に固定せられた音の構成と結合してゐる。されぱこそ辭書の可能性がある。之に對して貨幣に於ては、價値は貨幣の材料をなす物質の概念的に固定せる形成に常に必らずしも結合せられない。正貨と同じ材料を以てするも僞造貨幣は畢竟僞造貨幣である。貨幣の流通には其の材料とは離れた要素を必要とする。更に、貨幣價値と言語の意味とを比較するに、言語の意味は其自體存在する處の觀念的構造であり、無限の繰り返しを可能とするに對して、貨幣價値は經濟社會に於て時間的、場所的に制約されつゝ實在する集團心理に支配せられる。又、言語の意味の相違は分量的の比較を許さないが、貨幣價値は貨幣の材料の分量的の比較によつて測定される。

貨幣の物質と結合してゐる貨幣價値は、物價の變動によつて常住、高低の動搖を續ける。法に於ては其の發現の要素たる事實と法的效果との結合の變更は原則として飛躍的に行はれる。言語に於ては、ある音に對する意味の變遷は殆んど氣の着かない位の悠長さを以て徐々に行はれる。

第二章は『繪畫の現象學』と題せられる。主としてフッセルの『純粹現象學及び現象學的哲學の理念』[二]及びカッシーラーの『象徴的形態の哲學』[三]からの示唆によつて論述せられる。吾々に關係のあるのは繪畫に關する論述を通じて法と言語との關係が明らかせられる限りに於てゞある。

繪畫現象は三つの要素から成る。繪畫の材料、繪畫の內容、而して兩者を結合する色彩と線が是である。繪畫の外觀を形成する此の第三の要素の繪畫現象に於ける地位は、言語現象に於ける發音と意味とを結合する單語の地位に等しい。

繪畫內容の意味は決して確固不動のものではなく、繪畫に向けられる心的活動によつて異なる。文章や法規に對する解釋の場合と類似する。

意味構造が人間の心的活動や行爲によつて無限の繰り返しを遂げ得るといふことは、繪畫の場合にも當て嵌る。法律命題が適用され、劇が演せられ、將棋が鬪はれると同樣に、個々の繪畫材料によつて具現せられたる構造は、原則として複製可能である。又、他の意味構造と同樣に繪畫も亦時間の中に成立する。吾々が他の意味構造に於て見た二つの要素の結合は繪畫に於ても見られるか、否か。法、言語、貨幣に於ける既述の一對の要素の人爲的結合は、法の場合には法律秩序を維持するに足る程多數の人民の實行により、言語の場合には同一言語社會に屬する人々の使用により、又、貨幣の場合には貨幣を、經濟貨財の代替物としてその流通を認容する經濟社會の志向によつて支持せられる。此等三つの集團的傾向は孤立せる個人には企及し得ないやうな目的の實現を可能ならしめる社會技術的用具、又は集團的制度の性質を有する。飜つて繪畫に就いて見るに、二つの要素の結合は存する。即ち、繪畫の材料は描くことによつて繪畫內容に結び付けられる。併し、法や言語の場合に見られるやうな個別的傾向の集合的共働は存しない。繪畫現象は繪を見る人にとつても、描く人にとつても、全然個人的の問題でしかない。要するに、繪畫は社會技術的な用具、又は社會制度と見られ得ないといふ點で、法や言語と重要な相違がある。

(二)　E, Husserl, Ideen zu einer reinen Phänomenologie und phänomenologischen Philosophie, 1928.
(三)　Ernst Cassirer, Philosophie der symbolischen Formen (insbes. B. III), 1928.

第三章は『意味構造要素間の親和(アツフイニテート)と實證的制定』と題せられる。結論的部分であり、所論の種々な方向からの證明は示唆に富む。

　茲で親和(アツフイニテート)とは二つの所與の客觀的な相互依存關係をいふ。相互依存關係の客觀性が見られる場合は二種類に區別せられ得る。一は夫々が全く獨立して觀察せられた場合に相互に有する類似點であり(相似親和(グライヒハイツアツフイニテート))、他の一は二つの所與が何等かの事象の中で持つてゐる相互關係、例へば、原因結果の關係に立つとか、目的手段の關係を有するとかいふ場合である(生起親和(ゲシエーンスアツフイニテート))。言語の生成に關する模倣理論は發音と意味との相似(グライヒハイツ)親和(アツフイニテート)の思想を基礎とするに對して、自然音説(偶然に發せられた音に意味が結び着いたといふ考へ方)は生起親和を基礎とする。刑法に於ける應報刑の理論は相似親和であり、目的刑の理論は生起親和である。

　刑罰理論は應報刑から目的刑への發展方向を辿つたが、最近に於ける應報理論の復活は眼を聳たしめるに足りる。例へば、應報刑に於ける犯罪と刑罰の均衡は最も一般的防衛の目的に合致するといふ近時の主張は、應報理論に於ける罪と罰の相似親和と目的説の生起親和の思想とを重なり合せる。

　精神分析派の犯罪學も亦獨特の立場から應報思想を復活しやうとする。彼等に從へば、無意識的に心の裡に潛んでゐる課刑の要求が病的な精神作用を通じて犯罪を惹き起す場合が屢々ある。かゝる精神作用がいかなる犯罪に就いて刑罰を豫想するか、といふこと、及び、此の無意識的な自己刑罰が全然應報の原則に從つて形成されるといふこと、に就いては、刑法理論は無關心の態度を採つてはならない筈である。（四）從つて、精神分析學者は當然、刑法理論に於ける應報刑と目的刑との論爭に對して發言權を持つて然るべきである。精神分析の立場から見た應報理論は、深い根柢を有する無意識的者の立法の刑法に於ける應用に他ならない。此の理論は心理學的の合理性と纒まりとを長所とするが、他面、文化及び人間性の一切の進歩と撞著する。

精神分析派の刑罰觀に於ては、行はれたる犯罪に對する應報が、既に犯罪の以前から存在する課刑の欲望を滿足せしめるものであり、然も、此の欲望が犯行を齎らすといふ關係に立つてゐるのであるから、應報理論の中に本來含まれてゐる相似親和は生起親和と一種特別な錯綜を示してゐる。一方に於て刑罰は犯罪に對する贖償といふ意味で犯罪と均等なものであらねばならぬとし、他方、犯罪も刑罰も共に行爲者が無意識に抱いた責任意識の現はれであるとすることは、論理的に一貫されてゐない憾みがある。併し、論理的な暗さは決して此の理論を覆へすに足るものではなく、寧ろ、此の理論が精神の奥深い底に基礎を持つことを暗示する。ともあれ、精神分析的刑法論は、實證法の規定とは獨立した犯罪と刑罰との親和（アッフィニテート）に對する極めて有力な證明を提供するものと考へられる。他面、此の派の犯罪學者の中には、精神の中に在る自己刑罰の法廷は嘗て現實に存在した古代の實證法的狀態の遺物である、といふ考へ方を採る者がある。(五)

(四) Reik, Strafbedürfnis und Geständniszwang, Wien—1925—

(五) Alexander und Staub, Der Verbrecher und seine Richter, Wien—1929—

言語の生成に於ける模倣の理論と自然音の理論との對立は、法律に於ては、或る法律秩序に於ける事實と法的效果との牽連が此等二つの要素間の自然的親和を基礎とするかどうかの問題となつて表はれる。法の生成に當つては實證的の原理も、親和の原理も共に不可缺の要素をなす。或る事實に或る法的效果が隨伴するといふことは、事實と法的效果との他の可能なる一切の關係が除外されるといふ意味で恣意を基礎とする。併し一方、法を制定する主體に就いて觀察すれば、彼の心の中には常に事實と法的效果との間の何等かの親和が表象されてゐると見て差支ない。此の著しい例はモーゼの反座理論である。此の場合に音の模倣といふ言語學上の原理との類似は爭はれない。

實證法的の規定とは無關係に、寧ろ其に先立つて存在する事實と法的效果との親和(アッフィニテート)の思想は、自然法的親和關係を生物學的の現象の範圍に索めた『インスティトゥチオーネン』の中にも表はれるし(六)、其を理性の『永遠の眞理(ヱリタテス・エテルネ)』によつて基礎づけた啓蒙期の自然法論(ライブニッツ、グローチウス、プーフェンドルフ)にも表はれる。歷史法派は事實と法的效果との親和關係を民族精神の上に基礎づけた。自由法派の社會學的な利益較量の態度も畢竟するに實證法に先行する事實と法的效果との親和(アッフィニテート)を認めるものであり、デュギの『社會規範(ノルム・ソシアル)』の理論も亦之に類するものと云ひ得る。

(六)　Institutionen, I. II.

以上、レーディッヒの論述の中から吾々の問題に關係ある部分を要約して見たのであるが、彼自身斷片的な思想の堆積と認めてゐる論文に對して體系的の統一を要求することは勿論意味を成さない。では、吾々は如何なる收獲を得たか。

實現に關して、法が自ら實現せらるべき場合を規定してゐるに對して、言語に於てはかゝる拘束が存しない、といふ認識は正しい。或は曰ふかも知れない。一定の意味を相手方に傳達しやうとする者も亦其の文言の撰擇に於て必らずしも全然自由ではない。此は言語が自ら實現せられる場合を規定してゐるのではないか、と。此の反問は理由のないものではない。併し、或る事實の發生が法律規範の適用を裁判官に對して要求する場合に、裁判官が適用せらるべき規範を擇出決定し得る範圍は、對話者が一定の意味を傳達する場合に有する處の、語彙からの撰擇の範圍に比して、較べものにならぬ程に狹い。加之、裁判官は或る法律事實が發生した場合に法規を、適用すべき法律上の義務を課せられる。是は言語に就いては見られない現象である。

次に、目的に關する法と言語との比較に於て、言語の目的は主として思想の傳達であつて簡單であるに對して、法に就いては其の客觀的目的は三段に區別せられ、しかも其の相互關係が相當な複雜を示すことは吾々が觀て來た通りである。

更に、貨幣を通じて、法と言語とが變遷する姿が比較される。法に於ては變化は突發的であり得るが、言語には漸次的の變化のみが認められる。立法者の制定が急激な改正を齎らす場合以外に、或る法律秩序を支持する民衆の力と、之を否定しやうとする民衆の力との比例が、何等かの原因によつて、逆になつた場合に、舊法律秩序の破壞と、全然新たなる法律秩序の發生が見られる場合がある。言語には革命はあり得ない。從來語の傍に新たな言語の體系が齎らされ、舊語と新語とが併行的に使用せられる時代を經過して、然る後に舊語が廢れるといふ過程は考へられ得る。孰れにせよ、悠久の時間の中に緩慢な推移を遂げる點に變りはない。

繪畫との比較によつて法及び言語の社會的な性質が强調されるのであるが、其の際に法と言語との差異を暗示する點がないか。法も言語も集團心理的な發生過程によつて生成するが故に、社會に對して一般的に妥當するといふことは正しい。問題となるのは妥當の態樣が法の場合と言語の場合と等しいか、否かである。法の解釋には、言語の解釋に他ならない處の法文の文意の解釋以外に論理解釋の廣い範圍が存する。加之、解釋に先行する問題として法律事實が發生したか否かの判斷が下されねばならない。判斷の段階が數を增加するに伴なつて、究極の結論の可變性は甚だしくなる。從つて、或る法律規範の有する意味の妥當範圍は、或る文章の持つ夫よりも、一般性に於て缺ける處があるとせねばならない。更に附加へられねばならぬことは、法的規範の違反と言語上の法則の違反との間に存する相異點である。違法は社會的危險を伴なふが故に强制力を以て防止せられねばならない。言語法則の違反には强力的な制裁は存しない。

法の生成を言語に於ける模倣理論と自然音理論の對立に類比し、法に於ける相似親和（グライヒハイツアツフイニテート）の優勢を支持する論法は、結論に於て歴史法派の夫と類似するが、論理推進の過程に於ては比較にならない程に精緻である。法及び言語に於ける事實と理想の對立に關しては此の論述の最後の部分で觸れ度い。

第三　法律學と文法

法と言語との比較は、法律學と文法との比較を考へさせる。此の場合に、法律學と言語學との比較を持つて來ることは適當でない。言語に對する言語學の地位は、寧ろ、法に對する法律哲學の地位に類する。法—法律學—法律哲學、言語—文法—言語學とすることが正しい。

『法律學と文法』といふ標題の下にエックシタインは規範學としての兩者の地位を明らかにしやうとしてゐる。(一) 次に、吾々は彼の考へ方を辿つて見やう。

(一) Walther Eckstein, Jurisprudenz und Grammatik, Zeitschrift für das Öffentliche Recht, VII—1928—SS. 304—410.

彼は法律學の定義に關し、主としてケルゼンの考へ方に從ふ。ケルゼンの實證法理論は吾邦のケルゼン學派によつて殆んど紹介され盡した觀があるが、此では文法との比較を行なふことを目的とするから、比較の便宜の爲めにエックシタインの述べる處を一應聽いて見やう。但、豫め承知しておかねばならぬことは、彼の論述の目的は法律學と文法の本質を探究することによつて規範學の方法の理解に貢獻することに存するに對して、吾々の直接の目的は、法及び言語其自體の關係の探究に存するといふことである。

ケルゼンに從へば、規範的訓練とは當爲の世界を取り扱ひ、規範の把握を目標とするものであり、獨斷的（ドグマティッシュ）法律學は之に屬する。(二) 重點は規範を取り扱ふことに存しない。例へば法制史は社會學と同樣に記述科學に屬する。又、倫理學のやうに規範を與へる性質を有するものでもない。(三) 獨斷的な規範學(法律學)の特徴は、其の對象たる規範(法)を、恰かも自然科學が其の對象たる自然を生み出すと同樣に、創り出す。法規、判決、命令、行政行爲等は法律科學によつて加工せられて法律命題を作り出すべき材料である。此等の混沌たる材料からして統一的な法の體系を作り出すことが法律學の使命である。法律學が其の對象たる法を作り出さねばならぬといふことに關聯して、『法律秩序は合理的な總體として把握せらるべきものであり、』而して、『其が同時に法認識の根本要請である』といふ點に、法律學をも含む一切の規範科學の特徴が存する。規範學は其の對象たる規範秩序を合理的總體として、統一的な意味を持つものとして把握せねばならない。此の對象の合理化といふことが、或る意味で、對象の生産といふことになる。自然科學に於ては自然其自體が合理的な、意味を持つものとして考へられはしない。

　法律秩序が合理性を有するといふ考へ方は、法律論理學的な意味に於ける憲法の採用によつて表はれて來る（四）。此の原理は、一方に於ては、一つの體系、即ち、法律秩序に於ける一切の法律規範の内面的な完結性を可能ならしめると同時に、他方に於ては、最高規範の提示を意味する。第一の點に關しては、總ての規範科學の根本的な公理とも云つて然るべき一つの命題が出て來る。即ち、考へられ得る一切の場合に對して一つの規範、而して、唯一の規範のみがなければならぬ。

『法の欠缺を理由として裁判を拒む裁判官は正義の否定を以て訴追せらるべきである』とする佛民法第四條の原則は、裁判官に對してのみならず、法律學にも、又、一切の規範的思惟にも當て嵌る。例へば、獨斷的な神學からいへば或る見解は正しいか誤りかであり、獨斷的な倫理學からいへば、或る行爲は道德的に善か惡かであり、文法家にとつても、法律家にとつても同樣である。此の原理と密接な關係に立つものはケルゼンの所謂法律秩序の主權性、又は、法學的認識の統一性といはれる思想である。法學者としては或る事實を道德的に判斷することを許されず、倫理學者としては法學的な判斷を下してはならない（五）。換言すれば、法律學は法律規範の體系の內面に於ける思惟であり、文法は言語的規範の內面に於ける思惟である。規範を解釋する法學者は、法律規範の內面に自己を置き、法律秩序を一つの合理的な總體として把握せねばならない。彼にとつて、法から解放せられた餘地は全然なく、互に矛盾する法律規範もなく、又、法律規範以外の何ものもない。

其の結果として獨斷的規範科學としての法律學にとつては、法律規範の成立、消滅の問題は其の範圍外に屬する。何故かといへば、法律學の本來の課題は決して認識的なものではなく、規範的なものだからである。此のことからして、法律學は法律命題に對して眞僞の判斷を下し得ないといふ結果が生れる。ケルゼンに從へば、獨斷的法律學は『存在世界の現實在を把握すべきものでもなければ、生命を說明すべきものでもない。』(六)ケルゼンが法律命題に眞僞の標識を適用してゐる場合に、其は決して認識論的の眞理概念と同一でないことが發見せられる。其は正當性の問題であり、憲法に歸結せられ得るか否か、又は、根本規範に還元し得るか否かの標識によつて決定せられるのである。

獨斷的法律學に於て問題とせられる法律の規範の妥當は、實在の妥當であつて倫理學的意義に於ける當爲の妥當ではない。此のことは法律學を記述的自然科學の意義に於ける經驗科學と理解しない場合に特殊の重要性を持つ。法律學の課題は實在(社會學の立場からすれば實證的規範の妥當も亦一つの實在である)を記述することに存しないで、統一性と完結性とを特徵とする規範の體系を構成することに在る。此の點が法律學は其の對象を生み出すといふ理論の核心であると同時に、法律學と自然科學との本質的な區別、否、規範的な思惟と認識的な思惟との根本的相違の基礎をなすのである。法律學は規範を法規命令、判決、行政行爲等から採り出して其の內面で思惟するのであるが、其の場合に此の思惟は、前提を缺くものでもなければ、價値から解放されたものでもない。何となれば、實證法の體系の內面に於て思惟する法律學は、此の體系を意義に充ちた矛盾なき總體にまで構成することを要するからである。ラードブルッフが、法律學的解釋は言語學的解釋よりも寧ろ美學的、又は、神學的解釋に近い、としたことは適切である。(七)

(二) Kelsen Grenzen zwischen juristischer und soziologischer Methode. S. 13. 獨斷的(ドグマティッシュ)とは批判的(クリティッシュ)に對立する意味である。

(三) ソムロは、論理學、倫理學等規範を設定する科學を nomothetische Wissenschaft と呼び、規範を記述する科學 nomographische Wiss. と區別し、法律學を後者に屬せしめてゐる。Somlò, Juristische Grundlehre S. 22 ff.

(四) Kelsen, Das Problem der Souveränität und die Theorie des Völkerrechts, S. 25 ff; Verdrosz, Verfassung der Völkerrechtsgemeinschaft, S. 21 ff.

(五) Kelsen, Allgemeine Staatslehre, S. 104.

(六) Kelsen, Hauptprobleme, S. 93.

(七) Radbruch, Grundzüge der Rechtsphilosophie, S. 130.

次に文法に就いて。

言語に關する支配的の傾向は文法の規範的性質を否定する。此の考へ方に從へば言語學にせよ、文法にせよ、其の課題は單に事實の記述と説明を出でない。かくして言語學は記述的自然科學の地位に止まり、其の對象は自然現象たる言語とされる。(一) 從つて、言語の發達を記述し、能ふ限り其の法則なり、傾向なりを確立し(歷史的文法)言語的現象の發達、變化を心理學的な立場から説明すること(言語心理學、心理學的文法)が問題とされる。併し、文法の記述的性質をいかに强調しやうと努めても、結局に於て、文法の本質的には規範的な傾向を排除することは到底不可能である。ヘルマン・パウルは『記述的文法は特定の時代に於ける一つの言語社會の內部に於て慣行せられてゐる文法的形式、或る人が他の者に誤解せられずして用ゐ得る言葉、を提示するものとしてゐるが、(二) 此のことは畢竟正しい言語に就いての規範を確立することに外ならず、然も、其は啻に子供や外國人のやうに言語を學ぶ者にとつての規範であるのみならず、苟くも『良く』語らんとする者總てに對する規範を意味する。(三) 從て、文法は決して單に觀察的な、自然科學的なものではなく、獨斷的な規範科學といふ意味に於て規範的であることが明らかにせられる。同樣のことはライヘルの所論からも論結せられ得る。

彼に從へば『記述的文法は希望せられた表象を發表する爲めの法則(ゲゼッツ)を敎へる。此等の法則が合して言語慣行(シプラッハゲブラウフ)を構成する。其故に記述的文法は言語慣行が何であるかを決定することに努める。(四)』此の考へ方が本質的には規範的であること、從つて文法を規範科學とする見方に導くものであることは疑ふべくもない。何故かといへば、言語慣行の確立に當つて『正常的なもの(ノルマーレ)』を抽き出すが爲めには、價値の觀點が要求せられ、根本規範の關聯が要求せられる以上、それは正しく價値觀察の問題に屬すると云はねばならないからである。言語慣行が決して其の儘吾人の眼前に提供されてゐるものでないことは明らかである。否、根本的にいふならば、言語其自體が、記述的自然科學の意味に於ける現實在ではない。眞に、與へられたものと云はれて差支ないのは唯各個人の言葉のみである。(五)

言語慣行とは何か。小兒や精神的又は肉體的に變態な者の言語慣行は問題外である。又、特殊の職業、階級(例へば軍人社會、水夫、學生、犯罪人其他)に於ける言語も文化言語の言語慣行の確定に當つては觀察せられない。正しき、或は、正常なる言語慣行の問題は更に別の問題を提供する。『正常な』言語團體員の多數によつて語られる言語に就いて見るに、果して多數であるか否かを決定する困難を別にしても、多數によつて用ひられてゐる形式の總てが正しいものとは限らず、誤まれる用語が廣く行はれてゐる場合が少なくない。概して云へば、正常な、又は、正しい言語慣行の要件としては、其の行はれてゐる範圍が普遍性を有するといふことの外に、他の一つの徴表が附加はらねばならない。此のことは正しく、慣習法が決定される場合と同様である。慣習法規範の前提として必然的見解 opinio necessitatis が要求せられる、と同様に、言語學に於ても『かくあらねばならぬ』といふ意識によつて支持せられる言語慣行のみが正しいものとせられねばならない。必然的見解の要求は其が『時代によつて神聖化せられたる表現』以上のものである限りに於て、實は一つの規範の實在妥當（ザインスゲルトウング）といふ事實を意味するに他ならず、從て、其の規範の實證性に對する別の表現に他ならない。實證的な規範に從がはぬ慣行は正しくない。此の場合に、法律の範圍に於けると同様に、此の標識の意義は、本質的には消極的の方面に存する。卽ち、或る實證的な規範の表現と認められ得ない慣行は排斥せられねばならぬ、といふ方面に主として働らきかける。此の場合にも、必然的見解の要請の背後には、獨斷的規範科學としての文法を實證的規範の範圍に制限しやうとの意圖が潛んでゐる。文法學者は言語上の材料からして諸々の規範を抽き出すのであるが、其の際に常に、完結性の要請と言語規範の實證性とによつて限定される。其の結果として、文法の課題は事實の記述を超越し、其の方法は法律學の夫と同様に、本質的には規範的なものとなる。

記述的文法に對する批判的文法の唱導は言語學界に於ける新傾向として無視せられ得ない(六)。從來、言語學は言語上の現象の探究を拒み、言語上の事實の確立を以て滿足し來つたのであるが、批判的文法はかゝる研究が單に、批判的問題、卽ち、いかなる言語形態に優位を與ふべきか、を決定する爲めの準備に過ぎない、と考へる(七)。此の意味に於ける批判的文法は獨斷的な規範科學の範圍を逸脫するものといはねばならない。このやうに、獨自の立場から規範を制定する意圖を有することは、寧ろ、法律政策學の意味に於ける法律哲學に類するものとなる。批判的文法の問題は言語學に於ては通常、正しい言語の問題として論議せられる。此の問題は、獨斷的文法も亦所與の記述的觀察を超越することができ、言語の內面に於て指導的な使命を果さねばならぬ以上は、正しい言葉と誤れる言葉とを區別せねばならぬ、といふ意味に於て、獨斷的文法にとつても正しい問題定立である。其の主たる課題は、事實いかに語られてゐるかの確定に在らずして、實證的の規範に從つていかに語らるべきかを決定することに存する。そして、此等規範の總體が本來の意味に於ける言語慣行である。

（一） グリムの傳統を追ふて多數の文法家は此の立場を支持する。グリムがサギニーの弟子であつたことは偶然でない。サギニーのグリムに對する影響に關しては、Jespersen, Language, its nature, Development, and Origin. 2nd ed.—1923—p. 42.

言語を自然の生産物と考へ、是を生活する有機體と見る立場に付いては Noreen, Über Sprachrichtigkeit, in Indogermanischen Forschungen Bd. I. S. 105 ff. 参照。又、Tobler, Die Anwendung des Begriffes von Gesetzen auf die Sprache (Vierteljahrschrift f. wiss. Philosophie, B d. III)

（二） Hermann Paul, Prinzipien der Sprachgeschichte, 1. Aufl, S. 28.

（三） Steinthal, Grammatik, Logik und Psychologie. S. 139. も結局は同樣の結論に到達してゐる。

（四） Walther Reichel, Sprachpsychologische Studien,—1892—S. 2. ライヘルは法則と云つてゐるが其は恐らくは規範のことを意味するものであらう。

（五） Jespersen, l. c. p. 93. 同樣の見解は Gabelentz, Die Sprachwissenschaft, ihre Aufgabe usw., S. 267; Noreen, Einführung in die wissenschaftliche Betrachtung der Sprache, S. 15. にも現はれてゐる。

（六） Karl, Vossler, Grammatik und Sprachgeschichte (in Aufsätze zur Sprachphilosophie—1923—; Reichel l. c, S. 2.

（七） Jespersen, l. c, p. 99.

批判的文法と記述的文法との對立を掘り下げて行くと、法律學に於けると同様のディレンマに陥る。孰れの場合にも、實定的な規範體系の評價に携はらない學問は、唯、事實の記述でしかあり得ないやうに思はれる。かうした見解は、實在妥當と當爲妥當との區別を認識しない淺見である。當爲妥當を論ずる法律哲學と、實在妥當を事とする獨斷的法律學とが併存し得ると同様に、批判的文法と獨斷的文法との對立が認められて然るべきである。言語學の文獻に於て此の區別を缺くことが、正しい言語の問題に關する論爭に導くのである。言語上の誤りには、實證的な言語上の規範に對する違反もあるし、又、正しい言語といふ批判的な理想に對する違反もある。恰かも、法に於て、實定法秩序に對する違反と正法に對する違反とが存し得ると同様である。『實證的規範科學の體系の内面に於ける』思惟にとつては、善惡といふ意味で、舊規範を現行の夫に對して優先せしめる謂れは毫も存在しない。是は法律哲學又は批判的文法の課題である。又規範の違反が新たな規範を生み出すことの説明も、此の立場の使命ではない。是は社會學的又は歴史的觀察の任務である。獨斷的規範科學によつて要請せられる規範の遵守は規範秩序の變化又は進歩を妨げはせぬか、といふ問題は獨斷的な立場と批判的な立場との混同から起る問題に過ぎない。獨斷的な立場にとつては實證的規範は正、不正の唯一の標準であり、規範の變更は決して獨斷的な文法學者や法學者が齎らすものにあらずして、唯、立法者のみが之を行なふ。獨斷的規範學者にとつては、或る意味に於て、『力は法』Macht ist Recht である。何故かといへば、實在妥當は力とも云はれ得るからである。(八) 然らば言語に於ける立法者は誰であるか。それは言語の天才であり、偉大なる雄辯家、著述家等、何れは古典的といはれるやうな才能を持つた人達である。批判的文法學者は法律哲學者が法の範圍に於て爲すと同樣に、言語天才の爲めに立法作業の道を拓き、之に對して、獨斷的文法學者は、獨斷的法學者が現實の法律秩序に拘束されると同樣に、言語の實定的規範に拘束せられる。(九) より正確には、孰れの場合に於ても、現實に與へられてゐるものは規範にはあらずして事實であり、其からして規範を描き出して其を矛盾なき、完結せる體系に組み立てるのである。又、獨斷的規範科學は規範の眞、僞を決定するものにあらずして、正、不正を決定するに止まる。規範の正、不正は規範が實在妥當を有するか、否かによつて定まる。即ち、規範が根本規範に還元せられ得るや否や、換言すれば、規範が實證的な規範秩序の一部分として把握せられるか、否かによつて定まる。

(八) Kelsen, Allgemeine Staatslehre, S. 44.

(九) Verdrosz, Zum Problem der Recht unterworfenheit des Gesetzgebers (Jurist. Bl.—1916—).

以上、エックシタインの『法律學と文法』の梗概を摘記したのであるが、ウィーン學派流の實證法學の基礎づけは、反對論の存在にも拘はらず、既に法律學界に於て試驗濟みと云つて差支へないから、茲では其の立脚點に對する立入つた檢討を差控へる。問題となるのは、同樣の理論を其の儘言語に應用することが然るべきか否かである。獨斷的文法は、獨斷的法律學が法律規範に對して行ふと同樣の手續き、方法を言語規範に對して施し得るであらうか。直ちに吾々の注意を牽くことは、言語に於て、法律學に於けると同樣の意味の根本規範が考へられるか、といふ點である。自然法的命題による實證法の基礎づけは、ケルゼン自身も認めてゐる處であり、例へば、條約は守らねばならぬ、とか、法は從がはねばならぬ、いふやうな自然法的命題が法秩序の根本規範とせられ、法の體系の最高の統一原理としての機能を認められてゐるのであるが、エックシタインは彼の獨斷的文法の説明に於て、言語に於ける根本規範には一言も觸れてゐない。又、言語に就いて、此の如き根本規範があり得やうども考へられないのである。一寸考へて見ると、『言語は正しく語らるべきである』といふ命題は、實證的言語規範の體系に於て、根本規範としての地位を持ち得るかの如くであるが、『正しく』といふ語は、決定せらるべき價値判斷を含むのであるから、吾々が前に見たやうな法の根本規範と同列に論じ得ない。言語に根本規範が索め得られないとすれば、言語規範秩序の統一的の體系も、法の場合と同様には考へられ得ないであらう。

此のことゝ關聯して、是亦、見逃すことのできないことは、慣習法なり、言語慣行（シプラツハゲブラウフ）なりの前提と考へられる處の、既述、必然的見解 opinio necessitatis は、法の場合には倫理觀、道徳觀によつて基礎づけられてゐることが多いに對して、言語の場合には、倫理的觀點は素より、審美的觀點をも離れて、全く恣意的に、偶然的に存在することが多いやうに考へられる。從つて、所謂『正常的な』normal 言語慣行に『規範的な』normativ 意味を結びつけることは、法の場合のやうに圓滑には行はれ得ない。此の點に、法と言語との一つの重要な、本質的な相違點が窺はれる。法に就いては、前述のやうな、倫理的、合理的根柢を伴なふが故に、時と場所とを超越して人間一般に妥當する、或る自然法的命題が可能であり、之を連鎖として異なる法系に屬する法律秩序相互間に存する共通性の認識が可能となり、從て、所謂世界法の理論が成立し得る。之に對して、言語に於ては、其の基礎が偶然的、恣意的であると同時に、其の一面に於ては著しい事實性を示し、場所的の慣行との間に極立つた粘着力を有するが故に、言語の統一には、殆んど不可能と云つて差支ない程の困難が伴なふ。

吾々は、言語と文法との關係に法と法律學との關係を其の儘當てはめることの如何に、多少の疑義を抱かざるを得ないのであるが、言語と獨斷的文法と批判的文法、法と實證法學と法律哲學、といふ弁べ方は大體に於て當を得てゐると見て然るべきであらう。此の點に關してアレッサンドロ・レギ教授は次のやうに說いてゐる。(一)

『法といひ、言語といひ、孰れも歷史的現象であり、精神活動の現象である。科學的知識は必要には相違ないが、それのみでは、精神現象の本質を捉へ得ない。現實在に對する經濟的表現といふ目的に從つて必然的に抽象的ならざるを得ぬ處の手續きにより、獨斷的訓練が複雜な現實世界の中から切り取つて來た概括的の知識は、哲學的意味の普遍的知識、換言すれば、精神活動自體と混同せらるべきでない。其には自ら條件と限界とが絡つてゐるのである。さればこそ、必要ではあるが不充分な科學的知識は哲學によつて補はれねばならない。而して、哲學は科學の前提及び結論の批判にあらずんば、其の方法、目的及び範圍の限定、一言にして言へば、方法論に他ならない。』

(1) Alessandro Levi, Diritto e Linguaggio, (Studi Filosofico-Giuridici, dedicati a Giorgio Del Vecchio, vol. II pag. 61—62.—1931—) レギ教授の此の論文は『序說』と傍題を附して發表せられてゐるが、簡單に從來の種々な學說を回顧し、自個の考へ方の輪廓を示してゐる。 種々の點で、吾々の論述と重複するが故に、玆では其の紹介を避けるが、特に、法及び言語に於ける洗練せられた現象と大衆的現象の對立、並びに、一般的現象と特殊的現象とが存して、特殊的現象は場所の區別を超越して世界共通的色彩を多分に有することを說いてゐる點、等、注意すべき所論を含んでゐる。

結語

以上に於て、吾々は近代學說史の中から法と言語との關係に就いての所論の目星しいものを拾ひ出して見たのであるが、最後に、問題の核心が結局に於て奈邊に存するかを採り上げて見度い。 惟ふに、問題は畢竟、此の二つの重要な社會現象に於ける事實性と理想性の對立に歸着する。 此のことは、希臘以來、認識論的にも、世界觀的にも、一切の思惟の範圍に亘つて常に對立を示し來つた φύσει と θέσει の對立の、吾々の領域への應用と見る時に、其が大きな哲學史的背景を背負ふてゐることに氣がつくであらう。(一) プラトーンが Kratylos に於て言語の、又、國家論に於て法の、理想性を强調したに對して、言語に關してはエピクールは之と正反對の自然主義的見解を採り、法に關しては、キュニーケルは實證法のみを法と觀る立場を採つた。現代に到るまでの法及び言語に關する一切の見解は此の兩極端の中間に含まれる。歷史は言語がフェゼイに密着し、法がデゼイに傾くことを敎へる。一時國家間及び學者間の共通語として一般に行はれてゐた羅甸語が漸く廢れても、羅馬法の直接、間接の影響の下に法の普遍化は其の足並を進めてゐる。世界語の主張は空しく叫ばれてゐるに對して、世界法的現象は現實である。

此のことは所謂親和關係(アッフィニテート)の理論からも說明することが出來る。即ち、一定の事實があれば、之と相似的親和關係に立つ法律效果が隨伴するといふことは、時間と場所の相違に無關係だからである。其の他、親和關係の主張が好結果を伴なふ場合は少なくない。例へば、我國法に於ける事實婚と法律婚との喰ひ違ひの問題は、此の原則によつて直ちに解決を與へられる。一般的に云つても、法律政策から見て、法の實踐的妥當の爲めには、事實と法律との間の親和關係は常に有利である。

又舊法、舊慣の廢止を規定する法は概して實施に困難を伴ふといふことも、此の原理の消極的な方面として説明できる。何故かといへば、一定の事實と親和關係に立つ法的效果を無に歸することは不自然だからである。併し、立法の範圍を親和關係によつて限定することは、文化活動の棄權を意味する。如何なる程度に實在の法則を認むべきか、如何なる範圍に制定は可能なりや、而して如何なる方向に。是こそ法學者の永遠の問題である。

（一）λογος は言語 oratio とも理性 ratio とも解せられるに對して、『言』は事とより密接な關聯を持つやうに思はれる。『宣る』から轉じたとされてゐる『法』は制定の意味を強く含んでゐる。rectum (Recht, rigit, droit……) と正義との關聯、かうした言葉と民族性と法制上の特殊性との比較等も興味ある研究の題材を提供するであらう。（完）

宗教改革と近世的政治思想

堀　豊　彦

目次

（一）はしがき

第十六世紀の宗敎改革運動の究極的偉業は近世的國家の確立であつた。久しきに亘る敎政權力に卽する中世紀的權威の思惟を遮斷し、政治をして、その本領の立場に立脚せしめしものは洵に逆説的にも宗敎運動の齎らせる成果であつた。社會及政治理論に於ける宗敎の占むる役割は恒に反動的であると稱せらるる事が一般である。併し人は宗敎改革の此意義に於ける貢獻を顧みるならば、或は蓋し思ひ半ばに過ぐるものがあるであらう。吾々は宗敎改革の政治學的思惟の發達に對する寄與を考察する爲に、先づ中世紀、換言すれば宗敎改革以前の敎會對國家の關係を點檢する必要があらう。かくして宗敎改革の貢獻としての近世的政治學的思惟の發展の意義を考察しようと思ふ。

（二）中世紀の敎會と國家

基督教會と國家との關係に卽して構成せらるる政治學理論は其第一期を中世哲學の第一期に求めなければならない。卽ち其時代は紀元第二世紀より大略第五世紀に亘る時代であつて、人、呼んで教父學派時代(patristik-periode)と稱し、哲學の分野にあつて、主として教父の哲學が研究對象となつたのである。教父は基督教の教義を科學的に確立し系統的に組織化する事を努力し、而して之を遂行する事が出來たのである。教父はその哲學に於ては法・國家及政治に對しては本來無關心なる事を示した。

然乍ら斯くの如き國家に對する初代基督教の否定的態度は久しくは持續し難かつた。基督教が啻に彼岸の世界にのみ立籠る事なく漸次現世的社會に關與し初むるに從ひ、その國家に對する態度は積極的なるものに轉ずるに至つたからである。特に基督教がローマに移りコンスタンチン大帝(Constantinus C. 286—337)の在位中、國教と成り且國家も基督教的國家と化すに及んでは、督基教の國家に對する態度は自ら變化し接近せざるを得なかつたのである。

然乍ら初代基督教の國家に對する接近は、その教會に對するが如き積極的なる且肯定的なるものではなかつた。彼等の國家に對する關心は漸く著しくなつて來たのではあるが、なほ彼等が理念し、また、希念した所の國家は地上國家ではなくして、天上國家卽ち神國であつた。

此等の事は最も良くアウガスチイヌス (Augustinus, Aurelius. 354—430) に於て顯現せられて居る。彼は敎父學派時代の末期の人であり、初代基督敎の最大の敎父であつた。其晩年の著『神國論』(De civitate Dei, 413—426) は彼の天上國家の解明であり、而して敎父派哲學の遺した數あるものの内、最も光輝ある不滅の遺產であつた。之はカトリック敎的立場より見たる世界史論であつて玆に歷史哲學は其最初の結實を持つに至り、彼の思想は唯に中世紀ローマ敎會の敎義の基礎を爲したに留まらず、カルビン (Calvin, Jean. 1509—63) を通じて近代思想に深く影響する所があつたのである。

吾々は玆にアウガスチヌスの見解に多く關說する事を避け、彼にありては敎會と國會との關係に於て敎會の國家への上位性が定立せられたと云ふ事を指摘するに留めよう。彼以後の數世紀は敎父派哲學否哲學一般もその發展を暫し停止した。その主要なる原因は民族移動に由つて攪亂せられた精神生活の動搖に歸せられるであらう。

其處で精神生活の再度なる繁榮は中世紀哲學の第二期に迄待たねばならなかつた。其時期は大略第九世紀より第十五世紀に亘る。此の間に基督敎神學は愈々發達し國家に對する敎會就中法王權の獨立が確實にせられた。之卽ちスコラ哲學の時代(Scholastik-periode)である。玆に於て取扱はれた問題は敎會によつて認許され要請せらるる哲學、卽ち敎會派哲學であつた。スコラ哲學は敎父學派に依つて定礎せられた基督敎敎義論を支持し、更に辯明する事を以て其任務と爲したものである。この時代に、新らたに復活したのはアリストテレス哲學(Aristoteles 384—322 v. Chr.)である。敎父哲學とアリストテレス哲學の兩者からして、悟性と啓示との所產を終局的調和の內に齎らす可き究極的科學の單一なる體系を構成すると云ふ事がスコラ哲學の任務となつたのである。註(1)

註1　cf., Dunning, W. A.-A History of poltical Theories, Ancient and Mediaeval, 1923, p. 190.

飜つて此等の事象は政治學理論に於ても同樣であつた。既に前時代よりして初代基督敎會の國家に對する否定的態度は大に緩和せられ、基督敎國家と基督敎敎會との間には多少の密接なる關係が成立してゐた事であつた。そこでスコラ哲學は最早アウガスチヌスと共に、地上國家を罪惡の國家とのみ目する事は出來す、地上國家の權利を認め、その必然性を承認したのである。其處で此場合その必然性の認證に根據を附與せんとする爲に、アリストテレス(國家學)が援用せられたのである。然乍らスコラ哲學はその權利、その必然性を相對的意義に於てのみ承認したに過ぎなかつた。玆に於て敎會は絕對的に價値あるものとして現世的國家の上位に置かれた。從つてスコラ哲學の政治學理論に於ける理想は—中世紀的事情に適應して—基督敎會の下に立つ所のアリストテレス的國家であつた。

註(2)

註2 vgl., Sternberg, K. Die politische Theorien; in ihrer geschichtlichen Entwicklung vom Altertum bis zur Gegenwart, 1922, s. 41.

斯る立場はトーマス、フォン、アキノー (Thomas von Aquino, 1225—1274) に於て最も著明である。彼はスコラ哲學の末期の、而して恐らく同時に全スコラ哲學者中、最大の哲學者であつた。彼に依つて政治は再び科學の世界に導き入れられ、其處に於て政治學はアリストテレスに依つて賦與せられたが如き地位を獲取した。但し此場合にも全中世紀思想を貫徹せる原理、卽ち敎父の敎義があらゆる哲學に優先して存在すると云ふ根本的思惟は止揚せられなかつた。蓋しアウガスチヌスは教父學派中、政治理論を取扱つた所の最も卓越せる且つ最も光輝ある者として仰望せられたが故に、トーマスの政治學理論は彼の學說大系の如何なる部門にもましても、スコラ哲學一般に於ける特徵であつたアウガスチヌスとアリストテレスとの調和を顯著に具現して居る。註(3)

註3　トーマスの著作中彼の政治學理論に關する重要なる著書は『アリストテレス政治學註釋書』(Commentaria in politica) 及『君主政治論』(De regimine principum, 1270—72.) である。前者は殆んど全卷解說的で著書自身の思想を收むる事薄い。後者は反之彼の政治學理論の組織的敍述であるが彼の夭折の爲に未完成の儘遺された。卽ち其四卷中僅かに第一卷及第二卷の最初の第六章迄が其手に依つて書かれ、他は弟子プトレミイ (Ptolemy of Lucca) の補遺に成つた(註4)。然しプトレミイの補筆せる部分も良く其師の根本思想と觀點とに準據したるにも不拘、アキノーに特有であつた明確と統一とに於ては著く缺げたるものがあると云はれる。彼の最大の哲學的著作『神學大系』(Summa Theologia) も亦彼の手に依つて完了せられなかつた。然し此著の完成せられたる部分は政治論の根抵に橫たはる所の倫理的並法律的概念を含むものであつた。彼の政治學理論研究の爲には之れは又重要なる文獻である(註5)。

註4　cf., Gettel, R. G.-History of Political Thought 1924, p. 113.

註5　cf., Dunning, ibid., p.191.

トーマスはアリストテレスと等しく國家を人間性の本質より誘導した。彼が斯く國家を人間性の本質よりして說いた所に於ては、彼は自然法の根據に立脚せるものであつた。

トーマスに依れば自然法とは人間の理性的本性の內に根據し、理性によつて認識せらるるもので、神法と人定法との中間に存するものである。人定法は人間によつて造らるる法であるから自然的理性的法の背後に立つ。而して神法は後者よりは更に上位に聳立する。そこで神法に卽して敎會が存在し、自然法に卽して國家が存在するが故に、敎會は國家の上席に位する。恰もそれは神法が自然法に對して上位に存在するが如くである。要するに國家に於ける全政治的生活はトーマスに取つては、敎會に於ける宗敎的生活の階梯に過ぎなかつたのである。註(6)

註6 vgl., Sternberg, K. Politische Theorien, (ibid) ss. 42—43.

正にトーマスはスコラ哲學の最高峰を占めたるものであつた。茲に於ては哲學及科學一般も、將又社會も國家も悉く敎會に隷屬し奉仕するものとして其存在を示し得た。一切の權威は神意に基因するものとして、云はば無批判的に觀念せられ、斯る權威の根源に關する自由なる批判的精神は人心深く眠れるものの如くであつた。嘗て古典的希臘時代に正統的希臘哲學の本流にあつて斯くも尊重せられ、斯くも高揚せられた思惟の自由なる獨立は、外部的權威に或は形而上學的概念の下に壓服せられた。茲に於ては眞正なる科學的意義に於ける法及政治學的思惟は顯現し難く、又發展すべくもなかつたのである。

トーマスの理想は宗教的支配の現世的支配の上位に定礎する立場に於ける世界王國であつた。世界王國と云ふトーマスの理想はダンテ、アリギエリ(Dante Alighieri, 1265—1321.)に影響を及した。ダンテは其方法に於てはトーマスの思想に卽し、アリストテレスの國家學に依つて其政治理論を樹立した。註(7)ダンテの政治理論の理想も世界王國に存したが、彼の場合には現世的支配が宗教的支配と同水準に比肩して考察せられ、ダンテに於て中世紀的思潮が轉換をみ、茲に近世が明け初めたと云はれる。

斯くしてスコラ哲學は漸次衰頽し、第十四世紀より第十五世紀に亙つては其衰微期を迎へたのである。

宗教的權力と世俗的權力とを分離し且對立せんとするダンテの思潮は、スコラ哲學の衰頽の期に於てはスコラ哲學の内に導き入れられた。此爲には、就中オッカムのウイリアム(William of Ockam, 1280—1347.)とパドゥアのマルシリウス(Marsilius von Padua, 1270—1347.)の業績が擧つて力があつた。註(8)

註7 vgl., Caspary,-Geschichte der Staatstheorien im Grundriss, 1924, s. 20.

註8 ウイリアスの政治學的著作は『法皇權論八問』一三三九年以後の作(Octo Quaestiones.)及び『對話篇』(Dialogus. c. 1242—43.)であり、而してマリシリウスの著作はJohann von Jandunとの協著『平和の擁護者』(Defensor Pacis, 1324)である。

(三) 文藝復興(Renaissance)

世俗的權力の宗敎的權力への對抗、更にその優越的强權の要求及宣言は愈々顯著に文藝復興期の時代的精神の内に見出された。洵に此時期に至つて、初めて、世俗的權力の宗敎的權力からの獨立の要求が眞正の姿に於て表現せられたとは屢々云はれる所である。文藝復興は古代の再生であつたと共に近代の生誕であつた事は人のよく知れる所である。

文藝復興期の生成の要因を點檢する事はもとより本稿の課題ではない。其事に就ける文化的歷史的考察はその固有の立場に讓る可く、玆には唯本課題の考察に必要なる、當期の時代的精神の齎らせる文化史的意義を端的に討ねるに留めよう。

　文藝復興の時代的精神のもたらせる文化的貢獻の最大なるものは蓋し視野の擴大と思惟の獨立とであつた。文藝復興の生起の顯著なる要因の一であつた所の新大陸發見は全體のものの視野の擴大を伴つた。コロンブス (Colombus, Christphorus. 1446 –1506) の米大陸發見は一四九二年の事であり、當時コペルニクス (Copernicus, Nicholas. 1473—1543) は地動說の原理を攻究しつつあつた。新しき世界に對する新しき志向と憧憬は人をして傳統の絆を絕ち未知未見の廣き世界を仰望せしめた。恰も古代アテナイ人がその海上通商の隆昌と共に他民族と益々密接に交涉するに伴つて彼等の視野が擴大し、その傳來的神話より離れ、思索と批判との理性的活動を生せしめたが如く、茲、新時代に於ても類似なる現象が視野の擴大に伴つて生れ出でたのである。思惟の獨立への努力が卽ちこれであつた。思惟は久しく敎會によつて閉ぢ込められてゐたその拘束からの解放を求めた。理性は最早單に宗敎の下に服するのみではなく自由なる活動を要求した。斯くして漸次合理主義がその地步を堅めつつ前進した。思惟の獨立、理性の自由なる活動が求めらるる所にありては、個人は獨立性を要求してゐるのである。斯くの如き獨立性は古代希臘の啓蒙時代を去つて中世紀に進むに至つては、個人の教會に對する關係に於ては存在しなかつた。然るに文藝復興と共に新たなる啓蒙は巡り來たり合理主義への發展が結果として現れた。誠に凡ての啓蒙は思惟の獨立を宣言する。

中世紀が教會的理想の內にあつて神秘主義に包圍せられ、人をして天界を仰がしめたるに反して、當期に展開せる合理主義はその眼をして自然を凝視せしめた。斯くして此合理主義は自然主義的態度に接近した。併乍ら當期の自然主義は單に自然的志向の粗野なる發展ではなくして、その調和的なる發展であつた點に特性を有する。此事は當期の藝術的審美的特性に適はしき事であり又それに負ふ所の大いなるものであつた。これが當期の啓蒙が文藝復興なる美はしき呼稱を獲取した所以に外ならない。此特性の內に古代希臘文化の復興が見出されたのである。註(9) 斯る意味に於て當期の特徴としたものは嘗て古代の內に既存せるものであつた。斯くして審美的自然主義的合理主義が古代甦生の相貌を以て近世の開幕と共に出現したのである。

註9　vgl, Sternberg, a. a. O. ss. 44—46.
cf., Murray, M. A., The political consequences of the reformation, 1926. pp. 12—14.

併乍ら當期に於ては自然主義的合理主義の擡頭に對して理想主義は沒落し全然その姿を消し去つたと見る事は出來ない。理想主義もまた當期の時代的精神として古代との接踵に努力する哲學として、一の消極的なる表現としてその姿を呈示したのである。即ち是れは漸く擡頭し來れる個人主義的傾向に對する防衛として、共產主義的傾向を內藏する理想國の試案が理論的構成を成して現れた事である。此意義に於ける當期の理論を反映せる典啓的代表者は蓋しトーマス、モーア(More, Thomas. 1480—1535)とトーマス、カンパネラ (Campanella, Thomas. 1568—1639)とであらう。註(10) 茲に人はプラトン主義の新たなる復活を見る事が出來た。其意味にありてはモーアよりもカンパネラに於てプラトン主義は一層まさりたる純粹性を以て表現せられた。即ち前者に依る自然主義的幸福主義的志向が後者に依る理想主義的倫理主義的志向に結び付けられたのである。

註10　モーアの思想を表明する著作は、『無何有郷』(Utopia, 1516)であり、カンパネラの著作は『日の國』(Civitss Solis 1620)である。

飜つて文藝復興期に上述の如く尙プラトン的なる理想主義が再生し、脈々と其生長を續けたといふ事を之以上敍述する事は本稿の任務ではあるまい。茲にこの點に言及した所以は文藝復興期に於ける古代再生の全貌が恰も全く自然主義的合理主義の意義に、少くとも其意義に偏して理會せられる傾向が多分に强硬であるが故に、左様な云はば皮相なる見解を矯めんとする目的の故に外ならない。さり乍ら當期と共に近世が漸く圓熟せんとずるに當つて古代文化の復興の形相に於て、哲學、科學否當代のあらゆる精神的態度が示した所の志向は合理主義への發展を約束するものを以てその主流となした。此の事はあらゆるものを通じて否定さる可くもない事象である。思惟の自由及獨立、個人の尊重、自然への適合等が特性を形成せる時代にあつては、一切の不合理なる事象、反理性的なる事象に對する拒否と止揚とは蓋し當然なる結果であつた。之れが文藝復興期の個人主義的自然主義が他の一面に於て積極的表現を見出した所以であつた。當期に於て政治學の領域にて此立場を表明した最上のものはニコロ、マキアベリ(Macchiavelli, Niccolo. 1469—1527)であつた。

彼に於て眞正の近世的意義に於ける政治學理論が成立したとは廣く一般に理

會せられる所である。換言すれば政治學理論の科學的構成が彼にその端緒を見たと云ふのである。其事の意義及内容は各種の方面に亙つて考察せらる可きであらうが、少く共其中樞は現世的政治的權力の獨立への努力に存した。卽ち夫れは一般に形而上學的概念に卽する支配的權威の觀念の止揚、就中、宗敎的權力に對する世俗的權力の獨立並に優越性の要請であつた。この意味に於て彼は敎會と國家との關係に就て、兩者の同水準的なる併存と云ふが如き中世紀的なる微溫的解明に滿足出來なかつた。中世紀特にその後期にあつては宗敎と政治との占據する領域は人類の社會生活の全體に對して、恰も夫々楯の一面を占むるものとして考へられ、此の宗敎と政治との具象的形態が卽ち夫々敎會と國家として觀念せられたのである。然も斯樣な二元的見解も要之に神意に卽して定立せられた。此點からして敎會對國家の關係は假に併存的存在であるとしても、人類の社會生活全體が神意に卽して營まる可きものと考へられたが故に、神意に近侍すると解せられた敎會は、然らざる國家よりも究極に於て上位を占むるものとして理會せられ易かつた。玆に中世紀を一貫せる國家に對する敎會の優越性の思潮の源泉が存した。

然し文藝復興と共に覺醒せる自覺に充ちた近世の自然主義的合理主義は、思惟以上の權威を認證する事を否定して、最早單に先驗的に宗教の、あらゆるものに對する絕對的優越性を證認する事を肯定しなかつた。茲に近世の黎明期に於る國家の教會に對する新らしき優位的立場に就ける思潮の根據が存した。マキアベリに取つては國家は最早教會に信服し奉仕するものではなかつた。教會こそ却つて國家に屈服し奉仕す可きものであつた。斯くて彼に依りて政治を宗教や道德より引離し、實證主義的合理主義の立場より觀念せんとする努力が新らたにせられ、あらゆる形而上學的概念の嚮導に依る所の政治學理論が破棄せらるるに至つたのである。近世的意義に於ける政治學理論は斯くして、徐々に明瞭にその姿態を具現し始めたのである。文藝復興がマキアベリを通して政治學理論に寄與せる貢獻は寔に轄期的であり深甚であつたと言はなければならない。註(11)

註11　マキアベリの政治思想を敍せる著作は Ilprincipe, 1515(君主論)及 Discorsi sopra la prima deca di Tito Livio. 1531. (ローマ史論)の二著である。前者はその名の示す如く君主政治論であり、後者は共和政治論である。而して『君主論』は彼と共に甚だ著明であり、恰も、彼の政治思想を代辯するの概が一般にあるが、彼は原理的に君主政治を以て最上の政治組織と爲したものではない。彼は寧ろ、古代スパルタ及ローマに於けるが如き貴族主義的政治組織を最も尊重したのである。唯、

彼が『君主論』に於て要望した所は、相互に紛爭の禍中にあつた當時の伊太利の多數の都市國家、各種共和國家の分裂を統一し、政治的混亂を征定し救濟するが爲には、強力なる君主國にのみ期待し得ると爲した。然かも、伊太利統一の爲には何等の倫理的反省に逡巡する事なく目的の貫徹に良く果敢なるものは、獨り斯る君主のみであると爲したのである。之れが後世所謂マキアベリ主義として目的の爲には手段を選擇せざる主義即ち Staatsräison として許せらるるに至つたものである。併乍ら『君主論』の要旨は其時代の政治的動向並に當代の政治史的意義に於て理會せらる可きものたる事、云ふを俟たない。吾々は彼の別著『ローマ史論』を之れと對比して閱する事に於て彼の政治思想の正しき理會を得るのである。『ローマ史論』に於ては彼は宗教の立場を『君主論』に於けるよりは餘程重要視してゐる。(Discorsi, Bk. I. chap. XI, XIII, XIV; Bk. III. chap. XLI. (Engl. tr. by Thopson)

斯様にマキアベリの思想史特に政治思想史上に占むる地位は極めて重要にして又高い。スコラ哲學は當時なほ未だ中世紀的殘滓として生命を保持し、加之ローマ法皇の勢力は、嚴然として微動をも示さざる時代にあつて、道德就中宗教の權威に挑戰し否之を眼下に見下して、世俗的政治權力の爲に奮鬪せし事は非凡なる才幹と大膽なる勇氣なくしては到底不可能な事であつた。のみならず、特に選ばれたる進歩せるものを除いて、廣く一般的には人の心は未だ尚宗教的信仰と教會の權威とに閉ぢ込められて、思惟の自由なる獨立性、個我の獨立性の依然麻痺せるが如き時代に當つて、假令幸運にも近世の曙光を齎らせる文藝復興期に遭遇したとは雖、彼が良く時代的精神に生き、人類文化の啓蒙の爲に盡したる努力の跡は正しく高く評價せらる可きである。然るに彼は餘りにも時代の寵兒として道德及宗教を尊重せず、且之を蹂躪して逡巡する所なかつたとの理由を以て、彼に對する評價は往々にして不當に低き事を以て一般とする。註(12)

註12 フォルレンデルの如く特にマキアベリを高く評價する者は寧ろ稀である。Vorländer, K. Von Macchiavelli bis Lenin. Kap. I. (1926)

斯くの如き評價は固より妥當を欠ぐものである。彼は道德や宗教を輕視した者ではなく、宗教が國家生活の持續及發達に如何に重要なるものであるかは彼の如き烱眼の看過する所では固よりなかつた。彼は宗教に對する國民の尊重の稀薄が國家衰頽の確實なる兆候である事を知悉し、治者は此點に良く想を致し心を用ゆ可き事を說く所があつた。(Discorsi, BK. I.chap. 11.) 唯彼の國家生活及政治政策に對する宗教の重要視は人間生活に於ける宗教の尊嚴、權威或は價値に因るものに非ずして寧ろ國家存在の必要の故に基因した。斯様に政治への奉仕と云ふ事の限りに於て道德及宗教の價値を考へた所に彼の功利主義的實用主義的見地かあつた。飽く迄も彼は國家第一主義であつたのである。次に引用せんとする彼の言説は此點に就ける彼を簡潔に闡明するであらう。

“Where the safety of one's country is at stake there must be no consideration of what is just or unjust, merciful or cruel, glorious or shameful: on the contrary, everything must be disregarded save that course which will save her life and maintain her independence”*

* cf., Machiavelli; “Discoursi”, Bk. III. 41. Engl. tr. by Thompson.

“I believe that when there is fear for the life of the state, both monarchs and republics, to preserve it, will break faith and display ingratitude.” cf, ibid., Bk. I. chap. 51.

マキアベリに取りては凡てが政治的目的に仕ふ可きものであつた。道徳や宗教は其一ツのものに外ならなかつた。斯様に宗教を政治の下位に立たしめる事に於て國家と教會との關係は激越なる爭鬪となつたのである。彼が世俗的權力の勝利の爲に、換言すれば近世國家の基礎確立の爲に、露はなる激しき爭鬪を戰ひ取つた所の教會及宗教的權力は固よりローマ教會とその權勢であつた事は斷る迄もなく明瞭であらう。

マキアベリは屢々近世的意義に於ける最初の政治思想家と呼ばれる。蓋し彼が文藝復興期の精神に卽して、近世的啓蒙に依つて中世紀的なる權威の拘束と思惟の惰眠とを克服した所の先驅者たるの意であらう。茲に中世は消へ去り近世が明け初めたと爲されるのであらう。併乍ら彼の影響の範圍は如何にも宏大且深甚ではあつたけれども、近世の拓かれ來れる所以のものは中世紀的なる權威のあらゆる特徴が彼の一擊によつて廢滅せられたが故では固よりなかつた。西歐はしかく容易に合理化せられ又世俗化せられなかつた。吾々は斯く言ふとしても個人の力、恒に必らずよく時代を轉界せしめ得可しと爲すに非らず、思想も亦哲學も凡てその時代を反映するものである。但しすべての眞に偉大なる文化は更に一層其域を進めなければならないものであらう。卽ち永遠の價値、換說すれば、時代に先行して志向を指示する價値を含有しなければならないのである。マキアベリの思想は如何にもよく其時代を反映せるものであつた。

然乍ら眞に確實に且つ根源的に近世がその生誕の呱々の聲を擧ぐる爲には、なほ彼以外の力に俟たねばならなかつた。然かもそのものが、マキアベリが棄てて顧みざらんとなし、排擊せんと努力した所の宗教の力であつたと云ふ事は、洵に奇異にして且つ興味深き事象であつたと云はねばならない。實にマルチン・ルッター(Luther, Martin. 1483—1546)はマキアベリの死去(一五二七)以前に、歐洲の文化的活動を充分に久しく少く共約百五十年間は宗教と道德との分野に從事せしめた所の運動に、既に已に着手しつつあつたのである。宗教改革後にして初めて文藝復興の精華として、眞に近世的なる革新が成就したと云ふ事は確に注目に値する現象である。此現象の示す意義は一つの逆說的なるものであつて、玆にはマキアベリとは對蹠的なる世界が展開したのである。人は眞に宗教改革の文化史的貢獻と意義とを檢討する事なくしては近世的なる政治學理論の成立を考慮し得ないのである。

(四)　宗教改革(Reformation)

十六世紀の宗教改革(Reformation)は其發生と發展とを、歷史が嘗て示さざるが如き精神的生命と現世的權力との結合の內に有した。現世的方面に於て之を見れば當時は智的·政治的·社會的且經濟的に新しき運動の充實したる時代であつた。他面、精神的分野に於ても宗教を單に敎會の專有と爲す事なく、王侯庶民の別なく各個人の享受し得べき生得權と爲し、之を以て家庭生活に於ても國家生活にありても、各自の生活を價値あるものと成す可き根源たらしめんとする希念と努力とに充ちたる時代であつた。斯かる宗教的衝動は特殊なる衆民的要素を有し、然かも熱情に浸徹して居つたが故に當代の現世的勢力と合體する事が可能であつたのである。隨て玆に兩者の合體に於て、洵にユニークな且重要なる文化史的意義が生起した譯であつた。假令宗教改革初期の歴史に於ける重大なる欠陥がその運動の現世的方面を等閑に附した點に存するとしても、近世の史家がその運動の眞正なる勢力であつた所の宗教的要素を無視せんとするならば、それは更に大なる誤謬なりと云ひ得るであらう。

極めて一般的には文藝の復興としての『文藝復興』と、宗教の再建としての『宗教改革』とを區別する事が常套の如くである。然乍ら此區別は形式的にも實質的にも妥當ではない。文藝復興は必ずしも偏に世俗的且又古典的なるのみではなく、多分に宗教的且又基督教的ですらあつた。同樣に宗教改革も亦偏に本質的に宗教的且道德的なるのみではなく、多分に政治的且又世俗的ですらあつたが故である。故に斯樣に兩者を區別せんとする事は事體を正確に把握する所以ではない。所謂文藝復興(狹義)と宗敎改革との間には密接なる相關關係が存在する。註(13) 吾々は玆に兩者の意義並に其相關關係を詳說する暇を持合せないが、玆に述べたいと思ふのは文藝復興(狹義)の精神及その意義は宗敎改革の成就を俟つて始めて大成せられたと云ふ事である。

註13　この點に關しては下記のものは有益なる文獻である。Fairbairn, A. M. Tendencies of European Thought in the Age of the Reformation. (Cambridge Modern History vol. II.)

宗敎改革運動の究極的偉業は近世國家の確立であつた。今日吾々が有する國民乃至公民なる概念は少く共宗敎改革の成果の一ッであつた。勿論現在通用するあらゆる政治學上の概念は、中世紀更に遡つて古代希臘時代よりの遺產ならざるもの、殆んどないと稱しても強ち過言ではない程ではあるが、併しそれらの概念が近世に影響を及したのは、少く共十六世紀の坩堝を經過したる後の事であつた。

十五世紀の宗敎會議派運動(The Conciliar Movement)は一切の政治權力は委任に基因するものであり、從つて其權力所持者は社會に對して責任を負ふ者であるとの思想を闡明にした。此運動に依つて闡明せられた所に依れば、敎會は他の人間社會と性質及組織に於て何等異る所なき社會と看做された。從つて法皇の權威を代議的なる教會會議に置換へんとする企圖の内には、皇帝の權力を國王、君主の或は代議的機關の權力に取換へんが爲に役立つた所の一般的原理が働いたのであつた。併し此運動は種々の理由から失敗に終つたけれ共、これに依つて高揚せられた原理は該運動とは異れる分野に於て其生命を保持した。即ちそれはやがて皇帝や國王君主の專制に對する人民の權利の擁護の思潮の底流と成つたのである。然乍らそれは未だ云はば單なる要求と言ふ程度に過ぎなかつた。註(14)

註14 cf. Figgis, J. N., Political Thought in the sixteenth Century. (Cambridge Modern History vol. III. p. 736 ff. 1907. rep.)

會議派運動の失敗は法皇權の勝利として全歐洲の文明諸國に中央集權的官憲の勝利の端緖とも成り、イギリスを除いては多くの諸國に於ては其形勢は一七八九年フランス革命に至る迄優勢を持した。イギリスに於ては宗派的對立と言ふ事實が國家を高度なる專制的政治より免かれしめた幸運なる要因となつた。

併し兎も角も會議派の爲したコンスタンス會議の綱領は中世紀的憲政主義に對する最後の努力であつた。而して此運動の失敗が近世の發端を轄するものとなつたのである。註(15)

註15 cf. Figgis. J. N. From Gerson to Grotius. p. 33. 1923.

其運動が斯く衆民主義的綱領の貫徹と教會の内部的改革及再組織とに成功しなかつた時、マキアベリの思想にも似通ふが如き神授權的君主國の建設の爲に、又基督教の廣き範圍の上に獨立的なるプロテスタントの一團を樹立せんとするルッター及其徒黨の爲に、他方に於ては反動的なるウルトラモンテーン(Ultramontane)並にロヨラ(Loyala, Ignatius. c. 1491—1556)一派の蹶起の爲に、進路は既に備へられてゐたのである。註(16)及註(17)

註16 cf., Gettel, R. G.-History of Political Thought. pp. 133—134. 1924.

註17 會議派の代表者はジエルソン(Gerson, J. C. 1363-1429)、ニコラス・クザヌス (Nicolaus Cusanus, 1401—64)及シルビイウス(Sylvius, A. 1405—64)である。この方面に於ける彼等の代表的著述は下記の如きものである。ジエルソンの政治思想上最も重要なるものは Goldast の Monarchia II, 1384 ff. 内に於て見られる。又彼自身のものを蒐めたるもの、Opera, 1703が死後刊行された。クザヌスのものは De Concordantia Cathalica(Opera Omia, vol. II. p. 692 ff.)、シルビイウスのものは Tractatus de orta et Autoritate Imperii Romani. (Goldast; Monarchia, II. 1558 ff.)である。猶此運動の失敗の理由は下記に巧みに述べられて居る。 Figgis, From Gerson to Grotius. pp. 33—34. 1923.

併乍ら會議派運動の挫折に勢力を新らたにした所の法皇權を、一層鞏固にせんとする工作は成り、其範圍は擴大し、全伊太利に於ける專制主義的傾向は其の最頂の表現をローマに有し、其處から世界に擴大した。新らしき法皇制は益々專制的となり、夫れは宗教的であるよりは寧ろ遙かに專制政治の典型と成つた。トルケマダ(Joan de Torquonada 1388—1468)やカエタヌス(Cajetanus, Thomas da Vio. 1469—1534.)の著述は、如何に法皇制に對する一般の完き恭順の觀念が進められ、而して憲政主義的傳統に依つて行はれた所の世俗權的支配が、如何に薄弱なりしかを物語るものである。註(18)

註18 cf: Figgis, Political Thought in the 16th Century. (ibid.) p. 737

然乍ら中世紀はローマ教會を暫く度外視すれば、社會の內面に於ては封建制度、神聖羅馬帝國皇帝及諸國王、君主の對立其他地方的個々の權力等の爲に、云はば無秩序的狀態を呈した。玆に於て統一に對する要望は蓋し當然なるものであつて、この事は一方には民族主義の擡頭を後援したが、又他方にては益々法皇制の反動的勢力を鞏固にしたのである。斯様に近世の進路の前途には法皇權に依存する教政政治の機構による力强き社會的統制が嚴然と存在し、このものは皇帝の權力と相俟つて、近世主義の前進は容易ではあり得なかつた。此の形勢に對して克く其鐵鎖を遮斷して近世への回轉の業を完ふし得た所のものは、實に宗教改革の偉業であつた。人は其結果として近世的意義に於ける政治的理念並に政治的機構の生起を考へ得るのである。

宗敎的權威より政治的權威へ人心の恭順を轉換せしめたのは洵に逆說的にも十六世紀の宗敎運動、卽ちプロテスタントの立場に於ける宗敎改革及びカトリックの立場に立てる所謂反動的宗敎改革の運動に、負へる所最も大なるものであつた。但しプロテスタントの宗敎改革運動中、カルビン主義の勢力の鞏固なりし國家乃至都市にあつては此事は餘り成功を收めず、其事の成就したのは主としてルッター主義の地盤に於てであつた。其理由はカルビン主義の特徵の內に求められるのであるが茲には其理由に就て究明する事を避けて、いづれ後述したいと思ふ。然乍ら吾々はカルビン主義が後代、政治的分野に於て特に近世的衆民主義の實際並に政治思想の成立に多大の影響を及し、否直接間接之に關與したと言ふ事を毫も沒却せんとするものではない。唯此點は吾々が茲に取扱ひつつある直接的なる課題ではないのである。

（五）宗教改革とルッター

ルッターは政治に就ける俗權を堅く信じた。彼の全傾向は個人主義的であつた。『基督者は彼自身の良心的同意なくしては支配せらる可からず』(Babylonish Captivity) と云ふ、彼の思惟の根柢に横たはる觀念は假令十五世紀の會議派の思想に於けるが如く、明瞭でなかつたとは雖、確に政治的自由の問題に導かれ得るものである。然し彼の果敢なる自由鬪爭は唯に王侯にのみ及ぶ可きものであつた。是故に彼の宗教改革の要旨及論爭は其著『獨逸人貴族に與ふる書』(An den christlichen Adel deutscher Nation von des christlichen Standes Besserung, 1520) の内に論述せられたのである。即ち世俗的權力の所持者が宗教の必要なる改革を遂行す可きであると云ふのが彼の見解であつた。從つて純粹なる意味に於て政治的自由及夫れに對する彼の理論の適用に就ては彼は現實に顧慮した譯ではなかつた。四圍の事情に因るものではあらうが彼は益々王侯君主の政治權力確立運動を理論的に支持した。其の書『俗權權限論』(Von der weltlichen Obrigkeit, wie weit man ihr Gehorsam schuldig sei, 1520.) は斯の如き立場より君主の權限を擁護したものである。註(19)

註19　ルッターの宗教改革の論旨を敍せる代表的三著書は下記に納められてゐる。Lemme, Die drei grossen Reformations-Schriften Luthers vom Jahere 1520.

彼は君主の權限の神授權的始源を認め、人類の不平等起源を信じた。併し中世紀以來信じられ、且つ多分にローマ法學者より由來したる觀念、卽ちあらゆる不平等は原罪及自然的なる結果であると云ふ觀念は全く打破したのであつて、彼以前の恐らくは何人にもまさりて、彼は支配權と社會平和の爲の權力とを賦與せられたる君主の權力の絕大なる價値を尊重したのである。斯くして彼は成果を收めた。それは一に彼が歐洲發展の主流に棹してゐたが故に外ならない。彼にして若し純粹に衆民的運動に荷擔してゐたならば、斯くばかりなる成功を遂げる事は恐らくは不可能であつたであらう。彼は政治權力の權威の爲に又その神聖の爲には恒に戰ふ事を辭さなかつた。而して敎會による政治的要求を認めず僧院生活の宗敎的要求をも亦容れなかつた。却て彼は普通人及世俗的支配者の爲に、僧院的理想或は敎會的法の挑戰的權威に對して、鞏固なる宗敎的根據に卽して鬪爭したのである。彼は特に獨逸人の精神に於て、敎會(ローマ)の理念と結合せる皇帝

（神聖ローマ皇帝）の昔乍らの權威に對しては反對したが、當時封建的權威より主權的權威に急激に擡頭しつつあつた所の君主の權力に對しては、氣質上からも亦等しく境遇上からも厚き支援を惜まなかつたのである。斯くの如く彼の志向は衆民的ではなかつた。彼は當時勃發した農民運動に對しても其初期に於ては同情を示す所があつたが、衆民革命の暴動的行動に就いては之を是認しなかつた。然乍らルッターに依つて發足した運動はその本質上革命的であつた。彼の言語及その理念は假令彼が『我等は今や異れる世界に住める者なり』と後に述べたが如く、如何に其事實を微小に認識せんと希求したとは雖、洵に革命的であつたのである。但しあらゆる革新運動の如くに宗教改革も亦保守的乃至懷古的である事を欲した。この事は主としてカルビン派に屬した清教徒達も亦然りであつた。ルッターが世俗的な同時に又不合法なる僭權の强權に對して主張したものは世俗的君主の不可侵權であつた。君主權の不讓渡性や神授權的權威はローマの强權を薙倒し、法皇權よりして其の僭取的なる且無根據なる權力を奪還す可きものとして要請せられた。

　此革新運動は改革者の雄呼を中心に一の團體の生起を必然に促さずには置か

なかつた。而して其立場よりして凡ての基督者は聖俗の別なく平等なりとの主張が掲げられた。是れ即ちアナバプティスト及農民運動の如きである。基督教的共産主義に根據せる農民運動の勃發の素因は、ローマ法の攝取に依つて益々攻勢となり、且硬化せる形式的、法的權威を排撃せんとする萬人平等と同胞主義の觀念であつた。之が宗教改革の主義と深き關聯の存する事はルッターの著『基督者の自由に就きて』(Ueber die Freiheit der Christen, 1520)に現はれたる、基督者の自由獨立の理念と、農民革命家の十二個條の綱領の理念とを對比すれば明瞭である。此反抗に現はれたる理念の政治的分野に屬するものをみるに、夫れは近世的であるよりは寧ろ中世紀的なるものであつた。ルッターの革新運動は中産階級の新興の勢力更に君主の權力を聖別し又高揚する所があつたが、農民の主張に對しては基本的に對立した。此農民運動の神政主義的方面の特徴はアナバプテストの立場に最も接近して居る。アナバプテストは極端に基督者の平等と一切の共産主義とを主張し、政治的分野に於ては一切の反抗權更に統治權すら否定し去つた。ルッターは固より其他の改革家例へばツウギングリ(Zwingei, Hudreich. 1484—1531)もカルビンも等しく包括的な教會の設立、之を世俗的政治的權力を以て支持する事を欲したのであるが、アナバプテストに取つては斯くの如き敎會の建設はローマ敎會と同樣に有害なるものと看做された。加ふるに彼等は强制的權力を具備せる如何なる形態の敎會に對しても極端なる嫌惡を示した。要するに彼等は國家を認めざるか或は之を認めるにしても有害なる制度として認容したのである。

遂には彼等は聖者の統治を說くに至つたが此統治の觀念たるや、旣存の制度を無視し、法皇權すら躊躇するであらう程の徹底せる宗敎不寛容(Intolerance)を內容とする中世紀的なる神政政治に屬するものに外ならなかつた。但し玆には政治思想に就ける宗敎改革の一の重要性を彰明するものが存した事は見逃してはならないであらう。卽ちプロテスタンチズムの主要なる效果は如何なるものにもせよ、それは直接的には宗敎寛容、或は又神政政治ならざる政治を、表象するものではないと云ふ事である。從つて眞に宗敎寛容の存する所にのみ政治は非神政的となり、而して反對に神政政治の理念の破棄せらるる所に於てのみ眞の宗敎寛容があり得るのである。宗敎的法を國家的法と自同にせんと企圖する事は屢々抑制を伴ふに至るものである。

宗敎改革成立後數世紀間は政治思想としては、宗敎改革の初期にもまさりて神政的ならざる學説は榮えなかつた。純粹なる政治學理論は、假令そのものが宗教改革の最終的なる所産であつたとしても、その眞正なる生長の爲には久しき時の經過を必要としたのである。即ちその存在が認容せられ而して發展するが爲には、そのものは先づ世俗的政治に就ける宗教的統制を撃破しなければならなかつた。然かも此事を遂行し成就し得たのは神授權説の業績に外ならなかつた。寔に神授權説に依る中世紀的權威思想の克服が完成せらるる迄は近世的政治理念は自由なる獨立を保持し得なかつたのである。

他方宗教改革運動は聖書の權威及價値に對する反省と認識を新らたにして、聖書へのひたむきなる恭順を呼び醒ました。其最頂に達せるものはアナバプテストである。彼等は農民運動との聯繫に依つて一時甚だ勢力を振つたが、其處には國家を純粹に聖書に準據して建設せんとする企圖が再び出現した。此企圖は國家の歷史的發展と現實的狀態とに留意せざるもので、宗教改革に關聯して出現した所の十六世紀の思潮の一面を表明したものではあるが、然乍ら夫れは事體の發展の主流を形成せるものではなかつたと云はねばならない。此點に關してはヂエスイツト教團(Jesuit)の立場や見解も亦同樣なるものであつた。吾々は玆にアナバプテストに關し多言を費す事を避けたいが、彼等が廣き且長い意味に於て、卽ち唯に十六・七世紀のみならず現代に至る迄の政治思想の發展の上に殘した所の、最も重要なる又最も積極的なる貢獻とも云ふ可きものは彼等の『可視的敎會』(The-visible Church)の概念であつたと思ふ。卽ち約言すれば彼等は敎會を以て人類の任意的社會と爲したのである。凡てプロテスタンチズムは宗敎を以て神と人との直接なる關係として定立する。ルッターの立場に於て定立せられた所謂國家敎會(Staats-kirche)、並にカルビンの立場に卽して措定せられた所謂敎會國家(Kirche-nstaat)の理念にありては、敎會をなほ以て一定の任意的社會なりと爲す所の概念は構成せられなかつたのである。アナバプテストは斯くしてルッター派並にカルビン派に對立し同時に又神授權說的なる世俗權の解明にも反對した。註(20)茲には宗敎や敎會に關して、蓋し思惟と理論との純粹性が認識せられるであらう。然乍ら文藝復興の後期、宗敎改革期の轉形期に際して、政治思想の轉換と、其の新たなる意義に於ける樹立とは飽く迄もルッター及その一派の業績であつたと云はなければならない。吾々が茲に繰返して顧みたいと思ふのは宗敎改革運動の近世的政治思想の構成樹立に賦與した所の世界史的文化的意義である。

註20　cf. Allen, J. W.-A History of Political Thought in the sixteenth Century, 1928. pp. 47—48.

ルッターの思想中には調和を缺ぐものがあつたが、是れは自己矛盾を逡巡しない所の、云はば政治的指導者に見られ勝ちなる性格の故であつた。彼は皇帝の權威に反抗し、君主の權威の擁護に努力した。併しシュマルカンデン同盟の側に立ち皇帝への反抗を是認したのは、唯事體の必然と而して恐らくは彼の意思に反して彼を説得した法學者達の故とであつた。何者皇帝は合法的には最高主權ではなかつたが故である。皇帝カール五世は保守的であり、ルッターはその成功した所に於ては皇帝の權力を衰微せしめた。而して他方に於ては君主權の發展を積極的に援助し、その權力を神授權的制定と云ふ觀念を以て基礎付けた。然かも暴君政治に對しても之れに耐ゆるの義務を罪惡に對する神罰として聲明し、代議的政治に對しては聊かも好感を寄せなかつた。要するに宗教的君主に依つて統治せられ、且つ良く整序せられたる家庭生活を伴へる國家が、彼の理想とする所であつた。其處には法皇權に依つて要請せらるると等質的なる始源を具備する君主權力の神授權說が主張せられ、あらゆる集團とその權限は國家に包攝せらる可きものとして定立せられた。斯くて封建的無秩序狀態が、新らたに主權者と目さるるに至つた君主に依つて抑壓せられるのみならず、法皇權も僧侶的特權も拒否せられ、各種のギルドも其存在を否認され、加ふるに僧院も亦現世化せらる可き事が要請せられた。即ち茲には國家の本質並に社會的性質に關する所謂正統派的なる單元的國家觀が見らるるのである。

かの農民運動は失敗に歸し（一五二五年）たが、その目的は要するに中央權力の破壞と徹底的なる衆民的社會狀態の建設を主要なるものとなした。元來此運動にはアナバプテスト及要路に立ち得ざりし騎士が合流して其勢力は頓みに揚り、一時は侮る可からざるものがあつたが、諸侯の兵力よく聯合努力した爲に遂に慘敗に終つた。其結果衆民的傾向は抑壓せられ諸侯及諸君主の權勢は益々振つた。ルッターは此暴動に對しては恒に反對であり、此點が又彼が君主側の信用を博したる一の所以でもあり且又彼が宗教改革運動の遂行を完ふし得た一要因でもあつた。

吾々が茲に見逃す可からざる事は、此農民運動の失敗が宗教改革者に或る一つの事を明白に教示し、それが彼等の運動の上に少く共轉換の契機を齎らしたと云ふ事である。即ちそれは彼等に宗教革命を政治革命より分別せしむ可き事を教へた事であつた。農民運動及アナバプテストの運動は君主や富裕階級をして、改革運動は彼等自身に對しては反對ではないとの信念を深めた。一方に於て、宗教革命の理念を正當化する基本的なる必要は世俗權に固有なる可き神聖の主張を作り、更に又人は唯信仰によりてのみ義とせられると云ふプロテスタント固有の信念によつて教政政治の崩壞を希念し、教會的主權の占奪的性質を理解せしむる事に存した。他方に於て、アナバプテスト及農民運動の立場に於ける社會組織に就ける理念の現實的發展は、宗教改革者達をして一層强硬に次の如き主張を爲さしむるに至つた。卽ち『可視的なるものとしての教會は精々一の必然的罪惡であるが、之れに對し國家は一の神性的制度である。從つて國家への反抗は永劫處罰の刑罰を蒙むる可し』と。註(21)

註21　cf., Figgis, Political History in the 16th Century, (ibid.) pp. 741–742.

ルッターがローマ教會會則全典(Corpus juris canonici)を燃き棄てたと云ふ事は洵に大いなる事件であつた。併乍ら彼の友、年若き文獻の天才メランヒトン(Melanchthon, Philipp. 1497—1570)は人の周知の如く恒に變らざる彼の支持者であつた。メランヒトンも世上に於ては國家以上に崇高なるものはないと主張したと云ふ。

註(22)

註22 vgl., Figgis, ibid. p. 742.

此理念をかの中世紀的理念卽ちローマ法皇は神授權的に設定せられたる權限を有し、君主は唯、神授權的に許可せられたる權限を有すると云ふ理念と對照する場合、人は玆に既に權威に就ける思惟の轉換が形を成せる事を知り得るであらう。蓋し近世的思惟への推移は人が二個の對立せる社會に非ずして一個の社會を想念する事に依つてのみ生起可能であつた。中世紀の思想家は一の社會として夫れを本質的に敎會(ローマ)に求め、近世紀の思想家は之を國家に求めた。而して中世紀にあつては少く共觀念的には西歐洲は一統體であつた。然るに十六世紀にあつては地域國家は確立した。玆にては君主はあらゆる支配の中樞となり、敎會(ローマ)の優越性は、はや過ぎ去りつつあつたのである。

既述の如く中世紀にあつて敎會(ローマ)に所屬した所の最上の特權を國家へ持ち來たらせたるものは、之れを概括的に云へば宗敎改革者達であつた。中世紀に於て、單一の社會として、卽ちその內に宗敎的權威も世俗的權威も共に宿るものとして思惟せられたものは敎會(ローマ)であつた。かの神聖羅馬帝國も國家であるよりは寧ろ教會として看做された。プロテスタントの改革者に依つて社會の限界は民族に又地域的社會に限定せられた。是れは本質的には最早教會ではなく寧ろ國家であつた。換言すれば中世紀にあつては人は世界的なる教會國家のみを考へた。其處にては地域的境界に依つて制限せらるる所なき靈界の王者に最高の權限が宿るものと考へられた。之れに對して、あらゆる教會的權威を、その分野に於ては全能なる神授權的君主の支配の下に齎らせたるものがプロテスタント改革者であつた。玆に世界帝國より地域國家へ、教會的優越より世俗的優越への轉換が生起したのである。宗教改革が第一に生せしめた主要なる成果は政治權力であつた。教會(ローマ)の獨立とその超地域的なる支柱とを破壞する事に依つて、國家への統一に對する最終の防碍物が除去せられた。斯くて僧院財産が世俗化せられた事は一つには君主の財産の增大を表示し、他には世俗的政治權力の勝利を意味した。之にも增して宗教改革が其成功を負ふたものは國家の權力に依る封建的特權の擊破であつた。此事實は特にフランスに於て見られ、ドイツにあつては君主權が漸次主權的地位に高昇する事に依つて主として達成せられた。斯くて皇帝の權威が失墜し君主權力の擡頭確立がルツターに負ふ所、多大であつ

た事は屢々繰返したが如くである。註(23)

註23 cf., Figgis, From Gerson to Grotius. 1923. rep. pp. 55—57.

然乍ら宗教改革者は宗教を政治に依つて愚弄せんとしたものでは毛頭なかつた。彼等は君主自らが何等の躊躇なく爲す可き必要なる改革を斷行す可き事を欲し、而してあらゆる强制的支配權は國家に集中せらる可き事を主張したに外ならなかつた。實に數百年の積弊と傳統とを掃蕩せんとする運動にして、若し成功を期待す可しとするならば、其場合に於て革命的なる手段を援用する事に依つてのみ蓋し始めて可能であり得たであらう。かの十五世紀の會議派運動(The Conciliar Movement)は皇帝の援助を以てしても、敎會(ローマ)の改革に對する僧侶の無資格を證明した。此改革にして成功を收めんが爲には、敎會内に於ける他の勢力即世俗的權力の援用が必要であつた。ルツターが君主の權力に訴へた所以のものは君主そのものが、なほ敎會内に存在するものであつたが故に外ならない。彼も亦その一黨も宗敎を以て政治的政策、況んやかの所謂權謀術數の單なる手段と爲したものではない。此點に於けるルツターの立場は、等しく近世國家創成の爲に生みの惱みを戰つた所のホッブス(Hobbes)やマキアベリ(Macchiavelli)の立場とは自

ら區別さる可きである。註(24)

註24　此點に關してはルッターの著『基督者の自由に就て』並に『俗權權限論』を一讀すれば明瞭である。此意味に於ては特に前者の内に宗教の尊嚴と權威に就ける彼の見解が一層闡明に表現せられて居る。此の兩者は共に極めて小著ではあるが、宗教改革の大業の爲に活ける火を地に投じた所の彼の熱誠と眞劍と力とに充てるものである事を一言附言したい。

ルッター始め世の宗教改革者が法皇の聖俗兩分野に亘る强權を反駁し、皇帝の權威に抵抗した事が近世的政治權力確立の決定的要因であつた事は上述の如くである。併乍ら此意味に於ける近世の確立は偏にプロテスタント的宗教改革にのみ其歸趨を負はす可きものでは固よりない。況んやルッターの個人的業績にのみ歸す可からざる事、今更特に斷る迄もない。此事の成就の爲には、プロテスタント的宗教改革者の運動と恰も期を同じくして、皇帝の權力の衰微、封建制度の漸く現はれたる崩壞の機運に乘じたる君主の中央集權運動を擧げなければならない。同時に中產的新興階級の實力ある擡頭に關する社會的經濟的諸要因をも顧みなければならない。更に王政論者就中ボーダン(Bodin, Jean. 1530—96)を最も良き代表者とする、國家中心主義の政治哲學者の主權論の有力なる貢獻に就ても想を致さねばならない。更にまた、アナバプテストの思想、及運動、並に轉じてヂエスイット教團(一五四〇年創立(Societas Jesu)及人呼んで反動的宗教改革(Counter-Reformation)と稱するものの思想及運動の影響に關しても廣き又深き考察をなさなければならない。斯く點檢し來たれば因て以て來たる可き要因は洵に多々存するであらう。吾々は夫等のものを輕視し等閑に附す可きではない。此等諸要因がプロテスタント的宗教改革の近世的政治權力確立に對する關與と、打絶ち難き關係の複合せる事は茲に記すが如く明瞭であるが、夫等は本稿の課題とは別に夫々の獨立の課題として充分なる考察を遂げらるるに値ひするものであり、又飜つて思ふに、當面の命題の示す事體に對しプロテスタント的宗教改革者、特にルッター派の寄與は著明であり、且又近世的轉換に對する一般的動向の少く共積極的なる意味に於ては、先鞭ともなり、また、導火線ともなつたものであつた。吾々が本稿に於て宗教改革の近世國家創誕に及ぼせる寄與に關し、主としてルッター及其一派の影響を顧みようとする微意は凡そ茲に存するのである。

(六)　宗教改革者の思想的根據

以上宗教改革者特にルッターの立場に卽するものの近世的政治權力の確立の爲に及せる寄與に關して述べ來たつたのである。其爲に宗教改革者特にルッターの爲せし所は、新興勢力たる君主並にその權力を是認し之れを擁護し之れと協力し、以て中世紀的なる權威の思惟を打破した事であつた。此場合宗教改革者の因つて以て立つた所の思想的根據は如何なるものであつたであらうか。是れが新らたなる課題なのである。その爲には少くとも三つの命題に就き考察する必要がある。吾々は以下順を追ふて夫れを考察しようと思ふ。卽ち神授權的君主權說、絕對的服從の原理及敎會對國家の關係に就ける理論の三者である。

(A)　神授權的君主權說

支配的權威につける神授權說は早くも聖パウロの書翰の内に現はれ、註(25)之れは後世、聖アウグスチヌスに依つて更に强調せられた。

註25　新約聖書ロマ書第十三章一節—五節及コロサイ書第一章十三節—十七節

斯くの如く此原理の淵源は極めて古い。吾々は玆に其始源の歴史的考證を爲さうと思はない。抑々、此原理は服從の義務に對する基督者の一般的感情に負ふ所多きものであり、初代基督敎會の敎義並に信仰の内に最も顯著に其所在を示すものである。神授權的權威を具備するものとしての支配的權力に對する、此意味に於ける服從の感情は、後世ローマ法皇が此理念を自己の利益の爲に利用せんと企圖するに至る迄は、言はば未だ單なる漠然たる理念に過ぎなかつた。然るに法皇の斯る企圖に依つて人は此原理に基く理念の意義を探究し、遂に却つて此原理に卽して世俗的支配權の獨立的權威を主張するに至つたのである。玆に於て此原理は其本質に於て政治社會の宗敎的支配への屈從よりの自由解放の理論となつたのである。此理論が最大の價値を帶び而して最も著明なる役割を演じたのは世俗的權力の宗敎的權力に對する獨立の武器としてであつた。卽ち神授權的權威に就ける法皇の主張に對抗して、なほ夫れにも劣らざる權威に依れる主權に就ける君主權の主張が玆に成立した。斯様に君主權に就ける神授權説は反敎權主義的であつた。併し其理論が敎權主義に反對して向けられたが故に、このものは必然に宗敎的理念に卽して構成せられ又其分野に於て主として支持せられた。

而して又斯る形態を採る事がその成功の爲には必要であり且又效果的であつた。斯く君主權につける神授權説は法皇の大權に反抗する所に其成立の第一義的なる素因と意義とを有したが故に、玆に此説とプロテスタント的宗教改革者の主張との間に橋梁の架せられた根源が存する。註(26)

註26　cf., Figgis. The Divine Right of Kings, 1922, rep. pp. 256—257.

支配的權威につける神授權説が斯樣に君主に結付いて成立し、代議的政治機關例へば議會の如きものに關係して生じなかつたのは時代の趨勢を反映してゐる。若しも君主に非らずして他の政治機關に關係して生起したならば、神授權説は恐らく當時に於て完うし得た所の歷史的役割を果し得なかつたであらう。何んとなれば當時法皇に就ける主權的支配權を否認し之れに抵抗し得たものは唯、新興の君主以外には存在しなかつたが故である。當時漸く衰運に傾いたとは雖、法皇權の輝かしき傳統的權勢に克く挑戰し得るものは君主以外には求め難かつた。又君主の背後には既に充實せる社會的經濟的實力を具有する富裕なる中産階級の支援が存在したのである。更に又法皇の光輝ある大權に對抗するが爲には假令名目的にもせよ王者的榮譽を必要とした。凡そ斯くの如きものが君主に於て神授權說が提唱せられるに至つた主要なる原因であらう。

現代のさかしき批判に富める者には神授權的君主權說を荒唐無稽なるものとして、或は白眼視し或は嘲笑する者が多いであらう。註(27)

註27 cf., Gairdner & Spedding-"Studies in English History," p. 245; cf., Gairdner's preface to "Letters & Papers Illustrative of the Reigns of Richard III. and Henry VII."

其等の態度は今日の政治學的思惟に卽する場合或は妥當であるかも知れない。然乍ら政治思想はすべて時代を反映するものである。現今の立場から判斷して不合理なりと爲す事が、必ずしも恒に政治思想の價値を認識し且解明する所以ではない。更に一の理論が現今の立場からして假令沒合理と斷定せらるるとしても、其種の理論が現在の吾々に觀念せらるる以外、何等異れる意義を其時代の、その支持者に附與しないと推定する事は妥當ではあり得ない。

神授權的君主權說に當時對立したる政治學理論は原始契約說であつた。後者は其生起の所以を訊ねるならば、前者に對蹠的立場を取るのみならず、斯る立場を占むると云ふ事は卽ち前者を反駁し撲滅せんとする任務を帶びたるものであつた。吾々は現在の政治學的思惟の觀點に卽し神授權的君主權說と原始契約說とを對比して、獨り後者をのみ合理的なる政治學理論として果して取り得るであらうか。吾々は蓋し凡ての理論に於けると同樣に政治思想の歷史的文化的意義を無視す可きではない。註(28)

註28　cf., Figgis, ibid. pp. 1—5.

轉じて、旣述の如く十六・七世紀は政治思想に於ける中世より近世への轉換期であつた。神授權的君主權說は此轉換に極めて適はしき任務を果したのである。今でこそ如何にも政治は宗敎より分離せる獨自的分野を占據してゐるが、人の良く知れる如く當時は未だ猶、政治は宗敎よりの獨立を享受しては居らなかつた。約言すれば神政政治時代であつた。斯くの如き時代に政治が獨自的分野を主張せんが爲には、宗敎と同權的なる權限を要求しなければならなかつた。卽ち政治は人類發展の爲に必要なる任務を遂行す可きものであり、それ故に政治の獨自的存在は恰も神學や敎會と同樣に、人類に對する神の計畫であらねばならないと要求せざるを得なかつた。斯くの如き要求は固より法皇や法皇權論者の容認す可きものではなかつた。玆に君主に就ける神授權說の使命があり、又其任務完了の所以が存した。卽ち君主に依れる政治は、法皇の主宰や敎會法の律令と同樣に全能者の嘉納を以て存在するとの觀念は、此時代の神授權說の支持者に普く存在したるものであつた。

神授權的君主權說が宗敎改革者に結付いた關係に就ては既に一言した。宗敎改革は之を他の觀點よりみれば、敎會的神學的羈絆より、思惟と人格との自由獨立を要求した所の文藝復興の精神を內藏し又具顯せるものであつた。其處で政治理論に於ける神授權的君主權說の提唱は宗敎改革の要求と其軌を一つにした。政治學的思惟に對する神學の謂れなき拘束は玆に漸く反抗の對象として意識せられ初めた。此場合、この傳統强き神學の鐵鎖を切斷する唯一の方法は、聖書的根據と言ふ昔乍らの立場に立脚して、聖句の引用と言ふ常套的方法に於て、政治の神學よりの解放並に敎會の國家に對する統制の廢除せらる可き所以を主張する事であつた。宗敎改革の業績の一ツはあらゆる思想及研究の部門に於て單一なる方法及單一なる目的への隸屬より人をして自由ならしめた事であつた。政治に關する此事の達成は政治の不神學的事體に就ける神學的是認を主張する事に依つて始めて可能であつた。此事の貫徹したる後に於て、始めて政治は自由なる發展を約束せられた。政治理論に就ける聖書的基礎付けや、政治思想に對する聖書的和諧を定立する事を必要とせざるに至る迄は、政治理論は自由、且獨立なる發展過程を辿る事は不可能であつた。實に政治は、神授權的君主權説がその任務を果たす事に依つて、中世紀的羈絆より解放されたが故に、始めて近世的舞臺に登場する事が出來たのであつた。註(29)

註29　cf., Figgis, ibid. pp. 259—260.

神授權的君主權説がプロテスタント的宗教改革に如何に必要であり、効果的であり、又如何に密接なる關係があつたかに就て以上聊々之を述べた。此思想はやがて其使命を果たした事に依つて終りを告げた。神授權的君主權説の終局は必ずしもそのものが沒合理的なるが故ではなく、實にそれが自らの任務を完了したが故であつた。換言すれば、其理論の無稽の故ではなく、最早そのものの必要を見なくなつたが故であつた。卽ち轉換は成就し近世國家の獨立は確實となり、政治は最早宗敎的是認を必要とせずして、其本領的分野に立脚し得たが故であつた。註(30)

註30　cf., ibid. p. 260.

吾々は併乍ら神授權的君主權説の缺陷や又夫れに伴ふて生ず可き危險乃至弊

害の存在を無視する事は出來ない。然乍ら兎にも角にも世俗的國家が、人類生活に於ける自然なる又必須なる要素としての主張並に宗敎的支配よりの政治の獨立性の要求を爲した所の形式は、この神授權的君主權說であつたと言ふ事は牢固として否定し難い歷史的事象である。此理論の不滅の價値は、蓋し宗敎的優越性を固持する論者に對して、國家はそれ自體の本領の立場を保持すると主張すると共に、又他方民權論者に對しては、國家は自然的なる、且發展的なるものであると說くの點に存しよう。神授權的君主權說或は又これと當時對蹠的立場に即したる原始契約說等の缺陷を發見し、その背理を批難する事は極めて容易なる事であらうけれども、近世が此兩說に負ふ所の貢獻を拒否する事は又極めて皮相なる事であると言はねばならない。神政政治的理念と自然法理念とが嚴然として世を支配せる時代に當つて、國家の權利を確保し得る、恐らくは唯一の方法は此等兩者の內に存した。更に又新らたに發展擡頭せる國家がその人民をして精神的に又肉體的に、不當なる抑壓を爲さざる事を期するが爲には特に神授權說に俟つ可きものが多大であつた。國家の權利を宗敎や倫理の分野より離れて確認する事の必要なると共に、人間生活の一面を政治的分野以外より把握し、政治的權力の行使に實際的制約を課する事の、又必要なる所以は神授權說の理念の中に示されてゐる。何れの分野に於ても此の事が無視せられる場合、宗敎の分野にも將又政治の分野にも暴力的强權、發生の危險が訪れるであらう。

轉じて思ふに、法皇に卽する敎權主義は神授權的君主權說とは畢究兩立し得るものではなかつた。又、ルッターに依つて解明せられたプロテスタント主義に對しても固より同斷であつた。然乍らプロテスタントは、其存在を世俗權に對する信念と、一般的世俗化の趨勢とに負ふものであつた事は旣に明瞭であらう。而して又プロテスタント的宗敎改革は世俗權力の高揚に擧つて力があつたのであるが、それはカルビン派に關してではなく、主としてルッター派及ツウキングリ派の事績であつたと言ふ事を玆に簡單に附言しよう。カルビン主義、特にその承繼としてのプレスビテリアン主義(Presbyterianism)はその理論に於ても實踐に於ても、恰も中世紀敎會にも優るとも劣らざる程度に敎權主義的であつた。然乍ら重大なる點に相違の契機が存する。卽ちこれに依れば敎會と國家との概念は、相異れる目的に依つて組成せらるる所の二種の區別せられたる社會として、理會せられた。

之に對して中世紀なる理念に依れば、其處には唯聖俗兩分野を兼攝する所の、唯一の社會としての敎會の概念以外には存在しなかつたのである。中世紀的ローマ敎會主義とは斯樣に重大なる點に相違してゐたが、カルビン派及プレスビテリアン派の立場からは世俗權の高揚がルッター派に於けるが如くに努力せられなかつた事は此處からしても首肯せられる。否カルビン派は此點に於てルッター派の世俗化乃至世俗權との聯繫を妥協的として、宗敎の神聖と純粹性との故に批難する。カルビン主義の宗敎觀並に社會觀よりすれば其種の批難の生ずる事の又無理ならざるは、疑なき所である。玆にもカビルン主義の、宗敎の世界に占むる尊嚴と確實性と良心的なる特徴が明瞭である。さればこそ、此立場よりして後代、徹底的個人主義に卽する衆民主義的政治思想が生じ、又暴君放閥論（Monarchomachen）が提唱せられた所以であつた。註(31)

註31　カルビニズムの良き理解の爲には、下記の如きものがいい。Kuyper, Abraham. Calvinism; Werke von den heiligen Geist. Troeltsch, E.-Die Soziallehren der christlichen Kirchen u. Gruppen. Baron, Hans. Calvins Staatsanschauung u. das Konfessionelle Zeitalter 1924.

既述の如く近世國家は其の生誕をルッターに負ふ所多大であつた。人はルッターに於て、卽ち其理論の根本的契機が自由への愛好及隣人愛に存した所の彼に於て、斯く許りなる國家權力の力强き支持者を發見すると云ふ事を奇異に感ずるであらう。註(31)寔に全然異れる道程を踏み占めた二人の人間卽ちマキアベリとルッターとよりして、同樣なる結論が誘導せられたと言ふ事は實に不思議なる事象であつた。前者は國家を飽く迄も人間的制度と見、後者は之を神授權的制度と看做したのであつたにも拘らず、その結果は共に世俗的國家の政治權的確立に努力したのである。吾々は近世の轉換的展開に力を致したる代表的なる二人の人間、然かも相對立する世界に專念したる對蹠的立場に立つ兩者に依つて、斯くの如く意圖合致せる結論の生じたるを見る時、唯々之を歷史の奇しき機緣として眺むるの外はない。註(32)

註31　cf., Figgis, From Gerson to Grotius. 1923. rep. p. 65.
註32　cf., Murray, Political consequences of the reformation. 1926, p. 40. ff.

併し、此故を以てルッターがその神授權的君主權說を所謂權謀術數(Staatsräson)として其理念の影に其身を隱したものと爲す事は、彼の宗教的良心と確信とを誣ふるの甚だしきものであらう。彼の時代に於ては君主の權力と聲望とは、未だ猶ローマ法皇の大權と、之れに多くの利害を共にした所の皇帝の權力とには遠く及ばなかつた。就中法皇に反抗する事は假令、新興勢力の支援を期待し得たとしても、あらゆる意味に於て如何に危難を其身に招くものであり、從つて山をも移し得るが如き篤き宗敎的信仰と良心と又力とを體驗し、確信する事なしには、到底爲し得ざる所であつた。

さて、神授權的君主權說は固よりプロテスタント的宗敎改革者のみの、獨占的なる思想ではなく、同時に又彼等に於て發展の最頂に達したものでもない事、特に斷る迄もない。此理念の淵源は既說の如く極めて古いが、一の思想乃至は理念としての成立は中世紀に屬し、漸次發展したるものであるが、其發展は、宗敎改革の鐵床の上で鍛へ上げられたのである。卽ちルッター(Luther)を經てホッブス(Hobbes)やフキルマー(Filmer)に至り、更に其發展過程を辿つたのである。それと共にその內容も意義も亦幾分の變更をみたものであつたが、其等の點に關しては自ら本稿の課題以外に屬する。

(B) 絕對的服從の原理 (Theory of the Passive Obedience)

先にルッターと神授權的君主權說との關係を考察したが、其理論に深き關聯するものとして宗教的根據に於て考へらる、るものが所謂絕對的服從の原理(Theory of the Passive Obedience)である。これは主權者の命令が自己の良心と牴觸する場合、其命令に服從するよりは寧ろ刑罰に身を挺して服するの義務を表明するものである。元來この原理は宗教の立場に於て生起せるもので、その眞意は贖罪の爲の苦難としてみる基督の生死を表象するもので、それ故にこそ、絕對的服從を慫慂するものとして妥當するのである。此原理の提唱は恐らくはグレゴリウス大法皇(Gregorius Magnus. 590—604在位)あたりに屬するであらう。併しその淵源は支配的權威につける聖パウロや聖ペテロ(St. Peter)の教義や初代基督者の實踐、並に教會が背教者ユリアヌス(Julianus Appstato 331—363)に對し、また正統派がキユリロス(Kyrillos; Cyril of Jerusalem c. 315—386)及ヴアレンス(Valens, Flavius. 378.死)に對して取れる態度に基礎を有するものであらう。註(33)

註33　cf., Figgis. political thought in the 16th century. (ibid. p. 752)

茲に述ぶる"Passive odedience"なる語に對する邦語の定譯は、無きものの如くである。Figgisによれば、其原理は"Unlimited obedience"ではなくして、"Unlimited Non-Resistance"を表象する原理として、解義する事が妥當であると解明せられる。然りとすれば、"Passive obedience"は『絕對的服從』となすよりは、『絕對的無抵抗』と邦譯する方が其本來の意義に副ふかも分らない。但し其眞正なる意義を表明せんが爲には、一層積極的に『抵抗的無抵抗』とでも譯する事が、或は最も適切であるかとも考へる。併し玆には、既存の――極めて僅少ながら――用例に準じて、『絕對的服從』と假譯して置く。

法皇は由來屢々これを自己の利益の爲に利用し、かの會議派に依つて反駁せられた事があつた。宗教改革と共にこのものは一時プロテスタントの標語とも成つた。改革者達の間に於て、他の問題に就けると同樣に此原理に對して彼等が賦與した意義にも、亦相互に多少の異るものがあつた事は言ふ迄もない。

抑々教父の教義は世俗的權力に對する拒否乃至は甚だしき輕視の下に成立する。卽ち支配的權威は唯神の代權者としての法皇以外には存在しない。從つて服從義務の歸趨は法皇以外にはあり得なかつた。宗教改革と共に事體は變化した。ルッターに取つては世俗權も亦神授權的であつた。尤も彼に依れば基督者に於ける根本的なる一切の嚮導的原則は聖靈(der heilige Geist)である。然し人は悉く基督者ではない。基督者以外の人間に取つては、此故に社會の平和と秩序の爲に世俗的權力が必要である。併し基督者も世俗的支配權に恭順である可き事が聖書的に要請せらるるが故に、註(34)基督者自らは假に斯る支配權を必要とはしないとしても、人間相互の善は之を爲さねばならない。註(35) 茲に於て神授權的君主權說に結付いて、君主に對する基督者たると否とを問はず、一般に服從の義務がルッターに依つて說かれた。此事は又君主權力の確立に大に役立つ所があつたと言はねばならない。

註34　彼は此思惟を特に創生記第九章六節に根據して基礎付けた。

註35　vgl., Luther, Von weltlichen Obrigkeit. (Luther's Werke-Weimar. Bd. XI. s. 245. ff.)。

併乍ら時は經過して皇帝に對抗せる君主が鞏固なる權力を把握するに至つた後に於ては、ルッターは其絕對的服從義務の原理の內容を緩和した。皇帝及君主間の問題の解決は神學者や宗教家よりも、より適切に法學者の分野に關係すると爲し、他面にあつては世俗的事項に對し、特に暴政に對して、基督者に自己防衞を說き、殉死の時代は旣に過ぎ去つたと述べたと言ふ。註(36)

註36　cf., Table Talk, Engl. tr. by Hazlitt. sec. 828. p. 333.

然乍ら其始源に於ては、兎も角も宗教の世界に於て妥當するものであつた所の、斯る服從義務の原理が、世俗的權力の神授權的基礎付けと結合した結果、當時宗教改革運動の機運に乘じた君主の權力の隆昌を、大いに促進した事は自然な過程であつた。吾々はルッターを以て此原理に斯る契機を作成した最初の人と爲すのでは固よりない。唯世俗權卽ち君主權の篤き支持者であつた彼が、本來宗敎的分野に妥當する所のものとしての、絕對的服從義務の原理の解義や適用に、近世的と云はんか、新らしき立場に卽する解義の、假に祖述者とは稱し得ないとしても、極めて熱心なる支持者であつたと解する事は可能なる事であらう。

轉じて此原理に對するカルビンの態度に就て簡單に附言しよう。カルビンは其言辭に於て極めて愼重であつたが、既成權威に對する絕對的服從義務を其敎話の中に於て、逡巡する所なく唱へたものと言ひ得る。吾々は此點に關して直接彼に聽かう。彼は次の如く言ふ。"Even an individual of the worst character, one most unworthy of all honour, if invested with public authority, receives that illustrious divine power which the Lord has by his word developed on the ministers of his justice and judgment, and accordingly……in so far as public obedience is concerned, he is to be held in the same honour and reverence as the best of kings." 註(37)

註37　cf., Calvin's Institutes, BK. IV, chap. xx, par. 25. (Engl. tr. by Allen.)

然乍ら後に、カルビン主義の改革敎會の發達と共に、可視的王國としての敎會

(Church as a visible kingdom)なる理論が再生したが、之れに依れば教會は固より國家より獨立であり、優越的とさへ爲された。此種の理論はルッターには見られざる類のものであつた。プロテスタントは一般に不可視的教會なる理念を強調し、其事が引いて世俗國家の高揚に寄與する所が甚大であつたのである。此一般的傾向に對してカルビン主義の改革教會は對立的志向を示したのである。其事はオランダ及ストットランドのカルビン主義の教會卽ち長老派教會(Presbyterian Church)を堅固にした事であつた。此志向は抑々カルビンの所謂Magistratus inferiores(官憲を第二義的地位に置く事)の教義に深く根ざすものである。かの國家至上主義と法律萬能主義とは專制政治に傾き、個人の自由を殺戮するの危險を招來し易い。カルビン主義の立場から後世衆民主義的政治理論が唱道せられ、又其實踐を見たと言ふ事の根源的理由は凡そ此點に於て求められるのである。註(38)

註38　cf., Kuyper, Calvinism. Chap. 3. sec. 3.; vgl., Troeltsch, E.—Die Soziallehren der christl. Kirchen u. Gruppen (Gesammt. Schri. Bd. I. ss. 667—679); vgl., a. a. O. ss. 622—624.

(C)　教會對國家關係の理論

プロテスタント的宗教改革は必然に教會と國家との關係に就ける理論の爲に

新らたなる形式を求め、又定立せざるを得なくなつた。即ち吾々が既に見たるが如く種々の事情と要因とに依るものではあつたが、宗教改革者、特にルッター主義者は國家の主權と其領域内に於ける統一とを認容したが故に、教會對國家の關係は新らしき理論に依る措定を必要とした。此事が玆に問題となる。併し吾々が玆に問題となさうとするのは、猶本稿の主題に關する範圍内に於ける攻究に過ぎない。同時に又此究明によつてカルビン主義とルッター主義の相違に即して、宗教改革運動が近世的政治理念の確立に對する關係並に寄與の態樣が、自ら異なるものの存した所以を討ねたいと思ふのである。此問題は精密なる攻究を重ねらる可き根本的重要問題であるが、以下試みようとするものは本稿の主題の制約内に於て爲す所の概觀に過ぎない。

其處で先づルッター主義の教會觀を眺め、次いでその國家との關係に就ける見解を窺ふと思ふ。

ルッター主義によれば、教會と國家とは理論的には全く獨立的なる二種の區別せられたる社會と見られるが、併し相互に一定の關聯の存在する事が認められる。但し此場合に、直接に教會的方法によつて强要せられたカトリック的なる超國家的な教政的教會(hierarchische Kirche)の理念は、破棄せられたるものたる事言ふを俟たない。併し兎も角ルッター主義の社會理論の中樞を爲すものは『國家教會』(Staatskirche)の概念であつた。從つてあらゆる宗教以外の分野に於ける社會的發展は、宗教的究極目的を持てる教會に依つて織込まれたる國家的社會の思惟に、如何に結合せられて居るかに照應して評價せられる。ルッター主義にあつては、此國家教會なる概念は單にその宗教的及倫理的理想の部分を爲せるに止らず、その存在に不可缺なるものである。ルッター主義はそれ單獨にては存在し得ず、基督教的國家乃至基督教的社會の純粹なる內部性が成果を齎らし得るものであるならば、そのものの露らはなる支持を必要とした。其處でその全體體系の中心はルッター教會の概念であつた。就中彼自身に根源的なる、原則的に宗教的且又教義的教會觀であつた。註(39)

註39　vgl., Troeltsch, E.—Die Soziallehre der christlichen Kirchen u. Gruppen. (Gesammelte Schriften Bd. I. s. 513, 1923)

其概念には二ツの主要なる要素が含まれる。其一は、異狀なる高度に迄の教會の靈化(Spiritualisierung der Kirche)であり、其二は、教會——卽ち夫れは純粹理論の遂行を強要する如何なる人間的なる强制機關たる事を欲せず、又教會戒律(Kirchenzucht)を法律的に構成せられたる如何なる外部的强制方法に依つて遂行し得、又遂行せんと、する事なき程度に迄全く靈化せられたる――教會は、全ての者の同意のみが罪惡や下界よりの救濟を確保し得る唯一の力を有すると言ふ、調和的且不動的教義の理念の上に成立ずると言ふ事である。此事は併し、教會が精神的存在であり、自己を以て法的乃至强制的手段たる事を拒否するにも拘らず、教會をして、その支配すると爲す政治的分野に屬する外部的生活に必然に服する事を餘儀なくなさしめるのである。斯くの如き矛盾は基督教會の理論に以前にも存在したが、ルッター主義に於ける程、その顯著なるものは蓋しなかつた。茲にルッター主義そのものの發展の全過程を阻害したものがあつたのである。

併し兎もあれルッター主義に於て基督教教會概念の歷史に全く新らたなる要素が與へられた所の、理想主義的なる教會概念が現れたのである。卽ちそれは宗教及信仰の究極的權威は聖書中に內在すると言ふ理念である。聖書は教會を導き、其內に基督自ら働く所の唯一の絕對的權威である。從つてあらゆる人間の傳統、無誤謬的教官 註(40)(unfehlbares Lehramt)、教職及教職組織を必要としない。聖書は不明を照し教ゆる規矩であり、又内在的なる聖靈の力を通して客觀的信條を示すものである。之れがルッター主義の聖書觀であつた。註(41)

註40　羅馬教にて法皇が教首として基督教の教義、倫理又一切の實踐的規範の解義並に指示に於て絶對に誤る事なきを指示す。

註41　vgl., Troeltsch, a. a. O. s. 514.

斯く聖書を通じて基督が教會を統べ、彼自身が最高の救濟の總體概念であり、聖餐禮の執行者にして審判權の所持者、教會に於ける決定的統治的權威である。彼は法皇、僧侶其他教政政治並に羅馬法及羅馬の强制權が、外部的人間的手段に依つて行使した所の一切を、純粹に靈的力を以て遂行する。之がルッター主義の基督觀であつた。註(42)

註42　vgl., Troeltsch, a. a. O. s. 515.

ルッターに依れば、教會は基督に統べらるる信仰者の社會である。併し教會が聖書に基く社會たる以上、其構成員の掌中に支配權が存在する筈はない。又僧侶の間に於ても同斷である。何んとなれば彼等は聖書が活動す可く設定せられたる媒介物に過ぎない。君主にも其權は存在しない。君主は單に聖書の自らなる發動に奉仕す可き下僕に外ならないが故である。此權威は唯『聖書の上に立てる敎會』(Schriftkirche)にのみ實在する。之がルッター主義敎會の支配的權威に就ける基本的見解であつた。註(43)

註43 vgl., Troeltsch, a. a. O. s. 515.

然乍ら斯る極端なる精神主義並に一切を聖書の力に求むる所の信仰は事實上自然に實行し得るものではない。實際に於ては、一切を克服し統制すると言ふ聖書の効力は人力に依る支持を必要とする事自明である。註(44)

註44 例へば聖典の解義も自ら成るものではなく、努めて作らる可きものであり、敎役者の組成も固より自ら成立せず、又これは神賦力(charismatische Begabung)の自己貫徹、或は聖職への熱愛と獻身の克く決定し得る事でもない。敎役者を任じ、其權限の承認を創くる事の爲には特定の制度を必要とする。又敎會よりの破門は犯罪者自身の自由意志によつて行はるるに非ずして、其爲には國家活動の援助を以てのみ決行し得、玆に信仰的犯罪に對する國家的刑罰が生起するのである。

加るに敎會組織も亦財政的、行政的、民事的其他技術的に處理す可き諸種の方面を有するものであるが、斯く高度に靈化せられたる敎會は、其儘にては自ら夫等を處置整序する事は不可能である。就中最も重要なる事は斯る敎會は、內的に必須的なる神性的に權威付けられたる規制を具備せざる事である。從つて敎會は此等の爲に他の手段に委囑せざるを得なかつた。然乍ら自己以外の組織は人間的なる所謂外部的機關と看做したが故に、玆に於て神意に嚮導せられたる人的機關が要請せられたのである。これ卽ち君主であつた。何んとなれば君主は其立場からは敎會の『最も重要なる構成員』(Membrum praecipuum)であるが故に、敎會に奉仕す可く義務付けられしものと考へられたが故である。更に此關係は『十誡』(Dekalog)の敎義に結付いて自然法的基礎付を以て解明せられる所があつた。註(45)

註45　vgl., Troeltsch. a. a. O. ss. 516—517.

玆に初めてルッターの意義に於て、純粹に精神的なる敎會組織への補足が全く世俗的なる法的體制に依つて可能とせられた。而して此場合このものは全く愛と自由との精神的體制たる敎會が、强權的に强要し得ず、又强制する事を欲せざる事象を、世俗的權力の强制的手段を以て行使するものと爲されたのである。斯くして遂に法的强制的敎會の體制が建設せられた。但し强制は敎會に依るに非ずして、其下位的本性を有する國家に依つて行使せられると爲されたのである。此事が世俗的强制的體制の名に於て行使せらるると言ふ事が、敎會的體制の精神的愛の本性を名目的に救ひ、實質的には精神的活動が直接的に發動するに等しいと爲されたのである。其理由とする所は、世俗權は靈感を持てる教役者の指令に依つて活動するものと爲されしが故である。此等の事は要するに、支配的君主に統制せられたる教役者と平信徒との協働に依る統治組織を創くると言ふ事に歸着した事であつた。註(46)

註46 vgl., Troeltsch. a. a. O. s. 517.

玆に於ては超自然的力の上に本質的に建てられし教會に對して、理論や信仰に關しては第二義的なる人間的附隨物にすぎない所のものが、實質的思惟に於ては第一義的なるものとせられるに至つた譯である。卽ち理論上は基督及聖書が教會を統御し、實際上は君主や教役者が支配する。從つて此全體制は全く或程度迄、人間的である。然し教會に關する決定的意義が問はる可き場合には、假令間接的にもせよ、少くとも教義論的な神性的本性が示さる可きであると爲されるのである。

そこで斯る所謂『國家教會』なる體制に於ける聖俗兩要素の區別は分離ではなくして、實は其關係の新らたなる濃淡層面(Nuancierung; Nuance)に外ならない。國家は今や自由なる愛の精神に於て精神的なる敎會に仕へ、斯く奉仕する事に依つて個有の獨立なる法的機關を缺除せる敎會を統制するのである。故に兩體制間の拮抗は、理論的には、兩者を貫徹し然かも信仰に於て合致せしむる聖書の眞理の前提に依つて排除せられ、實際的には、國家に全く依存せる敎會の虛弱性の故に、又國家が自己目的の內に宗敎的任務を攝取する事によつて防止せられたのである。註(47)

註47　vgl., Troeltsch. a. a.O.ss.518—520.

以上概說した如きものが、ルッター主義の基督敎的社會觀による宗敎的機構の大要である。吾々は彼の如き宗敎界の偉人の宗敎に於ける篤信並に眞摯なる態度及敬虔なる尊敬に就ては、固より疑惑を抱くの餘地はないのである。唯玆に吾々が顧慮せんとする所は、彼が概念上は敎會の卓越性を認めつつも、その對國家的關係に於て、敎會・國家の關係の社會的意義を如何なるものと解したかと言ふ事である。此理會に卽して考ふれば、彼の宗敎改革が近世的政治權力の擡頭に資す所、多大なりし所以を想念する事が可能であらうと思ふ。

飜つて此點に於けるカルビン主義の見解を前者との對比の爲に瞥見しよう。

元來カルビンその人の宗敎上の信念や見解は、ルッターに比較して一層積極的であつた。カルビン主義にあつては、個人の内的福祉よりは神の榮光が宗敎の本質であつたが故に、人は唯贖罪の欣喜を保持する事に滿足す可きではなく、積極的に神意の現世的發現に努力す可きものとして說かるる所が强硬であつた。斯る事は獨りカルビン主義に於けるのみならず、齊しくあらゆる宗敎が其實踐的分野に於て說く所ではあらうが、カルビン主義をルッター主義に比較すれば此點に關する强調に於て兩者の相違は著明である。ルッター主義の究極的關心は、恩寵の信仰並に信仰の純粹性と恒久性とを能ふ限り確保せんとする事であり、玆にはカトリシズムに對するプロテスタンチズムの一つの基本的なる特徵たる『業積や善行に因るに非らずして、信仰に因る救濟』の理念が甚だ闡明である。併しカルビン主義はルッター主義よりも遙かに積極的で、人は恩寵の狀態を失ふ可きものに非らざるを以て、その失喪を畏るるの感情は玆には認められない。故に其狀態の自衞的程度に宗敎生活を停む可きではなく、神意の爲に進んで努力す可く說かれる。カルビン主義者は自らの『選ばれたる者』なる事を確信するが故に、其全心を盡して現世及社會を神意に卽して建設する爲に努力す可く要請せられる。彼等は恩寵を捨て去る事なき神に、絕對に信賴して立つが故に、其本務は必然に信仰の確保に止まらず、神意に基いて世界と社會との爲に向けられる。

斯る點からしてカルビン主義教會の個人主義は必然に活動性を賦與せられ、人は全心全靈を以て世界と社會との爲に、不斷の徹底せる活動を求められる譯である。然乍ら此事の所以をカルビン主義の個人主義が其嚴格なる意義に於て、宗教的形而上學に基礎付けられて居ると解す可きではない。更に又それが恒に贖罪觀にのみ止まると言ふ、ルッター主義に於けるが如き中絶と退歩とに依ると解す可きではない。カルビン主義は贖罪の確證を一層合理的に系統的に直徑的に又合目的的に構成したのである。併しカルビン主義の個人主義は特に感覺的發展を拒否して、人的關係よりも神への信頼を先きにし、恒に客觀的關係と目的とに向つて進展する事に特徴を有した事を忘却してはならないのである。註(48)

註48　vgl., Troeltsch, a. a. O. ss. 622—623.

轉じて斯かる内容を有するカルビン主義の個人主義から、此主義の顯著なる特徴の一ッである所の『聖なる社會』(heilige Gemeinde)、卽ち聖俗兩分野に於て、神に榮光を歸する所の『基督教政治體』(Christokratie)なる概念を考へると一見恰も牴觸するかの觀がある。然乍ら此概念はルッター主義に於けるが如く教會乃至恩寵の概念から誘導せられたるものではなく、個人をして恩寵に對する倫理的當意から獨立せしめる所に、並に聖書の理論的高揚を努力する所に由來した。カルビンに取つては敎會は單に救濟の客觀的手段を提供する救濟設備ではなく、人生の全範圍を基督敎的規制と目的との下に齎らす事によつて、社會の基督敎化をなすが爲の設備であり又あらねばならない。同時に此爲に必要なる諸機關――卽ち夫等によつて社會をあらゆる部門に從つて、例へば敎會に於て、家族、國家、集團、政治、經濟其他公私一切の關係に於て、神の精神と言葉とに準據して構成する事を得るが如き――諸種の機關を設立しなければならないと爲された。註(49)

註49 vgl., Troeltsch, a. a. O. ss. 625—626.

此様な思惟はルッターが其改革運動の最高頂時代及び地方的改革運動の際に、指示した所の思惟の發展せるものであつた。彼は併し夫れを實現に迄到らす眞正なる基督者を得なかつたが故に、最終迄の發展を遂げ得なかつたのである。此點に於てはカルビンはルッターと異り更に一層現實的であつた。此問題に關してルッターは、自由と人格との强調に基き『全信徒の聖職主義』(prinzip des allgemeinen priestertums)の論理的發展に主として關與した。換言すれば、敎會の自治に關與したのである。此場合、教會は自己統制と戒律强要の手段を設立し得るとしても、夫等は凡て全き自由の内に於て行はる可きものと爲された。然し其の立脚點が全信徒の聖職主義の原則に存したが故に、彼はその原則を革新的衆民的運動によつて實現する事から後退して、地域的君主に依據してその純粹理論を具體的にする事に滿足した。

これに對してカルビンは全信徒の聖職主義を採らずして、統制作用と教會の純粹性の上に立脚した。彼は此事の必然を確信したが故に、聖書の内に他の教義に於けると同樣に、その根據と指示とを發見し得る事を毫も質疑しなかつた。斯くして彼は、ルッターのその教義に於けると同樣に、聖書から教會の組織と教會の基督教的形成とを導き出だしたのである。カルビンの教會組織は四種の階級的なる聖職より成立するものであつた。即ち牧師、神學者、副牧師(貧者の保護と懲戒の任務を司る)の三者が聖職者より成り、他の一は全會衆より代表者を選出せしめ、之を長老として聖職者の階級に參加せしめたのである。註(50)

註50　vgl., Troeltsch, a. a. O. ss. 626—627.

カルビンが全信徒の聖職主義を採らずして、聖別の倫理的關係と聖書的指定とを其理論の基點となしたと言ふ事は、一ッには衆民主義的更に又革命的激越に對し、他には宗敎的主觀主義に陷入る事を防止し得たのである。會衆を組織に參加せしめる爲に其中より長老を選出せしめし事は、全體の一般的聖職主義並に個人的宗敎の理念を、全然消滅せしむる事なく保持し、しかも世俗的なる、單なる衆民主義的運動へ顚落するの危險を遮斷し得た所以であつた。

斯る點より判明する如くカルビン主義の宗敎的機構はルッター主義の夫れと比すれば、論理一貫して居り、吾々が他の機會に述べしが如く、宗敎の神聖と純粹性とを遙かに完ふせるものがあつたと言ひ得るであらう。玆には社會全體の基督敎化の理念と理想と努力とが最後迄放擲せられなかつたのである。

カルビン主義の敎會は『選ばれたる者』の凡てより成立するものではあつたが、それは直ちに以て衆民主義的なる事を意味しない。會衆は指導者の決定に暗默的承認をなす可く定められ、抗議は極端なる場合にのみ許容せられた。敎會の支配權は神性的敎會の權限に從つて定められたる聖職者に存在した。彼等は全會衆の一般投票に依つて定められたるものではなく、從つて敎會の代表者としてではなく、神の言葉の代表者であると考へられた。

信仰及道德上の問題に關する最終の權威は茲に於ても聖書に求められた。此點はルッター主義と異る所はなかつた。而して困難なる問題の生起したる場合には最も尊敬せられたる人々の商議によつて決定せらるるものと定められた。カルビン敎會は猶その獨立を、聖書に依據する所の世俗的統治權力の、自由意志よりの支持と協力に仰ぐものであつたが、兩者間には權限に關聯して絕えざる爭論が繰返され經驗せられた。實に國家權力との葛藤は、基督の體に於ける一體と云ふ前提の存するにも拘らず、避け難い所であつた。ルッター派にあつては此點は兩者間に妥協と言ふか、克く協調が保持せられたと言ふ事は旣に見るが如くである。斯樣にカルビン派とルッター派とは、國家に對する夫々の態度に於て異なるものがあつたのである。此事は唯にカルビンが其理想を抱いて自ら敎會を建て、獨特の敎政的政治を布いたヂュネーブにのみ止まらず、カルビン主義の繁へた各地に於て、ひとしく見られた事象であつたのである。註(51)

註51　vgl., Troeltsch, a. a. O. ss. 729–730.

吾々は以上、ルッター主義並にカルビン主義の敎會觀、社會觀を、特に敎會對國家の命題を中心にして夫々いささか考察したのである。此兩主義の立場に於ては吾々が既に顧みたるが如く、敎會對國家の關係に於て、敎會と國家とは相互に深き關聯を有するものではあるが、併乍ら猶二種の區別せられたる社會なりと觀念せられた事であつた。然乍ら此觀念は、最早かの中世紀的なる觀念、即ち敎會と敎政政治とを自同のものと爲し、且之れによつて恒に聖俗の相異る職能を具備する所の單一なる統制形態を表象すると言ふ觀念とは、相等しきものではなかつた。但し吾々が點檢したる如く、ルッターとカルビンとには相違點が存在した。即ち前者は單一的社會の理念を原則上保持したけれども、政治的强制的權限は國家にのみ歸屬せしめた。然るにカルビンは恒に敎會に堅固なる組織を求めたが故に、此立場に於ては所謂『完全社會としての敎會』の觀念を益々鞏固となし、敎會を國家の支持なくして獨立的なるものに組成し、以て支配權保持の特殊的手段を講せんとするの努力が續けられた。即ち之を要約すれば、一は國家を恰も實質上全能的に成さんとするのみならず、更に宗敎的並に政治的其他一切の社會的結合の根源たらしめんとするものであり、他は敎會の國家よりの全き獨立と全き權威とを主張せんとするものである。そこで後者は事實上敎會は社會集團の中央權威に對する關聯に於て、恰も中世紀的理念を維持す可き究極の社會と爲された譯である。

併し次の事は明瞭である。卽ちルッター主義もカルビン主義も、國家と敎會とは單に等しき階級の異れる部門としてのみではなく、本質的に區別せられたるものとなしたが故に、其處で兩者の關係は契約(Concordat)に依るものであると理解しなければならない。此爲には他の問題に於けると同樣にコンスタンス會議(卽ち會議派の催したる宗敎會議)が其路を供へた事であつた。フランソア一世(Francois I. 1515—47在位)が法皇との和議乃至は契約を以て、世俗權の近世的確立を樹立し得たが如きは、その故に可能であつたのである。

そこで敎會に就ける『完全社會としての敎會の概念』(Kirchenbogriff als societas perfecta)にあつては、國家と敎會とは各自個有の領域、個有の原則及手段を有し、從つて相互に牴觸する所がないと言ふ見解を是認する所に於て成立する。かの中世紀的見解は、敎會より離れたるものとしては國家に何等の意義と存在とを認めなかつたのである。然るにルッターは國家以外には唯家族を國家の基本的單位として認めたる以外、何ものをも具象的社會として認めなかつた。之は洵に中世紀的社會觀に對しては、大なる相違、對蹠的なる轉換を表明せるものであつたのである。

註(52)

註52 ルッターの國家觀に於ては國家は敎會とは玆に述ぶるが如き意味に於ける對立的關係に立つが、彼は所謂單元的國家觀を採つたのである。從つて國家は爾余の諸種の社會的集團を包攝するものとなした。故に其等一切の集團を包攝するものとして國家のみを、具象的社會の唯一のものと考へたのである。猶彼は敎會の本性は不可視的社會であるとし、可視的なる敎會は嚴正の意義に於ける敎會ではないとみたのであつた。

玆にはルッターの近世的なる國家觀が顯著である。斯くてルッターとカルビンとの此方面に關する見解を比較するならば、兩者の見解の對立を觀取する事が出來るであらう。而して人は嚴正なる意義に於てカルビン主義の立場からは近世的政治學理論の樹立に意義ある役割を演じた所の、近世的國家確立の爲に、中世紀的なる權威の思惟に對する、積極的挑戰がなされなかつた所以を知り得るであらう。其處には唯、國家の敎會化卽ち敎會國家の構成が努力せられたのであつた。吾々は玆にも亦、ルッターの近世的國家樹立に寄與した所以の思想的乃至理論的根據を理解する事が出來るであらう。

(七) 結語

吾々は以上プロテスタント的宗教改革の近世的政治權力の樹立に及せる貢獻を顧み來たつたのである。而して其意義に於ける宗教改革運動の缺陷や誤謬を指摘する事及批判を加ふる事は試みなかつたのであるが、夫等の點は本稿の主題とは自ら異る立場に於て試みらる可き所であらう。既に頭初に述べし如く宗教は社會理論に於て法律理論に於て又政治理論に於て、將又いづれの實踐に於ても恒に反動的立場と役割とを取ると屢々言はれる。宗教改革の此點に於ける役割も今日の政治學的思惟より批判するならば或は同斷であるかも分らない。然し吾々が既に見たる如く、近世的政治學的思惟の生長は少く共宗教改革の貢獻なくしては之を考慮し難いのである。

凡ての思想、理論及哲學を、時空を超越せる立場より考察し批判する事は正しき態度であり又あらねばならない。然乍ら、他の機會に論述したるが如く社會乃至政治理論、或は思想の價値又は重要性は其歷史的文化的意義を考察する事に依つて、之を定立し得るものがある。吾々は宗教改革の歷史的役割と其文化的意義とを考ふる時、この想を新らたにするであらう。實に中世紀的なる權威の思惟に對して、卽ち法皇權と皇帝の權限に對して、克く新時代の勢力を發展せしめ、其の有終の美を完うせしめた一ツの大いなる契機は宗敎改革の內に求められる。當代の所謂中心權威に對して、なほ、その權威以外に少數者の權威を承認せしめ、その集團の存在を認容せしめたものは、實に宗敎改革者であつた。個人の自由並に政治的自由をして生命あらしめ之を沈衰より救つた所のものは、十六世紀の宗敎的篤信と、宗敎的鬪爭との賜物であつた。今日吾々が享受せる自由と秩序との合體を、吾吾は宗敎改革者の深き精神と、所謂神學時代の最高の同時に最低の表現であつた所の信仰の獨特なる理論に、深く負ふて居ると言はなければならない。

飜つて自由の眞正なる確證が若し少數者の要求の承認に存するとするならば、例へば國敎反對論者、クエーカー(Quakers)や或はアイルランドに於けるローマン、カトリック敎徒達は、いづれも齎しく成法の承認以外よりして生起し、重要ならざる事體以外に於ては、所謂抽象的主權理論に依つて是認せられる所の政治政策に服せざる所の集團の存在を、指示する役割を今なほ示しつつあるものである。

眞の國家概念の理解の爲には先づ以て主權概念の意義を會得し、而して後にその實質的制約を眞に理解する事を必要とする。宗敎的自由は各派が自由を信ずる事よりしてではなく、政治的又は宗敎的、いかなる迫害にも屈服せざらんとする所の彼等の篤く堅き信仰より生ずるのである。政治的自由は、獨立主義者の觀念よりに非らずして、彼等が他の集團に併存せらるる事を拒否するの所に得らるるのである。

十六世紀の宗教改革者の思想、理論の内には多くの誤謬があり、缺陷が發見せられるであらう。併乍ら猶彼等に多くの負ふ所のものが存したと爲すならば、誰れか克く彼等の誤謬に負ふ可きもの無しと言ひ得るであらうか。

附記

本稿は宗教改革の近世的政治理論に及ぼせる影響乃至寄與に就ける考察を主題とするものであつたが、ルッターを中心とせる考察となつた。筆者は主題の爲にカルビン主義の後代に於ける衆民主義政治理論の展開を語る事甚だ薄く、更にカトリック的政治思想特にヂエスイットに關して殆んど觸れ得なかつた。種々の制約の爲に之を果し得なかつた事を甚だ遺憾に思ふ。

（一九三四年一月二〇日完）

理論經濟學體系論

――經濟學認識論の一齣――

楠井隆三

目次

第一章　序論――體系論の本質

私はこの小論文に於いて、理論經濟學認識論のうち、主として、從來案外に閑却され來つた所の體系論についての卑見を展開しようと思ふ。

最廣義の經濟學（經濟學一般）は、多くの特殊經濟學の體系的集積である。此等の特殊經濟學――經濟哲學・理論經濟學・財政學・經濟史學・經濟政策學・經濟學史等、及びそれらの諸小部門――は夫々一つの小全體をなしつゝ、經濟學一般なる一つの大きな全體のうちに有機的・統一的なる聯關性に於いて配列せられてゐるのである。この事情は他の諸科學に於けると全く同樣である。（たとへば哲學といふときそれは理論哲學・實践哲學・藝術哲學・宗教哲學・哲學史等の諸部門を含み、更にそれらの諸部門が夫々又諸小部門より成るといふが如き、又政治學といふときそれが政治哲學・理論政治學・政治史學を初めとして數多の部門に分れてゐるが如き之である。而して物理學を始めとして一切の自然科學に於いても亦然りである。）わが理論經濟學はかく最廣義の經濟學の一構成部門であり、從つてそれは、當然、その論理的基礎付について、最廣義の經濟學の受けてゐる論理的諸制約より自由なるを得ない。　卽ち最廣義の經濟學の諸特殊部門の研究に分化してゆく前に（論理的にいつて前に）、私共がそれらを密接なる内面的聯關に於いて統一的に思索するを要し、この要求が充されて始めて、それらの特殊部門が相互聯關的に全體的統一としての最廣義の經濟學に於いて占める位置を、從つて又夫々の本質を知ることが出來るのである。　故に私共は本論への準備工作として、最廣義の經濟學の基礎付、換言せば經濟學の知識學としての認識論、卽ち認識論としての經濟哲學を一顧するを要する。（經濟哲學は、他の特殊科學に關して成立せる哲學と等しく、認識論と形而上學とより成る。　このことについては、こゝでは詳述しない。）然るに最廣義の經濟學それ自身も亦孤立して成立してゐるのではなくて、多くの社會科學（その本質について强調する點を異にするに從つて、或は精神科學と呼ばれ、或は文化科學と稱せられる）を姉妹科學としてゐ、相依り相率ひて、こゝに社會科學一般を構成してゐるので、それに特有なる諸制約を又自らの制約としてゐる。更に社會科學一般は諸自然科學より構成せられる自然科學一般と相並んで經驗科學の世界を編成し、それら及びそれらの所屬諸科學は經驗科學に獨特の諸制約を受けてゐる。　而して之が先驗科學と共に科學一般を形成し、科學の科學としての哲學によつて基礎付けられてゐる。かくしてすべての科學は、下より上へ漸層的に積み重ねられてゆく一つの體系的世界の一市民として立つてゐ、逆に上より下へ漸次に、その成立のための諸原理を與へられてゐる。而してこれらの諸原理を知ることをその任務としてゐるのが即ち認識論であることは敢えて喋々するを要しない所である。

今簡單に敍べたる所よりも察せられるが如く、各特殊科學について夫々の基礎付を論じ得るが故に、認識論夫自らも亦漸層的なものであるが、その最高所に立てるものが即ち、普通に「認識論」(今假りに認識論一般といはう)といはれてゐるものであつて、その確立は正に哲學の課題の一つである。私がこの小論文に於いて取扱はうとしてゐるのは、一特殊科學としての經濟學の、更にその一特殊部門としての理論經濟學の夫であつて、認識論一般にまで深入りしない。又認識論上私の立つ立場を明かにすることもここでは敢えてなさない。唯本論の展開に最小限度に必要とする所だけを敍べるに止める。

私が更めてここにいふまでもなく、認識論の問題は、三つの部分に分れる。對象論と方法論と體系論即ち之である。あらゆる科學は何等かの特定の對象に對する知識(卽ち概念を媒介とする知)の一つの體系的集積の謂である。この認識の基礎付、詳言すれば、認識の妥當性の權利根據、その據つて立つ所の基礎を討ね、個々の認識主觀の放恣的判斷でないことを客觀的に確定するものが、卽ちこの科學の認識論の任務である。而してこの認識論に於いて、認識の對象を確定する所の理論が卽ち對象論であり、又かくて決定せる對象を如何様に認識してゆくかを論ずるのが方法論であり、更に認識の成果たる知識を如何様に組織的に配列してゆくかを規定するのが體系論である。この三者はあらゆる科學に於いて必然的に生起する問題であるが、認識論一般は、一般的にこの三者の如何なるものであるか、相互間に如何なる論理的聯關があるかを規定することをその任務としてゐる。

あらゆる科學は獨自の對象をもつ。問題となつてゐる科學が抑々何を考察の目的物としてゐるかが確定して始めてそれが一個の獨立なる科學となる。此が確定は、經驗科學に關してのみいへば、多様的な混沌的な客觀的現實(オヴエクチーヴエ・ヴイルクリツヒカイト)態・體驗內容に就きて、各科學が如何にして、その對象とするものを抽出し來るか、換言せば自らの研究領域を決定し把握するかの問題である。もつと具體的にいへば、何を選擇原理として、自らの對象の構成のために必要とするものを、混沌たる體驗內容のうちから抽象し來るかの問題である。此が一般的にいつた場合の對象論の內容である。

方法論は、かくの如くして構成された對象についての眞理を求むるために、私共が之に操作加工する手續・取扱ひ方・作業方法、要するに研究方法 Arbeitsmethode, Behandlungsweise の確定をなす。（「方法 Methode とは、それに由り目的に到達し得べき道に從つてゆくことを意味し、卽ち計畫的進行の謂である。」――田邊元博士「哲學通論」九三頁――卽ち一定の目的を立てそれに達するために取る計畫的な・組織的な道り方である。哲學及び特殊科學は夫々その方法をもつが、方法一般は、(a)嚴密な意義に於ける方法と(b)作業方法の二つに分れる。(a)は思惟そのものが內面的統一性を保ちつゝ自發自展して行つて一つの體系に形成せられるその仕方を意味し、この意味に於ける方法論は從つて認識論全體を蓋ふものである。之に對して(b)は特殊科學に於けるその對象の取扱ひ方を意味するのであつて、私がこの小論文に於いて方法論といふは、原則的には、正にこの意味に於いてである。故に(a)と區別するために「狹義の方法論」とでもいへばいゝであらう。）

夫々の科學は獨自の對象をもつ。その對象を異にすることによつてそれらは之に加工する方法を又異にしてゐる筈である。又同一の對象についても、必ずしも私共の取扱ひ方が一つだけではない。故に如何なる取扱ひ方を實施すべきかを先づ決しなければならない。此が卽ち方法論の課題である。

體系論は私共が對象を科學的に操作して得たる成果たる多數の知識を配列するについての、就中この際の指導原理についての理論である。

科學は、いふまでもなく、諸々の知識の單純なる・偶然的なる集合狀態ではなくして、一定の秩序の下に、一定の原理に照して適當なる知識を適當なる所に配列することによつて形成せられる所の一つの統一的・有機的なる全體である。私共の認識作用は、決して何等の目的もない漫然たる意識の散策ではなくして、常に一定の目的—認識目的を設定し、之に到達するために合理的なる計畫を立てこの計畫に卽して進む所の私共の合目的々なる・計畫的なる努力の一つであることは言ふを俟たない。從つてこの認識作用の所產である知識は、認識目的に向つての合目的性(ツエックメーシッヒカイト)の意味に於いて、統一せられ得る筈である。而して諸多の知識がこの認識目的に朝宗する方向に配列せられてゐる狀態が卽ち科學の體系に外ならない。

體系なる語に二義あり。一は有機體・統一的全體等と同義であつて、諸構成部分の組織的なる集合體そのものを指す。二はこの有機體・統一的全體の構造又は骨格、卽ち諸構成部分の集合の仕方を意味する。本論文に於いて論じてゐる體系は原則として後者の意義に於いてゞある。

あらゆる科學は知識の一つの有機體・統一的全體である。一般的に有機體(科學・生物體・機械・等)は、雜多なものの偶然的なる集合體ではなくして、それに參加してそれの構成要素となる資格のあるもののみの、一定の意味を負へるもののみの集合體である。(有機體の純粹性。) 而もそれはかかるものの必要にして且つ充分なる量に於ける集合體である。もし然らずとせば、それは完全なる一體を構成し得ない。(有機體の充實性。) 更に有機體は、それの諸構成部分の單純に偶然的に雜然と相互に接觸し合つてゐる狀態ではなくして、諸部分が整然たる秩序、一貫せる脈絡の下に、一個の系列をなしてゐるときのその諸部分の全體である。(有機體の組織性。) かくてこの三つの特性の故に有機體は自足完了的統一體ともいはれるのであるが、それに於ける諸部分は夫々全體の形成のための不可缺的要素としての部分であり、且つそれのもつ意味內容又は機能が、極めて直接的に、相互的に影響し合ふことは勿論、更に相互補完的關係に立つてゐる。而も諸部分のこの性質の基礎となれるものは、實に全體の目的(それには內生的なもの――たとへば生物體に於ける生命の維持發展といふ目的の如く――と、外より與へられるもの――たとへば機械に於いて見る所の人間の生產上の目的の如く――との差がある）そのものであつて、この目的を實現するために適當なる序列の下に、必要にして且つ充分なる諸部分が集積したものが即ち有機體なのである。

科學は知識を構成部分とする所の一種の有機的統一體である。一つの科學は、その獨自の對象に就いて、その獨自の方法によつて得た所の、必要にして且つ充分なる諸知識の、その獨自の配列原理に則れる集和である。然らばこの對象と方法と體系の三者の間には如何なる關係があるであらうか。科學に於いては、すべてを究極的に決定するものは、如何なる對象を、如何なる物として知らんとするかといふその認識目的である。私共は夫々の經驗科學に於いて、經驗內容から、當該科學の對象構成の原理によつて、必要なる諸要素を抽象し來つて、ここに對象を構成する。かくして構成された對象は即ち當該科學にとつての「事實」である。この事實は、私共が認識目的に到達するためには、之を如何樣に取扱つてゆくべきかの方法を暗示する。勿論對象に對する私共の方法には個別化的方法と普遍化的方法といふ相反馳せる二種があり、同一の對象について、前者は發生的記述を、後者は法則發見・理論樹立を結果し(かくて得られる記述せられる內容、及び法則・理論が卽ち知識である)、かくて同一の對象についても記述科學と理論科學との二者を成立せしむること(ここにはこの重要なる問題についての詳述をなさない)は否定しないが、抑この二つの方法を對象に向つて實施するに當つて、私共は之についての適當なる手續を、對象そのものによつて暗示される。然らば方法と體系とは如何なる關係に立つか。私共は對象に對して、私共の認識目的に適當であり、且つこの對象に適切なる方法で以て操作してゆく。然らばこの際如何なる順序でこのことをなしてゆくか。私はこの順序も亦私共の認識目的と對象とに適ふものでなければならないと思ふが、この順序に從つて方法を驅使して行つた跡、換言せば、認識の進行過程そのものが、取りも直さず、當該科學の體系に外ならない。靜的に之を見れば、體系は認識作用の豫定されたる秩序、いはゞ設計圖(プラン)である。動的に之を見れば、認識が進行することによつて知識を私共に齎してゆく過程である。

かく考へ來るとき、私共は各科學の對象・方法・體系の三者は、論理的に、該科學の認識目的を母胎として、之に制約せられて成立し、而も三位一體的に科學といふ一つの全體を構成の基礎をなしてゐるものであることを知る。從つて科學を認識論的に反省せんとする限り、私共はこの三者についての理論たる對象論・方法論・體系論に對して同等の重要性を與へつゝ、考察しなければならない。

第二章　經濟學認識論に於ける體系論

第一節　閑却されたる體系論

經濟學も科學である以上、上述の認識論一般の制約を蒙らざるを得ない。この制約の下に、一つの特殊科學としての經濟學の基礎付をなすものが卽ち經濟學認識論である。而も他の科學に於けると同じく、經濟學に於いても亦、直接に思索が行はれてゐるとき同時に、その對象について、方法及び體系についての認識論的反省が行はれてゐるとは必ずしもいへない。否經濟學に於いては、左右田博士が夙に嘆じたるが如く、長く經濟哲學そのものの存在が無視され、又はその可能性が否定され來つたのである。（右右田喜一郎全集、殊に第三卷三八頁以下「經濟哲學の可能性」を見よ。）私の見る所によれば、經濟哲學へのこの否定若くは無頓着は、殊にその認識論について著しい。 經濟生活の人生に於ける意義を究ね、經濟生活と人生の他の方面との聯關、殊に價値的關係を論ずる經濟學形而上學的研究としては、之を經濟哲學なる哲學上の獨自の一部門たらしめんとの意圖の下になしてゐると否との差はあれ、兎も角も、マルクス＝エンゲルスの「唯物史觀」や左右田博士の「文化價値主義の經濟哲學」を始めとして、多くの著作者によつて、少くとも量的には、豐富な業績があげられてゐる。（がこの論述は、この小論文の本來の對象領域の外に屬するが故に、こゝでは之以上立ち入つて論じない。）

然るに經濟學上の認識の論理的基礎付をなすべき經濟學認識論については「多くの學者によつて、その建設への努力がなされてゐるにも拘らず、猶然く豐かなる成果が擧げられてゐない。 少くとも對象論・方法論・體系論の各分野に亙つて隅々までも組織的に研究しつくしたものには、寡聞なるためか、私は接してゐない。 たとへば左右田博士の經濟哲學に在りても、その認識論は單に對象論のみの表出であるといつて、さして過言ではあるまいと思はれる。方法論及び體系論に關してその透徹せる論理の驅使をなしてゐないこと(少くともそれの外部への表出のないこと)は、我國のみならず、世界の學界に於ける經濟哲學の創始者としての博士の地位より考へて、頗る遺憾である。(同博士の經濟哲學についての私見の詳述は之を他の機會に讓る。)又私共が最近數年間に接し得たる經濟學認識論上の諸勞作(單なる斷片的論文でなく夫自身として一つの纒つたものを形成せるものだけをあげる)について見ても、殆ど同じ種類の物足りなさを覺えさせられるのである。かかる勞作として私は、高田保馬博士「經濟學方法論」、中山伊知郎教授「數理經濟學方法論」(共に改造社、經濟學全集第五卷所載)、杉村廣藏教授「文化價値主義の經濟哲學」、二木保幾教授「經濟學に於ける若干の哲學的問題」、「左右田博士の經濟哲學に對する解說及び批評」(共に同上第九卷所載)、杉村教授「哲學と經濟學との交捗」(岩波哲學講座)、石川興二博士「精神科學的經濟學の基礎問題」、高木友三郎博士「生の經濟哲學」、杉村教授の同文館哲學大辭書追補への寄稿「經濟哲學」、「經濟學認識論」、「經濟學方法論」の各項、恒藤恭教授、大阪商大版「經濟學辭典」への寄稿「經濟哲學」等、又外國人のこの方面への最近の貢獻として W. Sombart, Die drei Nationalökonomien, 1930; H. Schack, Wirtschaftsformen, 1927 等をその著しきものとして擧げ得るのであるが、不幸にも經濟學認識論を展開するに當り、對象論に起筆して方法論(ここにいふ方法論は狹義のそれであることを特記しておかう)より體系論にまで及んでゐるものを見出し得ない。殊に體系論について關說せるものは殆ど皆無である。かくて恒藤敎授の上揭寄稿文に於ける次の結語は、經濟學認識論に關してはより適切に妥當する。

「經濟哲學的思想はギリシャ哲學以來絕えず種々の哲學者の哲學體系の裡に含有され來つて居り、近代に至つて經濟學が科學として獨立し發展するに至つては、その基礎的原理として働き來つたのであるが、一般哲學上の何らかの立場に立脚して經濟哲學的問題を自覺的に、統一的に考察し、哲學全般の內面に於いて相對的に獨立せる地位を經濟哲學に與へんとする努力は、ジムメルや、續いては左右田博士などによつて開始されたものと言ふべきである。斯かる見方からすれば、經濟哲學の歷史は至つて新しく、隨つて整つた體系的形態に於いて提示された斯學の理論は未だ幾ばくも見當らないが、實質上から觀れば、經濟學の認識論又は方法論の方面に於いても、その對象論の方面に於いても、經濟理念論又は經濟政策原理論の方面に於いても、經濟哲學的考察は多樣なる形態に於いて散見するのであつて、その體系的整序及び批判的精練は今後の課題として殘されてゐる。」(傍點は筆者。)

私は科學の本質より推して、その認識論は、對象論・方法論・體系論の三者を、その認識目的の主宰の下に三位一體的聯關に於いて立てるものとして包含してゐるのであつて、それらを同等に重要視してゆくべきものであると思ふ。この見地から從來の經濟學認識論に於いて、それらのうちの一或は二のみを論ずるに止つてゐることは、認識論としては不充分であると思ふ。殊に體系論に至つては、全く之を無視してゐるか、乃至は高々方法論の內に無意識的に沒入させて了つてゐるかであるが、私はそれでは認識論として不完全であると思ふ。然らばかくの如く體系論が無視され、或は方法論の內に吸收されて了ふことの原因は何であらうか。前述の如く、體系は私共が方法を對象に實施してゆくときの順序である。過程である。思ふに從來の認識論は方法と方法を實施する過程とを混同した結果、體系論を逸して了つたのではなからうか。が方法そのものと之を驅使する順序とは、勿論密接なる關係に在るが、決して同一物ではない。從つて私共は之を峻別して同等の資格に於いて論じなければならないことは明白である。

第二節　從來の體系の批判

以上は經濟學一般についてであるが、その一構成部門たる**理論經濟學**の認識論についても、その現狀には全く同じ遺憾の念を抱かせられるのである。蓋し理論經濟學を認識論的に基礎付けんとしてゐる人々も、方法論の領域に於いては豊な收穫をあげてゐるにも拘らず、體系論を全く閑却してゐるか、乃至は之を方法論のうちに繰入れてゐるからである。（理論經濟學も他の特殊經濟學と同じく經濟生活をその對象とするが故に、特に理論經濟學だけの對象論なるものは成立し得ない。）

それで私は以下に於いて、理論經濟學認識論の一齣として、特に閑却されたその體系論のみを拾ひ上げてそれについての私見を述べたいと思ふ。

私は今この問題について論じてゐる人が殆ど皆無だといつたけれども、それは「認識論的に開き直つた態度に於いて」といふ意味に於いてゞあつて、斷片的敍述ならば、可成り多くの學者がそれをなしてゐるのを見る。その我國に於ける一つの著例として福田德三博士の「流通經濟講話」がある。博士は、ケネーがその經濟理論の體系を立てる際の原理として「流通を以てしたことを稱揚し、「一の科學とは一貫的に統一せられ、一貫的に說明せられ得る認識の一體であり」、「其の一貫的の統一」と說明とは、如何に部分的知識が集積しても、其れ丈けでは得られ」ない。それを可能ならしむるものは、「一貫的排列原理」である。「苟くも一の科學たるからには、一貫的排列原理なかるべからず。」この原理は「從來の經濟學者の多數は之を不詮索の裡に曖昧に附して居た」ものであるが、「經濟學には其樣な一貫的排列原理は存して居ない」といふわけではない。それはケネーの「流通社會の發見」によつて斯學に與へられてゐる。然もこの發見は「單に一の事實の發見たるに止まるものではなく、國民經濟生活を一貫的に排列すべき根本の原理を發見したこと」にもなるのである。「此原理の發見によつて、其れまで箇々別々に配置されて居た經濟生活の百般の現象・事實・經過・運動・竝に其等相互の連絡・關係が、兎も角も統一的に概念せられ、說明せられ得ることになつた。」（改造社版、經濟學全集第三卷、三九―四八頁。）博士の所謂「一貫的排列原理」は、非常に明白にとはいへないにしても、大體に於いて、理論經濟學の體系の原理を意味してゐると思はれる。

然らば博士自身の理論經濟學に於けるこの「一貫的排列原理」は何であるか。博士はこの點について「一部の學者間には、經濟學の問題を哲學の問題も搗き混ぜて、兩者を判然と區別しないで說かうとする一種の傾向がある」が、之は「間違つた」「有害な企て」である、「偏哲理的見解」であるとして排斥し、「實證的研究」の立場に立つて（上掲書一三二―三頁）、經濟生活の全體は循環行程であるとして、其の中に於いて生産、或は分配を論ずることとしたいといつて居られる。（上掲書三二七頁）。卽ち經濟生活の循環性に着目して、循環概念を以て經濟學の體系上の原理としたいといはれるのである。が博士は初學者に說くのに「余りの破天荒的に新しい組立てをする」ことを避けたいといふ實際上の便宜から、「經濟本論を二つに分けて生産論と流通論とした。」（同上頁及び經濟學全集、第二卷、二―三頁。）かかる便宜上の問題に煩はされないで、飽くまでも純理論的な立場に立つて循環概念を「排列原理」として展開せる博士の理論經濟學を見得ずして終つたことは私共後進として頗る遺憾とする所である。

上述の如く從來の經濟學者は、自らの經濟理論の體系に關しての認識論的反省を殆どなしてゐない。しかし、いふまでもなく、この反省の缺除が、直ちに彼等の理論經濟學の體系の缺除を意味しない。何となれば彼等に於いても、その諸理論の敍述にある特定の順序がある筈であり、この順序が卽ちその體系であるからである。唯彼等が理論の構成に際して、思索を行ひつゝ同時にその體系を自覺し、此が斯學の認識目的に照し合して合理的なものなるか否かを反省してゐないだけのことである。故に彼等にあつては、たとひその體系が合理的でありとするも、それは意圖的に齎されたものではなくて、偶然的に然るのであり、かかる偶然に幸ひせられざる場合には、その體系は無秩序的な・非組織的なものとなる。無秩序的な・非組織的な體系とは、實は體系のなき體系であつて形容矛盾であるが、かくの如き體系のなき體系といふが如きものの代表的なものは、リカードゥの「經濟原論」David Ricardo, On the Principles of Political Economy and Taxation, 1817. であつて、その「論述の無秩序」（小泉信三氏譯、經濟學古典叢書本、P. 5）のために、彼をより容易に理解するには、私共は彼の「原論の內容を一層論理的なる順序に配置し改」めなければならないのである。（小泉氏上掲書 P. 191—P. 198）

從來の殆どすべての經濟學者の理論經濟學に於ける、この反省せられざる體系は、然らば、現實に如何なるものであるか。之については、經濟學の創始以來の發達途上にその頭角を現はしてゐる人々及びそれらの人々の形成せる各學派について、學說史的研究をなしてゆくことは、經濟學認識論の完成の事業の上から見て、極めて興味深きものであり、又極めて重要な事であるが、この小論文に於いては、かゝる學說史的研究へ深入りする余裕を、固よりもつてゐない。

今極めて大局的にいふことによつて生ずべき諸種の危險を敢へて犯すならば、從來の理論經濟學の體系は、大體に於いて、ジャン・バチスト・セーの經濟學三分法(理論經濟學の體系を、富の生產・分配・消費の理論の三部分に分つもの)及びジェムズ・ミルの經濟學四分法(セーの夫に交換(インターチェインジ)の理論を加へたもの)によつて代表せられる正統學派の線に沿つて發展して來たもので、この系統に屬する體系が最も優勢であるといひ得よう。　正統學派に對するある意味に於ける批判者として立てる歷史學派の人々も、その經濟學理論の敍述の順序について、概して、正統學派の流の外に立つてゐない。　限界效用學派に於いては、少しく事情を異にするが、體系については正統學派の影響なしとせず。(殊に比較的初期の人々に於いては。)　新古典學派(マーシャルを代表者とせる)も體系については、古き傳統を固執してゐる。　我國に於ける多くの經濟學者がこの埓外に立ち得てゐないことは、從來我國の經濟學が主として英・獨の夫を殆ど無條件的に輸入せるものなることより推して、當然の成行である。

この間に在つて、正統學派のこの體系を峻烈に批判して、獨自の體系を立てたのがカール・マルクスである。マルクスの經濟學認識論は、彼の多くの著書に散在して顯はれてゐるが、その最も重要なるものは「經濟學批判」Zur Kritik der Politischen Oekonomie の序說 Einleitung である。（此は彼の生前發展せられなかつたノートで、カウツキー編の「經濟學批判」に於いて初めて現はれた。尙この外にも之に一層手を入れた數個のものが最近ロシヤで發見された。――ナウカ社版、マルクス紀念論集「資本論」研究、三九頁以下參照。）

然らば正統學派に於いては、一體何故に、三分法乃至四分法を、その理論經濟學の體系としてゐるのであらうか。それは、生產に於いて作出され、分配に於いて生產に參加せる人々にその生產上の貢獻の故に分けられ、交換に於いて分配によつて個人に歸したものと他のものとが換へられ、最後に消費に於いて享樂の對象・個人的充用の對象となる所の財の運命（生產物が通常通過すべき過程）に着目して、この過程の諸階段を、そのまゝ理論構成の順序としたのである。（たとへば Marx, Kritik, Internationale Bibliothek. 1921. SS. XX—XXI. 山崎覺次郎氏、經濟原論一一頁。福田德三氏、前揭、第二卷、二〇三頁以下。）が此は論理的にいつて全く理由のないことである。何となれば、私共が經濟學に於いて論ずるものは、有形財の現出・移動・消失といふが如き自然的な・高々技術的な現象の過程ではなくて、有形財を考察するにしてもそれについて生起する諸現象が社會的現象としてもつ意味そのものであるからである。從つて現象が自然的又は技術的現象として顯現する變化の過程の諸階段を、そのまゝ私共の理論の進行の順序とすることは正當ではない。（論者もし、個々の現象が生産的現象なるか交換的現象なるか分配的現象なるか將又消費的現象なるかを區別し得ない場合が多い、否すべての場合然りである、換言せば生産と消費、生産と分配、交換と分配、分配と消費とを區別することは不可能な場合が多いことを指摘し、（マルクスはそれについて多くの事例と理由をあげてゐる。Kritik. SS. XXII—XXXIV.）この故にある一個の現象を引き裂いて生産・交換・分配・消費の各理論に於いて論じ得ずとなすならば、それは誤である。一つの事物も數種の現象として表象し得、この場合この一つの事物を、數個の理論の内に取扱ひ得る。否理論のなす所は多くの場合、このことである。もし又、たとひかかる區別が可能なりとしても、すべての財が生産に始つて分配・交換（又は交換・分配）を經て消費に至る行程をこの順序の通りに通過するわけではない、ある物は消費されないで、或は交換すらされないで、再び生産に投ぜられる、故に上述の順序で理論を立てゝゆくことに難點があるとなすならば、彼も亦、私がここに否定した自然的・又は技術的立場に立つてゐることを、これによつて、自ら暴露してゐることとなる。）が強いてこの不可能事を企てるならば、そこに體系上多くの混亂や飛躍を惹起することとなる。試みに四分說（三分說をとる場合も本質的には結局同じことである）を採れる人々の論述の順序を記すと概して次の如くである。

第一段　財、富、價値、等。

第二段　生產―生產の三又は四要素、その一々の說明。私有財產・營利・企業・各種の企業組織・勞働制度、等。

第三段　交換（交易・流通）―價格、貨幣、信用、銀行、取引所、商業、交通、等。

第四段　分配―所得、その各種形態、それらの相互的關係、階級、等。

第五段　消費―支出、所得との關係、貯蓄、奢侈、等。

此の體系は一見頗る整然たるの觀を呈するかも知れないが、之を現象の社會的意味・機能に着目して考ふるとき、それが支離滅裂であり、前後矛盾してゐ、又重復してゐるものであることを知る。たとへば生産篇に於いて、生産の要素として資本・企業・勞働等を論ずるとき、それは既に分配篇にて論ずべき事項を前提としてゐる。殊に消費篇にて論じてゐることは、社會的機能といふ見地に立つて之を見れば、寧ろ分配篇にて論ずべきことであつて、有形財の物理的消失に注目するの餘り「消費篇」なるものが、理論經濟學としては贅物たることをば自覺しないで、わざ〳〵之を拈出したる觀がある。「更に著しい難點は資本・勞働・土地の所謂生産の三要素が、生産篇で論ぜられて又再び分配論にて利潤・利子・勞賃・地代を論ずるときに現はれ來り、二重に論ぜられてゐることである。以上はかかる體系のもつ難點の主なるもののみであつて、それはこれだけでは尙盡きない。かくて之を是正するものとして二分說が成立したのである。（福田博士もその一人である。）が之も根本的には正統學派的體系の流れの外に立つてゐない。

然らば私共はかくの如き難點を含まざる體系を如何にして立つべきか。要するに「生産と分配と交換と消費とは同一のものではないが、それらは皆一つの總體の構成員・一つの全體の內部に於ける諸差別を形成してゐる。」(Marx, Kritik, S. XXXIV.) そしてあらゆる有機的全體に於ける諸構成部分と同じく、それらの間には交互作用が存する。即ち「生産の特定形態は消費・分配・交換の特定形態を規定し、且つこれら樣々の要素相互間の特定關係を規定する。然も生産それ自身もその一面的なる形態に於いては、他の諸要素によつて規定される。……分配の變化と共に生産が變化する。……最後に消費の欲望が生産を規定する。」(ib.)從つてそれらは不可分離的であつて、自然的又は技術的範疇によつて、機械的に引き裂いてはならない。然も理論構成は結局現象の何らかの意味に於ける引き裂き—分析を意味する。故に問題は、自然的又は技術的範疇を捨てゝ、他の如何なる範疇によつて現象を分析してゆくべきかに在る。

第三章　積極說

第一節　方法の概說

この問題は、必然的に、私共の採るべき方法の確定を前提とする。しかも方法の確定それ自體は、先づ私共が考察の對象を確定しておくことを必要ならしめる。

理論經濟學の、否經濟學一般の對象は何であるかを決定することは、對象論の課題であつて、私共の目下の仕事ではない。私は對象論についての私見の發表は之を他の機會に讓ることとして、ここでは單に經濟學の對象は「財の社會的再生產過程に包含される諸聯關の一つの總體」(それは他の語でいへば「經濟」である)なりといふに止めておく。而して私共の今問題としてゐる理論經濟學は、之を對象として理論を構成する所の科學である。然らば理論經濟學に於けるこの理論の構成に當つて用うる所の方法如何。此はいふまでもなく方法論の問題であつて、此が詳論も亦他の機會に讓らねばならないが、前にも述べたように、方法と體系とは殊に密接なる聯關をもつてゐるが故に、ここでは體系論を主題とする本論文が要求してゐる限度内に於いて、方法論について若干の岐論をなさうと思ふ。

抑〻經濟の舞臺たる經濟生活は、歷史的發展者たる社會生活の一方面として、それ自らも歷史的に發展する。經濟生活のこの歷史的發展性の實相如何の究明は、經濟史學の課題であり、又その根本的原動力は何か、社會生活の他の方面の歷史的發展との聯關如何等の問題は、經濟學形而上學及び歷史哲學の論ずる所であり、是亦ここに論ずべき限りではないが、結論をここにいへば、私共の現實に體驗してゐる所によつて知るが如く、全體としての經濟生活は、種々なる型の組織の經濟の相互に纏綿しつゝ推移してゆく一つの全體をなす。この推移は、これら各種の型の經濟自身の辨證法的發展と、各種の經濟相互間の聯關・交互作用の發展との有機的なる綜合を意味する。故に私共が、ある特定の時期及び地域に於ける經濟生活を觀察するとき、そこで私共の遭遇するものは、決して單一なる型の經濟(及びそれの構成部分たる諸現象)のみではなくして、そこでは私共は、體驗上及び思惟上可能なる殆ど一切の型の經濟が、その相互作用上の優越性の度差をもちつゝ、相互に交錯して並存せるを見るのである。かくて全體としての經濟生活に於いて、何れの型の經濟が他の型の經濟に對して優越的地位に立つて居るかといふことによつて、當該時期及び地域に於ける經濟生活の特異性が決定され、その優越的なる型の經濟の名稱が、この地域に於けるこの時期の經濟生活が、經濟生活の歷史的流れ全體の發展に於いて占めてゐる階段(卽ち「經濟時代」)を稱呼するために用ひられる。(たとへば、現代西・中・南部の歐洲、兩米洲の殆ど全體、アジヤ・アフリカ・大洋洲のより大なる部分に於ける經濟は、決して、純粹な意味に於ける資本主義經濟でなくして、それは若干の古代の村落共產體、中古の奴隷經濟、中世紀の封建的經濟等の色彩を帶びたる現象を遺制として包含してゐ、他方では未だ歷史上大規模に實現せられてゐない社會主義經濟に屬する諸現象のあるものをも包含してゐる。而もそれら各種の型の經濟の中にて壓倒的に他を支配してゐるものは、いふまでもなく、資本主義經濟である。かくして現代は「資本主義經濟時代」といはれる。而も資本主義自らも亦辨證法的發展をなして推移し、資本主義經濟に屬する各種の型の、資本主義經濟內に於ける優越性が變つてゆく。かくてたとへば獨占資本主義經濟なる型が優勢的なるときには、「獨占資本主義時代」が成立することとなる。)

かくの如く多樣的な複雜な經濟生活について、私共は、理論構成と個性記述との二つの根本的なる方法をもつ。前者は現象間に存する法則性の發見であり、後者は現象の發生的敍述である。前者は諸現象の聯關を時間的に同一ディメンションに於いて見、後者はそれを時間經過に沿つて見てゆく。前者によつて理論經濟學、後者によつて經濟史學が成立する。かくて私共は、あらゆる時處に於ける經濟生活について夫々理論を立て得る。(勿論私は時間經過に沿つて立てられる歷史的經過についての發展のある程度の合律性――極くルーズな意味に於いて「發展の法則」といはれるもの――の可能性を否定しない。）

が理論構成に際して私共の直接の對象となるものは、私共現在に生を稟けてゐる者が、直接に體驗せる現在の經濟生活である。一般的に人類は現に自らに痛切に迫つて來てゐる現象、冷暖自知の世界について最も大なる認識興味をもち、又その內容について、最も適確な豐富な知識をもつ。（過去の現象に對しては、私共は唯人間的同感（シンパシー）をもちつゝ先人の遺せるもの―文書・遺物等―によつて證據立てられつゝ云々し得るのみ。）而も後述によつても明かなるが如く、現在の經濟生活全體を特徴付けてゐる所の資本主義經濟は、可能なるあらゆる型の經濟のうちにて最もその內容の複雜なるものであつて、それについての理論は、他のものに比して遙かにより豐富なる內容をもつ。且つこれも後述するが如く、過去の遺制として資本主義經濟と並存して現在の經濟生活を構成してゐる所の他の多くの型の經濟の理論は、資本主義經濟の理論のうちにアウフヘーベンせられてゐる。私共は、これらの理由によつて私共の理論構成の直接的對象として資本主義經濟を採り上げる。これは他の見地よりするも亦、私共に要求せられて居ることである。蓋し現在に生を禀けてゐる私共としては、現在の經濟生活を支配せる型の經濟について理論を立てることは人類文化の全進展の過程上に於ける當然の責務であるからである。

然らばこの複雜なる資本主義經濟について、如何にして理論構成を行つてゆくべきか。

複雜なる現象についての理論は、之を單純なる現象に置き換へることによつて、立てられる。そして之についての第一歩は、必要なる要素の、不必要なる要素よりの遊離である。孤立化である。抽象化である。がこの際私共の對象としてゐる經濟生活は、社會生活の他のすべての方面と同じく、自然科學的現象の如くに實驗によつて、此が理論を導出することが出來ない。又自然科學に於けるが如く、觀察も私共にとつては萬能な方法ではない。何故なら、私共は現象そのものに直接的に手を加へて、實驗なり觀察なりに適するやうな狀態に之をおくことが出來ないからである。私共のなし得ることは、單に、當該現象についての私共の表象を、思惟の內に於いて、他の現象の表象から遊離し、抽象し來ることのみ。(『經濟的諸形態の分析に當つては、顯微鏡も化學的試驗も用をなさない。抽象力が之に代位しなければならない。」(Marx, Das Kapital, Bd. I, herausgegeben von Kautsky, S. XXXVII.) 而もかくして他の現象から引き離し來つた當該現象そのものが、私共の場合に於いては、尙極めて複雜であつて、多岐亡羊の嘆あらしめるので、如何にして之を理論的に克服してゆくべきかを更に決定しなければならない。それは矢張り私共の抽象力に俟つ外ない。が抽象といつても放恣的に、無計畫的になしてゆくべきでなく、一定の指導原理に從つて合理的に進んでゆかなければならない。然らばこの指導原理は何であるか。

第一に、私共の思惟は常に「單純なるものより複雜なるものへ」の途を辿る。現象の說明に於いても、最も單純なる・簡單なる・抽象的なるものより始めて、漸次に、より複雜なる・具象的なるものに向ふ。何故ならその外に途がないからである。

第二に、私共は單一なる社會的現象を、それ自身だけで孤立せるものとして取扱ふことは出來ない。それは一定の歷史的背景をもつてそこに生起してゐるのであつて、必ず一定の社會組織の一構成要素として立つてゐるのであり、それは自らと同類の多くの他の現象を傍にもつてゐる。故にこれらと聯關せしめつゝ、否これらのすべてと共に構成してゐる所の社會組織を豫想してのみ、それについての完全なる認識が得られる。即ち個々の社會的現象とそれの背景をなせる社會組織とを、それらが諸部分對全體の關係に立つものとして見なければならない。

單純より複雜への思惟の進行の要請と、部分の考察に際しては同時に全體を想起せざるべからずといふ要請とは、複雜なる資本主義經濟の理論構成に當つて、私共に、先づ最初に最も簡單なる・最も單純なる・最も抽象的なる「經濟」、次に稍々複雜なる「經濟」を、といふ風に漸次に複雜な・具體的なる「經濟」の思惟圖象（ゲダンケンビルド）を構成することを命ずる。私がここに「經濟を」といへる理由は、個々的なる經濟現象は、孤立的には之を理解することが不可能であつて、それがその同類たる他のすべての現象と共に構成せる一つの全體を背景としてそれを考へて、始めてそれについての完全なる認識が獲得されるのであり、この一つの全體が即ち「經濟」であるからである。如何なる「經濟」が漸次に構成せられてゆくべきかは次節に述べるが、此等の「經濟」は、私共の思惟の抽象力及び綜合力の赴くがまゝに、自由奔放に構成せられてゆくのではなくして、現實の經濟生活の理解といふ私共の認識目的に對して效果的であるものでなければならない。又それは私共の單純より複雜への思惟の進展の各階段に充分に對應して作られなければならない。　即ちそれは私共の理論展開の一定の階段が要求する所の、諸々の基礎的事實（グルンドベシユタンドタイレ）・要素的諸現象・本質的諸與件を、必要にして且つ充分なる程度に於いて、而も完全なる有機性に於いて、綜合せるもの、短言すれば本質的定型として現はれて來なければならない。　而してこの本質的定型の内部に於ける諸現象について理論を立てるに當つては、與へられたる假定に立脚しつつ、而も常に現實に照らし合せて修正しつゝ、論理の諸法則に從つて進む。　此が私共の執るべき方法である

かくの如く私共は、私共の直接的體驗から出發して抽象をつゞけて行つて、一旦最も單純なる・抽象的なる「經濟」にまで下向し、更にそこから引返へして次第に複雜なる「經濟」を構成して行つて、最後に出發點たる現實の經濟生活にまで上向する。此が眞の科學的方法である。　而してこの抽象―綜合を動的に見るときは、そこに私共の理論經濟學の體系の展開を見るわけである。

第二節　正しき體系

上に述べたる舊來の體系の不備に鑑み、又前節に於いて規定したる方法の指示する所によつて、私は次の如き體系を理論經濟學に與へたならば、私共の科學がその理論の展開に於いて充分に合理的なものとなり、部分的諸理論の飛躍や重復や混亂や散逸やを避け得、必要にして且つ充分なる内容を、完全なる有機的・統一的序列に於いて並列・配置することが始めて可能となると信ずるのである。卽ち

第一　經濟一般の理論
第二　交換經濟の理論
第三　資本主義經濟の理論
第四　獨占資本主義經濟の理論
第五　團體經濟の理論
第六　現在經濟生活の總觀的理論

私はここに掲げたこれらの五つの經濟を「理論經濟學に於ける五つの基本的なる本質的定型」と呼びたい。以下に於いて、これらの定型が何を内容としてゐるか

について簡單に述べ、これらの間の論理的聯關を明かにし、この順序に於いて理論を構成してゆくことが合理的である所以を明かにしたいと思ふ。（私の體系に於いても、此等の定型についての理論に入る前に、基礎的諸概念——經濟價値はその最も重要なるもの——についての敍述が存在することはいふをまたない。）

第一項　經濟一般の理論

前に方法論に關說せる際いへるが如く、私共の現實に體驗してゐるこの複雜極りなき經濟的諸現象の解釋に當つては、最も單純なる・最も抽象的なるものについての理論より始めて一歩一歩と次第に、より複雜なる・より具象的なるものについての理論の構成に向つて進んでゆくことを要するが、このために私共は先づ最も單純なる・最も抽象的なる「經濟」を概念的に構成しなければならない。

(1)「經濟一般」の本質　然らばそれは如何なるものであるか。それは先づ人類が歷史的に經驗せる・及び觀念的に表象し得る、卽ち一切の可能なる型（タイプ）の經濟の內での最も單純な・最も抽象的なものであつて、一切の可能なる型の經濟の內に、それらの組織の如何に拘らず、その原基的形態・要素的形態として、普遍的に、共通的に內在してゐるものである。反面よりいへば、一切の可能なる型の經濟は、夫々、この最も抽象的なる經濟の特殊の一姿容・特殊の一現象形態として、換言せば、之に何等かの特定の特殊的制約の加味せられたるものとして、表象せられることとなる。即ちこの最も單純・抽象的なる經濟は、他の型の經濟と一般者↕特殊者・普遍相↕差別相の論理的關係をもつのである。この意味に於いて私はこの原基的形態を「經濟一般」と呼びたい。私共は先づかゝる經濟を描き、そこに如何なる理論が支配してゐるかを知らなければならない。何となれば、先づ「一般者」についての知識を確立して、然る後に始めて「特殊者」についての「特殊的」知識が得られるといふ思惟一般についての原則がここでも當然妥當し、より複雜なる・より具象的なる各種の型の經濟の夫々の機構についての理論及びそれら相互間の論理的聯關についての知識は、この原基的形態たる「經濟一般」の知識を媒介とすることによつて始めて獲得せられるからである。

次に私共のここに構成する「經濟一般」は一つの「經濟」であらねばならぬ。即ちそれは單一なる・個々的なる經濟現象ではなくて、一つの自足完了的・統一的なる一體・一つの全體 ein Ganzes たるために必要とされる一切の經濟的諸現象を、その構成要素として包含してゐる所の、それ自體一つの完成された多面的なる複合體としての經濟であらねばならない。何となれば、前にも述べたるが如く、私共は現象の考察に際しては、常に、之を全體と部分との聯關に於いて見るべく、即ち如何に單純なる現象でも、之を全體の抽象的一面として考察すべく要請されてゐ、而も一つの全體はそれが如何に單純な抽象的なものであつても、その當然包攝すべき諸構成要素の一つだに缺かば、それは既に一つの全體たる資格を失ふからである。「經濟一般」は上述の如く、體驗上及び思惟上可能なる一切の經濟の內での最も單純なものであつて、それは一切の可能なる型の經濟について次第に捨象を施して行つて、この捨象の過程に於いて今一歩を踏み出せば、そこに得らるゝものが最早「經濟」ではなくなるといふ際（キワ）に於けるものである。之を內容の側より見るならば、吾人が經濟的として表象する所の個々的なる諸現象の諸要素について捨象を施して行つて、これ以上捨象を施せば最早その現象が經濟的たる資格を失ふといふ限界點に立てるときの現象の數者を、而も一つの經濟たるためには最少限度に必要とされる所のかゝる數者を綜合したるものが即ち「經濟一般」である。繰返へしていへば、それは表象し得る經濟の內で內容の最も稀薄なるものであるが、飽くまでも「經濟」

である。從つてそれの構成要素たるある現象（たとひ最も輕微なものであるにしろ）を缺くときは、この「經濟一般」は最早經濟でなくなり、從つてそれについての理論は、經濟學的理論でなくなり、或は心理學的な、或は技術學的なものになつて了ふ。前に對象論について述べるときいひたるが如く、經濟は財の連續的なる社會的生產の過程に包含される諸現象間の諸聯關の一つの總體である。この意味に於ける生產は、單なる技術的な意味に於ける財の作出ではない。「人類は自然的素材を自らの生活に、使用し得る形態に於いて占有するために、彼自らに屬する諸種の自然力……を運用し、之によつて彼自らの外部に存する自然に作用し、之を變化し、同時に彼自身の性質を變化せしむる。」(Marx, Das Kapital, Bd I. S. 123.) この過程を財の作出といふ方面より見るときは、生產であり、勞働力の發揮として見るときは勞働であるが、私共が經濟學に於いて考察するのは、決して「人類と自然との間の一つの過程、卽ち人間が自らの行爲によつて、自然との間に於ける代謝機能を謀介し、調節し、管理する一つの過程」（同上）としてのみの、換言せば單なる技術としてのみの生產過程ではなくして、正に生產の擔當者たる人類が依つて以て生產する所の諸社會關係の過程としての夫である。卽ち社會的生產過程としての夫である。技術的なる意味に於ける生産過程は單に技術學の對象であるだけであつて、之を社會的意味に於いて取上げて論ずる瞬間に、始めてそれが經濟學の研究の對象となるのである。社會的生産過程は連續的である。人類に天然自然に與へられてゐる財は、人類の生活を存續せしめてゆくためには、量的に不足し又質的に不適當であり、この生活資料の不足を克服するために人類は連續的に生産をなす。卽ち一方では生産的勞働力を消費してゆくと同時に、他方では生産手段を消費してゆくことによつて、生活資料を自らに與へ、之を消費することによつて、生産的勞働力と生産手段とを再生産してゆく。この聯關が切斷されないで進行してゆくことが卽ち社會現象としての總生産過程の根本的事實であつて、これこそ人類の生活の連續（生の再生産）の根本的條件である。

かくてこの社會的總生産過程は、技術的なる再生産過程の如くに、財の單なる反復的作出の過程ではなくて、その內に、財の作出は勿論のこと、その財の社會成員間への分配及び彼等の財の消費をも含むのであつて、社會全體の立場より見れば、人口の連續的なる自己給養と維持との過程である。この過程のもつ形式・機構、卽ち社會成員が彼等の生活資料及び生産手段の生産者及び消費者として相互に取り結んでゐる所の諸關係の總和がもつ所の秩序が即ち經濟組織である。

いふまでもなく、この經濟組織は、歴史的なものであつて、時處を異にするにつれてその内容を異にする。私共は今かくの如き經濟組織の差異性を捨象し去つて、いはゞ抽象性に於ける社會的總再生過程の理論を構成せんとするのである。

(2)「經濟一般の理論」の内容　上述の如く「經濟一般」は特殊なる經濟組織によつて背景付けられてゐない經濟である。從つてその内容が貧弱ならざるを得ず、それについての理論、も亦無内容に近く、動もせば技術學的乃至自然科學的なものに墮する。而も前に述べたように、その機構を異にする諸種の型の經濟の特徴を明かにするための第一階梯として、この一般抽象的理論が不可缺的であるのである。

先輩諸家の「經濟原論」に於いて、「生産の理論」或は「生産篇」等の名稱の下に現はされてゐるものは、(資本及び企業の理論――それは當然資本主義經濟の理論に屬する――をも之に入れてゐるものを除いては)概していてここにいふ「經濟一般」の理論に屬するように私には思はれるのである。而も多くの人々のこの理論は技術的なるものとして終始してゐる。(たとへば報酬漸減の法則・組織による節約の法則・大量生産の法則・限界費用と平均費用との均等の法則・等)が私共は飽くまでも經濟學をして、一つの社會科學としてのその純潔性を保たしめなければならない。とはいへ社會科學的理論を構成してゆくに當つて、技術學的理論を援用することは差支へないし、又現實にこれが援用の必要を感ずることも否定し得ない所である。唯私共はどこまでもそれが單なる援用であることを充分に自覺してゐなければならない。從つて社會的なる理論の構成のために最小限度に必要なる程度以上に之にページを割いてはいけない。私は次の如き體系の下に「經濟一般」の理論を展開させてゆきたい。卽ち

第一段　生産過程としての「經濟一般」

第二段　「經濟一般」の發展の理論

この理論展開の二つの部分の細目を敍することは今差し控へておくが、第一段は、專ら靜的に見た際の「經濟一般」の理論によつて成り立つてゐる。詳言せば、それの構成部分たる諸現象の本質、相互間の聯關、全體の內に於けるそれらの意味の說明、就中社會的生産過程が進行してゆくための、卽ちその連續性の條件についての理論より成る。而して第二段は動的なる「經濟一般」の理論に當てられる。そこでは社會的總生産過程を單なる同一の現象の反復的過程としてゞなく、時間の經過

と共に變化してゆく過程として、卽ち動態と見て、經濟の變化の一般的抽象的說明をするのである。而も私共の實際に經驗する所の經濟の變化は、概して發展的なる變化であり、從つて私共の認識興味も、經濟の「發展」により多く向けられる。經濟の發展とは何を意味するかについては、私はここでは唯簡單に、それを、經濟の複雜化(經濟を構成せる諸現象の相互聯關の精緻化、卽ち諸現象自らの機能の細分化と相互間の依存性の增大等)と膨脹(諸現象の、從つてそれらの全體としての經濟自らの量的增大)であると定義付けるに止めておく。經濟の發展は、最も著しく財の生產量の增大に顯現する。而してそれは餘剩生產物の增大による。一般的に生產過程の結果として齎される生產物は、量的に見れば、費用(支出された生產手段と勞働力)を表現する部分と增大されたる部分との合計であるが、この增大されたる生產物量が卽ち餘剩生產物(又は純生產物)であつて、それは如何なる型の經濟にも存するが、之が如何なる仕方によつて、又如何なる經濟主體に歸屬してゆくかは頗る多樣的であり、この差異に對應して各種の經濟組織が成立してゐるわけであるが、私共のここでの課題は、この餘剩生產物の增大過程が他の諸現象(慾望狀態・人口・生產技術・生產組織等)と如何なる聯關をもつかについて、一般的・抽象的な理論を立てることに在る。

要するに第一段に於いては、私共は一つの全體をなせる「經濟一般」の全體を構成せる、多様的なる諸要素の夫々の機能及びそれらの個々的な相互的聯關について個別的に・分析的に考察するのであり(高田保馬博士の語を借りるならば顯微鏡的觀察である ―― 高田博士、經濟原論、二一頁)、第二段に於いては、全體としての經濟の内部に於けるこれらの各要素のすべての聯關を見、且つこの總聯關の運動、從つて經濟そのものの變動(殊に發展)を綜合的に觀察するのであつて(高田博士の所謂望遠鏡的觀察)、第一段に於いて立てた平面化的理論を立體化するのである。

第二項　交換經濟の理論

「經濟一般」は、一切の可能なる經濟の内の最も單純な・最も抽象的なものである。然らば之に次いで單純な・抽象的な經濟として表象せられ得るものは如何なるものであらうか。　私が以下「交換經濟」の名稱を以て指示するものが正にこの經濟である。

(1)「交換經濟」の本質　「經濟一般」に於いては、私共は經濟主體に關するすべての事項を捨象してゐる。　經濟が、單一の經濟主體より成るときと、複數の經濟主體を包含してゐるときとで、大いにその相を異にする。　前の場合は團體經濟である。(嚴密な意味に於ける孤立人に關しては經濟は成立しない、何故なら經濟は社會的な現象であるから。　從つて單一なる經濟主體より成る經濟とは結局團體經濟であつて、この團體の諸成員の意志が、團體としての政治的過程を經て、單一なる團體機關の意志に綜合せられるのである——後述參照。)　經濟が複數の經濟主體より成つてゐる場合(卽ち綜合經濟)についても種々なものが表象せられ得るが、その最も單純なる場合は、經濟社會が全く均質なる・平等的なる經濟主體の營む經濟に分化してゐる場合である。　卽ちそこには全然同一なる內容の複數の經濟が存立してゐる場合、各個の經濟がすべて相互に類型(エクゼンプラール)であるような場合である。　かかる分化は一つの經濟の全く單純なる量的分割に外ならず、そこに表象せられる各個の經濟はすべて、分化せざる以前の經濟の單なる雛型(ミニアチウア)たるに止り、相互間に何等の交渉をもたなくとも存立してゆく可能性をもつてゐるものであるから、理論としては、新に加うべき何者をももたないのであつて、私共の理論の展開といふ目的よりせば、かかるものを表象することは無效果である。

かくて私共が「經濟一般」に續いて描き出すべき單純なる經濟は、經濟社會が複數の經濟主體の並存によつて構成せられてゐ、これらの經濟主體の營む經濟が相互に財生產に關つて異質的であり、從つて分業的に生產行爲をなし、生產物の交換によつて各々の經濟の維持及び發展を計つてゐる經濟である。然も私共はかかる經濟についても亦その最も單純なものから手をつけてゆくべきなので、ここに描き出される夫は、この經濟を構成する諸經濟主體の社會的勢力の大さが平等であつて、そこに支配服從の關係が存しないようなものである。私はかかる經濟を「交換經濟」と呼ぶのであるが、それはこの經濟の表出してゐる表徵(メルクマーレ)又は諸要素的現象の一つで、ある所の交換に重點をおいての名稱である。然らばこの經濟には他に如何なる諸表徵を見得るか。

私はかくの如き「交換經濟」の表徵として、私有財產・分業・交換・商品・價格・貨幣・資本・競爭の七者を擧げ得ると思ふ。而して後述する所によつて明かなるが如く、これらの事項は、實は同一の經濟の表出してゐる異なれる側面(ディメンションズ)に過ぎないのであるが、以下逐次簡單に說明してゆかう。

（イ）私有財產　諸經濟主體が夫々獨立的立場に於いて生產を行つてゆくた

めには生産手段を排他的に自己の支配下に置かなければならない。又この生産手段が夫々の經濟主體に所屬し運用せられてゐることを理由として、それによつて作出せられる生産物が夫々の經濟主體に歸屬し、排他的に支配せられることが、一つの制度として容認せられてゐることが卽ち私有財産制度である。それは、相互に對立・交捗し合へる諸經濟主體が經濟社會内に於いて、獨立自主の立場に於いて(卽ち他の主體に支配せられないで)生産・消費をなしてゆくための必要條件である。

(ロ)分業　吾人の今構成せる「交換經濟」は、均質ならざる、換言せば異なれる財の生産を行う所の經濟の並存より形成せられてゐる。卽ち各經濟は、人間の諸慾望の一切の充足手段を自己の内部に於いてのみ生産する自給自足的・封鎖的經濟ではなくして、夫々一定の生産部門にその生産的勞働と生産手段とを捧げてゐ、その生産物を相互に提供し合ふことによつて、いはゞ社會に於ける生産に協働することによつて、生活に必要なる財の大部分(といふのは、自己の生産する以外のすべての種類の財といふ意味である)を獲得すること、卽ち分業が全面的なる制度となつてゐる。この意味に於いて、諸經濟は生産の側より見れば相互に分裂對立して、すべて私的生産管理者として立つてゐるのであるが、消費(生産的消費をも含めて)の側より見れば相互に聯結し依存し合つてゐるのである。「人々」を獨立の私的生産者たらしめつゝある分業そのものが、社會的生産過程及びこの過程内に於ける彼等の諸關係を、彼等自身から獨立的なものたらしめる。人々の相互間のこの獨立は、全面的な物的依存の一つの體系に於いて補完されるのである。」(Das Kapital, Bd. I. S. 68.) この意味に於いて、ここに描出せる經濟は分業經濟である。

(ハ)交換　上の事實は又經濟主體間に於ける財の運動・移轉として映ずるのであるが、財の經濟主體間に於ける移轉には種々なる形式(一方的―双方的、强制的―自由意志的、等)のものがあるが、双方的(有償的)且つ自由意志的(當事者の自由意志の合致によつて移轉そのもの及び量的關係が決せられる)なものが卽ち交換である。

(ニ)商品　「交換經濟」に於いては、自給自足の經濟と異なつて、すべての財は交換せられねばならない。故に財は、原則的には、人間の慾望の直接的な充足手段としてでなく、交換されるために生産せられる。卽ち各生産者は生産物を自ら消費するためにでなく、之を他に提供するために、換言せば商品として、生産するのである。而してこのことは又各生産者が、之によつて自己の消費資料及び生産手段を他人より獲得するための手段としてなしてゐることにもなるのである。すべての生産者がかく賣るために買ひ、買ふために賣ることによつて、經濟社會全體の物質的代謝・社會的總再生産過程が進行してゆく。この意味に於いて、ここに表象される經濟は商品生産經濟である。

(ホ)價格　上述の如く「交換經濟」に於いては、財は慾望充足の直接的手段としてゞなく、商品として生産される。之を價値といふ見地より見れば、財は使用價値―直接的慾望充足の能力―の故にでなく、交換價値―他財との交換能力―の故に生産せられるのである。そこでは財は交換價値の體現者として現はれる。而して凡そ數量を正確に表現し、その大さを精密に比較するためには、どうしても單位が必要であるが、交換價値についていへば、その大さは夫々の經濟社會に特有なる、專ら交換價値測定のために成立せる單位によつて表現せられ、之によつてその社會に於いてすべての財の交換が全面的に圓滑に行はれる。交換價値がこの單位によつて表現されたるものを、價格と呼び、又この單位を價格單位と呼ぶ。この意味に於いて「交換經濟」は價格經濟であり、價格は經濟價値の「交換經濟」的表現形態である。 而して經濟價値決定の問題は、如何なる型の經濟についても常に、その中心問題であるが故に「交換經濟」に於いては價格決定はその中心問題を形成する。

(ト)貨幣　「交換經濟」に於いて、各種の財について、交換上存在してゐる種々なる障碍(質的・量的・人的・時間的・場所的齟齬)を克服し、交換が圓滑無碍に行はれてゆくためには、商品流通の一般的媒介者、卽ち單なる商品ではなくして常に交換の一方の極に立つ權利を社會によつて與へられてゐるものを必要とする。それは之を以て商品を獲得せんとする者(卽ち買手)にとつては一般的購買力の體現者であり、商品を以て之を獲得せんとするもの(卽ち賣手)にとつては一般的交換手段である。又社會全體より見れば、それは商品の流通の一般的媒介者である。かかるものが卽ち貨幣であるが、私は貨幣がこの一般性をもつてゐるのは、一つにそれが價格單位の明白なる客觀的なる體現者であるからであると思ふ。(夫々の財もその價格に於いて價格單位の何倍かを體現してゐるが、それは時々刻々變動し――このことが卽ち財の價格の變動そのものである――且つその何倍たるかゞ何人に對しても卒直に明白であるわけではない。之に反して貨幣は常に價格單位の何倍かを明確に體現してゐる――この貨幣本質論の詳論はここではなさない。) 私はこれらの諸特性を綜合して、貨幣を「一般的購買力の客觀的體現者」なりと定義付けたい。兎もあれ、かくの如きものが存立してゐることによつて、交換が全面的に行はれ得るのであつて、この意味に於いて「交換經濟」は貨幣經濟である。

(チ)資本　「交換經濟」に於いては、各個の經濟主體は、自己保存のため、又進んでは自己發展のために自ら責任を負はざるべからず。このためには各經濟主體が經濟力を背後に控えなければならないのであるが、「交換經濟」に於いては經濟力は使用價値の占有ではなくて、交換價値の夫を意味する。而して次に述べるが如き競爭に對應してこの交換價値の占有は、可及的に大なる夫への追求を意味することとなる。是即ち營利であるが、私有財產のうちで營利をなすための基礎となる所の部分を資本と呼ぶ。「交換經濟」は上記の意味に於いて營利經濟であり、概念的に資本の成立を豫想してゐる。

(リ)競爭　「交換經濟」に於いては、各經濟主體が自己保存、及び自己發展のために努力してゐるので、そのことは彼等が相互に競爭してゐることを意味する。何故ならば、各人が皆交換價値の可及的に大なる獲得といふ同一目的に向つて努力してゐるが故に、當然各人の行爲は他人の意慾の無制限なる實現の妨碍をなすこととなり、各人がこのことを意識して他に劣らざらんとする意志を益々强くすることとなるからである。

以上述べたるが如き諸現象を基礎的事實として「交換經濟」が表象せられるのであるが、これらの諸基礎的事實は、論理的には相互に補完し合つてゐることは明かである。かくて同一物である「交換經濟」を、たとへば生産の私的管理といふ側面より見るときそれが分業經濟として表象せられ、財が賣られるために生産せられるといふ事に着目するとき商品經濟として顯現するのである。

(2)「交換經濟の理論」の内容　この「交換經濟」の理論の構成に當つても、私共は先づ以て之が本質的定型を表象しなければならない。即ち完全なる意味に於ける「交換經濟」としての夫を先づ考察しなければならない。かくてそこでは、(一)分業が完全に行はれてゐなければならない。即ち各個の經濟は、專ら特殊の一生産部門に從事し、相互の間に完全なる依存性をもつ。從つてそこでは一切の財は商品であり、すべての經濟主體が商品生産者である。(二)又そこでは、自由・平等の原理が完全に妥當する。(自由主義)。詳言せばそれは獨立的生産者のみによつて構成せられてゐる。獨立的生産者とは、生産者が自らの生産の完全なる意志主體であり、且つ生産手段の所有者として立つてゐて、他の主體の支配を受けざるをいふ。かくの如き獨立生産者のみより成るといふことは、反面よりせば、各主體がすべて自ら直接的生産者として立つてゐること、換言せば勞働者(資本主義に於けるが如き意味の)の存せざることを意味する。このことは又一面よりいへば資本の貸借の行はれてゐないことをも意味する。財の交換に於いても、他に對して强制力をもつてゐる經濟主體が存せずして、完全な意味に於ける交換が行はれる。(もしある經濟主體が强制力を用うる特典を有するならば、財の交換が行はれてゐるやうに見えても、强制者の取得分の何割かは實は一方的移轉に過ぎないものであるから。)かくの如き「交換經濟」の理論は、然らば、如何なる内的構造をもつべきか。私は次の如きを合理的なる構造なりと思ふ。卽ち

第一段　價格の理論
第二段　貨幣の理論
第三段　交換經濟の總過程の理論

第一段と第二段とは、一體をなしてゐる「交換經濟」を局部的に見るのであり、第三段はその全運動の總觀的考察をなす。ここでも私は各段の細說の煩を避けるが、**第一段**に於いては經濟價値の「交換經濟」的現象形態である所の**價格**について、その

本質を述べ、次にその構成並びに變動の機構の說明をなすのであるが、この際「需要供給の法則」の展開が多くの部分を占める。而も「純粹經濟學」の人々が正當に主張してゐるが如く、この「需要供給の法則」は結局「經濟均衡」を前提として始めて、循環論法に陷ることを免れるのであつて、この「經濟均衡」を背景とせる均衡價格の說明のためには、數學的表現を用ふることが便利である。第二段に於いて私共は價格と共に「交換經濟」の表面に現はれてゐる最も特徵的なる現象である所の貨幣の理論を構成する。こゝにいふ貨幣の理論は「貨幣經濟」としての交換經濟」の理論であつて、その中心的問題は、價格と貨幣との關係、換言せば貨幣價値の決定及び變動の問題である。（從來「貨幣論」「銀行論」並びに「金融論」等の名稱の下に構成せられてゐる諸理論を「交換經濟」に於ける貨幣といふ見地より統一せるものであるが、いふまでもなく貨幣制度は、私共の理論構成に於ける次の階段で取扱ふ資本主義經濟に於いて、その明確なる成立を見せてゐるのであつて、「交換經濟」としては論ずべきものを多量にもつてゐるとはいへない。）

第一段で取扱へる「均衡」の理論は既に「交換經濟」の總觀を前提としてゐるものであるが、私共は更にこの「均衡」そのものの運動、均衡が破れて後更に再び成立し又破れてゆく「交換經濟」の全體としての動態、殊に前に「經濟一般」の理論の第二段に於いて述べたる理由によつて、「發展」としてのこの運動の理論（「交換經濟」的發展の理論）を立てなければならない。之が第三段に於ける課題である。「交換經濟」に於いては、各個の經濟主體は對等の關係に於いて立ち、自由主義の原理によつて行動し、そこにはこれらの經濟主體を超越して立ち、これらを統制するものが存在してゐない。此に於いて全體としての「交換經濟」の運動は計畫的（プランメーシッヒ）なもの（一定の目的を設定し、これに到達するために合目的々な計畫を立て、この計畫に則つて行動することによつて生ずるもの）たるを得ず、この意味に於いてそれは無政府的なるものであるといひ得る。然もそれは決して無秩序な非組織的なものではない。それに於ける一切の現象が、例外なしに、偶發的な把握を絶したる混沌的なものではなく、そこに一定の法則性を見る。然らばかかる法則性は、如何なる理由によつて生ずるかといふに、それは「交換經濟」に於いて原理的に支配してゐる自由競爭によつて、個々の諸現象の偏倚性が相殺され、平均化されるからである。詳言すれば、前行の時期に存立せる價格による後行の時期に於ける生產及び消費の調節→この調節の結果たる價格の構成……——といふ進行形式に於ける自動的調節が、諸經濟主體間の自由競爭の故に行はれてゐるからである。

而もこの調節は、全體としての「交換經濟」の調制―經濟社會の生産と消費との全部的な適合を意味しない。（貨幣を媒介とする交換は、夫自身既に、生産と消費との間の齟齬を胚胎してゐることについては、Das Kapital, Bd. I. SS. 72—73 參照。）それは統制者なき「交換經濟」としては當然のことである。このことは「交換經濟」が本質的に動態的なものたるべき傾向を内含してゐることを意味するが、更にこの傾向は、自由競爭そのものによつて强められる。

元來競爭なるものは、一般的に自己否定の・自己揚棄の過程である。それは時間經過と共に競爭のなき狀態への到達を結果する。それは有限的な對象を複數の意志主體が追求する努力の過程であり、競爭者の素質上の優劣と、その努力の多少とによつて、目的の達成上、或者は多く、或者は少く、又或者は全くこの過程から排除されて了ふこととなる。「交換經濟」に於ける競爭は、營利に關する夫である。私共のここに描ける「交換經濟」は、力の全く平等な諸經濟主體によつて構成されてゐるけれども、それは單に相互に對等關係に立つてゐて、支配服從の關係に立つてゐないといふ意味に於いてゞあつて、各主體の生産する生産物が異なり、たとひ同種類の生産物を生産するにしても、或はその生産組成(諸生産手段と諸勞働力との組合せ)を異にし、或は經營上に巧拙の度差のあることを否定してゐない。スタートに於いて各經濟主體が内含してゐる所の、いはゞそれに潛在してゐる所のかかる差異が時間經過と共に顯現し來る。

而も私はこのことはやがて全體としての「交換經濟」の發展を招致する原因となると思ふのである。その故如何。(消費についても同一方向の論理を見るが、便宜上生産についてのみいふ。)

自由競爭の結果として、生産物の價格は、一方に於いては生産費によつて左右され、之に落付かんとする傾向をもち(Ricardo, Principles, Gonner's ed. P. 378, P. 388)、他方に於いては財の市場價格は自然價格に一致せんとする。(ib. P. 65.) 競爭の故に生産者は生産物の賣價を引下ぐべく餘儀なくされてゐ、生産費がこれが下限をなす。しかも生産費通りに賣ることは、營利追求といふことよりいつて無意味である。ここに於いて自然價格は決して生産費そのものではなくして、　生産費プラス△　である。而も競爭はこの△をすら可及的に小ならしむべく餘儀なくするのであつて、生産費と自然價格とは殆ど同一ならんとしてゐる。　この二つの矛盾せる要請は(競爭者が對等關係にあることを前提とし、又當該「交換經濟」のみを孤立的に考察する限り――たとへばリカードオの如くに、外國貿易に援を求めて交換經濟の行詰りを、理論的に止揚せざる限り、「原論」第六章―第七章〕、個々の生産者の生産及び販賣上の不斷の改善(シュムペーターの所謂「新結合」J. Schumpeter, Theorie der wirtschaftlichen Entwickelung, II. aufl. ss. 100–102.)によつて他に打ち勝つことによつてのみ、調和せられる。而してこの生産上の改善は、然らざる場合に比して、交換經濟全體の生産物の量的増大・質的向上・慾望の向上と增大・人口の增大を、短くいへば「發展」を結果することとなる。これが卽ち「交換經濟」が、その内部よりの力によつて、卽ち内生的原因によつて、夫自らとして、發展する機構である。私共の理論の第三段はこの複雜極まる發展の過程の分析に向けられる。(「交換經濟」を全體的に考察するとき、そこに景氣の變動を見出し得るや否やの問題をも考察しなければならない。詳論はここではなさないが、私は景氣變動をそれについて考へることは可能であるが、餘りの簡單であつて、理論としては内容殆ど皆無であると思ふ。)

以上簡單に述べ來つた所でも察せられるが如く、「交換經濟」の理論は、根本的には、それが自由平等主義の原理の下に多くの經濟より成る綜合經濟であるといふ理由によつて、「經濟一般」の夫に比して一段と複雜なものとなる。而も前者の理論の內に後者の理論が「交換經濟」的に色彩られて顯現してゐるのを見るのである。

第三項　資本主義經濟の理論

(1) 資本主義經濟の本質　私共は前二項に於いて、最も單純な・抽象的な經濟たる「經濟一般」に發足して、進んで、之が自由平等なる諸經濟主體への分化をなせるものとしての「交換經濟」について、如何なる理論が存するかを概觀し來つた。今やその單純性・抽象性に於いて「交換經濟」に次ぐ所の經濟を表象する階段に達した。然らばそれは如何なる經濟であるべきかといふに、私は、「交換經濟」に於いて、自由平等的なものとして現はれて來てゐる諸經濟主體の間に差別の存するもの、換言せば、それらの間に非自由な・不平等的な關係が成立せるものであると考へる。この經濟主體間の（惹いては個々の經濟の間の）差異は、具體的にいへば、階級の分化・對立の關係である。即ちここに描出すべきものは階級的構成をもつ經濟である。然らば階級とは何であるか。之については固よりこの小論文に於いて詳説するの餘裕がないのであるが、極めて短くいへば、それは經濟社會に於ける生產手段（資本）の所有者・支配者と然らざる者との二種の社會層である。社會構成員のかくの如き二つの群である。人口のかくの如き二つの部分である。かかる二部分よりなる社會の構成が卽ち階級構成である。私共の今表象してゐる經濟に於いては、それを構成する經濟主體のうちの一部は、生産手段の私的所有者・支配者として立ち、之を運用することによつて自己の經濟を營んでゐるに對して(所有者としては有産者、資本家、運用者としては企業者といふ)、他の部分は毫も生産手段を所有せず、從つてその經濟は唯一の私有財産たる勞働力の提供による代償として生活資料を獲得することによつてのみ營まれる。(資本の所有者たらずとの意味に於いて無産者、勞働力の提供者としての意味に於いて勞働者といふ。)今私共の描いてゐる經濟は、かくの如く「交換經濟」とは資本の所有・非所有に依つて成立する階級關係によつて差別せられるものであつて、この意味に於いて資本主義經濟と稱せられる。資本主義經濟は階級關係によつて色彩られたる「交換經濟」である。それは「交換經濟」の基礎的諸事實を、階級關係によつて色付け、複雜化して含んでゐる。それは一つの全體として見れば、階級關係を内含しつゝ、進行してゆく所の社會的生産＝消費の總過程である。而してこの過程は、資本家＝企業者にとつては、資本の蓄積を目的とせるそれの連續的投下の過程であつて、この營利を目的とせる過程が、結果に於いて、社會の全人口の慾望充足の過程となり、然もこのことが皆資本家＝企業者の支配の下に行はれる。ここに於いて「交換經濟」に於いて原理的に支配してゐる所の自由平等の原理に、ある制限が與へらるることとなる。

この基礎的諸事實の上に立つて、資本主義經濟は、その著しく特色的なる要素的諸現象として、企業・資本の分化・企業者と資本家との分化・階級的分配等を、又總過程に於いては景氣變動を顯現してゐる。

(2)「資本主義經濟の理論」の內容　上記の如き本質をもつ資本主義經濟についての理論を構成してゆくに當り、私は次の如き順序を立てる。

第一段　企業の理論

第二段　資本の運動の一般的理論

第三段　產業資本の運動の理論

第四段　商業資本の運動の理論

第五段　剩餘價値の分配の理論

第六段　資本主義經濟の總觀的理論

今理論構成上の此等の各階段について、極めて簡單に說明する。第一段、企業とは資本主義經濟に於ける支配者たる有產者がその支配をなす方法たる資本運用の制度である。企業はこの意味に於いて、資本主義經濟に於ける一切の現象の規定者であり、原動力である。第一段ではこの企業の人的及び資本的構成を論ずる。企業はその意志主體たる企業者が人的勞務と資本とを、營利の目的に適ふような機能を發揮すべく組織化することによつて成立する。先づ人的關係より見るに、人的勞務は、企業者が企業の企劃者・組織者・管理者・指揮者等の資格に於いて發揮する企業者活動と、勞働者が被雇傭者として發揮する執行勞働とに分れる。後者は更に精神的勞働と肉體的勞働とに分れる。かくてこれらの諸種の人的勞務がその機能を發揮するに當つての企業內部の人的關係が先づ論せられる。(勞働制度について多くの理論。)更に企業者の意志は必ずしも單一個人の夫によつて形成されずして、複數人の意志の綜合物なることが多い。(個人企業と團體企業。)この人的關係についても問題が多い。この企業意志構成の問題は、他面よりするときは資本關係の問題でもある。卽ちこの企業に投せられてゐる資本は、單一個人の資本であるか、又は團體的に投資せられてゐるものであるか、後者ならば如何なる組織の團體なるか……等の問題が成立する。

第二段に於いて私は、企業者がそれの人格化せるもの・體現せるものである所の資本の運動の一般的・抽象的なる理論を立てる。といふのは、資本にはその社會的機能より見て數種のものがあつて、その運動形式を異にし、之に對應して資本主義經濟が複雜なる相を呈してゐるからである。資本の運動過程の一般的表現は、G――――G'(又はG+g)――――G''……である。G即ち一定貨幣額として投下(投資)され、G'即ちより大なる貨幣額としてg即ち利得を伴つて投資者の手に復歸する(回收)。この投資―回收の過程が卽ち資本の回轉であるが、それに含まれてゐる各節の轉形の態樣が極めて多樣的なることを表示するために――――を用ふ。この回轉が反復せられるとき之を資本の循環といひ、又回轉毎にG''>Gなる量的關係が繰返へさるる點に着目して資本の增殖過程といふ。

この回轉の多樣性は、種々の見地から指摘し得るが、私共の理論構成の今の階段よりするときは、回轉の過程に於いて現はれる轉形の形式上の差異に着目せるものでなければならない。かかるものとして、私は次の三者をあげ得ると思ふ。

一、產業資本

二、商業資本

三、貸付資本

資本主義經濟に於いては、これら各種の資本が並存・交錯して相互補完的に、或は分業的に作用してゐるのであつて、私共の理論も進んでそれらの特性並びに相互間の關係を敍述することとなる。（尙これら各種の資本を一つの資本に綜合せる巨大なる千手觀音的存在としての金融資本があるが、それは獨占資本主義經濟を背景にもつものであつて、ここでは尙私共の論議の對象とはならない。）

第三段、産業資本は$G - W \left\langle {A \atop Pm} \right. \cdots\cdots W' - G'$なる回轉形式をもつ資本である。（これが各關節の說明は、マルクスによつて立てられたこの表式の餘りにも有名・周知的なることよりして、更めて必要としないであらう。）この資本は、資本主義經濟に於いては、その脊椎骨ともいふべき重要性をもつ。何となれば、第一に、それはこの社會に於いて、人間の生活の結局の維持手段として經濟生活上最大の關心のかかる所の直接的生活資料、卽ち有形財（無形財は要するに有形財の作出及び移轉の結果として、又は、手段としての意味・機能をもつのみ）を齎す唯一の資本形態であるからである。表式中……はそれが生産過程なることを意味するのであるが、之をその運動過程中に含むものは産業資本のみ。このことはいふまでもなく、餘剩生産物も亦産業資本によつてのみ作出されることを意味する。それは産業資本の生産過程に於いて、勞働制度を通じて、餘剩價値として生産せられるのであり、商業資本家及び貸付資本所有者の取得分も、實は、かくして産業資本によつて作出された餘剩價値を産業資本家より受取るに過ぎないのである。第二に、人口の大部分を占めてゐる勞働者に生活資料を供給するものは主として産業資本である。（商業資本も亦その運用上勞働者の參加を必要とするも、その數は比較的小である。）産業資本家は、その資本Gを企業に投下するや、先づ之を生産手段の購入に向けられる部分Pmと勞働力の購入に向けられる部分、卽ち賃銀となる部分Aとに分つ。之が資本の組成」の問題（Das Kapital, Bd. I. s. 549）であるが、勞働者はこのAによつて表示せられてゐる貨幣額を以て、その生活資料獲得の唯一の手段としてゐる。故に企業者が如何やうの割合に於いて、GをPmとAとに配賦するか（「資本の價値組成」）は、勞働者にとつて死活の問題であり、又それは社會の人口の大さについても重大なる意味をもつ。更にこの資本の組成の問題は他の見地よりせば賃銀の決定の過程であるといふ意味に於いて、單に「生産」の過程たるのみならず、同時に「分配」の過程である。かるが故に私は、從來の學說の體系に於ける「分配」理論のうちより、賃銀論を抽き出して來て、この產業資本の運動の理論のうちにおかうと思ふのである。(商業勞働者の賃銀の理論は、論理的には、商業資本の理論に於いて取扱ふべきであらうが、大體に於いて、產業勞働者の賃銀の夫とその內容を等しくするが故にこゝで論じて差支へない。) 產業資本が資本主義經濟に於ける最も重要な資本形態であるといふことの第三の理由は、その運動過程には、之を資本の轉形の形式より見れば後述の商業資本の夫(G—W—G')をも含んでゐる、卽ち產業資本は、夫自身として旣に賣買の過程を內含してゐるといふことである。故に商業資本は、社會の總資本の見地よりせば之を缺くともよいわけである。唯產業資本家としては、賣買の過程を商業資本家(廣義の商人)に委ぬるを便とする。故に社會の總資本の見地よりせば、產業資本が主であつて、商業資本は之が補助者たるのみ。貸付資本に至つては、それは所謂非機能的資本であつて、その資本用役は、機能的資本家に貸付けられて、產業資本又は商業資本に轉化することによつて、始めて發揮せられる。從つてそれが貸付資本としてもつ運動過程についての理論は皆無である。それについての問題は、故に、單に分配(利子及び地代としての)に關する問題であるといつても過言ではあるまい。

産業資本はかくの如く、資本主義經濟に於ける最も重要なる、いはゞ代表的なる資本である。で資本の增殖過程の考察は、産業資本の運動過程として、換言せば、資本主義經濟が産業資本家と勞働者とのみから成立するものとの假定の下に進められて差支へない。更に一口に産業資本家といふも、各個の資本家の間に差異があり、又勞働者にしても然りであるが、私共は先づ差し當り、かかる異質性を捨象し、各種資本家の代理者としての産業資本家の全體と一團としての勞働者との對立・並存せる經濟を描き、そこでは資本が如何に增殖してゆくかの理論を構成する。

この理論の內容を詳述するの餘裕はここでは與へられてゐないが、極めて簡單に記すならば、産業資本の增殖過程は、換言せば、擴張再生産過程である。資本は連續的に自己增大を行つてゆく私有財産である。それは論理的には、先づ連續的なる再生産過程の相を呈する。それは先づ少くとも、自己を再生産してゆかなければならない。この意味に於いてこの過程を單純再生産過程と呼ぶ。(Das Kapital, Bd. I. S. 501 ff.) 私共は先づこのために必要なる條件を知らねばならない。先に私共が「經濟一般」の理論に於いて社會的生産過程の連續性について知つたことが、ここでは資本主義的に修飾せられて現はれ來る。次にこの過程は自己增大しゆく過程、換言せば發展的過程であつて、この意味に於いて擴張再生産過程と呼ばれる。(Das Kapital, Bd. I. S. 514 ff.) これに關する理論は卽ち「經濟一般」の「發展」の理論の資本主義化せるものである。資本の擴張再生產過程は正にその蓄積過程であるが、蓄積過程は、個々の資本家の立場より見れば、資本の集積(卽ち一資本家の占有の下に於いて一塊をなせる資本の自己增殖)と集中(卽ち一資本家の資本による他の資本家の資本の併呑)との過程である。(Das Kapital, Bd. I, SS. 557—566.) かくして資本の擴張再生產過程についての理論は、結局獨占資本主義の理論の端緒となる。

第四段は商業資本の運動の理論であるが、これは G—W—G' の形式をもつ資本である。轉賣の目的をもつて財(產業資本によつて作出されたる有形財及びこの有形財の生產と賣買とに關つて生起する所の權利關係、卽ち無形財)を買入れ、更に之を賣却することによつて、利得を獲得する所の資本である。それは「專ら購賣と販賣とにのみ向けられてゐる所の、隨つて商品資本及び貨幣資本たる形態以外には他に何等の形態をも採ることのない所の、毫も生產資本の形態を採ることなく、常に資本の流通行程に閉ぢ込められてゐる所の、商人によつて前貸される貨幣資本」である。(Das Kapital, Bd. III. 1. S. 230) それは取扱ふ對象の差異によつて商品取扱資本と貨幣取扱資本とに分けられる。要するに狹義の商人・各種の取引所・銀行その他の金融機關等によつて運用せられ、彼等に商業利潤を齎す所の資本である。一般者としての商業資本、及びそれの特殊者としての・その亞種たる商品取扱資本及び貨幣取扱資本の運動過程の理論は、換言すれば、資本主義經濟に於ける商業（狹義）の職能に關する理論と金融的機構についての夫自身極めて廣汎且つ複雜なる內容をもつ理論とよりなる。

第五段、以上見來つた如く、資本主義經濟は、第一に階級的構成をもつ「交換經濟」であり、第二にそこでは有產者階級そのものの內部に於いて、資本家（狹義）と企業者との分化が行はれてゐる。かかることは「交換經濟」に於いては、私共が見なかつた所である。資本主義經濟に於ける諸經濟主體の間に於けるかかる相互的差異は、ここに殊に「分配」なる名稱の下に論ぜらるべき問題の生起を必然的たらしめる。卽ち無產者と有產者との間の階級的分配の問題と產業資本家の司令の下に作出された餘剩價値の有產者間に於ける分配の問題とが之である。無產者＝勞働者の取得分たる賃銀は、產業資本の理論の展開の內に於いて取扱ふを妥當とすることは、前に述べた通りである。故に第五段では、勞働外所得たる資本所得、換言せば餘剰價値の分配の問題のみを取扱ふ。即ち企業家への利潤、資本家(狹義)への利子、土地所有者への地代の歸屬の問題、詳言せば歸屬する量の決定及び變動の機構についての理論構成である。

之をなすに當つての順序如何。從來の多くの學者は、この點について區々として歸一する所がない。中にはこの順序を如何にすべきかについて殆ど何等の考慮をも拂つてゐないとしか受取れないものもある。しかし體系についての反省を重要視する者として私は、この問題をも充分に考察する必要を感じるのである。然らばこの際私共の理論配列の指導原理となるものは何か。私はそれは、いつもの通り「社會的職能に着目し且つ單純なものより複雜なものへ進んでゆく」ことの以外にないと思ふ。通説中最も合理的と思はれるのは、分配を以て、財の生産に參加し、從つて又財の價格の構成に參與する諸要素の夫々への、**財の價格のある部分量の歸屬**と見る立場からして、財の價格の落付かんとしてゐる點たる生産費の構成者たる終局的生産財としての勞働及び地役の價格たる勞賃及び地代の理論を先づ展開し、然る後に殘る資本利潤の内より資本家(狹義)の提供せる資本用役への報償たる利子の理論を立て、最後に殘餘所得としての企業利潤を論ずるものである。(我國では高田博士がその著しき一例である。）

私は、企業の總收益額より次第にある價格を差引いて行つて結局殘餘所得としての企業利潤を殘すといふ行き方をば上記の理論配列の指導原理よりして否定せざるを得ない。終局的生產財なるが故に、それへ歸屬するものについての理論が分配理論に於いて、先頭を切るべき理由は、直ちには發見されない。又利子は成程企業者が、その利益計算に於いて、企業利潤を決定する前に（勿論時間的にいつて）、之をその資本利潤から差引いてゐるに違ひない。しかし之は單に企業の會計上の現象に過ぎない。私は社會的意味・職能より見て、分配理論に於いても、資本主義經濟に於ける主宰者としての企業を中心とし、之に重點をおきつゝ進まねばならないと思ふ。勞賃理論の在るべき位置については既述の如くである。かくてこの餘剩價値の分配の理論に於いては、私は最初に企業者に歸屬する企業利潤を論じ、次に利子を、最後に地代を論ずる。利子及び地代の窮極の決定者は、勞賃に於けると同じく、資本の運動の目標たる企業利潤に外ならない。故に利潤理論よりも利子理論及び地代理論を先行させてゐる學者も、それらに於いて暗默の裡に、又は明白に、利潤の決定を前提としてゐる。（例せば、高田博士の「經濟原論」殊にそれに於ける「利子の理論」を見よ。）然らば何故私は利子を先にして地代を後に論ずるか。それは同じく企業者に貸付けられる資本としても、土地の形態をとれるもの、土地所有權を背景とせるものについての理論は、然らざるものについての理論よりも遙かに複雜であるからである。

第六段、以上に於いて私共は、資本主義經濟に表面的に（勿論程度上の差はあるが）現はれて來てゐる所の特徴的な諸現象を分析的に見來つた。かくて他の經濟についてと同じく、ここでも亦、最後に總觀的考察をなして、分析的理論を締めくゝる。

第一段より第五段に至るまで叙述し來れる諸現象が、資本主義經濟なる一つの全體を形成し、然もこの全體は、私共の理論構成の現階段に於いては、第一に、外部市場と沒交渉な・自足完了的な・封鎖的な、換言せば、純粹にそれ自身に內在する諸原因によつてのみ變動する所の一體をなしてゐる。第二に、それには自由主義の原理が支配してゐる。即ち資本家と勞働者との間には、階級的な關係が在つて、その力が平等でないことはいふまでもないが、資本家同志の間には力の差なく、他を支配し服從せしむる特權をもつものの存せざる資本主義經濟であると考へる。故に私が今まで資本主義經濟といひ來つたものは、より正確には「自由主義的資本主義經濟」といふべかりしものである。

この自由主義的資本主義經濟を總觀してゆくに際し、之を「社會の總資本の總過程」として見てゆくことが合理的であるが、それは前に產業資本を論ずるに當つて略言せるが如く、集積及び集中として現はれてゐる所の資本の蓄積過程である。然もこの蓄積過程は、それ自らの內に、蓄積を阻止せんとする力を含むと同時に、それにも拘らず、他方では逆にこの力を克服せんとする力をも含んでゐるのである。蓄積を阻止せんとする力とは、自由競爭そのものである。私共が前に「交換經濟」について見た所の、財の自然價格をして生產費と一致せしめんとする自由競爭は、ここでは資本主義的色彩を帶びて、利潤の(從つて利子及び地代の)平均化及び利潤率低下の傾向を招致する。而して「交換經濟」に於いては各經濟主體はこの傾向を克服するために經營上の改善をなし、それが全體としての「交換經濟」の「發展」を來したが、資本主義經濟に於いても亦然りであつて、各個の資本家の生產及び流通上に於ける優先的地位への努力卽ち競爭は、自由競爭狀態を止揚してその反對物たる獨占狀態へ、從つて自由主義的資本主義をして獨占資本主義へ轉化せしめる。然もそれは一方ではこの轉化をなしつつ、他方では全體的に、及び部分的に、經濟が回轉的な律動的な變動をなす。此が卽ち景氣變動と名付けらるゝものである。かくて私共の資本主義經濟の總觀的理論は、第一にはこの獨占資本化への過程を抽象的に見て、それに於ける諸現象の聯關を知り、第二にはこの景氣變動を抽象し來つて、何故にかかる周期的な運動が現はれるかの機構、及びこの運動の實相を明かにする。而もこの二者は、現實に、相纏綿し合つて現はれてゐるので、最後に兩者のこの組み合はさり方についての理論を立てねばならぬ。いふまでもなく現實の景氣變動はこの二者の外に經濟外的なる、乃至偶發的なる諸種の諸要素の作用をも含んでゐて、理論構成を殆ど不可能ならしむる程に複雜である。故にここでは唯この具體的な現象の說明の第一歩としての最も抽象的な理論を構成するといふに止る。

第四項　獨占資本主義經濟の理論

(1) 獨占資本主義の本質　私共の今まで取扱ひ來つた資本主義經濟は、それに參加せる資本家相互間の關係が、自由主義的なもの・自由競爭的なものであつた。然るに前述せるが如く、この自由主義的資本主義はその根本的原理たる自由競爭を自ら止揚して獨占資本主義を招來する。即ち單一又は極めて少數の資本家が、社會の資本の・富の大部分を支配するに至り、全社會の財の生産・流通及び消費が、この單一又は小數の資本家によつて統制せられる。これが即ち獨占の狀態であつて、それは資本の蓄積過程の發展がある高度に達するときに齎される。獨占資本主義經濟は、自由主義的經濟の要素的諸現象の一層の發展形態であり、歷史的にはその直接的相續者である。それは自由主義的資本主義經濟の根本的諸性質の反對物への漸次的轉化によつて成立するものであるが故に、それについての理論は、自由主義的資本主義經濟の理論の諸部分の「獨占」的色彩を帶びたものである。

(2)「獨占資本主義經濟の理論」の內容　獨占資本主義經濟の基本的特徵は獨占である。この獨占が如何なる態容で全經濟を支配してゐるか、これによつて如何なる特徵的現象をそこに見るか、又全體としての獨占資本主義經濟の總過程の動向如何。これについての理論を、私は次の如き順序で立ててゆく。即ち

第一段　獨占の本質

第二段　獨占價格の理論

第三段　獨占資本主義の基本的諸現象

第四段　獨占資本主義經濟の總觀的理論

第一段に於いて私共は獨占の何者なるかを明かにする。(獨占と多占・競爭等と比較することによつて。)第二段、獨占狀態に於いては、價格は自由競爭による價格(競爭價格)とその構成の機構を異にし、特に獨占價格と稱せられる。それは需要曲線と供給曲線との交叉點に於いて、卽ち限界生産費に於いて、定まるのではなくて、獨占的供給者(又は需要者)の最も有利とする所に於いて定まる。之についての理論をここで展開する。第三段に於いて私共は、獨占資本家がその獨占的地位に基いて如何樣に行動してゐるかを具體的に知らんとするのである。私共は之が諸相を標語的に次の如く表示する。その第一は企業の獨占的結合であり、第二は金融資本であり、第三は(經濟的)帝國主義でおる。以下極めて簡單に此等の各項が何を意味するかを說明する。第一に企業の獨占的結合(獨占團體)としてはカルテル・シンヂケート・トラスト・コンツェルン等の諸形態が存し、それらが巨大な包括的な獨占企業として、經濟社會を支配する。而してこれらの結合が成立するに當つて株式會社のもつ意味は極めて重要である。第二に獨占資本主義經濟に於ける著しき現象は金融資本である。金融資本とは獨占的産業資本による企業の「財政」に參與し、之を支配するために獨占的地位に立てる大金融機關、殊に大銀行が運用する巨大資本である。獨占狀態の生成過程に於いて、景氣の變動に順應しつゝ、他のものとの競爭に打勝つために、産業資本家は增殖しゆく自己資本の上に尙他人資本をも、加速度的な量に於いて要求する。他方金融機關、殊に銀行の側に於ても、次第に獨占狀態が現出し來り巨大なる資金を擁するものが生ずることとなる。ここに於いてこの大産業と大銀行とが相互に作用しつゝ結合してゆく。然も巨大なる貨幣資本を運用する大銀行は産業の支配權・指令權を次第に獲得する。かくてそれの資本は産業資本・商業資本及び銀行資本を自らの内に包攝することとなる。かくの如き力をもつに至れる大資本が卽ち金融資本であり、それは資本の蓄積過程の必然的産物である。第三、獨占資本主義の著しき現象は帝國主義なる名稱で以て指示されてゐる所の、一つの國民經濟に屬する資本の自國の領土外への强力的進出の現象である。それは資本輸出による國外の原料資源と勞働力及び販賣市場の掌握・國際的トラスト・カルテルを通じての世界市場の分割の現象である。

この三者は、資本の蓄積過程が獨占狀態へと發展しゆく途次に於いて、及び發展し切つた階段に於いて、手を相携へて、相表裏をなしつゝ、現はれ、一は他の二者なしには不可能である。いはゞ一つの大なる現象の三つの異なれる側面であるが、私は上記の順序で説明してゆくことを合理的なりと思ふ。

私共が先に「交換經濟」及び資本主義經濟」の理論を立てた際、先づ單純なる理論から立ててゆくために、意識しつゝも之を度外視して來た二つの事項がある。その一は外部市場との交渉であり、その二は團體殊に國家の經濟的作用である。今までの理論に於いては、「交換經濟」なり、資本主義經濟なりを、それ自身丈けで孤立してゐるものと假定し、これが諸構成要素の間に如何なる內部的聯關があり、又全體とし如何なる內生的原因によつて發展してゆくかを見て來たのである。而も現實的には、あらゆる型の經濟組織は外部と何らかの交捗を保つてゐるのであり、又論理的には、前にも簡單ながら述べたように、外部との關係を無視しては、「發展」がある程度以上に進行することが阻止せられる。自由主義的資本主義に於ける資本蓄積過程についても亦然り。況んや獨占資本主義に於いては、資本の輸出を以て（自由主義的資本主義に於ける捗外關係は主として商品の輸出なる對して）、その基礎的條件の一つとしてゐるのであつて、外部市場を考慮せずしては、理論を構成してゆくことが不可能である。又團體經濟的現象、就中その最も重要なるものたる國家の經濟的機能も、同一の理由によつて、今まで度外視し來つたのであるが、上述の外部市場を他の國民經濟と解しさへすれば、私共は、既にそこに國家的要素が何らかの意義に於いて現はれて來るのを見るであらう。又「交換經濟」に於ける要素的現象の一たる貨幣現象（殊に貨幣の設定とその信用）については、何らかの意味に於いて團體的（現實的には、國家的といつていつても過言ではない）背景を豫想してゐる。　唯自由主義の原理が原則として支配する經濟（卽ち「交換經濟」及び自由主義的資本主義經濟）に在つては、經濟に對する團體的干與が最小限度に機能してゐると見るべきである。（たとへばフィジオクラーテンやアダム・スミスが、その經濟政策論に於いて、國家政策の目標として主張したる狀態の如く。）故にこれらの經濟についての理論に於いては、この團體（殊に國家）經濟的な理論を容るる餘地が殆どないといつて然るべきである。

然るに一歩獨占資本主義經濟の理論に入るや、今まで無視し來つた外部市場との交捗と、この交捗のための背景（安全保障及び手段）としての國家との意味を考察の内に入れることが、頗る明確に、必然的となつて來る。　が私共は國家の經濟的機能の詳細については、後の團體經濟一般の理論にゆづり、ここではそれについての基本的なるものを既知のものとして、理論を構成してゆかなければならない。

第四段に於いて、私共は獨占資本主義の全貌を、その運動の相に於いて見る。それに於ける景氣變動は、自由主義的資本主義經濟のそれに比して更に複雜であつて、その理論亦複雜多岐を極めるが、更に獨占資本の・金融資本の增殖過程は、中小資本家の益〻迅速なる沒落・階級鬪爭の尖銳化・×××大衆への抑壓とその反抗・帝國主義的鬪爭等の特徵的現象を齎す。又此が政治に反映して「金融寡頭政治」となる。かくてこのことだけでは、卽ち之に何等かの他の社會的な力、殊に政治的な力が加つて之を阻止せざる限り、資本主義そのものの發展の勢が阻止せられる。それは沒落に瀕するの外ない。この過程は歷史的には、現に進行中のものであつて、從つて學者のそれに對する見解は尙歸一してゐない。資本主義が結局沒落して了ふと見るもの、卽ち獨占資本主義は沒落資本主義なりと見るもの(第三インター的見解)と、かゝる獨占化、殊に國際的なるカルテル・トラストの大結成は超帝國主義的なる・組織化されたる資本主義を產み、資本主義が半永續的となるであらうと見るもの(第二インター的見解)と、この過程が最近「ブロツク經濟」なる名稱の下に認識及び唱道せられるようになつた所の、世界經濟の數個の圈への、數個の强國による分割を結果することとなると見るものと。が要するに何れの見解が正しきかの判決は、歴史の今後の進行が下すであらう。

第五項　團體經濟の理論

(1) 團體經濟の本質　私共の今までの理論に於いて取扱つて來た所の經濟は、その内部に複數の經濟主體(經濟的意志主體)の共存《ミットザイン》(單なる並存《ネーベンアインアンダーザイン》もあらうし、對立《ゲーゲンシュタンド》又は抗爭《カムプ》の關係にあるものもあらうが)せるものであるが、今や複數の、他の意味に於ける意志主體の共存よりなるも經濟主體としては單一である所の經濟、卽ち團體が團體として營む所の經濟の理論を構成せんとする。

これについては、先づ團體とは何ぞやの問題を解決しなければならないが、これは正に社會學の課題であつて、私共の經濟學は、單に社會學の知識を援用するに止る。私見によれば、單純なる社會的關係が强化、緊密化して、客觀的に認知し得るような統一體を結合せるものを團體と呼ぶ。結合の强化又は緊密化は、構成員が自ら構成員たることを自覺し、外部よりも何らかの表章によつて之が認知されることによつて齎される。又統一體たることは、構成員の意志並びに行動を統制する意志主體が、この結合そのものの内部に形成せられることによつて實現せられる。この主體が卽ち團體機關であり、それは團體が團體としてもつ意志の保持者であり、又團體としての行動、卽ち機能の執行者である。而して團體の構成分子たる個々の意志主體よりのこの團體機關の構成及びその機能についての意志決定に關する現象が、卽ち團體としての政治的問題を形成すると私は思ふ。從つてこの問題は政治學的なものであつて、經濟學としては、この點についての理論は、政治學より借りて來るわけである。

團體經濟は卽ち團體が團體として營む經濟であるが、いふまでもなく團體の種類は多く、その營む經濟の理論經濟學にとつての重要性も大なる程度上の差をもつ。私共はこのうち經濟學的重要性の最も大なるものを取扱ふのであるが、この種の團體は更らに二つの亞種に分ち得る。第一は資本主義經濟に於いて(イ)營利追求の手段として結成する團體(會社、カルテル・トラスト・コンツェルン等)及び(ロ)資本の蓄積過程の進展に伴ふ資本家の壓迫に對抗する手段とし結成する團體(勞働者組合・協同組合等。保險の如き相互扶助的團體も之に屬するといひ得よう)。いはゞ資本主義に附隨的に生成する團體であり、第二は他の經濟の進展又は進展阻止のための手段としてでなく、自己目的を以て形成せられてゐる團體である。第一のものについての理論は、當然自由主義的及び獨占資本主義の理論の何れかの適當なる部分に含まれるので、本項の對象とする所は專ら第二の團體である。

さてこの種の團體の種類も亦頗る多いが、經濟史的にその意味の重大なるは、原始共產體（氏族共產體）・村落共產體（農業共產體）及び國家經濟（財政）である。又各種の型に於ける社會主義運動が實現せんとしてゐる所の各種の社會主義經濟も團體經濟である。（社會主義なる語は頗る多義的であつて、最廣義に於いては私有財產制度に反對する一切の社會組織を包含する。　が之を全部的に廢棄するか部分的に廢棄するかの程度上の差があり、又如何なる機關を通じて之を廢棄するか、及び自由意志的になすか强制的になすかの差が存する。かくて狹義の社會主義（生產手段のみの社會的共有）と共產主義（生產手段並びに消費資料の社會的共有）、國家社會主義（生產手段の國家により所有と運用）・ギルド社會主義と無政府共產主義（强制によらざる完全な自由人の共產的團體の集結）等との差がある。）

團體經濟はかくの如く多數の種類に分れるが、之等を團體經濟として統一的に見ての一般的理論を立てることは可能であるし、各種の團體經濟の內容の比較說明上必要である。

團體經濟に於いては、前述せるが如く、一般的にその團體機關が單一なる經濟主體として立つてゐ、各團體構成員の行爲は、少くとも經濟的には、この機關によつて統制せられる。即ち團體機關が財の生產・配給・消費について計畫を立て、この計畫を團體員に强制的に執行する。即ちそれは統制的共同經濟である。ここに團體經濟の根本的事實が横つてゐ、この經濟に於ける諸經濟現象は、かくて、一つの意志主體がその意欲する所を實現するために行ふ所の行爲によつて生まれ、從つて統一的であり、計畫的であり、合目的的である。之に反して、私共が「交換經濟」以下獨占資本主義經濟に至るまで見て來た三つの型に於ける諸經濟現象は、諸經濟主體が夫々の意慾のまゝに行ふ所の經濟行爲の競合の結果として生まれる現象であつて、それは統一的・計畫的・合目的的ではない。かくの如くして我共は經濟に、機構を全く異にする二つの系統のあることを知るのである。（經濟のこの二系統の意味・機能の詳細なる體系的說明を私共は作田莊一博士の「自然經濟と意志經濟」に見出す。）

(2)「團體經濟の理論」の內容　團體經濟は、上述の如く、種々なる型に分れるが、政治的に見ずして單に經濟組織としてのみ之を見るときには、何れも極めて簡單なるものである。何故ならば、そこには經濟意志主體の分化・對立なく、それに於ける一切の現象が、單一なる經濟意志主體としての團體機關の指令する方向に進行して ゐるからである。則ちそれの理論は、要するに「經濟一般」に於いて私共が表象した所の諸現象が團體機關の機能として生まれるものと見て、構成してゆけばいゝわけである。故にそれは正確にいへば經濟學的理論でなくして、行政學的理論である。故に團體經濟の問題の中心點は團體機關の構成と機能との態樣に在る。しかもこの問題は夫自らとしては、直接的には、經濟學の論ずるものでないことは前に述べた通りである。かくて團體經濟には「經濟一般」の理論が妥當するが、特有の經濟學的理論が存しないといへる。普通に「團體經濟の理論」として、私共が大なる關心を以て構成してゐるものは、實は、團體經濟と他の型の經濟、殊に資本主義經濟との交錯せる狀態に於ける、或は後者から前者への歷史的轉換期の經濟に於ける兩者の相互的聯關についての理論に外ならない。

團體經濟の內にて重要性の最も大なるは、國家經濟(財政)と社會主義經濟(最廣義の)である。

財政的現象に關する理論・歷史的敍述・實踐的方策等を統一して體系付ける特殊經濟科學が卽ち「財政學」であるが、財政的現象が實際上社會的總生產過程の重要なる一面であるといふ意味に於いて、その純粹なる理論は、論理的に、理論經濟學の一構成要素をなすと見得る。然も財政的現象を、單に團體經濟そのものとして孤立的に見て、經濟學的理論を構成することは固より可能ではあるが、前述の如く、それだけでは事實上無内容であるといはねばならぬ。かくて私共の學問的興味が主として向けられるのは、財政的現象を「交換經濟」乃至資本主義經濟と並存し、或は之が進展を促進し或は阻止してゐる狀態に於いて見て、卽ち國民經濟なる綜合經濟の一構成要素として見て、そこに如何なる相互聯關があるかといふ點にある。

社會科學一般の立場から見て、興味ある幾多の問題を提供すべく想像せられる大規模なる(といふのは原始共產體や村落共產體の如くに、狹隘なる地域と僅小なる人口と單純なる生產組織よりなるものでないといふ意味である)社會主義經濟は、その如何なる型も尙歷史的に實現せられてゐないので(たとへば蘇聯邦の現在の經濟も尙如何なる意味に於いても轉換期にあるが如く)、それについての理論も亦尙暗中模索の狀態に在るのは當然のことである。

私共は以上に於いて「經濟一般」なる最も單純・抽象的なる經濟を理論構成の出發

點として、一方では「交換經濟」→自由主義的資本主義經濟といふ方向に、他方では國體經濟の方向に、理論を展開し來つたのであるが、「經濟一般」→獨占資本主義經濟の理論展開に於いては、私共が諸經濟主體の分化・對立及びその相互的作用に關つて、單純なるものより次第に複雜なるものへと進んで來たことは、極めて明白である。即ち「經濟一般」の理論に於いては、あらゆる型の經濟の外延としての「經濟一般」を取扱つてゐ、從つてその內容は極度に貧弱であつて、それは社會的生產總過程を論じてゐながらも、一步を誤れば、技術學的な、乃至は經營學的な理論に向つて逸脫するの危險をもつてゐる。次の「交換經濟」に入つて來ると、そこには經濟意志主體の分化とその相互的交涉と影響といふ社會的關係を見ることとなつて、私が略述せる所でも知られるが如く、可成りに複雜なる理論を見ることとなる。更に資本主義經濟となるや、その根本的事實は單なる經濟意志主體の分化にあるのではなくして、分化せる經濟意志主體の間に階級的關係が成立してゐるといふことにあり、更に有產者の間にも企業者と資本家との分化のあることによつて生產・分配・消費の總過程、即ち社會的總生產過程が複雜であり、從つてその理論は多岐且つ尨大なるものとなる。更に獨占資本主義經濟に於いては、この資本主義經濟の根本的事實の上に獨占關係なる新しき根本的要素が加はることとなり、且つ今まで理論構成の要素としては然く重要性なきため之を無視しても差支へなかつた所の拶外關係及び團體經濟(殊に國家經濟)の現象をも理論の內に取納めらるゝことが必要となるために、それについては、一層複雜なる獨特の理論が成立するに至る。而して「交換經濟」より獨占資本主義經濟へ、のこの複雜化の上向過程は、他面より見れば、自由主義原理の妥當範圍縮小といふ下向過程である。卽ち「交換經濟」にありては、すべての經濟主體が自由・平等であるに對して、自由主義的資本主義經濟にありては、資本家同志の間、勞働者同志の間は夫々自由・平等の關係が成立してゐるが、階級的不平等狀態をその根本的事實としてゐ、自由がそれ丈け限定されてゐる。更に獨占資本主義經濟にあつては、資本家同志の間にすら力の不平等狀態が生じ、大資本による小資本の支配の關係が成立するのである。

然も私共の最も注意すべきことは、この複雜化への進行過程に於いて、先行する經濟についての理論が、常に、後行する經濟についての理論の內に、複雜化せられて取り納れられてゐるといふことである。否後者は、前者をまちて始めて、自らをその獨自の相に於いて、建設し得るといふことである。前者は後者の前提であり、出發點である。是卽ち私共が粗描し來れるが如く、先行せる經濟の與件としての基礎的事實が、その內在的・必然的な力によつて、辯證法的發展をなしてその正反對のものに轉化することによつて、後行せる經濟の基礎的事實となるからである。

更に私共の最も注意すべきことは、ここに先行及び後行といつてゐるのは、論理的な意味に於いてであつて、決して歷史的・發生的な意味に於いてではないといふことである。私共は今決して諸の型の經濟の歷史的發展を追跡してゐるのではなくして、現代に生を禀けてゐる者として體驗として與へられてゐる所の現代(それは、そこで壓倒的に支配してゐる型の經濟の名稱をとりて、「獨占資本主義時代」と呼ばれてゐる)の經濟生活に、如何なる法則が作用してゐるか、それについて如何なる理論が構成せらるべきであるかを知るために、之を一旦諸要素に解きほぐし、この解きほぐされた諸斷片を集めて最も簡單なる「經濟」を表象して、それに如何なる理論があるかを知り、以下順次複雜なる「經濟」を表象しつゝ次第に直接に體驗せる現在の「經濟」に近付いて來つたゞけのことである。卽ち「單純より複雜へ」の展開は、純粹に理論的進行の意味に於いてなされたのである。この間私共は經驗事實を顧みることによつて、私共の理論の展開が、單なる論理の遊戲に陷つて、事實の說明といふ點からいつて無效果なものとならないように、論理の放恣的なる展開に常に修正を加へてゆかなければならないことはいふを俟たない。

第六項　現在經濟生活の總觀的理論

第一項から第五項までに私共は、現在私共の體驗せる複雜なる經濟生活を分解して、人類の歷史上の體驗に照應しつゝ可能なる限りに於いて、諸種の型の經濟を、思惟圖象（ゲダンケンビルド）として構成し來つた。然らばかくの如き諸種の型が、現實には如何なる態容に於いて、又如何なる相互的聯關に於いて現はれて居るか。此が歷史的なる發展過程は經濟史學の研究對象である。現在の經濟生活も過去の夫を受け繼いで更に未來の夫へ連なる歷史的發展過程の一階段であつて、之を經濟史的に考察することは固より可能であり、且つ必要であるが、私は、各種の型が、各時代に於いて、現實的に現はしてゐる所の態容の交錯狀態に於ける複雜なる相互聯關を、同時存在的に、いはゞ構成的に理論的に考察することも亦可能であり、且つ必要であると思ふ。而してかくの如き理論的考察は、經濟史學に於いても、それが經濟史上の各時代に生起してゐる個々的史實の單なる蒐集に甘んじないで、之を資料として統一的・系統的に敍述してゆかうと欲する限り、必然的に前提となつてゐるものと思ふ。がこれらの各時代のうちにて私共にとつて特に大なる認識興味の對象となるは、前にも述べたように、現在の經濟生活であり、從つて本項の内容も主として之に割り當てられる。

前にも述べたやうに、一時代の經濟生活が、單一の型の經濟のみの全面的支配を受けてゐるといふことは吾人の過去及び現在の經驗に反したる斷定であつて、現實にはそこには殆どすべての可能なる型の經濟が相交錯して並存してゐるのを見るのである。現在私共の經驗してゐる經濟生活に於いて並存し相互に纏綿し影響し合つてゐる主なるものを分類するならば、概して次の如くであらう。

- 交換經濟
  - 資本主義經濟
    - 自由主義的資本主義
    - 獨占資本主義
  - 團體經濟
    - 孤立的家族經濟
    - 協同組合經濟
    - 國家經濟

一社會主義經濟

「交換經濟」がその純粹な形式に於いて明確に存在してゐるのを發見することは、殆ど不可能である。何故なら、現實には、それが自由主義的資本主義經濟の內に吸收せられて了つてゐると見るのが至當と思はれる狀態にあるからである。孤立的家族經濟は、原始共產體や村落共產體が、殆どその跡を絕たんとしてゐるに對して、農山村に於いて尙根强き存在を保つてゐる。これらは資本主義時代以前に優勢なりしものであつて、この意味に於いて前資本主義的經濟組織と稱せられる。協同組合經濟は團體經濟の一種として、資本主義の下に於ける經濟的弱者がその壓迫に耐えて之に順應して自己を維持し發展せしむるために、或は進んで之を改革して超資本主義的なものたらしめんがために發達し來つたものであり、更に擴大强化の途を辿らんとしてゐる。國家經濟(財政)は團體經濟の諸型の中で現實に最も强力なるものとして、人類の國家生活が始つて以來長く存在し來つたものであり、資本主義經濟に對しても常にその傍に存し、相互に時にその機能を援助し、時に阻止し合ふ。この交互作用、就中國家經濟の資本主義經濟に對する統制作用(租稅其他の公課・官業・公債・金融的諸機能・經費の配賦・企業及び組合に對する保護監督・

社會政策的諸施設等を通じての)は最も重要たる問題で、財政學上の理論の內容の大部分は卽ちこれについての理論に外ならない。以上の諸型の經濟の一つの國家の領域內に於ける諸關聯の總體が卽ち國民經濟であるが、それらが他の國家の領域內に於ける經濟と商品・勞務・資金の移動につきて種々なる聯關をもつとき、ここに國際經濟が成立し、それについて獨特の理論が構成せられる。(貿易論・爲替論・關稅論等。)これらの各種の型の經濟が相交錯して相互に作用し合へる結果として、現實の經濟生活の全體及び個々の經濟的現象が現出してゐるのであつて、唯經濟時代を異にするにつれて、如何なる型の經濟が最も優勢であるか、卽ち個々的經濟現象及び全體としての經濟生活の全運動が、何れの型の經濟の動向に最も強く牽引せられてゐるかが異なつて來る。前に私共の考察した所の各種の型の經濟の總觀的理論(發展理論及び景氣變動の理論)は、實は、ここに述べた意味に於ける全經濟生活の指向の認識のための手段としてであつたのである。而してこの指向についての正確なる認識は、當該經濟時代の經濟生活の經濟史的意味における動向の、いはゞ經濟生活全體の、又それと對應して動いてゆく所の社會生活全體の變革の指向のインデックスでもある。

私は上來如何なる順序に就いて、經濟學の諸理論を構成し、之を理論經濟學なる一つの建築物に築き上げてゆくべきかについて、私の是なりと信ずる所を素描的にではあるが述べて來た。この體系の問題は、前にもいへるが如く、對象の科學的操作といふ意味に於ける方法の直接的成果、寧ろその楯の反面をなすものであるが、要するに私の態度は、「單純なるものより複雜なるものへ」の指導原理に從ひ、且つ個々の經濟的現象をその背景をなせる一つの全體としての「經濟」の一構成部分として常に見るといふにある。從つて先づ最も單純なる・抽象的なる「經濟一般」を構成し、漸次により複雜なる「經濟」を描出し、以て私共が今日體驗してゐる所の最も複雜なる獨占資本主義經濟―それは必然的に複雜なる現在の國家經濟と國際經濟とを豫想してゐる―に及んだのである。而してこれらの各種の型の「經濟」を取扱ふに當つても、先づそれを構成せる多樣的なる諸現象の個別的局部的考察をなして、それらの相互間の關聯及びそれらが全體としての「經濟」に對してもつ意味を考察し(靜態觀)、次にこれらの局部的諸現象のすべてをその内に含みつゝ發展しゆく全體の運動の總體的考察をなさんとする(動態觀)。而して最後に一つの經濟時代

(殊に現代)に於ける各種の型の經濟の間の相互關聯と全體としての經濟生活の動向とを見んとするのである。之を要するに、理論構成の何れの階段に於いても、先づ現象の平面化的考察をなし、更に之を立體的に綜合するのである。而してこの際平面化的考察は立體化的考察を目的としてなされるのである。かくて私共は生々とした具體的なる經濟生活を出發點として最も抽象的なものにまで堀り下げ、そこから引返へして更めて出發點としたものの前に立ち歸るわけである。

が私共の具體的なる社會生活は經濟生活以外に政治的・法律的・道德的・宗教的等の諸側面をも含む複雜なる綜合體である。これらの諸側面は、夫々それを對象とする科學をもつてゐるのであつて、經濟學としては、常に此等の姉妹科學から、自らの擔當する領域に屬せざる側面についての知識を援用しなければならない。

前に述べたように理論經濟學は、それ自らの内部に於いて「單純者より複雜者へ」の原理に從つて、先づ自らの對象についての平面化的理論を樹立し、然る後に之を立體化して以て經濟生活の實相に近付く。が「生と學との距離」(大西猪之介氏「囚はれたる經濟學」)は尚これだけでは取り除かれない。それは、經濟生活と社會生活の他の諸方面、就中現實に最も强力を以て作用せる國家生活とを、それらがその内に於いて内面的に關聯せる所の同一の全體の內に於いて見るときに、始めて極小にまで縮められ、私共はここに、全體としての經濟生活と個々の經濟的現象との人間生活に於ける意味についての最も生々とした知識を獲得し得るのである。がこの問題は、最早理論經濟學の、又それの認識論の問題ではなくして、人生觀・世界觀の、いはゞ形而上學的領域に屬する問題である。

第四章　結　論

上來縷々述べ來つたような態度をもつて、經濟生活に科學的操作を加ふることによつて私は、理論經濟學のために如上の體系を必然的に獲得した。そして私はこれこそ斯學の正しき、合理的なる體系であると信ずるのであるが、この認識論的結論は單に「水に入るに先立つて學んだ游泳」ではなくして、貧弱ながらも私の過去の理論經濟學上の經驗によつて益〻その合理性に對する信念を固めてゐる所のものである。

私の上來展開し來つた所の理論經濟學の體系は、要するに、從來最も普及してゐる所の正統學派の流を汲む體系に對する一批判たるに過ぎない。正統學派的體系は、それが理論建設に對して、直接的に對象とした所の自由主義的資本主義經濟のみの理論の體系としても猶且つそこに多くの理論の混亂・重復・飛躍を見ざるを得ざりしことは既述の通りである。

がこの體系を、そのまゝ、種々なる型の組織の經濟・その成立のために前提とせられてゐる諸基礎的構成要素を異にせる諸々の經濟を一把げにして、之に對して無差別に用ふるとして（それは諸家が正に現實にやつてゐる所である）、その場合に起るべき理論の飛躍・混亂を考へて見よ。思ひ半ばに過ぐるものがあらう。たとへば、同じく生產篇に於いて論ずるとしても、單純なる「交換經濟」に於ける生產現象と、より複雜なる自由主義的資本主義經濟に於ける夫と、獨占資本主義に於ける夫とは、（勿論「經濟一般」の理論として論ずるが如き共通なるものをもつてはゐるが）生產なる同一名稱にて指示されてゐるけれども、社會的機能・意味の上から見て、理論展開の過程に於ける同一の場所に於いて論ずべきものではない。「交換經濟」に於ける生産は「交換經濟」といふ一つの全體を背景として始めてその社會的意味が明かとなり、資本主義經濟に於ける生產も亦資本主義經濟なる一つの全體を前提としてのみ充全に說明せられ得る。この兩種の生產は技術學的以外の意味に於いて、之を同類項として取扱ひ得ない。交換篇・分配篇についても亦然りである。それは同一のディメンションに置くべからざるものを同一のディメンションにおくといふ意味に於いて、理論の混亂を意味する。又たとへば自由主義的資本主義經濟の價格理論が構成せられた直後に同じ經濟の、たとへば分配の問題が來ないで、獨占資本主義經濟の價格理論が來るといふ意味に於いて、それは理論の飛躍である。更にたとへば、自由主義的資本主義經濟としては、それについての諸多の理論が一纏に統一されてゐて始めてそれの完全なる理解が可能であるにも拘らず、これらの本來同一の場所に不可分離的におかるべき理論が方々に散佚してゐることにもなる。これらのことは、卽ち科學の有機的統一性を破壞することを意味するのであつて、私共の認識目的に適ふ所以であるとは決していひ得ない。勿論私のこの體系に於いても理論の重複はある。たとへば生產現象を「經濟一般」の理論に於いても「交換經濟」の理論に於いても、その他のすべて經濟についても說明しなければならないといふが如き之である。しかしこれは、止むを得ないといふよりも、その社會的意味の差異より推して寧ろ當然なことである。

凡そ科學が科學としての體裁を備へるためには正しき體系をもたなけられば ならない。理論經濟學に於いても、それはその理論構成の出發點に於いて、既に、經濟學者の心中にプランとして、成竹として描かれてゐなければならないものである。それあつて始めて、私共は理論構成の途上を直線的に邁進することが出來、然らざる場合には起るべき理論上の精力の空費より救はれるのである。

又整然たる體系をすべての經濟學者がもつてゐることは、彼等の間に起り得べき論爭の可成りの部分に對して、それが起る機會を始より與へないであらう。かくて正しき體系の確立は經濟學界の精力と時間の空費を救ふこととなると思ふ。ある學者のある特定の現象に關する理論の妥當性は、その論理の展開が精緻にして正確であることに依存することは勿論であるが、更にその當否は、彼がその論理の展開の出發點に當つて前提とせるは如何なる「經濟」であるかといふことに依つて判定せられる。(一例をあぐれば、貨幣の職能論にしても、貨幣の職能は「交換經濟」に於けると自由主義的資本主義經濟に於けると獨占資本主義經濟に於けるとでは多くの點で異なる —— 勿論共通的なる職能もあるが。――從つて、問題としてゐる貨幣がこれらの各種の型の經濟のうちの何れに於ける貨幣であるかを決定せずしては、論者が貨幣の職能なりとして指示するものの當否が決せられないわけである。）すべての理論について同じことがいへるが故に、ある特定の理論の當否は、それが、當該經濟學者の全體系の範疇の何れの抽斗から取り出されて來たものであるかが明かとなつて始めて決定せられることとなる。故にもし當該學者にして、整然たる體系をもつてゐないときには、或はもつてゐるにしても、該理論を彼の體系の何れの部分から持ち出して來たのかを充分に自覺してゐないときには、彼は自らの理論の正確性を充分なる自信を以て主張し得ない筈である。況んや論爭に際しては、もし兩當事者がこの點について意識してゐないとせば、その論爭は幾葛藤を繰返へすとも、結局解決し得ないで止るであらう。何故ならこの際兩者とも相互にその論理の諸前提を領會し合つてゐないのであるから。

この點だけを考へても、私は體系について深甚の注意を拂ふことの必要を覺える。故にたとへば諸先人の構成した幾多の經濟學上の理論を正しき體系によつて整理して、適當なるものを適當なる場所に置き直さんとする努力の如きも、それだけでは決して何らの新しき理論をも經濟學に貢獻することにはならないけれども、尙且つ經濟學の發展上極めて大なる意味をもつと思ふ。是私が理論經濟學認識論の一齣として、從來閑却され來つてゐる體系論を敢へて試みたる所以である。（九・一・二〇・）

「豊かな」臺灣の財政

北山富久二郎

目次

はしがき

臺灣の財政を研究し其の史的變遷を尋ねると云ふことは、それ自體として重要な課題であるが、それはまた間接には臺灣に於ける我が植民政策の實相と目標とを知り、更には臺灣の過去に於ける産業・經濟發展の槓杆、現在に於ける其の動向を或る點までトする爲めにも役立つことと少しとしない。實際臺灣の經濟は過去に於ては尙更現在に於ても亦政府財政を無視しては到底充分に論じ難いものがある。一體國民經濟と國家財政との異常に密接な關聯、より適切に云へば後者が前者の上に振ふ勢力の甚だ大であるといふことは、衆知の如く我　國民經濟の顯著な一特色となつてゐるもので、其の結果我が國に於ける資本主義、其の成立過程に於てはもとより、ひいては現在に於ても極めて色濃き國家主義的乃至は官僚主義的色彩を帶ぶることとなつてゐるのであるが、臺灣に於てこのことが一層著しいと云ふことは、臺灣が「植民地」である、「我が國」の植民地であるといふこと、殊に、其の領有が定まり經營が始められた時期が、母國自身國家官僚の指導を重要な槓杆として產業革命を漸く完成せんとしゝあつた時であつたといふこと、これ等から見て寧ろ當然でもあらう。それは兎も角、事實臺灣に於ける封建的諸制度の清算、資本主義體制の移植培養は、主としては我が領有後に於て、直接間接官の手により、また官の施設を俟つて行はれたものであつた。概して云へば我が領有後に於ける臺灣產業經濟の發展にして帝國の植民政策・統治政策の功に俟たざるものは稀である。而して總督府の歲計は施された諸政策の貨幣的表現でありその掛値なき勘定書である限りに於て、既往諸政策の最もよき記錄であり反射鏡である、と云つて誤りない。臺灣の經濟・植民政策の研究、就中其の史的研究に思を到すものが、臺灣財政の研究、就中其の史的研究を忽にするを得ない所以である。

かゝる目的から見て最も重要なのは臺灣に於ける經費の史的研究であるが、歲入史も亦無視し得ない。二者は直接には諸政策の夫〻異る部面を反映しつゝ、相俟つて其の全貌を啓示するものであるからである。收入が支出の爲めの收入である限り、一方に於て臺灣に於ける歲出の內譯、其の變遷を仔細に檢討しつゝ、それと併行して歲入史を繙くことが出來るならば我等の理想である。然し四十年に亘る紛雜極りなき經費支辨の跡を精密に整理計算して研究上必要な程度にまで之に秩序と體系を與へるといふことは甚だ困難な仕事である。勘定書に僞りはないが、其の記述は容易に全貌を大觀し得ぬ如く混みいつてゐるのである、それは歳出統計表を一度でも見たことのある人は誰でもが知つてゐることに過ぎない。そこで之を企圖着手してはゐるが、今更歳出統計の亂雜振りに嘆聲を發するのみで今のところ功成るの日は何時のことか豫想し難い。從つて以下に發表するものは、比較的整理されてゐる歳入統計を主たる資料とし、主として歳入より見たる臺灣の財政を檢討せる結果の一端である、且こゝでは地方財政には殆ど觸れなかつた。

猶、常日頃資料の蒐集上多大の配慮を蒙る總督府財務局、專賣局、殖産局、内務局、鐵道部、遞信部の方々の御好意に對し、又今回資料の整理、計算、製表に甚大な協力を下さつた法學士東嘉生氏同小森傳夫氏に對し、此の機會に衷心から謝意を述べ度い。

一、臺灣財政の特色

臺灣財政の特色を算へるならばもとよりそれは一にして止らぬ。假に大別して植民地財政たることに基く特色と、植民地財政たることを前提した上で猶且特色と見るべきもの、卽ち他の植民地財政との比較の上に於けるそれ、とに分ち得るであらう。明治卅年法律第二號により同年度以降特別會計制度をとつてゐること(それ以前は各省所管歳計に分掲)、臺灣經費中軍事費が全然其の負擔となつてゐないこと等は前者の著しい例であらう。これは我國の他の植民地例へば朝鮮の財政等と共通な點で、其の意味では我が國の植民地財政としては普通のことに過ぎないが、各國に於ける植民地財政と比較するといふことになれば、矢張り一特色であると云はねばならぬ。殊に我が國の植民地特別會計制度なるものは、植民地在住人の參政權就中財政立法への參與權、具體的にはその豫算案議決權との關聯に於て之を見る時は、それが甚だ特異な制度であり結局それは臺灣のみならず一般に我が國の所謂植民地なるものの政治上の特殊な本質、植民地と母國との政治上の特殊な關係、を直截に表現してゐるものである點に於て、極めて重要な意味をもつものではあるが、この問題は本篇の意圖と直接の關係が乏しいから、玆には唯、臺灣の場合をも含めて我が植民地特別會計制度なるものは、中央集權的財政の一變種に過ぎないことを云ふにとどめやう。寧ろこゝで述べ度いのは、臺灣の財政が、少くとも今日までのところ、よく云はれる如く、殊に朝鮮其他の我が植民地財政と比較して極めて豐かである、といふ云はば純經濟的特色に就てである。

(1) 我が植民地特別會計制度は最近極く具體的な實際問題に關聯して、植民地在住母國人の關心を一時的乍ら事新らしくひいた。それは外地米移入制限問題に關して農林省案なるものが傳へられた際であつた。(これは臺灣よりも朝鮮に於て著しかつたやうである)。其の際新聞紙に現れたのは、植民地が議會に直接の代表を持たず、總督府及び拓務省を通して間接に植民地の利益を反映せしむる現在の制度を手緩いとする如き意向であつたが、外地米統制問題に就て植民地側の要求が大體滿された今日では早くもかかる議論も影をひそめたやうである。

このことは少くとも概念的には衆知のことに屬する。然し我が國の植民地財政が臺灣を除いては例外なく年々母國に多大な負擔をかけてゐる事實に對比して、殊にこのことを母國財政が未曾有の赤字に惱んでゐる今日に之を想起することがそれだけで甚だ愉快なことである許りではなく、所謂「豐かさ」の具體的な程度、その沿革、其の實質、それと收入組織及び臺灣在住人の負擔との關係、其の究極的原因等々を系統的に探及することは、學問的にも實際的にも甚だ重要な一つの課題である。(否それどころか、それを犀利周到に分析究明しやうとするならば、勢ひ臺灣經濟の殆ど全面、その一切の重要問題に觸れねばならぬところの複雜多岐な課題の複合である筈である。）そこで先づ此の「平凡」な特色を手懸りとして論を進め度い。

普通に臺灣の財政が良好であると云ふとき、その論據として擧げられる一つは、財政上母國の補助を受けてゐない、といふ點である。所謂臺灣財政の獨立と云はれるのがそれである。事實臺灣は我が領有に歸してより僅か十年もたゝぬ明治三十七年度限り、一般會計よりの補充金受入を辭退し、其の後引續きこの意味での獨立を立派に保つて今日に至つて居り、其の間一時母國會計に歲入の一部乃至剩餘金の繰入をやつたことさへあることと人のよく知るところである。朝鮮が昭和九年度豫算案に於ても、一千二百八十二萬五千圓の補充金受入を豫定してゐる(2)のと比べると確かに臺灣の財政狀態は朝鮮などのそれとは比較にならぬほどよいと云ひ得よう。

(2) 昭和八年十二月二十七日附東京朝日。

もう一つ普通に云はれる論據は、ずつと以前から臺灣は母國財政の負擔となつてゐないのみならず、總督府特別會計の負擔にかゝる公債及び借入金の額も比較的少いといふことである。昭和六年度末をとつて見れば、朝鮮總督府特別會計の負擔する公債殘高は三億四千八百六十七萬一千圓餘りで、其の利子年額は一千七百四十二萬三千圓餘となつてゐたが、臺灣は公債殘高一億一千三百四十三萬五千圓余で其の利子は年額五百四十萬四千圓餘、臺灣は朝鮮の三分ノ一以下に過ぎない。[3)] 現に昭和九年度豫算案の編成に際して臺灣の事業公債發行の要求は大藏省の認むるところとならなかつたが、其の理由は主として大藏省の公債政策の然らしめたによるものであつたとは云へ、同時に我が特別會計が比較的豊富な剩餘金をもつてゐたこともその一因であつたと傳へられてゐる。[4)] 之に對して朝鮮は一般會計からの補充金の外に、二千九百萬圓以上の公債發行を認めねばならぬ狀態にあつたのである。

(3) 昭和七年調、金融事項參考書、二〇三頁に據る。

(4) 其の結果昭和九年度の臺灣豫算は久し振りに公債金受入なしの「獨立」豫算となつた。但し豫算面にあらはれぬものとして、臺灣製腦會社買收費(後述)の公債(交附公債)支辨がある。

此のやうに確かに朝鮮などと比べると臺灣の借金は少い。それだけ臺灣の財政は良好であり、豊かである、と云つて大きな間違はない。だが公債(及び借入金)の多寡がそれだけで直ちに財政狀態の良否を意味するか、は一概に論斷し難いもののあることも明かである。一體「豊かな」財政と「良き」財政とは常に必らずしも同じことを意味するものではない。換言すれば、何が眞に豊かな財政であるかといふことは可成複雑な問題である。もし收支のバランスを合せる、ある期間赤字を出さぬ、といふことだけで足りるなら、財政當局の仕事程簡單なものはない、とは屢々云はれるところであるが、實際是非必要な事業施設さへも充分やらぬ爲めに金が剩る、或は赤字が出ないといふのであれば、勿論それは豊かな財政とは申されぬし、また他面適度を越えた誅求、苛酷な收歛政策の故に財政が樂である、といふのであつても亦然り、である。要するにそれは國家給付と負擔關係の實際を離れて云ひ得ることではない。此の兩面に於ける實績に卽して良き財政であつて始めて、眞に豊かな財政と云ひ得るといふことになる。これは當然なことであるが、さて事業の「必要」と云ひ負擔の「適度」と云ひ、共に程度の問題であるから、自明な標準があるわけではない。こゝに財政當局者にとつて、また論をなす者にとつて困難があるのである。

然しながら曾て臺灣財政が未曾有の黄金時代に惠まれた明治四十年代に、歳入の豊富なのに任せていさゝか手當り次第に營まれた嫌のある諸事業を始めとし、其の後に於ける臺灣の諸施設に關しても、民度に比して過大なりとの批評を聞く

一　臺鮮比較一人當り經費

年度	朝鮮歳出決算額	朝鮮人口	臺灣歳出決算額	臺灣人口	一人當り朝鮮經費	一人當り臺灣經費
	円	人	円	人	円	円
明治43年度	17,815,655	13,313,017	41,201,533	3,299,493	1.337	12.487
44 〃	46,172,311	14,055,869	43,621,251	3,369,270	3.285	12.947
大正 1 〃	51,781,225	14,827,101	47,188,576	3,435,170	3.492	13.737
2 〃	53,454,484	15,458,863	44,731,781	3,502,173	3.458	12.773
3 〃	55,099,834	15,929,962	47,695,335	3,554,353	3.459	13.419
4 〃	56,869,947	16,278,389	38,249,707	3,569,842	3.494	10.715
5 〃	57,562,710	16,648,129	42,686,562	3,596,109	3.458	11.870
6 〃	51,171,826	16,978,997	46,166,559	3,646,529	3.016	12.660
7 〃	64,062,720	17,057,032	55,334,779	3,669,687	3.756	15.079
8 〃	93,026,893	17,149,909	72,323,138	3,714,899	5.424	19.468
9 〃	122,221,297	17,288,989	95,334,111	3,757,838	7.069	25.369
10 〃	148,414,063	17,452,918	94,519,635	3,835,811	8.504	24.641
11 〃	155,113,754	17,626,761	96,346,516	3,904,692	8.800	24.675
12 〃	144,768,149	17,884,963	87,738,951	3,976,098	8.094	22.067
13 〃	134,810,178	18,068,116	86,861,847	4,041,702	7.461	21.491
14 〃	171,763,081	19,015,526	87,770,875	4,147,462	9.033	21.162
昭和 1 〃	189,470,102	19,103,900	91,940,598	4,241,759	9.918	21.675
2 〃	210,852,950	19,137,698	10,533,285	4,337,000	10.018	25.486
3 〃	217,690,320	19,189,699	109,169,280	4,438,084	11.344	24.992
4 〃	224,740,305	19,331,061	122,295,327	4,548,750	11.626	26.885
5 〃	208,724,448	20,256,563	109,970,881	4,679,066	10.304	23.503
6 〃	238,923,617		115,370,120			

人口は拓務省統計概要により，特別會計歳出決算額は帝國統計年鑑（昭和年度は拓務省統計概要）による．

ことはあり、又阪南の一小島たる臺灣が實は衛生、敎育、交通其他の施設に於て近代的文化の遍く行き渡つた天地であるとは、常に外來視察者の視て以て意外となすところ、總督府と島人が常に誇りとなし來つた點でもある。故に大體觀としては勿論臺灣に於ける政府のなすべき事業施設に於ける過去の事績は、時に一部より過大放漫のそしりを受くることはあつても最近まで當局の無爲曠職が云爲せらるべき所以は先づ存しなかつたやうである。故にこの點は實際には餘り問題にはならぬであらうから、ここでは唯念の爲めに、臺灣と朝鮮との累年度に於ける一人當り總督府經費を比較して、臺灣に於ける國家給付の甚だ大であることの一證とするに止めやう（第一表參照。此の表は、大正八年度頃までの好況時代には頭當り臺灣は朝鮮の四倍前後、反動後も常に二・三倍の經費支出を繼續して來てゐることを示してゐる。）

そこで臺灣財政の實際問題としてその「豊かさ」の實質檢討に主として重要なのは寧ろ今一方の側面、卽ち財政負擔の輕重といふ側でなければならぬが、これに就ては後に詳しく述べるところであるからこゝでは敢て述べず、寧ろこれをも含めた全體觀として、公平な批判者たる「時」乃至「歷史」が此の問題に對して如何なる總合的批判を與へてゐるかに就て一言して置かう。實際この問題に於ても歴史は總合的批判者である。蓋し長期に亘つて消極主義を持續して經費の支辨を惜しむか、又は收歛主義によつて過度な負擔を强行し續ける場合には、やがて民力を萎縮し財源を涸渇せしめて、外見上の豐かな財政狀態は早晩永續し難くなる筈であるからである。そこで負債が少い、收支のバランスがよいといふことも、長い期間に亘つてそれが持續せられるならば、逆に、それを上述の眞の意味に於ける財政の「豐かさ」を論定するに足る一應の指標であると判斷して誤りない。借金が少いといふことも歴史的觀察の下に於ては、だから充分の意味をもつ。そこで臺灣事業公債法施行以來の每年度に於ける公債及び借入金殘高を檢すれば第二表の如くで、歐洲大戰中一時減少したのをやゝ顯著な例外とする他、大體累增しては居るが、明治三十六・七兩年末に經常歲入の二倍以上に達したことがある以外には、大體各年度の經常收入を餘り超えず、大戰後の好況期には一時一年間の經常收入の半に近かつたといふ時代もあつた。最近世界恐慌の進展と時を同じくして累增のやゝ目立つものがないでもないがもとより多く問題にするには足らぬ狀態である。

猶公債・借入金に就ては其の額よりも却て重視すべきは其の費途である。然し

二 臺灣總督府特別會計負擔公債及借入金殘高[1)]

年度末	公債殘高	臺灣事業公債法に依る借入金殘高	殘高計(A)	經常收入(B)	(A)の(B)に對する%
	圓	圓	圓	圓	%
明治32年度	——	2,200,000.000	3,200,000.000	10,158,651.963	31.50
33 〃	2,211,400.000	6,700,000.000	8,911,400.000	13,062,520.927	68.22
34 〃	5,434,000.000	5,300,000.000	10,734,000.000	11,714,647.523	91.63
35 〃	16,707,900.000	5,440,200.000	22,148,100.000	11,856,853.775	186.80
36 〃	23,707,900.000	3,349,200.000	27,057,100.000	12,396,007.101	218.27
37 〃	31,083,085.000	3,149,200.000	34,232,285.000	16,170,335.206	211.70
38 〃	34,121,385.000	800,000.000	34,921,385.000	21,699,928.674	160.93
39 〃	34,185,035.000	——	34,185,035.000	25,656,672.348	133.24
40 〃	33,641,635.000	——	33,641,635.000	28,850,117.170	116.61
41 〃	33,641,635.000	823,764.000	34,465,399.000	26,832,437.852	128.44
42 〃	32,844,835.000	3,404,004.000	36,248,839.000	30,606,087.000	118.44
43 〃	34,551,365.620	4,742,874.000	39,294,239.620	41,364,163.000	95.00
44 〃	33,051,365.620	3,289,840.000	36,341,205.620	42,393,795.000	85.72
明治45 大正元 〃	31,551,365.620	5,266,743.000	36,818,108.620	42,530,920.168	86.57
2 〃	30,051,365.620	6,419,673.000	36,471,038.620	39,216,622.000	93.00
3 〃	28,551,365.620	8,267,110.000	36,818,475.620	39,007,619.000	94.39
4 〃	27,751,365.620	6,234,267.000	33,985,633.620	38,347,487.000	88.63
5 〃	26,951,365.620	6,019,211.000	32,970,576.620	46,220,987.068	71.33
6 〃	26,951,365.620	4,350,000.000	31,301,365.620	50,355,536.000	62.16
7 〃	30,951,365.620	3,955,700.000	34,907,065.620	54,700,182.000	63.82
8 〃	34,143,665.620	2,378,956.000	36,522,621.620	66,630,151.000	54.81
9 〃	43,351,365.620	1,000,000.000	44,351,365.620	81,136,067.000	54.66
10 〃	60,072,702.621	——	60,072,702.621	70,438,196.461	85.28
11 〃	79,343,337.621	——	79,343,337.621	81,832,456.633	96.96
12 〃	80,580,046.364	7,000,000.000	87,580,046.364	86,124,327.969	101.69
13 〃	88,263,910.250	3,200,000.000	91,463,910.250	85,255,818.612	107.28
14 〃	91,013,038.336	3,200,000.000	94,213,038.336	92,052,322.944	102.35
大正15 昭和元 〃	94,013,038.336	3,200,000.000	97,213,038.336	96,588,358.001	100.65
2 〃	103,746,733.750	3,200,000.000	106,946,733.750	93,215,763.513	114.73
3 〃	109,012,811.064	3,200,000.000	112,212,811.064	104,377,525.854	107.51
4 〃	113,662,663.999	3,200,000.000	116,862,663.999	107,581,500.741	108.63
5 〃	114,205,384.672	3,200,000.000	117,405,384.672	98,516,544.057	119.17
6 〃	113,435,901.780	3,200,000.000	116,635,901.780	93,352,371.466	124.94
7年度(豫定)	118,827,941.560	3,200,000.000	122,027,941.560	註2)87,677,178.000	139.18
8年度(豫定)	123,389,322.560	3,200,000.000	126,589,322.560	註3)90,458,060.000	139.94

1) 昭和八年度臺灣總督府特別會計豫算參考書及臺灣總督府統計書により算定

2)及3) 昭和七年度の經常收入は實行豫算額，昭和八年度のそれは豫算額

此の點に就ては、臺灣事業公債法の規定があり、殆ど其の全部が所謂生產的な事業に用ひられてゐることに間違はない。即ち第三表に示す如く、其の內譯は鐵道關係の六割一分餘を最とし、水利關係が嘉南大圳への補助費をも合せて一割七分弱、臺灣經營最初の基礎的大事業であつた土地調査と大租權補償の爲めの經費が合せて九分三厘、築港費が七分二厘、酒專賣事業創設費が三分五厘弱となつてゐる。

以上で大體臺灣財政が豐かであると云ふことは、これを認めて先へ進んで差支ない如くである。そこで臺灣財政の所謂「獨立」乃至「自給」に關して猶殘されてゐる二三の論點に移らうと思ふ。先づ何を以て財政の「獨立」乃至「自給」の標識となすべきか。次に、何時臺灣の財政は獨立したか。第一問が定れば自然第二問も定る。大まかには、國庫の補助(勿論一般補助の意味で、指定補助は關係ないものとする)を受けてゐるか否かによつて之を定め得るとなし、其の結果上述の如く明治三十七年度限り臺灣が一般補充金の受入をやめた時から臺灣の財政は獨立したと云ふのが一つの說である。明治三十八年頃內臺人は共に此の意味で臺灣財政の「獨立」を喜び且誇りとした5)。然し更に精密の論をなすものは、大正二年度までは猶砂糖消費稅收入の全額が臺灣總督府の收入となつてゐた點を指摘し、內地消費糖にかかる砂糖消費税は本來一般會計の收入となるべきものであるから、當時補充金こそ受けてゐなかつたとは云へ、實質的には臺灣は未だ內地の補助を受けてゐたのと同じであるとなし、眞に臺灣財政が自給の域に達したのは砂糖消費税のその部分を一般會計に委讓した大正三年度からである、となすのである。

(5) 竹越與三郎、臺灣統治史、二一七頁。

今日臺灣の財政史を論ずる者は多く之に和する如くで、大體正しい見解と考へるが、唯その論據たる消費税は負擔地の收入に歸屬せしむべしとの議論は之を徹底させやうとすると、勢ひ實際上甚だ困難な多くの問題を生ずることも同時に注意せねばなるまい。一例として、例へば大正三年度以降に逆に臺灣島內消費の逆移入精製糖に關して消費税收入の歸屬問題(6)が起り、それよりも重要なのは內地から既に關税を背負つて年々臺灣に移入せられる巨額の外國輸入品及びこれを原料とする諸製品に就ても同じ議論がなさるべきであるといふ點で、さうなると單に臺灣財政獨立期の算定といふ研究上の問題に於ても難しいことが起つて來、少くとも論者の如くそれを大正三年度と論定し得ない結果が生ずるであらうからである。實際大正三年度からの砂糖消費税委管に際して如何に此の問題は處置されたかと云へば、臺灣直輸入關稅收入(全額)のみが交換的に臺灣に委管せられて此の問題は濟まされた。(因みに臺灣の直輸入稅はもともと當初以來全額が臺灣の歲入となつてゐたのを、内地財政の困難に基き、明治四十一年度より一般會計の歲入部繰入として其の一部を國庫に繰入れたが、四十二年度から關稅統一の名目で、輸入稅を全然一般會計に委管し、而して其の一半を臺灣の收稅費及公債費として臺灣特別會計に繰入ることとせられてゐた、それを大正三年度から全額繰入に復したのである)。

(6) 臺灣には精製糖工場がないから一般消費糖(耕地白糖を除き)は内地から消費稅を背負つて臺灣に再び逆移入せられる。此の關係から臺灣が内地に貢獻してゐる砂糖消費稅收入は最近の概數三・四十萬圓(年額)と推定せられる。

更に右の如き收入所屬論と同時に當然問題となるべきは、經費所屬就中軍事費所屬の問題で、もし植民地の軍事費にして本來當該植民地の負擔に屬すべきものであるとすれば、臺灣に於ける陸軍費(島内支出の分)のみで年額三・四百萬圓前後に達する現狀からも推定せらるべき巨額な全陸海軍費を一毫も負擔してゐない臺灣は、今日猶自給財政の域には達してゐない、といふことになるからである。但し各國の實例は此の點各植民地の形態（本國に對する政治上の地位）及び經濟上の能力等の異るに應じて、或は軍事費を全然母國負擔となすものあり、全然植民地の負擔となすものあり、更に二者の中間として陸軍費又は海軍費の一方のみを植民地豫算に計上するもの、軍事費分擔金の形で一部負擔となすもの等々甚だ區々となつて居る。(7) 理論的には、もとより夫々の植民地の形態の異るに應じて個別的に論斷し得べきもので一概には云ひ難い問題であるが、現代に於ける植民地の本質其他より見て軍事費は原則としては本國負擔となすべしと云つて大過なく、臺灣に卽して云つても將來はいざ知らず現在までのところでは大體同じ結論になると考へられる。從つて臺灣の財政獨立の時期を算定する場合に軍事費の問題は暫く之を無視して差支ない。更に細密の論をなせば、經費所屬の問題の起るのは獨り軍事費だけではないが、結局大體大正三年度以降臺灣の財政が自給の域に達したと見る結論には大した異論はないから之を省略する。

(7) 小林丑三郎、植民地財政、一二五頁。

猶以上の所説に關聯して、こゝで序に領臺後の臺灣財政史に假に段階を分つて置くとすれば、次の如くである。 第一期は領臺後明治三十七年度末に至る國庫の補助時代（二十九年度までは臺灣豫算は各省豫算に分割掲上せられてゐたが、もとより歳入は歳出に遠く不及、例へば二十九年度に於て六百九十四萬圓餘りの支出超過となつてゐたから、これだけ國庫補充金を受けたのと何等變りはない）。この時代は勿論諸事草創の段階で、地租（明治二十九年八月公布の臺灣地租規則は暫定的に大體清朝の遺制によつたもので、近代的地租制度の成つたのは、土地調査事業の完了を待つて發布された明治三十七年十一月の臺灣地租規則によつてである）、鑛區税、噸税、砂糖消費税、織物消費税等の現行租税の他、現在行はれてゐない樟腦税、製糖税、蔗車税（以上は第一期中に廢止）、海關税、契税、製茶税、出港税、石油消費税等多數の租税が創設せられた（其の中には清朝時代の遺制を承繼したものも尠くなく、日露戰爭の際の非常特別税として設置せられたものを含むことも云ふまでもない）。尚後掲折込統計表に於ては印紙收入中に整理せられてゐる爲めに租税欄中にあらはしてない現行租税に、登錄税と骨牌税とがあるが、共に（前者は三十二年より一部施行、後者は三十五年より）此の期に創設せられたものである。又郵便電信及電話、鐵道、森林等の官業、阿片、食鹽、樟腦の三專賣も此の期間に始められ、臺灣事業公債法の制定も亦然り、地方税制度も三十一年度より實施せられた。然しそれは單純

如何にして速かに臺灣財政を獨立せしめ以て母國の負擔を免れしむべきかに就き、切々の苦心努力が先人によつて積まれた時代であつた。而して明治三十一年に發表せられた所謂「財政二十年計畫」なるものは明治四十二年度を以て自給豫定期と定めたものであつて、これが同時に諸事業の標的となつてゐたのであるが、日露戰爭の勃發は更に其の期を早むることを餘儀なくした。此の間に兒玉・後藤のコンビネーションによつて成し遂げられた事績は餘りにも豐富であり著明でもある。

第二期は三十八年度から大正二年度末まで。前半は日露戰爭に基く母國財政の困難を主因として豫定を繰上げ補助金の受入を辭退せねばならなかつた事情に應じて、之に善處すべく多くの財政經濟工作の行はれた段階で、現在の租稅體系は大體此の時期に整備せられたものである。臺灣銀行券發行稅、酒稅、就中所得稅（第一種）の創設は此の期に屬し、土地登記稅（明治三十八年）、印紙稅（明治四十一年）また新たに實施を見、他方契稅、出港稅、輸出稅を含む海關稅が廢止（輸入稅は前述の如く内地移管）せられた。又官業及官有財產收入に於ては煙草專賣、阿里山作業所收入、水租收入、電氣事業收入、度量衡收入等が加へられた。然し殊に後半の特色に卽して云へば寧ろ第二期は一時に開いた第一期以降の努力の花果をつみ採るに急がしかつた時代であつたと云ひ得る。即ち明治四十年代に入つては臺灣糖業の發達に伴ふ砂糖消費稅收入の異常な增收に惠まれたことがその主因となつて、所謂臺灣財政の黃金時代を生じ、廣汎な範圍に亙る諸種の土木事業、調査事業、討伐事業等の遂行を可能ならしめた。殊に之等諸繼續事業費の殆ど全部が經常收入によつて支辨せられたことは如何に當時の財政が樂であつたかを語つて餘りあるものである（前掲第二表によつて見ても明な如く、第二期中公債によつた新規事業は一もなかつた）。

第三期は大正三年度以降であるが、便宜上更に現在までの中間に一線を劃すとすれば、大正九年度末までと大正十年度以降とに分つを適當とするであらう。これによれば、第三期は砂糖消費稅の移管による打擊にも拘らず、歐洲大戰に伴ふ經濟界一般の未曾有の好況の影響を受けて、猶臺灣財政が不尠惠まれてゐた時代であつた。それは嘉南大圳及び桃園大圳の如き雄大豪壯な事業が此の期に計畫・開始されたことを以ても明で、此の期間に三千萬圓以上の公債發行を見たが、それは縱貫鐵道の完成及改良、築港及び嘉南大圳事業の爲めであつて、事業費支辨の常態に復したものに過ぎず、反面借入金は此の終りに全く消滅してゐるのである(前掲第一及第二表參照)。猶此の期間に地租課税物件の範圍の擴張(大正四年宅地租の實施)と增徵(大正九年の地租規則大改正)が行はれ、また官業整理によつて電氣及瓦斯事業收入と水租收入とがなくなつてゐる。

第四期は大正十年度以降で、恐慌進展の影響を受けて臺灣の財政も次第に從前程樂ではなくなり、臺灣並に種々の惱を味はねばならなくなつた時代。此の期間の初頭に第二種及第三種所得税の賦課といふ劃期的事業があり、次で我國最初の企てである酒專賣の創設が行はれ、專賣收入の構成にも劃時代的變化の基礎が置かれた。このことは臺灣財政史上極めて重要なる轉換期の始まつたことを意味するものでなければならぬがそれに就ては後に述べる。猶酒專賣に伴ひ酒税が廢止された他、石油消費税、賣藥印紙税、製茶税も租税體系より消えた。

以上が主として歲入の側から見た領有後の臺灣財政史の四段階である。その限りに於てもとより一面的であることは免れ難いが、大體妥當な區分と信じてゐる。以下論述の進行と共に各期の特色はやゝ具體的に理解せられるであらう。

次に臺灣歲入の構成を顧みやう。それは更に我々に「豊かな」財政の實相をより具體的に明かにすると共に、必ずやそれが主として何に基いてゐるかの探求といふ究極の目的に我々を一歩近づかしむるものであらうから。

二、臺灣歳入の分析

(A) 臺灣の歳入構成

臺灣に於ける歳入の構成は如何になつてゐるか。これを明かにする爲めの基礎資料として先づ明治二十九年度以降各年度に於ける臺灣の歳入表及び其の割合表を掲げる(第四乃至第七表―折込―參照)。これが領臺後最近に至るまでの總督府歳入の實數である。然しこれ等の表は餘りに尨大複雜で大勢を概觀するのに不便な嫌があるから、更にそれから算定した各期別の重要歳入割合表を添えた(第八表)。之等の諸表が示す如く、臺灣に於ける歳入の構成はもとより時代によつて同じくない。

便宜上主として第八表によつて述べれば、第一期(明治三十七年度まで)中の平均に於ては國庫補助金及公債募集金を合せた補充金が全歳入の四割に上つて居り官業及官有財産收入が之に次で三割五分餘、海關稅を合した租稅が二割四分といふ順序であつた(尙印紙收入中に整理せられてゐる登錄稅、骨牌稅を加へれば、租稅の割合は多少增加するが、これ等の租稅收入額は極めて小であるから大勢には變化がない。同じことは第二期以降に就ても、云はなければならぬ。更に土地登記稅、印紙稅、賣藥印紙稅等の加はつたことによつても別に大勢には變化がない)。第二期(明治三十八—大正二年度)に至つて官業及官有財産收入は四割七分餘となり第一位、租稅收入(海關稅を含まず)が二割三分となつて第二位、前年度剩餘金繰入が一割九分で第三位(前年度剩餘金繰入が此の期からかく增加したのは補充金の減少したのと共に臺灣財政が漸く健實な姿になつたことを意味する)。第三期(大正三—九年度)には官業及官有財産收入の割合は一層增加して五割二分弱で依然第一位であるが、第二位は變つて前年度剩餘金繰入の一割九分四厘餘、租稅收入は(一般會計よりの關稅諸收入受入及び大正九年度より始まつた臺灣直接賦課徵收による關稅收入をも合せて)一割九分二厘餘、僅かの差だが第三位に落ちてゐる。最後の第四期(大正十—昭和六年度)になると、これ等の三者の割合は共に減じて官業收入が四割九分餘、租稅收入(關稅を含む)が一割五分、剩餘金繰入が一割二分弱とな

四、臺灣總督府特別會計歲入累年表 其ノ一

項　年度	明治二十九年度	明治三十年度	明治三十一年度	明治三十二年度	明治三十三年度	明治三十四年度	明治三十五年度	明治三十六年度	明治三十七年度
第一期									
經常部	[illegible]	[illegible]	[illegible]	[illegible]	[illegible]	[illegible]	[illegible]	[illegible]	[illegible]
(一)租税	[illegible]	[illegible]	[illegible]	[illegible]	[illegible]	[illegible]	[illegible]	[illegible]	[illegible]
一、地租	[illegible]	[illegible]	[illegible]	[illegible]	[illegible]	[illegible]	[illegible]	[illegible]	[illegible]
二、所得税									
三、鑛區税	[illegible]	[illegible]	[illegible]	[illegible]	[illegible]	[illegible]	[illegible]	[illegible]	[illegible]
四、臺灣銀行券發行税									
五、砂糖消費税						[illegible]	[illegible]	[illegible]	[illegible]
六、酒精税									
七、織物消費税									
八、關税									
九、噸税									
一〇、製茶税		[illegible]	[illegible]	[illegible]	[illegible]	[illegible]	[illegible]	[illegible]	[illegible]
一一、酒税									
一二、石油消費税									
一三、出港税									
一四、契税									
一五、毛織物消費税									
一六、製糖税									
一七、荷車税									
一八、樟腦税									
(二)海關税	[illegible]	[illegible]	[illegible]	[illegible]	[illegible]	[illegible]	[illegible]	[illegible]	[illegible]
一、輸出税	[illegible]	[illegible]	[illegible]	[illegible]	[illegible]	[illegible]	[illegible]	[illegible]	[illegible]
二、輸入税	[illegible]	[illegible]	[illegible]	[illegible]	[illegible]	[illegible]	[illegible]	[illegible]	[illegible]
(三)印紙收入		[illegible]	[illegible]	[illegible]	[illegible]	[illegible]	[illegible]	[illegible]	[illegible]
一、收入印紙		[illegible]	[illegible]	[illegible]	[illegible]	[illegible]	[illegible]	[illegible]	[illegible]
二、現金收入					[illegible]	[illegible]	[illegible]	[illegible]	
(四)官業及官有財產收入	[illegible]	[illegible]	[illegible]	[illegible]	[illegible]	[illegible]	[illegible]	[illegible]	[illegible]
一、郵便電信及電話收入	[illegible]	[illegible]	[illegible]	[illegible]	[illegible]	[illegible]	[illegible]	[illegible]	[illegible]
二、鐵道收入	[illegible]	[illegible]	[illegible]	[illegible]	[illegible]	[illegible]	[illegible]	[illegible]	[illegible]
三、專賣收入		[illegible]	[illegible]	[illegible]	[illegible]	[illegible]	[illegible]	[illegible]	[illegible]
イ、食鹽收入									
ロ、樟腦收入									
ハ、阿片收入									
ニ、煙草收入									
ホ、酒收入									
四、森林收入		[illegible]	[illegible]	[illegible]	[illegible]	[illegible]	[illegible]	[illegible]	[illegible]
五、醫院收入	[illegible]	[illegible]	[illegible]	[illegible]	[illegible]	[illegible]	[illegible]	[illegible]	[illegible]
六、教科書收入									
七、度量衡收入									
八、刑務所收入		[illegible]	[illegible]	[illegible]	[illegible]	[illegible]	[illegible]	[illegible]	[illegible]
九、官有地小作料收入	[illegible]	[illegible]	[illegible]	[illegible]	[illegible]	[illegible]	[illegible]	[illegible]	[illegible]
一〇、官有物貸下料	[illegible]	[illegible]	[illegible]	[illegible]	[illegible]	[illegible]	[illegible]	[illegible]	[illegible]
一一、臺灣官設鐵道用品資金剩餘金繰入									
一二、營林所收入									
一三、水租收入									
一四、電氣及瓦斯收入									
一五、木材防腐作業收入									
(五)雜收入	[illegible]	[illegible]	[illegible]	[illegible]	[illegible]	[illegible]	[illegible]	[illegible]	[illegible]
一、免許及手數料	[illegible]	[illegible]	[illegible]	[illegible]	[illegible]	[illegible]	[illegible]	[illegible]	[illegible]
二、懲罰及沒收金	[illegible]	[illegible]	[illegible]	[illegible]	[illegible]	[illegible]	[illegible]	[illegible]	[illegible]
三、辨償金	[illegible]	[illegible]	[illegible]	[illegible]	[illegible]	[illegible]	[illegible]	[illegible]	[illegible]
四、税關雜收入									
五、恩給法納金									
六、大藏省預金部より受入									
七、雜入	[illegible]	[illegible]	[illegible]	[illegible]	[illegible]	[illegible]	[illegible]	[illegible]	[illegible]
八、小切手支拂未濟金收入								[illegible]	[illegible]
九、期滿後收入									
一〇、臺灣銀行券發行税收入									
(六)營業免許及手數料	[illegible]	[illegible]	[illegible]	[illegible]	[illegible]	[illegible]	[illegible]	[illegible]	[illegible]
(七)關税諸收入受入									
(八)一般會計より砂糖消費税受入									
(九)官吏遺族扶助法納金	[illegible]								
臨時部	[illegible]	[illegible]	[illegible]	[illegible]	[illegible]	[illegible]	[illegible]	[illegible]	[illegible]
(一)官有物拂下代		[illegible]	[illegible]	[illegible]	[illegible]	[illegible]	[illegible]	[illegible]	[illegible]
(二)雜收入									
一、運納金									
二、寄附金									
三、桃園大圳組合工事負擔金受入									
四、國債償還金收入									
五、南洋開發組合納付金									
(三)公債金									
(四)借入金									
(五)貸付金收入									
(六)治水事業費分擔金									
(七)前年度剩餘金繰入			[illegible]	[illegible]	[illegible]	[illegible]	[illegible]	[illegible]	[illegible]
(八)貸付年賦償還金收入									
(九)貸付金利子收入									
(一〇)戰時利得税									
(一一)一般會計受入金(關税減收補塡のため)									
(一二)鑛業關係費分擔金受入									
(一三)補充金	[illegible]	[illegible]	[illegible]	[illegible]	[illegible]	[illegible]	[illegible]	[illegible]	[illegible]
一、補充金	[illegible]		[illegible]	[illegible]	[illegible]	[illegible]	[illegible]	[illegible]	[illegible]
二、公債募集金				[illegible]	[illegible]	[illegible]	[illegible]	[illegible]	[illegible]
(一四)製鐵費納金	[illegible]								
經常部臨時部合計	[illegible]	[illegible]	[illegible]	[illegible]	[illegible]	[illegible]	[illegible]	[illegible]	[illegible]

[illegible]

第二表

明治三十八年度	明治三十九年度	明治四十年度	明治四十一年度	明治四十二年度	明治四十三年度	明治四十四年度	大正元年度	大正二年度
[illegible]	[illegible]	[illegible]	[illegible]	[illegible]	[illegible]	[illegible]	[illegible]	[illegible]
[illegible]	[illegible]	[illegible]	[illegible]	[illegible]	[illegible]	[illegible]	[illegible]	[illegible]
[illegible]	[illegible]	[illegible]	[illegible]	[illegible]	[illegible]	[illegible]	[illegible]	[illegible]
—	—	—	—	—	[illegible]	[illegible]	[illegible]	[illegible]
[illegible]	[illegible]	[illegible]	[illegible]	[illegible]	[illegible]	[illegible]	[illegible]	[illegible]
—	—	[illegible]	[illegible]	[illegible]	[illegible]	[illegible]	[illegible]	[illegible]
[illegible]	[illegible]	[illegible]	[illegible]	[illegible]	[illegible]	[illegible]	[illegible]	[illegible]
—	—	—	—	—	—	—	—	—
—	[illegible]	[illegible]	[illegible]	[illegible]	[illegible]	[illegible]	[illegible]	[illegible]
—	—	—	—	—	—	—	—	—
[illegible]	[illegible]	[illegible]	[illegible]	[illegible]	[illegible]	[illegible]	[illegible]	[illegible]
[illegible]	[illegible]	[illegible]	[illegible]	[illegible]	[illegible]	[illegible]	[illegible]	[illegible]
—	—	[illegible]	[illegible]	[illegible]	[illegible]	[illegible]	[illegible]	[illegible]
—	—	—	[illegible]	[illegible]	[illegible]	[illegible]	[illegible]	—
[illegible]	[illegible]	[illegible]	[illegible]	[illegible]	[illegible]	—	—	—
[illegible]	[illegible]	[illegible]	[illegible]	[illegible]	[illegible]	—	—	—
—	—	—	—	—	—	—	—	—
—	—	—	—	—	—	—	—	—
—	—	—	—	—	—	—	—	—
—	—	—	—	—	—	—	—	—
[illegible]	[illegible]	[illegible]	[illegible]	[illegible]	[illegible]	—	—	—
[illegible]	[illegible]	[illegible]	[illegible]	[illegible]	[illegible]	—	—	—
[illegible]	[illegible]	[illegible]	[illegible]	（[illegible]）一七・〇〇〇	—	—	—	—
[illegible]	[illegible]	[illegible]	[illegible]	[illegible]	[illegible]	[illegible]	[illegible]	[illegible]
[illegible]	[illegible]	[illegible]	[illegible]	[illegible]	[illegible]	[illegible]	[illegible]	[illegible]
[illegible]	—	[illegible]	—	—	—	—	—	—
[illegible]	[illegible]	[illegible]	[illegible]	[illegible]	[illegible]	[illegible]	[illegible]	[illegible]
[illegible]	[illegible]	[illegible]	[illegible]	[illegible]	[illegible]	[illegible]	[illegible]	[illegible]
[illegible]	[illegible]	[illegible]	[illegible]	[illegible]	[illegible]	[illegible]	[illegible]	[illegible]
[illegible]	[illegible]	[illegible]	[illegible]	[illegible]	[illegible]	[illegible]	[illegible]	[illegible]
[illegible]	[illegible]	[illegible]	[illegible]	[illegible]	[illegible]	[illegible]	[illegible]	[illegible]
[illegible]	[illegible]	[illegible]	[illegible]	[illegible]	[illegible]	[illegible]	[illegible]	[illegible]
[illegible]	[illegible]	[illegible]	[illegible]	[illegible]	[illegible]	[illegible]	[illegible]	[illegible]
—	[illegible]	[illegible]	[illegible]	[illegible]	[illegible]	[illegible]	[illegible]	[illegible]
—	—	—	—	—	—	—	—	—
[illegible]	[illegible]	[illegible]	[illegible]	[illegible]	[illegible]	[illegible]	[illegible]	[illegible]
[illegible]	[illegible]	[illegible]	[illegible]	[illegible]	[illegible]	[illegible]	[illegible]	[illegible]
—	—	—	—	—	—	—	—	—
—	[illegible]	[illegible]	[illegible]	[illegible]	[illegible]	[illegible]	[illegible]	[illegible]
[illegible]	[illegible]	[illegible]	[illegible]	[illegible]	[illegible]	[illegible]	[illegible]	[illegible]
[illegible]	[illegible]	[illegible]	[illegible]	[illegible]	[illegible]	[illegible]	[illegible]	[illegible]
[illegible]	[illegible]	[illegible]	[illegible]	[illegible]	[illegible]	[illegible]	[illegible]	[illegible]
[illegible]	[illegible]	[illegible]	[illegible]	[illegible]	[illegible]	[illegible]	[illegible]	[illegible]（[illegible]）[illegible]
—	—	—	—	—	[illegible]	[illegible]	[illegible]	[illegible]
—	—	[illegible]	[illegible]	[illegible]	[illegible]	[illegible]	[illegible]	[illegible]
[illegible]	[illegible]	[illegible]	[illegible]	[illegible]	[illegible]	[illegible]	[illegible]	[illegible]
—	—	—	—	—	—	—	—	—
[illegible]	[illegible]	[illegible]	[illegible]	[illegible]	[illegible]	[illegible]	[illegible]	[illegible]
[illegible]	[illegible]	[illegible]	[illegible]	[illegible]	[illegible]	[illegible]	[illegible]	[illegible]
[illegible]	[illegible]	[illegible]	[illegible]	[illegible]	[illegible]	[illegible]	[illegible]	[illegible]
—	—	—	—	—	—	—	—	—
[illegible]	[illegible]	[illegible]	[illegible]	[illegible]	[illegible]	[illegible]	[illegible]	[illegible]
[illegible]	[illegible]	[illegible]	[illegible]	[illegible]	—	[illegible]	—	—
—	[illegible]	—	—	—	—	—	—	—
[illegible]	[illegible]	[illegible]	[illegible]	[illegible]	[illegible]	[illegible]	[illegible]	[illegible]
—	—	—	—	—	—	—	—	—
—	—	—	—	—	—	—	—	[illegible]
—	—	—	—	—	—	—	—	—
[illegible]	[illegible]	[illegible]	[illegible]	[illegible]	[illegible]	[illegible]	[illegible]	[illegible]
[illegible]	[illegible]	[illegible]	[illegible]	[illegible]	[illegible]	[illegible]	[illegible]	[illegible]
—	—	—	—	—	—	[illegible]	[illegible]	[illegible]
—	—	—	—	—	—	[illegible]	[illegible]	[illegible]
—	—	—	—	—	—	—	—	—
—	—	—	—	—	[illegible]	[illegible]	[illegible]	[illegible]
—	—	一、〇〇〇、〇〇〇・〇〇〇	[illegible]	—	八〇〇、〇〇〇・〇〇〇	—	—	—
—	—	—	—	—	—	—	—	—
—	—	—	—	—	—	—	—	—
[illegible]	[illegible]	[illegible]	[illegible]	[illegible]	[illegible]	[illegible]	[illegible]	[illegible]
—	—	—	—	—	—	—	—	—
—	—	—	—	—	—	—	—	—
—	—	—	—	—	—	—	—	—
—	—	—	—	—	—	—	—	—
[illegible]	—	—	[illegible]	[illegible]	—	—	—	—
[illegible]	—	—	[illegible]	[illegible]	—	—	—	—
—	—	—	—	—	—	—	—	—
[illegible]	[illegible]	[illegible]	[illegible]	[illegible]	[illegible]	[illegible]	[illegible]	[illegible]

五、臺灣總督府特別會計歳入累年表　其ノ二

科目 ＼ 年度	大正三年度	大正四年度	大正五年度	大正六年度	大正七年度	大正八年度	大正九年度	大正十年度	大正十一年度
經常部	[illegible]	[illegible]	[illegible]	[illegible]	[illegible]	[illegible]	[illegible]	[illegible]	[illegible]
(一) 租税	11,1[illegible],0[illegible]・000	[illegible]	[illegible]	[illegible]	[illegible]	[illegible]	[illegible]	[illegible]	[illegible]
1、[illegible]	[illegible]	[illegible]	[illegible]	[illegible]	[illegible]	[illegible]	[illegible]	[illegible]	[illegible]
2、[illegible]	[illegible]	[illegible]	[illegible]	[illegible]	[illegible]	[illegible]	[illegible]	[illegible]	[illegible]
3、[illegible]	[illegible]	[illegible]	[illegible]	[illegible]	[illegible]	[illegible]	[illegible]	[illegible]	[illegible]
4、[illegible]	—	—	[illegible]	[illegible]	[illegible]	[illegible]	[illegible]	[illegible]	[illegible]
5、[illegible]	[illegible]	[illegible]	[illegible]	[illegible]	[illegible]	[illegible]	[illegible]	[illegible]	[illegible]
6、[illegible]	—	—	—	—	—	—	—	—	—
7、[illegible]	[illegible]	[illegible]	[illegible]	[illegible]	[illegible]	[illegible]	[illegible]	[illegible]	[illegible]
8、[illegible]	—	—	—	—	—	—	[illegible]	[illegible]	[illegible]
9、[illegible]	[illegible]	[illegible]	[illegible]	[illegible]	[illegible]	[illegible]	[illegible]	[illegible]	[illegible]
10、[illegible]	[illegible]	[illegible]	[illegible]	[illegible]	[illegible]	[illegible]	[illegible]	[illegible]	[illegible]
11、[illegible]	[illegible]	[illegible]	[illegible]	[illegible]	[illegible]	[illegible]	[illegible]	[illegible]	[illegible]
12、[illegible]	[illegible]	[illegible]	[illegible]	[illegible]	[illegible]	[illegible]	[illegible]	[illegible]	[illegible]
13、[illegible]	—	—	—	—	—	—	—	—	—
14、[illegible]	—	—	—	—	—	—	—	—	—
15、[illegible]	—	—	—	—	—	—	—	—	—
16、[illegible]	—	—	—	—	—	—	—	—	—
17、[illegible]	—	—	—	—	—	—	—	—	—
18、[illegible]	—	—	—	—	—	—	—	—	—
(二) [illegible]	—	—	—	—	—	—	—	—	—
1、[illegible]	—	—	—	—	—	—	—	—	—
2、[illegible]	—	—	—	—	—	—	—	—	—
(三) [illegible]	[illegible]	[illegible]	[illegible]	[illegible]	[illegible]	[illegible]	[illegible]	[illegible]	[illegible]
1、[illegible]	[illegible]	[illegible]	[illegible]	[illegible]	[illegible]	[illegible]	[illegible]	[illegible]	[illegible]
2、[illegible]	—	—	[illegible]	[illegible]	[illegible]	[illegible]	[illegible]	[illegible]	[illegible]
(四) [illegible]	[illegible]	[illegible]	[illegible]	[illegible]	[illegible]	[illegible]	[illegible]	[illegible]	[illegible]
1、[illegible]	[illegible]	[illegible]	[illegible]	[illegible]	[illegible]	[illegible]	[illegible]	[illegible]	[illegible]
2、[illegible]	[illegible]	[illegible]	[illegible]	[illegible]	[illegible]	[illegible]	[illegible]	[illegible]	[illegible]
3、[illegible]	[illegible]	[illegible]	[illegible]	[illegible]	[illegible]	[illegible]	[illegible]	[illegible]	[illegible]
イ、[illegible]	[illegible]	[illegible]	[illegible]	[illegible]	[illegible]	[illegible]	[illegible]	[illegible]	[illegible]
ロ、[illegible]	[illegible]	[illegible]	[illegible]	[illegible]	[illegible]	[illegible]	[illegible]	[illegible]	[illegible]
ハ、[illegible]	[illegible]	[illegible]	[illegible]	[illegible]	[illegible]	[illegible]	[illegible]	[illegible]	[illegible]
ニ、[illegible]	[illegible]	[illegible]	[illegible]	[illegible]	[illegible]	[illegible]	[illegible]	[illegible]	[illegible]
ホ、[illegible]	[illegible]	[illegible]	[illegible]	[illegible]	[illegible]	[illegible]	[illegible]	[illegible]	[illegible]
4、[illegible]	[illegible]	[illegible]	[illegible]	[illegible]	[illegible]	[illegible]	[illegible]	[illegible]	[illegible]
5、[illegible]	[illegible]	[illegible]	[illegible]	[illegible]	[illegible]	[illegible]	[illegible]	[illegible]	[illegible]
6、[illegible]	[illegible]	[illegible]	[illegible]	[illegible]	[illegible]	[illegible]	[illegible]	[illegible]	[illegible]
7、[illegible]	[illegible]	[illegible]	[illegible]	[illegible]	[illegible]	[illegible]	[illegible]	[illegible]	[illegible]
8、[illegible]	[illegible]	[illegible]	[illegible]	[illegible]	[illegible]	[illegible]	[illegible]	[illegible]	[illegible]
9、[illegible]	[illegible]	[illegible]	[illegible]	[illegible]	[illegible]	[illegible]	[illegible]	[illegible]	[illegible]
10、[illegible]	[illegible]	[illegible]	[illegible]	[illegible]	[illegible]	[illegible]	[illegible]	[illegible]	[illegible]
11、[illegible]	[illegible]	[illegible]	[illegible]	[illegible]	[illegible]	[illegible]	[illegible]	[illegible]	[illegible]
12、[illegible]	[illegible]	[illegible]	[illegible]	[illegible]	[illegible]	[illegible]	[illegible]	[illegible]	[illegible]
13、[illegible]	[illegible]	[illegible]	[illegible]	[illegible]	[illegible]	[illegible]	[illegible]	[illegible]	—
14、[illegible]	[illegible]	[illegible]	[illegible]	[illegible]	[illegible]	[illegible]	—	—	—
15、[illegible]	[illegible]	[illegible]	[illegible]	[illegible]	[illegible]	[illegible]	—	—	—
(五) 雑収入	[illegible]	[illegible]	[illegible]	[illegible]	[illegible]	[illegible]	[illegible]	[illegible]	[illegible]
1、[illegible]	[illegible]	[illegible]	[illegible]	[illegible]	[illegible]	[illegible]	[illegible]	[illegible]	[illegible]
2、[illegible]	[illegible]	[illegible]	[illegible]	[illegible]	[illegible]	[illegible]	[illegible]	[illegible]	[illegible]
3、[illegible]	[illegible]	[illegible]	[illegible]	[illegible]	[illegible]	[illegible]	[illegible]	[illegible]	[illegible]
4、[illegible]	—	—	—	—	—	—	—	—	—
5、[illegible]	—	—	—	—	—	—	—	—	—
6、[illegible]	—	—	—	—	—	—	—	—	—
7、[illegible]	[illegible]	[illegible]	[illegible]	[illegible]	[illegible]	[illegible]	[illegible]	[illegible]	[illegible]
8、[illegible]	[illegible]	[illegible]	[illegible]	[illegible]	[illegible]	[illegible]	[illegible]	[illegible]	[illegible]
9、[illegible]	—	—	—	—	—	—	—	—	—
10、[illegible]	—	—	—	—	—	—	—	—	—
(六) [illegible]	[illegible]	[illegible]	[illegible]	[illegible]	[illegible]	[illegible]	[illegible]	[illegible]	[illegible]
(七) [illegible]	[illegible]	[illegible]	[illegible]	[illegible]	[illegible]	[illegible]	[illegible]	[illegible]	—
(八) [illegible]	—	—	—	—	—	—	—	—	—
(九) [illegible]	—	—	—	—	—	—	—	—	—
臨時部	[illegible]	[illegible]	[illegible]	[illegible]	[illegible]	[illegible]	[illegible]	[illegible]	[illegible]
(一) [illegible]	[illegible]	[illegible]	[illegible]	[illegible]	[illegible]	[illegible]	[illegible]	[illegible]	[illegible]
(二) [illegible]	[illegible]	[illegible]	[illegible]	[illegible]	[illegible]	[illegible]	[illegible]	[illegible]	[illegible]
1、[illegible]	[illegible]	[illegible]	[illegible]	[illegible]	[illegible]	[illegible]	[illegible]	[illegible]	[illegible]
2、[illegible]	—	—	—	—	—	—	—	—	—
3、[illegible]	—	—	—	—	—	—	—	—	—
4、[illegible]	—	—	—	—	—	—	—	—	—
5、[illegible]	—	—	—	—	—	—	[illegible]	—	—
(三) 公債	[illegible]	[illegible]	[illegible]	[illegible]	[illegible]	[illegible]	[illegible]	[illegible]	[illegible]
(四) [illegible]	—	—	—	—	—	—	—	—	—
(五) [illegible]	—	—	—	—	—	—	—	—	—
(六) [illegible]	—	—	—	—	—	—	—	—	—
(七) [illegible]	[illegible]	[illegible]	[illegible]	[illegible]	[illegible]	[illegible]	[illegible]	[illegible]	[illegible]
(八) [illegible]	—	—	—	—	—	—	—	—	—
(九) [illegible]	—	—	—	—	—	—	—	—	—
(一〇) [illegible]	—	—	—	—	[illegible]	[illegible]	[illegible]	[illegible]	—
(一一) [illegible]	—	—	—	—	—	—	—	—	—
(一二) [illegible]	[illegible]	[illegible]	—	—	—	—	—	—	—
(一三) [illegible]	—	—	—	—	—	—	—	—	—
1、[illegible]	—	—	—	—	—	—	—	—	—
2、[illegible]	—	—	—	—	—	—	—	—	—
(一四) [illegible]	—	—	—	—	—	—	—	—	—
合計	[illegible]	[illegible]	[illegible]	[illegible]	[illegible]	[illegible]	[illegible]	[illegible]	[illegible]

（第四表の註を參照。本表の數の計數中には各項の合計と合致しないものがあるが、其の儘にした。）

第四期

	大正十二年度	大正十三年度	大正十四年度	昭和元年度	昭和二年度	昭和三年度	昭和四年度	昭和五年度	昭和六年度	昭和七年度（實行豫算）
1	八八、一三四、四七九・九八九	八四、三四四、八二八・六二三	[illegible]	[illegible]	九五、三二五、七六五・三二五	一〇五、四五七、五三五・八三五	一〇七、五六一、五〇〇・七四二	九八、三二六、五五五・〇五五	九五、五三二、五七一・四六六	八七、七五五、八二七・〇〇〇
2	一七、六七三、六四六・六四〇	[illegible]	[illegible]	[illegible]	一八、五五八、八五五・五〇〇	二〇、七九五、二三六・〇五〇	二一、五五八、三三八・三九〇	一八、〇五五、五六八・〇〇〇	一八、〇六五、九七八・六五〇	一五、三二〇、八八五・〇〇〇
3	四、四六二、八九四・八八〇	[illegible]	[illegible]	[illegible]	五、五五八、五五〇・五七〇	五、五五六、九二四・五五〇	五、六二五、九五九・六八〇	五、六〇八、一八七・五五〇	五、六二四、五八一・九九〇	五、六六五、九六三・〇〇〇
4	二、七四三、四四四・四一〇	[illegible]	[illegible]	[illegible]	二、九五三、八五六・五〇〇	二、五五一、三五七・八一〇	二、六五〇、〇一六・五六〇	五、〇五六、五五三・七五〇	二、五五八、六五五・〇五〇	一、九五五、六五一・〇〇〇
5	三三六、四四一・七四〇	[illegible]	[illegible]	[illegible]	三三六、三五六・八五〇	一九六、六五九・〇五〇	一八七、八〇六・九八〇	一五九、〇〇一・一八〇	一八八、五五三・五八〇	一八八、六五七・〇〇〇
6	六〇、六七四・一七〇	[illegible]	[illegible]	[illegible]	五三〇、三五五・五五〇	五五五、九五〇・六八〇	五五五、〇五五・七五〇	九七、三三一・五〇〇	五五、七〇五・五五〇	四一、〇〇〇・〇〇〇
7	一、四六九、九七七・一四〇	[illegible]	[illegible]	[illegible]	三、五五九、五五一・七五〇	二、八三五、〇八七・五五〇	二、九五〇、八〇五・〇五〇	二、八五五、九五八・八五〇	二、五五一、六九七・八五〇	二、五五〇、五五〇・〇〇〇
8	[illegible]	[illegible]	[illegible]	[illegible]	五、〇五一、五五五・〇三〇	五、一五五、五三一・五三〇	五、五五八、九八五・五五〇	五、五五五、九五〇・九〇〇	五、五五五、九五五・一〇〇	二、九五五、七五五・〇〇〇
9	四〇七、六〇四・八七〇	[illegible]	[illegible]	[illegible]	六七、九三三・五五〇	五五、九五六・五五〇	五五、九六六・五五〇	五〇、〇一〇・九五〇	一、五八〇・九九〇	三一、五五五・〇〇〇
10	四、四三四、六四〇・三〇〇	[illegible]	[illegible]	[illegible]	五、五五〇、五五五・五五〇	五、三二八、八五五・七〇〇	五、五五五、五六〇・一五〇	三、七五七、九二三・六八〇	三、五五六、六六五・九五〇	三、〇〇五、一五五・〇〇〇
11	四四一、一〇六・八四〇	[illegible]	[illegible]	[illegible]	五五、七五五・五五〇	五五、二一一・〇〇〇	六〇、九六三・七五〇	六七、九六五・一〇〇	[illegible]	[illegible]
12	四六四、七七一・六四〇	[illegible]	[illegible]	[illegible]	五〇〇、六五五・六〇〇	五五五、三六〇・九六〇	五五五、五五七・五一〇	六、八五七、六五〇	六〇、五二八・〇五〇	六七、九五五・〇〇〇
13	六六四・〇六〇	[illegible]	[illegible]	[illegible]	[illegible]	[illegible]	[illegible]	[illegible]	[illegible]	[illegible]
14	四、九六三・〇六〇	[illegible]	[illegible]	[illegible]	[illegible]	[illegible]	[illegible]	[illegible]	[illegible]	[illegible]
15	[illegible]	[illegible]	[illegible]	[illegible]	五、五五八、九五六・一三五	五、六六五、五四五・三三六	五、六二八、三五五・五五八	五、五〇五、五五九・六五三	五、五五五、九二五・五五六	五、五五五、八五五・〇〇〇
16	[illegible]	[illegible]	[illegible]	[illegible]	五、五五八、三三一・〇六八	五、六六五、五〇六・一六八	五、六二八、六五五・九〇八	五、五〇二、八二五・五五五	五、五五五、一五五・二一五	五、五五五、五二六・〇〇〇
17	二、六五四、五六八・八七六	二、六二一、〇五〇・一〇五	五、一〇五、九五五・六八五	五、〇五五、三五九・〇五五	[illegible]	[illegible]	[illegible]	[illegible]	[illegible]	[illegible]
18	[illegible]	五二四・五五〇	一、一五六・〇五〇	五二四・九五〇	[illegible]	[illegible]	[illegible]	[illegible]	[illegible]	[illegible]
19	二、六二五、六五七・五五〇	二、五二〇、七一五・五五〇	二、一〇一、六六五・八四〇	五、〇五五、三五九・〇五五	[illegible]	[illegible]	[illegible]	[illegible]	[illegible]	[illegible]
20	六五〇、二一七・〇六八	六五五、八五三・五五三	六六五、六六六・九五〇	七〇、六五五・九九七	[illegible]	[illegible]	[illegible]	[illegible]	[illegible]	[illegible]
21	五、五五五、〇五二・一五五	五、五五五、八五五・五五五	五、九〇五、〇五五・六五五	五、九六一、八五五・六〇五	[illegible]	[illegible]	[illegible]	[illegible]	[illegible]	[illegible]
22	一三、五五五、五五五・五五〇	一五、五五五、九五五・五五〇	一六、六五一、八六六・五六〇	一七、五五〇、一二五・五六〇	[illegible]	[illegible]	[illegible]	[illegible]	[illegible]	[illegible]
23	四三、八六四、八〇五・〇〇〇	五七、五〇六、九二八・五〇〇	四三、五五五、六二九・〇五〇	四三、六六八、五五五・〇〇〇	[illegible]	[illegible]	[illegible]	[illegible]	[illegible]	[illegible]
24	五、五五五、三五六・八三〇	七、五五七、四五〇・五五〇	二、四二五、六〇五・五一〇	二、三五五、一七七・六六〇	[illegible]	[illegible]	[illegible]	[illegible]	[illegible]	[illegible]
25	一五、八二七、五五九・二八〇	一〇、〇五〇、八二七・一五〇	二、〇一六、八五五・五五〇	八、三五三、五五五・九五〇	[illegible]	[illegible]	[illegible]	[illegible]	[illegible]	[illegible]
26	五、八五五、五二八・〇五〇	五、五五五、〇五〇・九五〇	四、一五〇、九五五・一〇〇	四、三五五、六九九・五五〇	[illegible]	[illegible]	[illegible]	[illegible]	[illegible]	[illegible]
27	二、三五八、四五七・九二〇	一〇、六六五、五五五・〇五〇	二、三五三、三二一・五五〇	一五、五五五、五五七・五五〇	[illegible]	[illegible]	[illegible]	[illegible]	[illegible]	[illegible]
28	八、九七九、八二三・五五〇	一〇、九五〇、五五七・二八〇	二三、五〇一、九五六・五〇〇	一四、〇〇八、五六九・八六〇	[illegible]	[illegible]	[illegible]	[illegible]	[illegible]	[illegible]
29	五五五、一〇一・五五〇	四五六、五五一・五五〇	四五九、八五五・一二〇	三五三、五五五、八五〇	[illegible]	[illegible]	[illegible]	[illegible]	[illegible]	[illegible]
30	五五五、九五七・六五〇	六二三、三五七・五五〇	六五五、五五〇・一〇〇	七五一、八五五・五五〇	[illegible]	[illegible]	[illegible]	[illegible]	[illegible]	[illegible]
31	三三八、四五八・七五〇	三五五、五五一・三五〇	五〇六、〇五五・一五〇	一六五、一五〇・六〇〇	[illegible]	[illegible]	[illegible]	[illegible]	[illegible]	[illegible]
32	三五六、五五〇・五一〇	三五五、五五五・一五〇	五五二、六五九・八五〇	五五五、〇五五・五五〇	[illegible]	[illegible]	[illegible]	[illegible]	[illegible]	[illegible]
33	五五九、九五五・五五〇	五五五、一五〇・五五〇	八五五、六五五・一五〇	八六三、八二七・六五〇	[illegible]	[illegible]	[illegible]	[illegible]	[illegible]	[illegible]
34	一五五、二五〇・五五〇	三三五、二一〇・八五〇	二五九、三五五・九五〇	五三一、〇五八・五五〇	[illegible]	[illegible]	[illegible]	[illegible]	[illegible]	[illegible]
35	六、六六五・五五〇	三五九・九五〇	一、六五五・五五〇	一、八五五・三六五	[illegible]	[illegible]	[illegible]	[illegible]	[illegible]	[illegible]
36	五、五三二、一五五・二五〇	五、三六八、五五五・六五〇	五、六五五、五五六・四二〇	五、五五八、五五五・三一〇	[illegible]	[illegible]	[illegible]	[illegible]	[illegible]	[illegible]

六、臺灣總督府特別會計歲入割合累年表　其ノ一

期	第一期																		第二期	
年度 / 款項	明治二十九年度		明治三十年度		明治三十一年度		明治三十二年度		明治三十三年度		明治三十四年度		明治三十五年度		明治三十六年度		明治三十七年度		明治三十八年度	
	款%	項%	款%	項%	款%	項%	款%	項%	款%	項%	款%	項%	款%	項%	款%	項%	款%	項%	款%	項%
經常部	[illegible]		[illegible]		[illegible]		[illegible]		[illegible]		[illegible]		[illegible]		[illegible]		[illegible]		[illegible]	
(一) 租稅	[illegible]		[illegible]		[illegible]		[illegible]		[illegible]		[illegible]		[illegible]		[illegible]		[illegible]		[illegible]	
一、地租		[illegible]		[illegible]		[illegible]		[illegible]		[illegible]		[illegible]		[illegible]		[illegible]		[illegible]		[illegible]
二、所得稅																				
三、鑛區稅		[illegible]		[illegible]		[illegible]		[illegible]		[illegible]		[illegible]		[illegible]		[illegible]		[illegible]		[illegible]
四、臺灣銀行券發行稅												[illegible]		[illegible]		[illegible]		[illegible]		[illegible]
五、砂糖消費稅																				
六、酒造稅																		[illegible]		[illegible]
七、織物消費稅																				
八、[illegible]稅										[illegible]		[illegible]		[illegible]		[illegible]		[illegible]		[illegible]
九、[illegible]稅																				
一〇、製茶稅				[illegible]		[illegible]		[illegible]		[illegible]		[illegible]		[illegible]		[illegible]		[illegible]		[illegible]
一一、[illegible]稅																		[illegible]		
一二、石油消費稅																		[illegible]		[illegible]
一三、出港稅								[illegible]		[illegible]		[illegible]		[illegible]		[illegible]		[illegible]		[illegible]
一四、[illegible]稅				[illegible]		[illegible]		[illegible]		[illegible]		[illegible]		[illegible]		[illegible]		[illegible]		
一五、毛織物消費稅																		[illegible]		
一六、[illegible]稅		[illegible]		[illegible]		[illegible]		[illegible]		[illegible]		[illegible]		0		0				
一七、[illegible]稅										[illegible]		0								
一八、[illegible]稅		[illegible]		[illegible]		[illegible]		[illegible]												
(二) 關稅	[illegible]		[illegible]		[illegible]		[illegible]		[illegible]		[illegible]		[illegible]		[illegible]		[illegible]		[illegible]	
一、輸出稅		[illegible]		[illegible]		[illegible]		[illegible]		[illegible]		[illegible]		[illegible]		[illegible]		[illegible]		[illegible]
二、輸入稅		[illegible]		[illegible]		[illegible]		[illegible]		[illegible]		[illegible]		[illegible]		[illegible]		[illegible]		[illegible]
(三) 印紙收入	—		—		[illegible]		[illegible]		[illegible]		[illegible]		[illegible]		[illegible]		[illegible]		[illegible]	
一、收入印紙		—		—		100·00		100·00		[illegible]		[illegible]		[illegible]		[illegible]		100·00		[illegible]
二、現金收入		—		—		—		—		[illegible]		[illegible]		[illegible]		[illegible]				[illegible]
(四) 官業及官有財產收入	[illegible]		[illegible]		[illegible]		[illegible]		[illegible]		[illegible]		[illegible]		[illegible]		[illegible]		[illegible]	
一、郵便電信及電話收入		[illegible]		[illegible]		[illegible]		[illegible]		[illegible]		[illegible]		[illegible]		[illegible]		[illegible]		[illegible]
二、鐵道收入		[illegible]		[illegible]		[illegible]		[illegible]		[illegible]		[illegible]		[illegible]		[illegible]		[illegible]		[illegible]
三、專賣收入				[illegible]		[illegible]		[illegible]		[illegible]		[illegible]		[illegible]		[illegible]		[illegible]		[illegible]
イ、食鹽收入								[illegible]		[illegible]		[illegible]		[illegible]		[illegible]		[illegible]		[illegible]
ロ、樟腦收入								[illegible]		[illegible]		[illegible]		[illegible]		[illegible]		[illegible]		[illegible]
ハ、阿片收入								[illegible]		[illegible]		[illegible]		[illegible]		[illegible]		[illegible]		[illegible]
ニ、[illegible]收入				[illegible]		[illegible]														[illegible]
ホ、酒[illegible]收入																				
四、森林收入				[illegible]		[illegible]		[illegible]		[illegible]		[illegible]		[illegible]		[illegible]		[illegible]		[illegible]
五、醫院收入		[illegible]		[illegible]		[illegible]		[illegible]		[illegible]		[illegible]		[illegible]		[illegible]		[illegible]		[illegible]
六、[illegible]收入																				
七、[illegible]收入																				
八、刑務所收入				[illegible]		[illegible]		[illegible]		[illegible]		[illegible]		[illegible]		[illegible]		[illegible]		[illegible]
九、官有地小作料收入		[illegible]		[illegible]		[illegible]		[illegible]		[illegible]		[illegible]		[illegible]		[illegible]		[illegible]		[illegible]
一〇、官有物貸下料		[illegible]		[illegible]		[illegible]		[illegible]		[illegible]		[illegible]		[illegible]		[illegible]		[illegible]		[illegible]
一一、[illegible]														0		0				
一二、[illegible]收入																				
一三、[illegible]收入																				
一四、[illegible]收入																				
一五、木材防腐作業收入																				
(五) 雜收入	[illegible]		[illegible]		[illegible]		[illegible]		[illegible]		[illegible]		[illegible]		[illegible]		[illegible]		[illegible]	
一、免許及手數料																				
二、[illegible]及沒收金		[illegible]		[illegible]		[illegible]		[illegible]		[illegible]		[illegible]		[illegible]		[illegible]		[illegible]		[illegible]
三、辨償金		[illegible]		[illegible]		[illegible]		[illegible]		[illegible]		[illegible]		[illegible]		[illegible]		[illegible]		[illegible]
四、[illegible]收入		[illegible]		[illegible]		[illegible]		[illegible]		[illegible]		[illegible]		[illegible]		[illegible]		[illegible]		[illegible]
五、[illegible]納金																				
六、[illegible]																				
七、[illegible]收入		[illegible]		[illegible]		[illegible]		[illegible]		[illegible]		[illegible]		[illegible]		[illegible]		[illegible]		[illegible]
八、小切手支拂未濟金收入																		[illegible]		[illegible]
九、[illegible]收入																		[illegible]		[illegible]
一〇、[illegible]收入																				
(六) 官吏[illegible]手數料	[illegible]		[illegible]		[illegible]		0		[illegible]		[illegible]		[illegible]		[illegible]		[illegible]		[illegible]	
(七) [illegible]收入	—		—		—		—		—		—		—		—		—		—	
(八) 一般會計より[illegible]受入	—		—		—		—		—		—		—		—		—		—	
(九) 官吏遺族扶助法納金	[illegible]		—		—		—		—		—		—		—		—		—	
臨時部	[illegible]		[illegible]		[illegible]		[illegible]		[illegible]		[illegible]		[illegible]		[illegible]		[illegible]		[illegible]	
(一) 官有物拂下代	—		[illegible]		[illegible]		[illegible]		[illegible]		[illegible]		[illegible]		[illegible]		[illegible]		[illegible]	
(二) 雜收入	—		—		—		—		—		—		—		—		—		—	
一、[illegible]納金		—		—		—		—		—		—		—		—		—		—
二、寄附金		—		—		—		—		—		—		—		—		—		—
三、[illegible]金		—		—		—		—		—		—		—		—		—		—
四、[illegible]金		—		—		—		—		—		—		—		—		—		—
五、[illegible]金		—		—		—		—		—		—		—		—		—		—
(三) 公債金	—		—		—		—		—		—		—		—		—		—	
(四) 借入金	—		—		—		—		—		—		—		—		—		—	
(五) 貸付金收入	—		—		—		—		—		—		—		—		—		—	
(六) [illegible]分擔金	—		—		—		—		—		—		—		—		—		—	
(七) [illegible]入	—		[illegible]		[illegible]		[illegible]		[illegible]		[illegible]		[illegible]		[illegible]		[illegible]		[illegible]	
(八) [illegible]收入	—		—		—		—		—		—		—		—		—		—	
(九) 貸付金利子收入	—		—		—		—		—		—		—		—		—		—	
(一〇) [illegible]	—		—		—		—		—		—		—		—		—		—	
(一一) 一般會計受入金（[illegible]）	—		—		—		—		—		—		—		—		—		—	
(一二) [illegible]受入	—		—		—		—		—		—		—		—		—		—	
(一三) 補充金	[illegible]		[illegible]		[illegible]		[illegible]		[illegible]		[illegible]		[illegible]		[illegible]		[illegible]		[illegible]	
一、補充金				100·00		100·00		100·00		[illegible]		[illegible]		[illegible]		[illegible]		[illegible]		100·00
二、公債[illegible]金		—								[illegible]		[illegible]		[illegible]		[illegible]		[illegible]		[illegible]
(一四) [illegible]納金	[illegible]		—		—		—		—		—		—		—		—		—	
經常部臨時部合計	100·00		100·00		100·00		100·00		100·00		100·00		100·00		100·00		100·00		100·00	

(行中〇とせるは皆無に非ずも、少くして掲げ難き程少なる場合にして、一同と異ることを注意)

第二表

明治三十九年度 経%	明治三十九年度 臨%	明治四十年度 経%	明治四十年度 臨%	明治四十一年度 経%	明治四十一年度 臨%	明治四十二年度 経%	明治四十二年度 臨%	明治四十三年度 経%	明治四十三年度 臨%	明治四十四年度 経%	明治四十四年度 臨%	大正元年度 経%	大正元年度 臨%	大正二年度 経%	大正二年度 臨%
[illegible]		[illegible]		[illegible]		[illegible]		[illegible]		[illegible]		[illegible]		[illegible]	
[illegible]		[illegible]		[illegible]		[illegible]		[illegible]		[illegible]		[illegible]		[illegible]	
	[illegible] — [illegible] — [illegible] — [illegible] — [illegible] [illegible] — — [illegible] [illegible] — — — —		[illegible] — [illegible] [illegible] [illegible] — [illegible] — [illegible] [illegible] [illegible] — [illegible] [illegible] — — — —		[illegible] — [illegible] [illegible] [illegible] — [illegible] — [illegible] [illegible] [illegible] [illegible] [illegible] [illegible] — — — —		[illegible] — [illegible] [illegible] [illegible] — [illegible] — [illegible] [illegible] [illegible] [illegible] [illegible] [illegible] — — — —		[illegible] [illegible] [illegible] [illegible] [illegible] — [illegible] — [illegible] [illegible] [illegible] [illegible] [illegible] 0 — — — —		[illegible] [illegible] [illegible] 0 [illegible] — [illegible] — [illegible] [illegible] [illegible] [illegible] — — — — — —		[illegible] [illegible] [illegible] [illegible] [illegible] — [illegible] — [illegible] [illegible] [illegible] [illegible] — — — — — —		[illegible] [illegible] [illegible] [illegible] [illegible] — [illegible] — [illegible] [illegible] [illegible] [illegible] — — — — — —
[illegible]		[illegible]		[illegible]		[illegible]		[illegible]		—	—	—	—	—	—
	[illegible] [illegible]		[illegible] [illegible]		[illegible] [illegible]		[illegible] [illegible]		100・00		— —		— —		— —
[illegible]		[illegible]		[illegible]		[illegible]		[illegible]		[illegible]		[illegible]		[illegible]	
	100・00		[illegible] [illegible]		100・00		100・00		100・00		100・00		100・00		100・00
[illegible]		[illegible]		[illegible]		[illegible]		[illegible]		[illegible]		[illegible]		[illegible]	
	[illegible] (multiple lines)		[illegible] (multiple lines)		[illegible] (multiple lines)		[illegible] (multiple lines)		[illegible] (multiple lines)		[illegible] (multiple lines)		[illegible] (multiple lines)		[illegible] (multiple lines)
[illegible]		[illegible]		[illegible]		[illegible]		[illegible]		[illegible]		[illegible]		[illegible]	
	[illegible] (multiple lines)		[illegible] (multiple lines)		[illegible] (multiple lines)		[illegible] (multiple lines)		[illegible] (multiple lines)		[illegible] (multiple lines)		[illegible] (multiple lines)		[illegible] (multiple lines)
[illegible]		[illegible]		[illegible]		0		0		—		—		—	
—		—		—		—		—		—		—		—	
—		—		—		—		—		—		—		[illegible]	
—		—		—		—		—		—		—		—	
[illegible]		[illegible]		[illegible]		[illegible]		[illegible]		[illegible]		[illegible]		[illegible]	
[illegible]		[illegible]		[illegible]		[illegible]		[illegible]		[illegible]		[illegible]		[illegible]	
—		—		—		—		—		0		0		0	
	—		—		—		—		—		100・00		100・00		100・00
—		—		—		—		[illegible]		[illegible]		[illegible]		[illegible]	
—		[illegible]		—		—		[illegible]		—		—		—	
—		—		—		—		—		—		—		—	
[illegible]		[illegible]		[illegible]		[illegible]		[illegible]		[illegible]		[illegible]		[illegible]	
—		—		—		—		—		—		—		—	
—		—		[illegible]		[illegible]		—		—		—		—	
	—		—		100・00		100・00		—		—		—		—
100・00		100・00		100・00		100・00		100・00		100・00		100・00		100・00	

七、臺灣總督府特別會計歲入割合累年表 其ノ二

期間	第三期																	
年度	大正三年度		大正四年度		大正五年度		大正六年度		大正七年度		大正八年度		大正九年度		大正十年度		大正十一年度	
款項	款%	項%	款%	項%	款%	項%	款%	項%	款%	項%	款%	項%	款%	項%	款%	項%	款%	項%
經常部	[illegible]		[illegible]		[illegible]		[illegible]		[illegible]		[illegible]		[illegible]		[illegible]		[illegible]	
(一)租稅	[illegible]		[illegible]		[illegible]		[illegible]		[illegible]		[illegible]		[illegible]		[illegible]		[illegible]	
一、地租		[illegible]		[illegible]		[illegible]		[illegible]		[illegible]		[illegible]		[illegible]		[illegible]		[illegible]
二、所得稅		[illegible]		[illegible]		[illegible]		[illegible]		[illegible]		[illegible]		[illegible]		[illegible]		[illegible]
三、鑛區稅		[illegible]		[illegible]		[illegible]		[illegible]		[illegible]		[illegible]		[illegible]		[illegible]		[illegible]
四、[illegible]		[illegible]		[illegible]		[illegible]		[illegible]		[illegible]		[illegible]		[illegible]		[illegible]		[illegible]
五、砂糖消費稅		[illegible]		[illegible]		[illegible]		[illegible]		[illegible]		[illegible]		[illegible]		[illegible]		[illegible]
六、[illegible]		—		—		—		—		—		—		—		—		—
七、[illegible]		[illegible]		[illegible]		[illegible]		[illegible]		[illegible]		[illegible]		[illegible]		[illegible]		[illegible]
八、[illegible]		—		—		—		—		—		—		[illegible]		[illegible]		[illegible]
九、[illegible]		[illegible]		[illegible]		[illegible]		[illegible]		[illegible]		[illegible]		[illegible]		[illegible]		[illegible]
一〇、[illegible]		[illegible]		[illegible]		[illegible]		[illegible]		[illegible]		[illegible]		[illegible]		[illegible]		[illegible]
一一、[illegible]		[illegible]		[illegible]		[illegible]		[illegible]		[illegible]		[illegible]		[illegible]		[illegible]		[illegible]
一二、[illegible]		[illegible]		[illegible]		[illegible]		[illegible]		[illegible]		[illegible]		[illegible]		[illegible]		[illegible]
一三、[illegible]		—		—		—		—		—		—		—		—		—
一四、[illegible]		—		—		—		—		—		—		—		—		—
一五、毛織物消費稅		—		—		—		—		—		—		—		—		—
一六、[illegible]		—		—		—		—		—		—		—		—		—
一七、[illegible]		—		—		—		—		—		—		—		—		—
一八、[illegible]		—		—		—		—		—		—		—		—		—
(二)[illegible]	—		—		—		—		—		—		—		—		—	
一、[illegible]		—		—		—		—		—		—		—		—		—
二、[illegible]		—		—		—		—		—		—		—		—		—
(三)印紙收入	[illegible]		[illegible]		[illegible]		[illegible]		[illegible]		[illegible]		[illegible]		[illegible]		[illegible]	
一、收入印紙		100·00		100·00		100·00		100·00		100·00		九九·九〇		[illegible]		[illegible]		[illegible]
二、現金收入						0		0		0		·一〇		[illegible]		[illegible]		[illegible]
(四)官業及官有財產收入	[illegible]		[illegible]		[illegible]		[illegible]		[illegible]		[illegible]		[illegible]		[illegible]		[illegible]	
一、郵便電信及電話收入		[illegible]		[illegible]		[illegible]		[illegible]		[illegible]		[illegible]		[illegible]		[illegible]		[illegible]
二、鐵道收入		[illegible]		[illegible]		[illegible]		[illegible]		[illegible]		[illegible]		[illegible]		[illegible]		[illegible]
三、專賣收入		[illegible]		[illegible]		[illegible]		[illegible]		[illegible]		[illegible]		[illegible]		[illegible]		[illegible]
イ、食鹽收入		[illegible]		[illegible]		[illegible]		[illegible]		[illegible]		[illegible]		[illegible]		[illegible]		[illegible]
ロ、樟腦收入		[illegible]		[illegible]		[illegible]		[illegible]		[illegible]		[illegible]		[illegible]		[illegible]		[illegible]
ハ、阿片收入		[illegible]		[illegible]		[illegible]		[illegible]		[illegible]		[illegible]		[illegible]		[illegible]		[illegible]
ニ、煙草收入		[illegible]		[illegible]		[illegible]		[illegible]		[illegible]		[illegible]		[illegible]		[illegible]		[illegible]
ホ、酒收入		—		—		—		—		—		—		—		—		[illegible]
四、森林收入		[illegible]		[illegible]		[illegible]		[illegible]		[illegible]		[illegible]		[illegible]		[illegible]		[illegible]
五、醫院收入		[illegible]		[illegible]		[illegible]		[illegible]		[illegible]		[illegible]		[illegible]		[illegible]		[illegible]
六、[illegible]收入		—		—		—		—		—		—		—		—		—
七、[illegible]收入		[illegible]		[illegible]		[illegible]		[illegible]		[illegible]		[illegible]		[illegible]		[illegible]		[illegible]
八、刑務所收入		[illegible]		[illegible]		[illegible]		[illegible]		[illegible]		[illegible]		[illegible]		[illegible]		[illegible]
九、官有地小作料收入		[illegible]		[illegible]		[illegible]		[illegible]		[illegible]		[illegible]		[illegible]		[illegible]		[illegible]
一〇、官有物貸下料		[illegible]		[illegible]		[illegible]		[illegible]		[illegible]		[illegible]		[illegible]		[illegible]		[illegible]
一一、[illegible]		0		0		0		0		0		0		·〇一		[illegible]		0
一二、[illegible]所收入		[illegible]		[illegible]		[illegible]		[illegible]		[illegible]		[illegible]		[illegible]		[illegible]		[illegible]
一三、木[illegible]收入		[illegible]		[illegible]		[illegible]		[illegible]		[illegible]		[illegible]		[illegible]		[illegible]		—
一四、電氣及瓦斯事業收入		[illegible]		[illegible]		[illegible]		[illegible]		[illegible]		[illegible]		—		—		—
一五、木材防腐作業收入		[illegible]		[illegible]		[illegible]		[illegible]		[illegible]		0		—		—		—
(五)雜收入	[illegible]		[illegible]		[illegible]		[illegible]		[illegible]		[illegible]		[illegible]		[illegible]		[illegible]	
一、免許及手數料		—		—		—		—		—		—		—		—		—
二、罰金及沒收金		[illegible]		[illegible]		[illegible]		[illegible]		[illegible]		[illegible]		[illegible]		[illegible]		[illegible]
三、辨償金		[illegible]		[illegible]		[illegible]		[illegible]		[illegible]		[illegible]		[illegible]		[illegible]		[illegible]
四、[illegible]收入		[illegible]		[illegible]		[illegible]		[illegible]		[illegible]		[illegible]		[illegible]		[illegible]		[illegible]
五、[illegible]		—		—		—		—		—		—		—		—		—
六、[illegible]		—		—		—		—		—		—		—		—		—
七、雜入		[illegible]		[illegible]		[illegible]		[illegible]		[illegible]		[illegible]		[illegible]		[illegible]		[illegible]
八、小切手支拂未濟金收入		—		—		—		—		—		—		—		—		—
九、期滿後收入		[illegible]		—		·〇一		0		0		0		0		0		·〇一
一〇、臺灣銀行券發行稅		—		—		—		—		—		—		—		—		—
(六)[illegible]免許及手數料	0		·〇一		0		0		0		0		0		0		0	
(七)[illegible]收入受入	[illegible]		[illegible]		[illegible]		[illegible]		[illegible]		[illegible]		[illegible]		[illegible]		—	
(八)一般會計ヨリ砂糖消費稅受入	—		—		—		—		—		—		—		—		—	
(九)官吏遺族扶助法納金	—		—		—		—		—		—		—		—		—	
臨時部	[illegible]		[illegible]		[illegible]		[illegible]		[illegible]		[illegible]		[illegible]		[illegible]		[illegible]	
(一)官有物拂下代	[illegible]		[illegible]		[illegible]		[illegible]		[illegible]		[illegible]		[illegible]		[illegible]		[illegible]	
(二)雜收入	0		0		0		0		0		0		·〇一		0		0	
一、還納金		100·00		100·00		100·00		100·00		100·00		100·00		[illegible]		100·00		100·00
二、寄附金		—		—		—		—		—		—		—		—		—
三、[illegible]		—		—		—		—		—		—		—		—		—
四、[illegible]		—		—		—		—		—		—		—		—		—
五、[illegible]		—		—		—		—		—		—		[illegible]		—		—
(三)公債金	[illegible]		[illegible]		[illegible]		[illegible]		[illegible]		[illegible]		[illegible]		[illegible]		[illegible]	
(四)借入金	—		—		—		—		—		—		—		—		—	
(五)貸付金收入	—		—		—		—		—		—		—		—		—	
(六)治水事業費分擔金	—		—		—		—		—		—		—		—		—	
(七)前年度剩餘金繰入	[illegible]		[illegible]		[illegible]		[illegible]		[illegible]		[illegible]		[illegible]		[illegible]		[illegible]	
(八)[illegible]收入	—		—		—		—		—		—		—		—		—	
(九)[illegible]收入	—		—		—		—		—		—		—		—		—	
(一〇)[illegible]	—		—		—		—		[illegible]		[illegible]		[illegible]		0		—	
(一一)[illegible]受入金	—		—		—		—		—		—		—		—		—	
(一二)[illegible]分擔金受入	[illegible]		[illegible]		—		—		—		—		—		—		—	
(一三)補充金	—		—		—		—		—		—		—		—		—	
一、補充金		—		—		—		—		—		—		—		—		—
二、公債基金		—		—		—		—		—		—		—		—		—
(一四)[illegible]納金	—		—		—		—		—		—		—		—		—	
歲入合計	100·00		100·00		100·00		100·00		100·00		100·00		100·00		100·00		100·00	

（前頁表の註を参照。本表中には各項の％の和が百とならぬものがあるが、それは実数の表に於て各項の合計が款の計数と合致しないものがあるためである。）

	大正十二年度		大正十三年度		大正十四年度		昭和元年度		昭和二年度		昭和三年度		昭和四年度		昭和五年度		昭和六年度		昭和七年度（實行豫算）	
	款％	項％	款％	項％	款％	項％	款％	項％	款％	項％	款％	項％	款％	項％	款％	項％	款％	項％	款％	項％
	[illegible]		[illegible]		七七・〇〇		[illegible]		[illegible]		[illegible]		[illegible]		[illegible]		[illegible]		[illegible]	
	[illegible]		[illegible]		[illegible]		[illegible]		[illegible]		一四・一〇		[illegible]		[illegible]		[illegible]		[illegible]	
		[illegible]		[illegible]		[illegible]		[illegible]		[illegible]		[illegible]		[illegible]		[illegible]		[illegible]		[illegible]
	—	—	—	—	—	—	—	—	—	—	—	—	—	—	—	—	—	—	—	—
	[illegible]		[illegible]		[illegible]		[illegible]		[illegible]		[illegible]		[illegible]		[illegible]		[illegible]		[illegible]	
		[illegible]		[illegible]		[illegible]		[illegible]		[illegible]		[illegible]		[illegible]		[illegible]		[illegible]		[illegible]
	[illegible]		[illegible]		[illegible]		[illegible]		[illegible]		[illegible]		[illegible]		[illegible]		[illegible]		[illegible]	
		[illegible]		[illegible]		[illegible]		[illegible]		[illegible]		[illegible]		[illegible]		[illegible]		[illegible]		[illegible]
	[illegible]		[illegible]		[illegible]		[illegible]		[illegible]		[illegible]		[illegible]		[illegible]		[illegible]		[illegible]	
		[illegible]		[illegible]		[illegible]		[illegible]		[illegible]		[illegible]		[illegible]		[illegible]		[illegible]		[illegible]
	0	—	0	—	0	—	0	—	0	—	—	—	—	—	—	—	—	—	—	—
	[illegible]		[illegible]		[illegible]		[illegible]		[illegible]		[illegible]		[illegible]		[illegible]		[illegible]		[illegible]	
	0		0		0		0		0		0		[illegible]		[illegible]		[illegible]		[illegible]	
		100・00		100・00		100・00		100・00		100・00		100・00		100・00		[illegible]		[illegible]		[illegible]
	[illegible]	—	—	—	—	—	[illegible]	—	[illegible]	—	[illegible]	—	[illegible]	—	[illegible]	—	[illegible]	—	[illegible]	—
	100・00		100・00		100・00		100・00		100・00		100・00		100・00		100・00		100・00		100・00	

り、順位は第二期に復した。

更に各款中の構成に就て見ても相當の變化がある。例へば租税收入の構成に於ては第一期は海關税、地租、製糖税(三十四年度半で廢止、但し實際の收入は三十五年度まで)及び砂糖消費税(三十四年度半から)、製茶税といふ順位。第二期に於ては砂糖消費税の増收が著しく殆ど租税收入(海關税を含まず)の半近くに達して當然第一位を占め、地租は租税收入(海關税を含まず)の三分ノ一を占めて之に次ぎ、製茶税の收入上の重要性は反之著しく減じ却て期末には第二期中に創設された酒税(明治四十年度から)と第一種所得税(明治四十三年度から)に遙かに凌駕せらるゝこととなつた。第三期には前述の內地消費移出糖に關する砂糖消費税の移管に基き順位に可成の變化が起つた。地租は依然税收總額(關税受入額を除いた)の三分ノ一で第一位であつたが、次は酒税、所得税、砂糖消費税、關税(受入)と云ふ順位となつたことこれである。(此の期の砂糖消費税收入の割合が移管直後にも不拘却て第四期のそれより多い結果となつて現れてゐる主因は、延納制度の關係で大正三年度に繰越された同税收入が甚だ多額であつた爲めに他ならぬ)。第四期になると、前期末(大正九年度)に臺灣税關の直接賦課徵收に改められた關税の増收、第二種、第

八、期別重要歲入割合表（款は總歲入に對する％　項は款に對する％）

期別／款項／歲入種類	第一期（明治二九—三七年度）款％	第一期 項％	第二期（明治三八—大正二年度）款％	第二期 項％	第三期（大正三—九年度）款％	第三期 項％	第四期（大正一〇—昭和六年度）款％	第四期 項％
（一）租税	一三・一一		三三・〇一		一七・一七		一五・一五	
一、地租		三四・三九		三四・四九		三三・八一		二八・三六
二、所得税		—		（三・四四）		一六・三九		一四・六五
三、製糖税及砂糖消費税		二〇・五三		四九・六七		一五・六四		一一・八二
四、酒精税		—		—		—		（二〇・三三）
五、關税		—		—		（—）		一八・六五
六、製茶税		一七・四六		四・八八		四・一三		（—）
七、酒税		—		（一〇・一四）		三・七七		（—）
（二）海關税	七・二九		（四・三三）		—		—	
（三）官業及官有財産收入	三五・二〇		四七・一八		五一・六八		四九・一六	
一、郵便電信及電話收入		一一・七五		六・三三		六・〇八		六・二〇
二、鐵道收入		八・三六		一六・八七		二一・〇九		二四・九二
三、專賣收入		（七八・〇四）		七〇・九五		六〇・七三		五九・三五

イ、食鹽收入		(五・五四)		三・四一		二・八〇		三・二七
ロ、樟腦收入		(三一・〇三)		三一・八四		一九・九〇		一三・〇三
ハ、阿片收入		(五〇・七〇)		二四・三六		一九・三四		七・七七
ニ、煙草收入		—		一七・九〇		一八・六一		一九・四三
ホ、酒收入		—		—		—		(一七・三八)
四、營林所收入		—		(—)		四・三八		(五・一九)
五、官有地小作料收入		七・五二		(—)		(—)		(—)
六、電氣事業收入		—		(二・四三)		(四・四五)		—
(四)關稅諸收入受入	—		—		一・九四		(—)	
(五)公債金	—		(—)		四・三一		三・四二	
(六)補充金	四〇・〇〇		(—)		—		—	
一、補充金		五五・四一		—		—		—
二、公債募集金		四四・五九		(—)		—		—
(七)前年度剩餘金繰入	(—)		一九・〇九		一九・四五		二・六四	

〔注意〕前掲歳入割合累年表により期別に平均せるもの。但し各期の全年に亘らざるものは夫々の年數の平均で、之を他と區別する爲めに括弧を附した。括弧内の棒は零に非るも、其の割合甚しく少にして重要歳入と見難き場合である。各種專賣は便宜上項と看做して割合を算定した。猶第四期中昭和六年度の營林所收入は森林收入中に包括計上せられてゐるが假に森林收入の全部を營林所收入として算定した。

三種所得税の創設、(大正十年度)酒專賣施行(大正十一年度)に伴ふ酒税の廢止等の關係で三度租税收入の構成に變化を生じ、地租、關税、所得税、砂糖消費税の順位となつたのみならず、第四期中(大正十二年度)に創設せられた酒精税が忽ち收入上重要な地位を獲得して、期半以後に於ては所得税收入のみならず關税收入をも越え、地租に次いで第二位を獲得して現在に及んでゐる。猶此の他に第一期創設のものとして鑛區税、蔗車税、樟腦税、契税、出港税、噸税、毛織物消費税、織物消費税、石油消費税があるが、收入上の重要性は何れも大ではなく、鑛區税と織物消費税を除いて他は現在行はれてゐない。

次に官業收入及び官有財産收入の構成を見るに第一期以來專賣收入がその七割八分(第一期)から五割九分(第四期)といふ壓倒的地位を常に占めてゐる。更にその內譯としては、第一期は阿片、樟腦(收入額の順位、以下同じ)第二期及び第三期は樟腦、阿片、煙草、第四期は煙草、酒、樟腦の各專賣收入が、夫々その中心を形成し、阿片收入は第四期に至つて阿片癮者の減少と主としては他の專賣收入の激增及び新設の結果相對的にその重要性を減じた。猶鹽專賣收入は其の性質上當然に終始概して重要の地位を占むることがなかつた。專賣收入以外のものとしては、第一期を除けば鐵道收入が最も多く、郵便電信收入之に次ぎ(第一期のみ二者の地位はこれと逆)、この二つを專賣收入に合すれば、第一期には官業收入及官有財產收入の九八%、第二期九四%、第三期八八%、第四期九〇%となり、他の諸收入は槪して金額かう見て論ずるに足らぬ。唯、第一期には官有地小作料收入、第二期第三期には電氣瓦斯事業收入、第三期第四期には營林所收入がやゝ重要性を有したに過ぎない。

甚だ複雜になつたからこれ等の結果を要約しやう。それはかうである。

(一)、臺灣の租稅は初期以來地租と消費稅其他の間接稅を中心として、卽ち原理的には土地收益稅中心主義、現實的には消費稅中心主義によつて、編成せられて來たものである。地租と並んで二大直接國稅たる所得稅が收入上重要な租稅となつたのは大體第三期以後の事に屬する。この點に於て臺灣の租稅組織も亦植民地財政一般の常道を踏むものである。それが初期以來新興資本の利益を防衛することによつて臺灣の資本主義化に貢獻したことは明である。

(二)、臺灣財政の「獨立」も地租を除けば主として製糖稅、砂糖消費稅、製茶稅、海關稅、及び專賣益金等の間接稅收入によつて之を成就したものに他ならぬ。

(三)、更にこれ等の間接稅の中には、製糖稅、蔗車稅、砂糖消費稅、製茶稅、樟腦稅、海關稅中の輸出税、出港税、噸税、酒精税、樟脳專賣益金の如く、商品の移輸出を通じて其の大部分が主として島外人卽ち內地及び外國消費者の負擔に歸すべき租税が極めて多數に含まれてゐる。更に阿片益金の如き島民の大部分の負擔に關係なく極く一部の阿片喫食特許者にしかかゝらぬものがある。而も此の種の租税(專賣益金を含めて)は昔に遡るほど多種であり、その收入上の重要度は大であつた。

(四)、そこで、これは間接税の前轉、卽ち消費者への轉嫁が理論通りに行はれると假定してのことであるが、臺灣財政の獨立は主として一般島民の負擔する租税收入によつてなされたと云ふよりも、却て內地の臺灣糖消費者、歐米の樟脳(及び之を原料とするセルロイド製品)消費者、南支南洋の臺灣茶消費者及び島內の一部阿片癮者(支那籍民を含む)等の負擔に於て實現せられた點が少くないと云ふべきである。而して間接税の實際に於ける轉嫁關係は之を輕々に論斷し去るべく餘りに複雜な問題であること云ふまでもなく、我々の問題に於ても考慮すべき條件は種々あるが、こゝでは單に此の場合には間接税の前轉の前提は恐らく相當に事實と合するものがあらうことを述べて置くにとゞめる(その推論の過程、及び此の論斷の妥當性の限度に就ては後に述べる)。

（五）、果して、然らば、地租を根幹としつゝ間接税を其の補完税として編まれた臺灣の租稅體系はもとより、これに專賣益金をも併せ見た場合に於ける間接稅主義乃至消費稅主義の歲入組織も、其の實質は決して外觀ほどに中・小所得の重課即ち反社會的なものではなかつた筈である。又土地所有の重課に至つては農業植民地臺灣の實狀から自然に定つたもので、少くとも最近まではそれ自體不當なものでなかつたらう。

（六）、次に官業收入及び官有財產收入は常に所謂租稅收入よりも大であつた。第一期を暫く別とすれば、それは常に經常部及臨時部を合した全歲入の半を制し、而して常に其の過半を占むるものは專賣收入であり、其の益金は概して租稅と異らぬ。其の結果として臺灣歲入の外見上に於ける官業收入中心主義も、何等臺灣の財政が實質に於て租稅中心の財政であると云ふことを否定するものではなく、其の限りでは臺灣の財政と雖も近代的租稅財政の類型を破るものではない。

以上が臺灣の歲入構成の一應の分析によつて我々が先づ到達した結論である。但し勿論その中には猶多くの暫定的結論と更に一層進んだ分析を當然要求する課題とが含まれてゐる。

差當り先づ第一に、專賣收入は官業收入總額中壓到的巨額であることは上述の如くであるが、これに次での二大收入たる鐵道及び遞信事業收入は他方それ自らの事業に巨額の經費を要するものであるから、原則上他の諸經費の爲めの財源としての價値は乏しきものである(このことは、內地の如く鐵道と更に新たに最近からは遞信とが特別會計制度をとつてゐる場合には益金の有無に不拘、始めから問題にならぬが)。之を臺灣の實際に就て見るに、次の數字が示す如く、二者共に時として相當に多額の差益金を擧げ、それだけ他の一般行政費に役立つた年もないではないが、これを總括して見るならば昭和七年度までの累計に於て鐵道は結局巨額の赤字を示し、遞信も亦極く小額の益金を擧げたに過ぎぬ計算になつてゐることがわかる(第九表及び第十表。猶遞信事業收支の支出中には遞信部所管經費中巨額に達する航路補助金が除いてある。これをも加へれば鐵道同樣赤字となるのは云ふまでもない)。そこで他の諸經費の財源としての價値から云へば、專賣事業に止めを刺こと勿論である。そこで「豐かな」財政との關聯に於て官業收入を見る、換言すれば、臺灣に於ける官業の財源的價値を明にしやうとすれば、專賣事業の純益を檢討しなければならず、又それで足りる。

九、臺灣總督府鐵道部收支表（鐵道部庶務課調書による）

年度	收入	支出	差引損(△印)益
	圓	圓	圓
明治32年度	345,851	2,402,297	△ 2,056,446
33 〃	412,337	5,022,750	△ 4,610,413
34 〃	526,447	3,357,613	△ 2,831,166
35 〃	729,686	3,865,215	△ 3,135,529
36 〃	972,000	3,562,089	△ 2,590,089
37 〃	1,134,670	3,711,105	△ 2,576,435
38 〃	1,708,111	2,981,944	△ 1,273,833
39 〃	2,054,325	3,954,108	△ 1,899,783
40 〃	2,364,881	4,167,251	△ 1,802,370
41 〃	2,777,350	3,654,400	△ 877,050
42 〃	3,367,678	2,474 062	893,616
43 〃	4,191,713	2,632,033	1,559,680
44 〃	4,851,611	4,142,626	708,985
大正 1 〃	4,966,103	6,398,794	△ 1,423,691
2 〃	5.216,158	5,240,340	△ 24,182
3 〃	4,914,160	4,239,297	674,863
4 〃	5,722,858	4,382,762	1,340,096
5 〃	6,535,477	4,579,773	1,955,704
6 〃	7,713,272	6,030,923	1,682,349
7 〃	8,418,315	8,533,684	△ 115,369
8 〃	10,198,835	13,391,449	△ 3,192,614
9 〃	12,226,662	18,618,408	△ 6,391,746
10 〃	12,413,428	20,484,577	△ 8,071,149
11 〃	12,580,707	19,077,701	△ 6,496,994
12 〃	13,426,478	13,837,059	△ 410,581
13 〃	14,808,693	12,965,104	1,843,589
14 〃	16,675,124	12,585,474	4,089,650
昭和 1 〃	17,616,561	12,955,069	4,661,492
2 〃	19,284,034	16,825,700	2,458,334
3 〃	20,332,918	17,726,212	2,606,706
4 〃	20,891,393	19,082,585	1,808 808
5 〃	19,663,905	17,234,687	2,429,218
6 〃	19,104,375	16,615,841	2,488,534
7 〃	20,024,490	15,094,904	4,929,586
計	298,170,606	311,818,836	△ 13,648,230

十、臺灣總督府遞信事業收支表（遞信部庶務課調書による）

年　　度	收　　入	支　　出	差引損（△印）益
	圓	圓	圓
明治29年度	225,493	733,544	△ 508,051
30 〃	334,050	1,528,400	△ 1,194,350
31 〃	269,020	1,380,629	△ 1,111,609
32 〃	441,390	862,410	△ 421,020
33 〃	511,175	884,904	△ 373,729
34 〃	536,842	993,249	△ 456,407
35 〃	563,049	959,093	△ 396,044
36 〃	645,387	953,078	△ 307,691
37 〃	827,187	910,514	△ 83,327
38 〃	1,129,369	1,027,754	101,615
39 〃	1,437,505	1,169,066	268,439
40 〃	1,012,311	1,195,626	△ 183,315
41 〃	952,055	1,208,644	△ 256,589
42 〃	1,105,091	1,317,717	△ 212,626
43 〃	1,186,810	1,396,115	△ 209,305
44 〃	1,363,031	1,453,613	△ 90,582
大正 1 〃	1,513,016	1,525,069	△ 12,053
2 〃	1,564,523	1,512,145	52,378
3 〃	1,592,572	1,530,463	62,109
4 〃	1,655,044	1,524,480	130,564
5 〃	1,783,984	1,571,747	212,237
6 〃	2,252,961	1,713,130	539,831
7 〃	2,404,009	1,813,773	590,236
8 〃	3,006,961	1,930,338	1,076,598
9 〃	3,184,962	3,074,236	110,726
10 〃	3,428,332	3,554,713	△ 126,381
11 〃	3,651,451	3,601,031	50,420
12 〃	3,686,803	3,577,434	109,369
13 〃	3,690,995	3,762,035	△ 71,040
14 〃	3,902,024	3,387,493	514,531
昭和 1 〃	3,981,857	3,358,074	623,783
2 〃	4,218,955	3,937,505	281,450
3 〃	4,398,641	4,427,504	△ 28,863
4 〃	4,742,655	4,950,409	△ 207,754
5 〃	5,090,458	4,954,679	135,779
6 〃	5,246,210	4,872,025	374,185
7 〃	5,964,847	4,856,332	1,108,515
計	83,501,000	83,408,971	92,029

第二に、専賣益金を間接税として計算するならば、税質に着目しての租税體系論は暫く措き、事實上臺灣財政が最近に到るまで全く間接税中心主義の歳入組織に頼つて立つてゐるものであることは上述の如く既掲の諸表から明かに概観し得るところであるが、直接税と間接税との割合が現在如何になつてゐるか、また時代によつて如何なる變遷を經て來たかは、もとより相當の計算を俟つて始めて知り得るに止る。殊に租税收入と租税負擔との關係を見んとするならば、専賣事業の總利潤計算と更にその平均利潤以上に出づる部分、即ち超過利潤(獨占利潤又は特別利潤)の算定といふ極めて難しい課題が控へてゐる。蓋し通常大ざつぱにそれが負擔の點に於て消費税と異るところなしとせられてゐる専賣益金とは、嚴密に云へば、實は此の超過利潤を指すべきであり、又財政收入としての専賣益金は總利潤を指すべきであるからである。今日の社會では商品に對して平均利潤を支拂ふことは如何なる商品に就ても本來一樣に、消費者に課された負擔である。又それは商品生産者にとつては生産費の一部として計算せられるものである。國家が商品生産者たる場合にも此の理に變りはない。勿論内地に於ける鹽專賣の如く國家が原則として商品生産者として機能せざる場合(即ちこの場合鹽は嚴密な意味では所謂「商品」でない)には別であるが、鹽專賣も臺灣の如く事實上立派に益金を擧げて居る場合には、專賣創設の趣旨が假令之を財政專賣たらしむるに存しなかつたとしても、同樣に論ずべきである。この點は阿片專賣に就ても同樣である。ところで所謂專賣益金とは單なる收支差益を意味することもあるが嚴格な意味では利潤計算によつて算定せらるべき利潤でなければならず、利潤計算には先づ專賣事業の固定資本と流動資本の算定からやらねばならぬ。これ等を完全精密且正確にやり完うせると云ふことは實際上資料の點からも殆ど不可能なことだと云つてよい。

然しこれが大體でも判らなければ、專賣利潤(總利潤)の大さ從つて臺灣の收入組織上に於ける間接税中心主義の程度もわからぬし、更に進んでは「豐かな」財政の實質檢討に是非必要な負擔輕重の判定(それには超過利潤の大さを知らねばならぬ)が全く不可能になる。特に後者に就て云へば臺灣の如く專賣益金が非常に重要な地位を占めてゐる歲入組織の下に於て、之を省略除外してなされた如何なる計算と雖も決して臺灣に於ける現實の租税負擔の眞相はもとより、眞相に近いものを示すことにもならぬ筈だからである。そこで私は是非或る程度までも此の課題を果さなければなるまい。猶その前に解決して置かなければならぬ二三の問題も猶存する。項を改めてこれ等の諸點を述べることとする。

(B) 臺灣の專賣益金

(イ) 臺灣の特殊專賣と益金問題

既に述べたところからも明かな如く、臺灣の專賣制度は阿片、鹽、樟腦(及び樟腦油)、煙草、酒(麥酒を含む)の五種類に亙る。其の中阿片專賣と酒專賣とは臺灣獨特のものであり(內地に於ても阿片は明治十一年の「阿片賣買竝びに製造取締規則」によつて古くより買上げ專賣制をとつてはゐるが、勿論それは全くの藥用阿片に就てである)、樟腦專賣も內地のそれとは規模に於て、組織に於て、就中重要性に於て到底同日に斷じ難く、沿革的に云つても臺灣の樟腦專賣制確保の必要上臺灣總督府の要請を主要な契機として內地の樟腦專賣は實施せられたものに他ならぬ。而して專賣制度創設當初の目的から見て、純粹な財政專賣と見るべきものは煙草、酒、樟腦の三者であり、阿片と鹽とは專賣制施行の主要目的はもとより財政收入の獲得にあつたものではなかつた。ところが實際には、阿片收入が專賣創設以來長い間極めて重要な國庫收入となつて今日に至つてゐることは衆知の如くであり、更に後述の如き事實上の食鹽消費税の實在と關聯して鹽專賣も內地のそれとは著しく性質の異つた特殊のものとなつてゐる。强いて云へば樟腦に就ても單に財政收入の目的のみからは、領臺後間もなく實施せられた樟腦税制度の根本方針は之を改めなくても差支なかつたと考へられるから、幾何もなく敢て專賣制に改めた經緯には多少論究すべきものがないでもない。それよりも其の益金の性質は其の經濟的本質に於て特殊なものがあり、財政的本質に於て一般專賣益金と同日に論斷し難きものがある。かゝる意味に於て「特殊」な臺灣の專賣並びにその益金に就て先づ分析を試みやう。其の際勢ひ多少沿革論にも觸れねばならぬ。

第一、阿片專賣に就て

臺灣に於ける阿片吸食の舊慣を如何に處理解決すべきかは領臺と同時に臺灣總督府に課せられた最も重大な課題の一であつた。蓋し之を其のまゝ放任して置くときは、第一叛軍の鎭定に當るべき軍隊と一般渡臺者が萬一にも之に感染し、ひいては「此害毒をして本邦內地に流傳せしめ」んか、それは「實に亡國の大事」[8]であつたし、然りと云つて他方之を直ちに嚴禁せんとすれば多數(後に明治三十三年度末に於ける阿片吸飲特許者數が十六萬五千人以上であつたことからも推定し得る如き)の阿片癮者に死を宣告することを意味し、ひいては新附臺灣の統治上由々しき結果をも惹起するであらうことを覺悟せねばならなかつたからである。現に臺灣が我が領有に歸した當時、內地に於ける阿片吸飲嚴禁主義の歷史より見ても、必らず臺灣の阿片吸食の弊風は嚴禁せられるであらうとは多くの內外人が豫想して居つたところであり、下關條約の際伊藤博文公は李鴻章に對し臺灣の阿片煙は必らず禁止の功を奏して見せると斷言したといふやうな噂さへ內地の新聞に傳へられてゐた[9]ので、これを傳へ聞いた臺灣島民は多大の危惧の念を懷いたものであつたが、當時劉永福其他臺灣叛徒はこの住民の疑惑に乘じて盛に之を煽動の具に供した程であつた[10]と云はれ、實際嚴禁主義を堅持して「兵力を以て之に臨み惡習の民令を奉せざる者は之を殲して遺憾なきに至らしむる」爲めには、恐らく「兵員は少くも二個師團以上を要し數年に涉り或は其兵員の半數以上を減ずるに至るべし[11]」といふ具合に其の施行が困難なことは識者の認むるところであつた。

(8) 臺灣總督府史料編纂委員會編、阿片專賣志、四〇頁。

(9) 同上、三六頁。

(10) 同上、二五頁。
(11) 後藤(新平)衞生局長の「臺灣島阿片制度施行に關する意見書」

そこでこれ等の實情に鑑み明治二十八年秋總督府は大體英領ビルマの制に倣つて專賣制を採用し以て吸飲の風を漸禁せしむると共に、內地人の感染を絕對に阻止するの案を樹てたのであるが、現地の實情にうとき內地就中議會に於て忽ち大なる論難攻擊を蒙り阿片問題は盛に論義の的となつた。然るに當時內務省衞生局長であつた後藤新平伯が漸禁の止むなきことを主張し、軍醫總監石黑忠悳子亦略々同樣の見解を主張したので、總督府は之に力を得て終に漸禁主義の根本方針を決定し、二十九年二月總督の訓示として島民一般にこれを識らしめてその動搖を靜め、內地に於ても間もなく閣議の容るところとなり、爾來研究をかさねて終に明治三十年一月律令第二號を以て臺灣阿片令の公布を見、三十年度以來阿片專賣の實施となつたのである。

而して阿片令の制定に當つては、總督府は後藤衞生局長の意見を徵し、細密精致を極めた同伯の意見を殆ど其のまゝ採つて同令を作製せるもので、從つて總督府の需めに應じて認められた此の意見書は先に明治二十八年十二月漸禁主義の根本方策を主張した意見書と共に臺灣の阿片制度の根本義を理解する上に極めて重要なものである。先づ後者の趣旨を見るに、阿片の嚴禁が理想であることは明であるが、結局實行案としては「時の宜しきに處するの禁止制度」即ち所謂漸禁主義の他なしとし、其の具體的方法としては、

一、名目上內地同樣藥用阿片專賣制となし、

二、阿片特許藥舖を設けて之に阿片の販賣を取扱はしめ、

三、「阿片喫煙の癖習ありて之を中止すること能はざるものは、全く阿片中毒病に罹りたるものなるが故に、毒を以て毒を制する外他に道なき」を以て、「醫師の診斷に依り既に中毒病に罹る者に限り」「每年期日を定め政府より發行の一定通帳を交附し、阿片特許藥舖より隨時之を買求め喫烟することを許可す」べく、

四、但しその價格に就ては、清朝時代の阿片輸入稅收入が「八十萬圓に上れり」と云ふを以て「禁止稅の意味を以て此の輸入稅額に三倍の」專賣益金を擧ぐることを標準として阿片の賣渡價格を定め、これによつて「漸次需要者減じ青年子弟をして此の惡癖に陷ることを防ぐの效を」期し、

五、同時に之によつて「國庫は更に百六十萬圓の收入を增加することを得べ」く、「此

百六十萬圓と從來の輸入税八十萬圓とを合するときは……二百四十萬圓以上に上るべし」と其の收入を豫斷し、

六、「此費額を以て臺灣植民衞生の費途に充つるときは……健康を害する所の禍原を變じて國民の福祉を增加することを得べし」と其費途を明言し、

七、而して同時に他方靑年兒童をして「阿片喫煙の害を敎育上より了得せしむるを急務」なりと述べ、「各小學校(公學校の意)の讀本は勿論敎授上に於いても此の精神を注入することを力め」、更に「成可此二百四十萬圓の金額中より適當の町村醫をして小學敎員(公學校敎員)を分擔せしむる便法を設くるも可」であると附加して禁絕の最終目的の爲めに力を致すべき方途をも示すと共に、阿片益金は先づ阿片政策の爲めに用ふべしとの趣旨を明かにした上、再び益金の用途に言及して、

八、「各縣下に一個の病院を置き又は町村醫を置き急救の功德を以て新政厚德を知らしむるは最も良法」なりと統治政策上の考慮に結びつけて前述の益金處分方法が最善の道なることを强調したものであつた(12)。

(12) 阿片專賣志、三三—三八頁參照。

卽ち後藤伯の案は、新たな阿片の吸食は母國人たると否とを問はず之を嚴禁し、

唯專門醫の診斷に基き當時既に阿片中毒症に罹つてゐることが明である者に就てのみ吸食を特許し、之等の限られた中毒患者のみを相手とする阿片つまり藥用阿片の專賣制とする。これによつて、藥用阿片以外の吸食を絕對に嚴禁する主義に基いて制定せられた內地現行の「國法」を少くとも形式上枉げずに濟むことに多大の意を用ひたこと(猶後藤伯は自案を呼ぶに決して「漸禁案」なる文字を用ひず、「嚴禁主義の第二案」と云つた)、のみならず、漸禁の目的を達成せんが爲めには一方に阿片價格を禁止稅的に高むると共に、他方兒童敎育の援けを借りて、其の禍害を幼時より一般に熟知せしむる等の方策をとるべきことを主張し、殊に其の結果自ら生ずべき益金の處分に關しては第一に之を阿片禁壓の費に用ひ剩餘は一般衞生費として支出すべしと論斷して、收入は目的にあらず禁止こそ目的であり、收入は禁止の手段として高率課稅の方法をとる爲めに生ずる自然の結果に過ぎない點に注意を喚起したものであつて、其の論旨の公正、溫健にして用意の周到なる誠に達識と云ふの外はなかつた。

更に後に總督府の需めに應じて致した第二の意見書に於ては是等の點を一層詳らかに論じて次の如く云つて居る。卽ち先づ其の漸禁案は實行上其の效を「數十年の後に期して始めて」成就し得べき難事なることを注意し「一日の苟安を偸み現時の收入額に眩惑せられ、其の說の新領民に對する政策として喜んで聽くべきものの如きが故に、執行上容易なるべきことを速了し、輕擧其事を企圖せんとするが如き輩の手に委して其の政策を誤らんこと」を懼ると云ひ、特許人鑑札、通帳等に對する手數料收入と合せて、大約三百萬圓と見積られた實收益の費途に就て、「此の實收入は阿片制度の成功を見る迄は決して臺灣に於ける普通行政費途に充用することと爲す可らず。而して此の實收入を阿片制度の費途に供して剩餘を見ば、其の剩餘は之を住民の衞生上の資に供し、一切他の費途に充用せざることは、海外諸國に對し我政府の德義上殊に務むべき要件たるべきを信ず。若し阿片の收入を以て常に他の行政費に充當するときは、財政上の都合に據り阿片制度上に言ふ可らざる弊害を生ずるに至らんことを恐るるなり。深く察する所なかるべからず」[13]と警告してゐる。

(13) 阿片專賣志、五一頁。

尤も阿片漸禁主義が財政目的の見地より主張すべからざること及び一度專賣制が實施せられた上に於て事實上收入政策に利用せらるゝことのなからんこと

を警しむるの聲は、獨り後藤伯によつて發せられたのみならず、當時內地朝野の間に確固たる基礎を有したところの輿論でもあつた。後藤伯の前の意見書と略々時を同じくしてものされた前述石黑軍醫總監の阿片制度に關する意見書に於ても、醫學上及び實際統治の見地から「凡そ三十年を期して全く其の迹を絕つことを」目標として漸禁主義を樹つることをすゝむると同時に漸禁の實を擧ぐることは其の爲めに巨額の阿片警察費及び阿片行政費を費して始めて期待し得るところであるとなし、從つて「若しも阿片の爲めに收むる所の金額を以て阿片取締に使用するに吝にして、之を他の費途に用ふる如きことあらば、恰も毒物を高價に賣て人に服さしめ、其の利を自家の囊中に收むるに同じ」とまで極言し、後藤伯同樣專賣によつて「收むるところの……金額を以て阿片に關するの費途に供」すべしと論じて居るのである。[14)]

(14) 阿片專賣志、四一頁。

かゝる根本精神に基いて創始せられたものが臺灣の阿片專賣制度である。以上比較的長々と沿革を述べ殊に後藤伯の見解を引用した所以のものは、此の論をなした人こそ臺灣阿片專賣制度の實質上の立案者であり、且其の意見書執筆の二年後には自ら臺灣統治の重責を擔ふて、以來十年間(明治三十一年三月より三十九年十一月まで)親しく臺灣經營の衝に當り、自らの案を實行した人であつたからである。一阿片に對する政策を以てもとより臺灣統治政策の全般を推すことは出來ないが、それにしても阿片制度創設當時に於ける我が國の輿論と爲政者の覺悟識見とはまた以て我が國最初の植民地經營に際して先人が如何なる精神を其の統治の基礎とせんとしたかを窺ふるに足る一資料とすることが出來やうか。

然らば其の後に於ける實際の運用は果して如何? 先づ阿片專賣制度布かれて三十五年、昭和七年末に於て、阿片吸食特許者と所謂「矯正受命者」と呼ばれる比較的輕徵の中毒患者とは合せて猶二萬五千人殘つてゐる。だが之を制度實施當初に於ける阿片癮者數、卽ち大體それが網羅せられたと解すべき前掲明治三十三年末に於ける十六萬五千七百五十二人と對比するならば、現在の患者數はその一割五分强に過ぎず、石黑子の「三十年を期して全く其の迹を絕つ」との期待には合しなかつたが、此の事業の至難なることを思へば、先づよく漸禁の目的は達し來つた、と見るのが公平な見解であらう。それにしても此の二萬五千餘人といふ相當多數の現存癮者の數字を見て、中には、此の期間或は阿片益金の夥多なるに誘引せられて漸禁政策が財政々策の爲めに不徹底にせられたといふやうなこともあつて、それがこの數字に一部影響してゐるのではないか、といふ疑を插挾むものもあるかも知れない。それは明治三十三年以後に於ても「明治三十六年に三萬五百四十三人、更に同四十一年に一萬五千八百四十九人に對し、新たに吸食を特許することとした[15]」のみならず、近くは昭和五年にも五千五百十八人に對し阿片吸食の新特許をなし、他に一萬三千五百八十四人の新しい阿片喫食者を矯正處分に附した[16]といふやうに相次で新特許が行はれたことに關聯して起るやゝ自然な疑である。然し周到なる阿片取締を以てしても、阿片密吸食の根絕の困難なる、阿片密輸入の今日猶絕滅し得られざると同樣である實情をよく省るならば、三度新特許が行はれたといふだけの故を以て直ちにかゝる疑惑に斷定を與へることはいさゝか邪推に過ぎると云ふべきであらう(阿片密輸入の禁止に當局が熱心であることは專賣利益をまもる爲めだけから云つても當然のことで、總督府が密輸入の禁止に熱心であつたといふことは何人も否定せぬところであらうが、それにも拘らず阿片密輸入は今に根絕の理想に達してゐない。而して密輸入された阿片が密吸食の用に供され勝なことも自明である)。而も昭和四年の阿片令改正(これによつて密吸食者に對する罰金刑と自由刑との選擇制度が改められて自由刑となつた)を端緒として、昭和五年から臺北に更生院なるものが、また地方官立醫院には矯正科が新設せられた他、全島各地の醫院に收容設備を設けしめて、吸食特許者中中毒の輕きもの及び特に調査して發見せる患者とを併せて一萬七千四百餘人を順次之に收容し、嚴重な醫師の監督指揮の下に五年間の豫定を以て强制的に阿片中毒の矯正廢喫をなさしむる計畫を樹てて目下着々進行中である矯正事業の發展と共に、臺灣の阿片制度は今や漸く最後の目的點に近づきつゝある。

(15) 臺灣總督府警務局衞生課編、臺灣衞生要覽、昭和七年版、二〇一頁。

(16) 同上書二〇二頁。

然らば、阿片益金の處分に關する當初の方針は如何なつたか。この方は殆ど完全に實行されたと云つてよい。即ち次の統計表は阿片益金の殆ど全部が衞生施設の爲めに用ひられたことを示してゐる(第十、及十一表)。尤も次の表に示す如き國庫支辨及國庫補助の衞生費の悉くが阿片益金によつて必らず支辨せられたといふ論理は成立たぬ(これを逆に云へば、阿片益金がなかつたら一毫の衞生費も支出しなかつたかと云ふことになるから)けれど、それにしても實際臺灣に於けるマラリヤ其他の風土病乃至傳染病の防壓事業を始め少くとも外形的には極めて進歩してゐると云はれる廣い意味の一般衞生施設は、主として阿片益金ありしによつて實現せられたと云ふべき點が少くない。殊にこれ等の衞生費の他、阿片警察費を考慮に入れれば、阿片益金處分に關する當初の準則がよく守られたといふことは何人も同せざるを得ないところであらう。要するに阿片專賣事業が巨額の益金を擧げ初期に於て最も重要な總督府歲入源の一であつたことは事實である。然し上述の諸點を總括して云へば、臺灣の阿片政策は、一部論者の非難とは反して、實際臺灣が內外に誇るに足るべき業績を擧げた政策の一であると斷じてよい。理想論を標準として云へばいざ知らず。

第二、鹽專賣に就て

阿片に次で專賣制度の施行せられたものは鹽であつた。それは明治三十二年のことで、內地の鹽專賣に先んずること六年であつた。大體臺灣の鹽は領有前極めて古くより專賣制の歷史をもち領臺當時また專賣制をとつてゐた。然るに領臺直後總督府は鹽務委員會の具申に基き從來の專賣制度を廢止するの議を決定した。其の主たる理由は、鹽が必需品である點に鑑み、能ふ限り廉價に供給すべき

十一 阿片收入と製造費及衛生施設費[1]

年度	收入[2]	支出				差引(△印不足)	收入に對する支出步合
		阿片烟膏製造費	國庫支辨衞生施設費	地方廳衞生施設國庫補助額	計		
	圓	圓	圓	圓	圓	圓	割
明治30年度	1,540,344	1,216,224	87,138	—	1,303,362	236,982	8.46
31 〃	3,438,876	2,017,072	56,544	—	2,073,616	1,365,260	6.23
32 〃	4,222,294	3,351,994	1,097,928	—	4,449,923	△ 227,628	10.54
33 〃	4,234,944	3,358,149	1,116,984	357,118	4,832,251	△ 597,308	11.41
34 〃	2,804,894	2,156,230	1,015,309	347,720	3,519,260	△ 714,365	12.55
35 〃	3,008,488	1,565,352	1,099,172	464,597	3,129,120	△ 120,632	10.40
36 〃	3,619,343	2,212,312	1,062,113	447,282	3,721,706	△ 102,363	10.28
37 〃	3,714,261	2,162,681	1,047,038	424,501	3,634,220	80,041	9.78
38 〃	4,205,831	3,029,909	488,769	590,319	4,108,997	96,834	9.77
39 〃	4,433,863	3,116,394	584,306	567,250	4,267,950	165,913	9.63
40 〃	4,468,515	2,921,577	1,560,867	670,375	5,152,819	△ 684,304	11.53
41 〃	4,611,914	2,475,233	2,005,351	579,254	5,059,839	△ 447,925	10.85
42 〃	4,667,399	2,764,501	1,095,182	650,017	4,509,699	157,700	9.66
43 〃	4,674,344	3,182,722	1,162,231	289,636	4,634,589	39,754	9.92
44 〃	5,501,549	2,462,801	1,901,048	397,776	4,761,624	739,924	8.65
大正 1 〃	5,262,686	3,446,407	2,043,668	344,714	5,834,790	△ 572,104	11.09
2 〃	5,289,595	3,288,760	1,860,858	363,919	5,513,537	△ 223,942	10.42
3 〃	5,226,496	2,246,536	1,561,220	419,527	4,227,284	999,212	8.09
4 〃	5,870,408	2,336,645	1,506,717	611,171	4,454,534	1,415,875	7.59
5 〃	7,132,520	3,995,883	1,823,356	771,237	6,590,476	542,045	9.24
6 〃	7,970,107	4,876,002	1,867,341	822,860	7,566,203	403,904	9.49
7 〃	8,105,278	4,905,252	2,380,839	1,053,042	8,339,133	△ 233,855	10.29
8 〃	7,641,654	7,118,977	2,112,280	1,305,139	10,536,395	△2,894,741	13.76
9 〃	7,847,739	4,719,746	2,563,485	1,361,967	8,645,199	△ 797,459	11.02
10 〃	7,543,492	833,143	4,059,417	153,096	5,045,656	2,497,836	6.69
11 〃	6,477,391	1,537,721	2,637,980	89,824	4,265,524	2,211,867	6.59
12 〃	5,873,518	2,068,599	2,837,538	211,332	5,117,469	756,049	7.11
13 〃	5,899,045	2,263,126	2,709,220	261,774	5,234,121	664,924	8.87

備考 1. 阿片專賣志による。
2. 收入には事業諸收入を含まず。

十二　國庫支辨衛生施設費內譯[1]

年　度	衛生費[2]	醫院費	醫學校費	研究所費	水道費	衛生警察費[3]	計
	圓	圓		圓	圓	圓	圓
明治30年度	87,138	—	—	—	—	—	87,138
31 〃	56,544	—	—	—	—	—	56,544
32 〃	99,158	237,923	78,953	—	126,346	555,786	1,097,765
33 〃	130,578	231,170	33,350	—	166,815	555,171	1,117,084
34 〃	123,083	241,380	38,106	—	18,441	594,299	1,015,309
35 〃	118,072	279,498	35,936	—	—	665,665	1,099,172
36 〃	102,374	254,070	36,546	—	—	669,122	1,062,113
37 〃	86,449	252,117	35,972	—	—	672,500	1,047,038
38 〃	50,958	263,144	67,460	—	—	107,207	488,769
39 〃	70,516	292,352	97,430	—	—	124,008	584,306
40 〃	92,619	402,599	129,523	2,000	794,095	140,032	1,560,867
41 〃	128,272	342,592	71,438	184,284	1,164,327	114,439	2,005,351
42 〃	153,867	546,541	79,644	131,726	63,961	119,441	1,095,181
43 〃	138,446	520,243	99,833	129,066	157,310	117,333	1,162,231
44 〃	237,860	624,004	173,090	130,485	608,113	127,495	1,901,048
大正 1 〃	177,447	768,191	82,504	219,634	795,892	—	2,043,668
2 〃	145,581	807,061	73,373	107,470	731,849	—	1,865,294
3 〃	154,820	748,286	71,317	97,761	489,036	—	1,561,220
4 〃	143,557	903,472	73,364	96,434	289,891	—	1,506,717
5 〃	167,315	842,603	110,383	97,853	605,201	—	1,823,356
6 〃	189,715	936,603	124,722	103,254	513,037	—	1,867,331
7 〃	232,389	1,194,329	183,563	156,643	613,915	—	2,380,840
8 〃	228,547	1,132,102	35,101	32,204	324,325	—	1,752,280
9 〃	241,165	1,509,780	225,397	300,249	286,894	—	2,563,485
10 〃	177,912	1,431,169	267,392	1,108,704	1,074,241	—	4,059,417
11 〃	418,068	1,032,900	252,647	934,365	—	—	2,637,880
12 〃	536,787	1,046,698	286,864	967,189	—	—	2,837,538
13 〃	434,888	1,066,891	302,169	905,273	—	—	2,709,220

備考 1. 阿片專賣志による。

2. 衛生費には傳染病豫防費，種痘費，檢黴費，檢疫費，マラリヤ及ペスト防遏費，衛生調査費，公醫費，衛生試驗費，瀦溜池沼埋立費，地方病及傳染病調査費を含む。

3. 衛生警察費は明治40年度迄は總警察費の四割，同41年以降は三割負擔として算出。大正元年度以降國庫支辨の衛生警察費なし。

で、之を財源とするは不可であるとしたこと、事實また臺灣の受渡しが濟んだ許りて、地方には叛軍が猶蟠據するあり、其の鎭壓の業を猶將來に期さねばならなかつた當時としては、到底密造密賣を防ぐに必要な警察力の完備を近き將來に期待し得なかつたこと、等であつた。寧ろ專賣制を廢して鹽價を低落せしむることによつて臺灣統治の根本方針の一端を具體的に示し、以て新附の民に仁政の意圖を會得せしめんとの方針から急ぎ決定せられたものであらうことは改隷直後たる明治二十八年七月末、漢文を以て發表せられた諭旨からも窺はれるところである。

鹽ハ乃チ百味ノ祖ナリ人間一日モ缺ク可カラス向來臺地ノ鹽務ハ官辨ニ統歸シテ其ノ利ヲ壟斷セラレ而シテ民困已ニ甚シ我　大皇帝民艱ヲ體念シ宿弊ヲ痛恨セラレ特ニ本總督ニ令シ一切ノ弊竇盡ク革廢ヲ行ハシム乃チ日食ノ需豈官辨私販ノ理アランヤ爾後鹽販食戸ニ論ナク概ネ自ラ賣リ自ラ買ヒ以テ民生ニ便ニス爾諸色人等當ニ　聖皇體恤愛民ノ至意ヲ知ルヘシ[17]（大意）

(17) 臺灣總督府專賣局編、臺灣鹽專賣志、二六頁。

ところが總督府の折角の企圖は全く水泡に歸した。それは、多年の專賣制を廢したので急に新たな鹽田の開發及び産額が加はつたところへ、對岸鹽の輸入も增加したのみならず、更に、專賣の廢止によつて食鹽の配給機構が著しく阻害されたので、製鹽地方等には食鹽が堆積して、一方に鹽價の慘落、製鹽者の破產相次で起つた反面、製鹽地より遠い地方では却て鹽の供給不足に苦しみ、價格の暴騰を來して、結局自由制度は何人をも利さぬ豫想外の結果に終つたからである。

そこで止むなく、西部海岸地方の零細な製鹽者(製鹽は多く海岸地方農民の副業として行はれてゐた)の急を救ひ且鹽の配給を圓滑にして一般消費者の便を圖る爲めに、再轉して專賣制度に復すの外なきことを覺り、明治三十二年四月臺灣食鹽專賣規則及び同施行細則を、次で六月及び七月には夫々臺灣鹽田規則及び同施行細則を發布して、專賣制度によつて食鹽の生產、配給、價格を統制することとなつたのである。

これによつて見れば、臺灣の鹽專賣が多數製鹽者及び消費者の困窮を救ふといふ財政收入以外の目的から制定せられた經緯は充分明である。ところで其の後の、實績にして、また概して益金を擧げてゐないとすれば、それは寧ろ鹽專賣の常道であるから、態々多言を用ふる必要はない。然し前後三十餘年間の專賣史の實績に徵するに、鹽專賣が損失を蒙つたのは大正八・九年の兩年度だけで、他は收支上差益を擧げた勘定となつてゐる。もとより其の金額は他の專賣差益金とは比較にならぬが、兎も角益金を擧げてゐることは事實であり、その額も鹽專賣の性質に關する通説を標準にして云へば、いさゝか相當以上の金額だと云ひ得る程度のものである。

「即ち左表の如し」といき度いところであるが、それは出來ないのである。本來其の實數は發表して差支ないものと私は考へるし、さう考へるわけは、後述の臺灣鹽專賣益金本質論からも明かになるであらう如く、その益金は必らずしも直ちに非難さるべき性質のものでないと信ずるからであるが、假に鹽益金の發表は然りとするも、樟腦益金の如き、今日漸く臺灣天然樟腦の有力な競爭者となつて來た外國人造樟腦の關係者が其の競爭上の目標として知ることを望んでゐる臺灣樟腦の生産費と表裏をなすものである點に於て、之が發表は或は我が樟腦專賣事業に不測の不利を與へる恐れも絶無とは云ひ難く、又阿片益金の比較的巨額なることに就ては其の禁止税たる性質から見ても、更に其の益金費途の點から見ても、何等の不合理を含むものでない、といふことは前に詳述した如くであるが、阿片は目下國際問題として八釜しい問題となつても居り、「國際人道主義者」の非難はもとより理に於て意とするに足らぬとしても、強いて自ら之等の論難を誘ふの必要はない、といふやうな理由から、一切個別專賣益金は之を發表しないことが專賣當局の方針となつて居り、その關係から鹽益金も發表を好まぬといふことで、以下鹽益金のみならず、全て個別專賣益金は、計算してはあるが、發表を控えることにした。其の結果立論の正確を欠くは甚だ殘念ではあるが、蓋し止むを得ない。諒察を乞ふ次第である。

此の鹽益金は何に基いて出たものであるか。臺灣に於ける鹽の生産費が安過ぎる爲めに、「妥當な價格」で鹽を賣つても猶生ずる地代であるかそれとも鹽の賣捌價格が高過ぎる爲めに生じた實質上の鹽税であるか。もし前者なりとすれば益金の存在卽鹽税負擔と論ずることは出來ない。ところが云ふまでもなくこれは輕々には斷じ難い問題である。何を以て過當、妥當とすべきかが簡單に明かでないからである。兎も角先づ臺灣に於ける鹽賣捌價格を檢するに、後掲第十六表（第八〇一頁）の如く、專賣開始以來昭和七年度までの三十餘年間に於ける各種鹽の島內賣捌價格（これは賣捌人への賣下げ價格で、小賣價格ではない）の總平均は、一千瓩當り二十三圓五十一錢、卽ち一瓩當り二錢三厘五毛一糸であり、昭和七年度の平均價格は一瓩當り三錢二厘九毛三糸となつてゐる。これが高過ぎるか妥當な價格であるかによつて、右の問は二者何れかに答へらるべきである。これを高過ぎると云ふのは、例へば內地の食鹽價格と比較した場合の議論である（商工省調査の東京小賣物價表によれば、昭和七年上半期平均食鹽價格は一瓩一錢であつた[18]）。まだ安過ぎると云のは、高率の鹽税制度の下にあつて、而も配給の不圓滑から價格の地方的差異が極端なことと上述專賣施行前の臺灣にも比すべき、支那內地の鹽價と對比しての議論である。內地と全く同じでなければならぬと云ふ前提の下に樹てられた議論も臺灣の現實と特殊事情とを無視したものであるし、態〻支那奥地の鹽價と比較するのも無理な話である。私は唯この問題が漢民族と鹽税の普遍性といふ歷史的沿革を全く無視しては正當に解し得るものではないといふことを注意し度い。現實的議論としては、臺灣の鹽價には鹽税が加はつてゐるといふことを充分頭に置いた上で始めて內地の鹽價なり支那奥地の鹽價なりと比較すべきであらう。卽ち臺灣に於ける鹽税の存在そのものに就ては理想論として其の不可を云ひ度いのは云ふまでもないが、歷史的、現實的立場からは、少くとも過去に於ては地方の實情に或る點まで適つたものであつた、といふことを認めねばならない。問題はだから一に、税率の高下にかかつて來る。では如何といふにそれは益金額を示さずには論證し得ざることであるが、私の計算では益金の全額が消費税的負擔となるものとしても鹽税として俄かに高すぎると云ひ難いといふ結果が出てゐる(數字を掲げ得ないことは前述の如き理由からである)。

(18) 金融事項參考書による。

更に鹽の如き買上專賣制をとつてゐる場合に一標準となし得べき、製鹽業者に對する賠償金との關係を考へて見やう。 昭和七年度の食鹽收納賠償金を同上收納高で除せば、一千瓩當りの賠償金は平均五圓八十五錢五厘一毛となつてゐる。[19] 收納賠償金の決定は其の生産實費を標準とし之に「普通の利益」を加算して合理的に行はれるものであるから、これは生産者にとつて不當に廉い金額と云ふことは出來ない。 そこでこの金額は蓋しそのまゝ臺灣鹽の生産費が比較的廉いといふ事實を示してゐるものと解して誤なからう。 現在臺灣には製鹽業者の生計を奪はぬ爲めに整理せられずにある不良鹽田が少くとも全鹽田面積の三分ノ一に達してゐる。 この大なる不良鹽田をも含んだ全體の平均鹽生産費が此の程度に低いのである。 ところでこの生産費と前述の鹽賣下價格との開きは余りに大きい。だからこれだけ見れば臺灣では不當に高く鹽を賣る結果益金が出るのだといふ結論が出さうである。 だがこゝで考慮すべき點は製鹽地地代である。 寧ろ鹽生産費の考察は鹽益金の出所の一つが、云はゞ自然の恩惠、具體的に云へば天日製鹽法(それだけと云ふのではないが)に基いて生産費が比較的廉いと云ふことにあることを示すものでなければならぬ。云ひ換れば、鹽益金の全額が、現實に鹽稅として臺灣の消費者の負擔に歸するわけではなく、其の一部は超過地代卽ち所謂差益地代の性質を帶ぶるものである(この場合移輸出鹽と負擔關係の問題は敢て除いて置く、後述の如き理由があつて)。更に詳言すれば、この部分の鹽益金はもし專賣制が行はれてゐない場合には、差益地代の性質上超過所得として鹽田所有者に歸屬すべかりし金額であつて、專賣制が生んだものではないから、少くとも理論上消費者は自由販賣制のもとに於ても當然支拂を免れ得ない筈のものである。專賣制は一私人たる鹽田所有者の手に平均的な絕對地代のみを殘して、この熱帶臺灣の豐富な日照といふ自然的恩惠に基く臺灣製鹽地獨特の超過地代をば國庫に收め、之を一般經費に充用せしむることによつて、よく社會的機能を果して來たものとも云ふことにならう。そこで此の事實を考慮に入れて再び鹽稅率の問題を考察すれば、上述の如く益金の全額からこの地代部分が、控除されるので、實際消費者の負擔と看做し得べきものは多かれ少かれそれよりは低いといふことに、換言すれば結局鹽稅率は先づ以て高くない、と云ふ結論にならねばならぬ。鹽益金の中其の幾何か鹽稅であり其の幾何か上述の差益地代であるか、その割合の大約の推定は諸種の資料から算定を試みつゝあるが未だ發表し得るに足る結果を得てゐない。猶相當はつきりしたその割合の數字が得られてからでなくては實行の目標を欠くことになるが、將來の政策論としては此の地代部分以上に當る益金、即ち純粹に鹽税と見るべき部分が漸次に廢止すべきものであるといふことは申すまでもない。それは鹽税が過去の臺灣に於て合理化せらるべき歷史的根據をもつてゐたことを認めることと矛盾するものではない。

(19) 臺灣總督府專賣局編「臺灣の專賣事業」昭和八年版、二七頁所載の數字から算定。

それは兎も角、臺灣の鹽專賣制は、その創設の經緯こそ前述の如く內地のそれと多く異るところがなかつた如くであるが、結果に於ては事實上殆ど連年益金を擧げて居り、其の益金の少くとも一部即ち超過地代を除いた殘部は實質的に鹽税であると見なければならぬ點に於て、內地の鹽專賣とは事實上其の本質を異にするものとなつてゐること右の論述によつて明となつたことと思ふ。ところでかゝる鹽專賣の本質轉化が一體如何にして又何時頃起つたかと云ふことは明確ではない。或は當初自由制度に失敗して專賣制に移つた際に既に諭告の精神を多少變じたものか、或は初めは實際差益地代としての思はぬ益金收入であつたのが、それになれた結果やがて意識的にも益金（鹽税的性質）を擧げることにしたのか、更には專賣制の根本方針には終始變化がなかつたが、唯歷代當局が賠償價格と賣捌價格との決定に際し損失を出さぬやうに大事をとり過ぎる結果、常に益金を出すことになつた、卽ち方針としての實費主義が運用上收入主義の外觀を呈する結果になつただけのものであるか。充分の資料を欠くのでこゝに斷定することは出來ぬ。

第三、樟腦專賣に就て

當初樟腦は淸朝時代の舊率により防費、釐金税、補水銀（及び輸出税）を課されてゐたが、明治二十九年三月先づ樟腦税則（日令第十二號）を制定して舊税を全廢（但し輸出税のみは輕減）して新に樟腦税を課し、翌年八月樟腦油税則（律令第九號）を制定して爾來樟腦油にも課税することとした。更に其の後二年にして（明治三十二年八月）之れらの税則を廢止し專賣制を布くに至つた主たる動機は、臺灣樟腦の供給及び價格の統制、外商の商權の奪還、樟樹保存と製腦事業の恒久策樹立等であつて、結局收入と財源の確保を目途せるものに他ならなかつた。蓋し樟腦税則時代には淸朝時代の傳統にて猶臺灣の樟腦の商權は殆ど全く外商の掌握するところとなつて居つた爲めに、樟腦輸出の利益は悉くその壟斷するところとなつた許りではなく、樟腦を投機の對象として弄び島內生產者またその手に飜弄せられて、極端な濫伐濫造を事としたので、其の價格は低落甚だしく樟腦業の將來は大いに寒心すべきものがあつた。のみならず、「製腦業者は概ね取締の不備なるに乘じて……盜伐密造を企つる者尠からず、一方資力に乏しき無智の輩は樟腦に他物を混和して斤量を瞞着し徒らに聲價を失墜して毫も顧る所なく、更に百斤に付樟腦十圓、樟腦油三圓の課税すら尙且之を重しとして、百方奸策を廻らし、脫税密輸出を計らんとするなど、若し此の儘に放任せんか、品質の改良と原料の保護とは共に施すに術なき」狀態であつたからである。[20]

(20) 臺灣總督府史料編纂委員會編、臺灣樟腦專賣志、四八頁。

これが大體總督府の意を決して專賣制度を採用するに至つた所以であるが、猶、其の產額の大部分が外國輸出品たる樟腦の如き、之を專賣品となすことは他に類例余り多からず、我が國としてはもとより最初の企圖であつた點よりして、果してそれが成功するや否やに多少の懸念もあつたのであるが、敢て之を斷行したに就ては、また臺灣樟腦の自然的獨占性の極めて强大なるを根據とした相當の見透しがあつてのことであつた。　卽ち本來世界の樟腦分布は極東の一部に限られ、南支、日本內地、臺灣を主產地とするものであるが、日本內地の樟腦は、明治初年以來續行された樟樹濫伐の結果、當時は年產僅か三十萬斤程度に減少して居り、臺灣に於ける專賣制施行の結果としての價格騰貴に伴ふ一時的增產を見込むも精々五十萬斤を超えないであらうとは、當局及び當業者の等しく推定したところであつた[21]。又支那樟腦は原料(樟樹推定材積)こそ豐富であるが、國內の動亂相次ぎ、生產規模小であるから一時的には市價の騰貴に促されて供給著しく增加することがあつても、專賣制によつて統制せられた日の臺灣樟腦の前には結局一個の弱敵に過ぎぬであらう、人造樟腦乃至代用品の如きも(當時に於ては)猶云ふに足らぬ[22]、反之獨り臺灣は、當時の推定世界樟腦年需要量四・五百萬斤に對し明治三十四年に於ける產額が八百五十萬斤[23]であつたことから見ても、優に其の生產力は獨力以て全世界の樟腦需要に應ずる力をめぐまれてゐるものであるから、其の供給を適當に制限統制しさへすれば、必ずや樟腦市價を好むところに應じて左右し得るであらう、といふ豫想がそれであつた。

(12)　前揭五六頁。

(22) 前掲五四頁。
(23) 前掲四八頁。

これ等の豫想は根本に於て裏切られなかつた。內地樟腦の增產に對する見積を除いては。即ち專賣施行後一時內地の粗製樟腦の產額が二百數十萬斤に達したのみならず、內地殘存材積も意外に豐富であることを發見し、此の點から樟腦專賣は難境に陷つたので、總督府は政府に稟申して內地にも樟腦專賣制の施行をもとめ、明治三十六年からそれが實現せられ、更に大正七年には內臺精製業者の合同(日本樟腦會社の創立)と八年には臺灣粗製樟腦業者の合同(臺灣製腦會社の創立)及び內地セルロイド業者の合同(大日本セルロイド會社の創立)が行はれて、こゝに始めて全日本樟腦供給の完全な統制と、從つて世界市場に於ける樟腦市價及び內臺樟腦益金の確保に大體成功したのである。かくて樟腦益金は爾來臺灣總督府の有力な財源として財政上に貢獻するところ少くなかつた。此の益金の性質は、一應輸出稅と等しきものと考へられ、更にこれを追及すれば、結局其れが本質上地代と獨占利潤とを主要素として構成せられてゐるものであること深く論ずるまでもなく明であらう。殊に專賣益金として特異なる點は其の大部分が島外購買者就中外國消費者の負擔にかゝるといふ點である。

かくの如く生産の統制は完全に實現されたが、もとより世界の樟腦需要は統制に由がないので、世界景氣の消長と共に時に著しく供給過剩の結果を生じ、市價の慘落と意外の損失に會つたこともあり、殊に大戰後に於ける合成樟腦の發達と世界恐慌の深化とは相俟つて益金中の地代部分と獨占利潤部分の何れをも蝕まんとしつゝある。[24)]

(24)　今回樟腦益金の向上、樟腦專賣事業合理化の一手段として粗製樟腦の官營(從來も一部は官營)の議を決し、臺灣製腦會社を買收することとなり、買收費(交附金及び補償金の合計)として額面三百四十七萬圓(時價三百四十萬圓)の交附公債の發行が本議會を通過して最近確定した。官營の結果、豫定せられる利益增加は年額約百萬圓と傳へられてゐる。

以上の他臺灣の專賣事業には猶煙草と酒とがあり、就中後者は我が領土中他に實例なく其の意味で文字通り臺灣の「專賣」であるが、其の益金が全く消費税的であり、且その全部が臺灣島民の負擔に歸着すべきものである點に於て、專賣の正型であつて、理論上それに關して特別な問題は存しない。

(ロ)　專賣事業利潤と超過利潤

實質上消費税なりと云はるる專賣益金とは嚴密に云へば所謂純益金卽ち利潤

全部に非ずして、更に之より平均利潤に相當する額だけを控除した殘余たる超過利潤を指すのでなければならぬことは既に述べた如くである。其の根本理由として擧げたものは、國家資本と雖も其れが資本たる限り、資本乃至商品生産の法則の外に立つものではないといふことであつた。それは極めて自明な、且現實に卽して樹てられた議論である。國家資本に對し平均利潤を其の費用（コスト）として計算することが根本に於て或る種の國家本質觀乃至「かくあるべし」とする國家の本質と相容るゝか否かは自ら別の問題である。少くとも民の現實の負擔を論定せんとするならば今日かくすることを以て最も事實に合することと何人と雖も認めざるを得まい。かくの如く政府の手に歸すべき純收入（總利潤）と人民の現實に於ける負擔（超過利潤）とが等しくなく、其の間に常に平均利潤に當る差額が存するといふことが、專賣益金が純粹なる消費税と其の本質を等しくする場合にも猶同一に論じ難きものの最後に殘さるる一點でなければならぬ。そこで財源としての專賣益金が問題である際には專賣總利潤を見るべく、又負擔關係より專賣益金が問題となる時は專賣超過利潤に赴けばよいといふことになる。

以下に揭げる諸計數はかゝる見地に基いて算出したものであるが、もとよりそれは嚴密な理論の要求を遺憾なく滿すものではない。然しこの程度の數字でさへ多少の苦心を要して算定せられたものであるのは勿論、一般に實證的研究の性質から見ても大體この位で一應滿足しなければならぬことも事實である。これらの諸表(第十三—十五、及十七表)を見る上に於て豫め猶注意して置かねばならぬことがある。

第一に資本計算に就て。先づ固定資本は土地、建物、機械器具、船舶等であるが、年度始めと年度末との兩價額の平均を以て各年度の固定資本價額とした。次に流動資本は大體各年度の專賣局經費と前期よりの現品繰越高とを合せたものであるが、詳しく云へば、

一、專賣局經費中より固定資本の創設乃至增價の爲めにせる經費と看做さるゝ部分、即ち專賣創設費中の工事費、營繕費、修繕費、災害復舊費等を控除して、固定資本價額との合計の際重複を生せざることを期した(但し固定資本の爲めの經費はこれのみに止らぬこと勿論であり、例へば機械購入費の如きは其の重なるものであるが、其の計數を明にし得なかつたので、止むを得ず此の部分の重複は之を避け得なかつた)。

二、この殘額中の大部分を占めるものは、製造專賣に於ける原料の、又買上專賣に於ける製品の、購買費(後者は補償金、賠償金其他の名で呼ばれる)であるが、之を原料製品購買費とし、更に之をも控除せる殘額を「其他の事業費」として分ち掲げたこと。

三、二者の合計たる諸費は年度始めにその全額が支出せられるものではなく年度中に順次に支出せらるるものであるから、その全額を以て各年度の平均流動資本と見ることは出來ぬ。そこでかゝる場合に一般に行はれる例に倣ひ、假に毎月同額の支出がなされたものと假定し、卽ち其の半額を以て、各年度を通じての平均流動資本價額としたこと。かくして得た累年度の臺灣專賣事業總資本額は次の如くである(第十三表)[25]。

(25) 第十三表及び以下十四、十五、十七各表の原數字は臺灣總督府專賣局編、專賣事業年報、臺灣總督府製藥所事業年報、臺灣樟腦局事業年報、臺灣總督府統計書(各累年次)等によつた。
固定資本中?印は不明、同じく*印、流動資本中×印は共に推定額、その場合二者の合計たる總資本も當然推定額となるが、△印で之を區別した。

例へば固定資本中三十一年度末(及び從つて三十二年度始め)の數字は三十一年度始めの數字に同年度中に於ける總督府製藥所所管新營費及び修繕費を加算せるもの。又三十二年度末及び三十三年度始めの數字は、三十二年度始めの數字に同年度末に於ける臺灣樟腦局所管固定資本價額を加算せるもの(同年度中に樟腦局同様創設せられたる鹽務局の所管固定資本價額は不

專賣資本の算定

	流動資本						總資本
	其他の事業費	小計	小計の半額(A)		前期よりの現品繰越高(B)	(A)と(B)との合計	
	圓	圓	圓		圓	圓	圓
◎	131,983	1,216,233	603,117	×	1,529,643	× 2,132,760	△ 2,132,760
◎	187,216	1,993,521	996,761		1,813,349	2,810,110	△ 2,810,110
◎	621,441	4,688,385	2,344,193		1,264,081	3,608,274	△ 3,716,419
◎	1,288,516	5,715,317	2,857,659	×	1,746,219	× 4,601,878	△ 4,840,739
	1,196,301	4,736,471	2,368,236	×	1,488,851	× 3,857,087	△ 4,589,112
	834,228	3,582,447	1,791,224		1,042,084	2,833,308	4,073,958
	639,647	4,435,115	2,217,558		884,915	3,102,473	4,377,437
	549,723	4,871,682	2,435,841		942,682	3,378,523	4,634,520
	701,405	6,804,094	3,402,047		1,056,700	4,458,747	5,686,374
	1,070,267	8,598,757	4,299,379	×	1,299,332	× 5,598,711	△ 6,910,498
	1,023,860	8,705,731	4,352,866		2,140,358	6,493,224	8,000,432
	1,031,183	7,447,526	3,723,763		3,417,050	7,140,813	8,794,817
	1,067,564	7,412,489	3,706,245		5,892,314	9,598,559	11,291,284
	1,125,747	9,487,873	4,743,987		5,564,356	10,308,343	11,990,771
	1,225,124	8,352,833	4,176,417		6,886,489	11,062,906	12,932,235
	1,109,854	9,162,785	4,581,393		6,663,015	11,244,408	13,288,628
	1,174,037	9,286,411	4,643,206		5,813,142	10,456,348	12,645,990
	1,225,626	8,762,540	4,381,270		6,091,205	10,472,475	12,861,186
	1,257,476	8,704,714	4,302,357		6,433,680	10,736,037	13,152,540
	1,277,062	11,571,929	5,785,965		6,882,979	12,668,942	15,161,884
	1,673,474	11,563,886	5,781,943	×	8,662,257	× 14,444,420	△ 17,004,002
	2,763,549	13,699,520	6,849,760	×	8,439,906	× 15,289,666	△ 17,988,490
	4,212,948	19,411,928	9,705,964	×	9,554,480	× 19,260,444	△ 22,096,237
	5,153,879	23,897,448	11,948,724	×	14,616,752	× 26,565,476	△ 28,602,220
	4,197,711	16,367,523	8,183,762	×	16,541,280	× 24,725,042	△ 28,499,247
	7,259,935	23,737,380	11,868,690		14,988,040	26,856,730	32,182,187
	6,842,963	24,619,656	12,309,828		19,272,257	31,582,085	38,237,520
	7,387,587	25,465,295	12,732,648		21,623,823	34,356,471	41,731,952
	7,290,172	26,485,786	13,242,893		29,382,666	42,625,559	50,646,631
	7,662,317	23,946,138	11,973,069		31,794,867	43,767,936	52,009,771
	8,253,051	22,884,534	11,442,267		33,319,589	44,761,856	54,300,707
	7,584,874	24,317,607	12,158,804		32,554,903	44,713,707	55,281,408
	7,665,218	26,283,713	13,141,857		31,965,101	45,106,958	56,740,582
	6,500,920	21,797,053	10,898,527		31,986,752	42,885,279	55,455,897
	6,059,691	19,233,906	9,616,953		32,624,154	41,241,107	55,329,239

十三　臺　灣　に　於　け　る

年度	固定資本			
	年度始め	年度末	平均	原料製品購買費
	圓	圓	圓	圓
明治30年度	?	?	?	◎ 1,084,250
31 ″	?	* 8,903	?	◎ 1,806,305
32 ″	* 8,903	207,386	* 108,145	◎ 4,066,944
33 ″	* 207,386	270,335	* 238,861	◎ 4,426,801
34 ″	* 270,335	1,193,714	* 732,025	3,540,170
35 ″	1,193,713	1,287,587	1,240,650	2,648,219
36 ″	1,287,587	1,262,341	1,274,964	3,795,468
37 ″	1,262,341	1,249,652	1,255,997	4,321,959
38 ″	1,249,652	1,205,702	1,227,627	6,102,689
39 ″	1,205,702	1,417,871	1,311,787	7,528,490
40 ″	1,417,871	1,596,504	1,507,188	7,681,871
41 ″	1,596,504	1,721,504	1,654,004	6,416,343
42 ″	1,721,504	1,663,945	1,692,725	6,344,925
43 ″	1,663,945	1,700,910	1,682,428	8,362,126
44 ″	1,700,910	2,037,748	1,869,329	7,127,709
大正元 ″	2,037,748	2,050,691	2,044,220	8,052,831
2 ″	2,050,691	2,328,593	2,189,642	8,112,374
3 ″	2,328,593	2,448,828	2,388,711	7,536,914
4 ″	2,448,828	2,474,178	2,416,503	7,447,238
5 ″	2,474,178	2,511,705	2,492,942	10,294,917
6 ″	2,511,705	2,607,459	2,559,582	9,890,412
7 ″	2,607,459	2,779,988	2,698,724	10,935,971
8 ″	2,779,988	2,891,597	2,835,793	15,198,980
9 ″	2.891,597	3,181,891	3,036,744	18,743,569
10 ″	3,181,891	4,366,518	3,774,205	12,169,812
11 ″	4,366,518	6,284,365	5,325,457	16,477,445
12 ″	6,284,395	7,026,475	6,655,435	17,776,693
13 ″	7,026,475	7,724,486	7,375,481	18,077,708
14 ″	7,724,486	8,317,658	8,021,072	19,195,614
昭和元 ″	8,317,658	8,988,941	8,653,300	16,283,821
2 ″	8,988,941	10,185,058	9,587,000	14,631,483
3 ″	10,185,058	10,950,344	10,567,701	16,732,733
4 ″	10,950,344	12,316,905	11,633,624	18,618,495
5 ″	12,316,905	12,824,331	12,570,618	15,296,133
6 ″	12,824,331	13,351,933	13,088,132	13,174,215

備考　原數字の出所，計算方法其他の說明は註(25)を參照。

明の爲め之を含まず)。

更に流動資本中「前期よりの現品繰越高」に於ても、三十年度は生阿片、煙膏、粉末阿片の繰越價額(阿片專賣志による)。三十三年度は阿片と樟腦のみの繰越價額。三十四年度は食鹽をも含むが阿片は三十年度と同樣の方法で算定せるもの。又大正六―十年度は(イ)阿片は生阿片、煙膏、粉末阿片の殘高を合計せるもの、(ロ)鹽は上中下各鹽繰越數量に各年度の各等鹽平均價格を乘じて算出せるもの、(ハ)樟腦は、a、粗製樟腦及粗品繰越價額、b、製品樟腦(甲乙、壓乙、改乙)の繰越數量に各年度の夫々の平均價格を乘じて算出せる價格合計、c、樟腦油の本局繰越價額と神戶支局の繰越數量に本局に於ける平均價格を乘じて算出せるものとの合計、の三者を更に合算せるもの、(ニ)煙草に至つては簡單に計算出來る資料全くなく、止むを得ず大正二・三・四及び十一・十二・十三年度即ち前後各三年宛合計六ケ年間に於ける賣下價額と賣殘價額との平均割合を以て假に大正六―十年度の標準繰越率と看做し、これを各年度の賣下價額に乘じて夫々の推定繰越價額を出した。かくして最後に(イ)より(ニ)までを總計して各年度の專賣品總繰越價額を推定したものである。要するに此の現品繰越價額の算定は最も多大の苦心と勞力とを費して得たものであり、不完全な數字ではあるが其の點を諒とせられ度い。

同じく流動資本中「原料製品購買費」に就ては、◎印即ち三十乃至三十三年度の數字中には阿片及樟腦の試製費調製費等、性質上「其の他の事業費」中に入るべきものが含まれてゐる。(但し其の爲めに二重計算にはならぬ。)從つて同年度の「其の他の事業費」にも◎印を附して、其の他に試製費調製費のあることを示した。

第二に利潤計算に就て。單に年度中の收入總額から支出總額を控除した專賣収支差益金を以て所謂專賣益金とせらるゝ場合も少くないことは上述の如くであるが、かゝる大ざつぱな數字が決して專賣事業の眞の利益を示すものでないことは云ふまでもない。現實にはかゝる收支差益の全額が他の一般行政費に用ひられる點から、現實に財源として利用せられた專賣益金の額を論定する場合には、却て收支差益の方が現實に合する傾向もあらうけれど、眞に專賣の財源的價値を定むるものは決してかゝる一期間毎の收支差額ではなく、嚴密な利潤計算の結果得らるべき專賣利潤の額でなければならず、合理的なる財政々策の下に於ては當然かゝる利潤計算に基いて專賣益金の他の諸經費への支出が行はるべきものである。そこで、一方に於て專賣品の賣下代、雜收入、年度中に於ける固定資本の價値增加額(自然增價額をも含めて)、ストック卽ち次期への現品繰越高等の合計を以て總利益と看做し、他方原料製品購買費、固定資本の創設及增價施設の爲めの經費をも含めた其他の事業費(從つて資本計算の場合の「其他の事業費」とは合致せず、これと原料製品購買費との合計は專賣局所管歲出總計と合致するものである)、年度中に於ける固定資本の減價額、前期よりの現品繰越高の合計を以て總損失と看做し、其の差(正)を以て專賣事業の總利潤としたのである。其の中には固定資本の原價

總利潤の算定[26]

原料製品購買費	其の他の事業費[27]	固定資本減價	前期より現品繰越高	損失計	損(△)益
圓	圓	圓	圓	圓	圓
1,084,250	131,983	?	× 1,529,643	2,745,876	707,686
1,806,305	187,216	?	1,813,349	3,806,870	924,545
4,066,944	621,441	?	1,264,081	5,952,466	1,232,035
4,426,801	1,288,512	?	× 1,746,219	7,461,532	2,372,900
3,540,170	1,268,316	?	× 1,488,851	6,297,337	1,352,943
2,648,219	966,043	* 0	1,042,084	4,656,346	2,872,308
3,795,468	711,954	* 0	884,915	5,392,337	2,054,759
4,321,959	573,354	* 12,688	942,682	5,850,683	3,205,380
6,102,689	805,080	?	1,056,700	7,964,469	4,021,835
7,528,490	1,128,093	?	× 1,299,332	9,955,915	5,307,430
7,681,871	1,238,347	0	2,140,358	11,060,576	8,573,056
6,416,343	1,216,503	26,525	3,417,050	11,076,421	6,138,948
6,344,925	1,129,079	106,167	5,892,314	13,472,485	5,859,161
8,362,126	1,703,348	456,255	5,564,356	16,086,085	6,487,347
7,127,709	1,451,761	25,154	6,886,489	15,491,113	6,895,995
8,052,831	1,392,426	233,806	6,663,015	16,342,078	6,224,433
8,112,374	1,322,809	54,685	5,813,142	15,303,010	7,154,755
7,536,914	1,258,628	61,669	6,091,205	14,948,416	7,687,726
7,447,238	1,291,589	18,452	6,433,680	15,190,959	8,466,672
10,294,917	1,410,173	24,713	× 6,882,979	18,612,782	10,374,416
9,890,412	1,717,600	21,945	× 8,662,257	20,292,214	10,524,682
10,935,917	2,901,133	63,174	× 8,439,906	22,340,184	10,747,892
15,198,980	4,387,269	55,525	× 9,554,480	29,196,254	13,046,626
18,743,569	5,456,153	64,974	× 14,616,752	38,881,448	11,373,545
12,169,812	4,366,728	78,616	× 16,541,280	33,156,436	9,474,204
16,477,445	11,574,337	76,921	14,988,040	43,116,740	15,409,094
17,776,693	7,453,456	141,536	19,272,257	44,643,942	19,930,709
18,077,708	7,797,266	217,339	21,623,823	47,716,136	23,658,629
19,195,614	7,709,107	135,047	29,382,666	56,422,434	19,245,797
16,283,821	8,187,812	948,485	31,794,867	57,214,984	20,733,190
14,631,483	8,556,622	214,848	33,319,589	56,721,542	18,010,396
16,732,733	8,546,932	199,595	32,554,903	58,034,163	22,801,215
18,618,495	8,766,673	275,069	31,965,101	59,625,338	22,637,081
15,296,133	6,883,347	303,244	31,986,752	54,469,373	22,475,933
13,174,215	6,391,398	138,423	32,624,154	52,328,190	19,270,670

十四　臺灣專賣事業

年度	專賣品賣下代	雜收入	固定資本増價	次期への現品繰越高	利益計
明治30年度	圓 1,640,213	圓 ?	圓 ?	圓 1,813,349	圓 3,453,562
31 〃	3,467,334	47	?	1,264,081	4,731,415
32 〃	5,438,282	?	?	× 1,746,219	7,184,501
33 〃	8,345,581	?	?	× 1,488,851	9,834,432
34 〃	6,568,489	39,707	?	1,042,084	7,650,280
35 〃	6,210,106	46,842	* 286,791	884,915	7,428,654
36 〃	6,350,412	85,375	* 68,627	942,682	7,447,096
37 〃	7,877,774	121,589	* 0	1,056,700	9,056,063
38 〃	10,605,090	81,882	?	× 1,299,332	11,986,304
39 〃	13,055,171	67,816	?	2,140,358	15,263,345
40 〃	15,945,635	92,315	* 178,632	3,417,050	19,633,632
41 〃	11,084,821	86,708	151,526	5,892,314	17,215,369
42 〃	13,632,620	86,062	48,608	5,564,356	19,331,646
43 〃	15,034,459	159,264	493,220	6,886,489	22,573,432
44 〃	15,659,295	32,799	31,999	6,663,015	22,387,108
大正元 〃	16,360,690	145,930	246,749	5,813,142	22,566,511
2 〃	15,903,188	130,785	332,587	6,091,205	22,457,765
3 〃	15.911,599	108,960	181,903	6,433,680	22,636,142
4 〃	16,588,330	142,529	43,802	× 6,882,979	23,657,631
5 〃	20,146,955	● 25,746	62,240	× 8,662,257	28,987,198
6 〃	22,138,847	● 120,444	117,699	× 8,439,906	30,816,896
7 〃	23,255,076	● 53,240	235,130	× 9,554,480	33,088,076
8 〃	27,408,210	● 217,919	167,134	×14,616,752	42,242,881
9 〃	33,269,057	● 89,388	355,269	×16,541,280	50,254,994
10 〃	22,549,544	● 3,829,813	1,263,242	14,988,040	42,630,639
11 〃	37,215,135	43,876	1,994,563	19,272,257	58,525,834
12 〃	41.964,834	102,379	883,615	21,623,823	64,574,651
13 〃	40,971,920	104,829	915,350	29,382,666	71,374,765
14 〃	42,367,617	129,531	1,376,108	31,794,867	75,668,123
昭和元 〃	42,688,363	102,381	1,837,840	33,319,589	77,948,173
2 〃	40,330,199	87,736	1,749,099	32,554,903	74,731,937
3 〃	47,255,360	102,509	1,512,408	31,965,101	80,835,378
4 〃	48,473,038	95,179	1,707,451	31,986,752	82,262,419
5 〃	43,373,404	76,928	870,822	32,624,154	76,945,309
6 〃	39,468,969	73,785	928,446	31,127,661	71,598,861

償却をも見込まれて居り、其の結果(詳しく云へばその他更に現品繰越高が專賣事業の規摸漸增と共に概して漸次增大する傾向が顯著であること、卽ち現品勘定に於ては借方よりも貸方の方が大體常に多額を占むる傾向があること、も加はつて)、かくして算出した總利潤は單純な收支計算によつた場合の差益金よりは常に小額となつて現れた(第十四表)[26]。

(26) 原數字の出所は前掲第十三表「專賣事業資本」の場合と同じ(註25を參照)。現品繰越高の欄中×印に就ても註(25)を參照のこと。固定資本の增(減)價の欄中＊印の年度は、資料の關係上差引純增(減)價額。從つて純增價の年は損失側の欄が零となる(反對の年は利益側欄が零)。雜收入の欄中●印はこれらの年度の數字が不明であつたので專賣事業年報に揭ぐる利益合計から他の三欄の計を控除して之を求めた。大正十年度の雜收入の如き明かに過大に算定される結果になつたことが明であるが、暫くそのまゝとした。

(27) 「其他の事業費」は前掲第十三表の同名の計數とは性質同じからず(前頁本文參照)。

第三、超過利潤の算定に就て。これも嚴密に云へば先づ平均利潤率の算定、といふ事實上不可能な問題があるが、こゝには我が國に於ける重要產業株の平均利廻を以て暫く推定平均利潤率と解した。此の場合特に臺灣の株式の平均利廻をとつて標準とするといふことは、平均値の算定に充分な數だけの有力株式會社が臺灣に存在しないといふだけでも、實際問題として不可能なことである。而して採用した利廻が暦年に從つたもので當に三ヶ月だけ時間的に他の數字(全て會計年度による)に先んじてゐることは、一般に臺灣經濟界の動きが內地のそれに對して多少の「ラッグ」(lag)をもつといふ事實に顧みて、內地の利廻を臺灣に適用する場合には、却て實際に適合する結果になるのではないか、と考へられる節もあつたので、敢てそのまゝこれを使用した。唯明治四十年以前に遡つてかゝる推定平均利潤率を一貫使用することが出來なかつたので止むなくそれ以前は國債利廻を借りて之を補つた次第である。かくて、前の總資本と總利潤とから得られる臺灣專賣資本の各年度に於ける利潤率が此の推定平均利潤率を超えた大さが超過利潤率であり、それと總資本との積が超過利潤であるとしたものである(第十五表)。

そこで主として最後の表に就て述べれば、先づ第一に總資本は、明治三十年度の二百餘萬圓から昭和六年度の五千五百餘萬圓に、卽ち三十五年間に約二十七倍に增資された勘定になつて居り、これを各期別平均に見るも、第一期(明治三十七年度まで、阿片、食鹽、樟腦の三專賣時代)の平均專賣資本は四百萬圓弱。第二期(明治三十八―大正二年度の阿片、食鹽、樟腦、煙草四專賣時代前半期)には、平均一千萬圓强。第三期(大正三—九年度の同上四專賣時代後半期)には平均一千八百萬圓强。第四期(大正一〇—現在、第二年目より酒專賣の加はつた五專賣時代)の平均資本は大體五千萬圓弱、といふ大勢になつてゐる。資本蓄積の速度の甚だ急速なるを知ると共に、此の巨額な國家資本が專賣品の生産過程と流通過程を通して封建的臺灣社會の資本主義化に貢獻した力の極めて大なるべきことを想見するに餘りがある。

猶此の專賣資本が如何なる資本構成をとつてゐるかを間接に案ずる一法として、前掲第十三表によつて專賣資本中に於ける固定資本と流動資本との割合を見るに、殆ど其の壓倒的部分が流動資本より成り固定資本は極めて小い割合を占めて居ることが判る。例へば第一期平均に於ては固定資本一八・五%、流動資本八一・五%。第二期平均は前者一六・六%對後者八三・四%。第三期平均は更に一層固定資本の割合が減じて、一三・七%對八六・三%となつて居り(次に述べる如く大體利潤率の趨勢はこれに應じてゐる)、第四期は主として酒專賣創設に伴ふ固定資本の增加に原因して一八・六%對八一・四と多少逆轉して第一期の構成と略〻等しくなつた。かくの如く其の間に多少の變化はあるが、何れにせよ專賣資本の大部分が流動資本より成るといふ一點に至つては終始變りなく、これが次に述べる如き極めて高

十五　臺灣專賣事業超過利潤の算定

年　　度	總資本	總利潤	利關率	推定平均利潤率	推定平均利潤	超加利潤率	超加利潤
	圓	圓	%	%	圓	%	圓
明治30年度	2,132,760	707,686	33.18	5.11	108,984	28.07	583,702
31 〃	2,810,110	924,545	32.90	5.35	150,341	27.55	774,204
32 〃	3,716,419	1,232,035	33.15	5.37	199,572	27.78	1,032,463
33 〃	4,840,739	2,372,900	49.02	5.58	270,113	43.44	2,102,787
34 〃	4,589,112	1,352,943	29.48	5.92	271,675	23.56	1,081,268
35 〃	4,073,958	2,872,308	70.50	5.85	238,327	64.65	2,633,981
36 〃	4,377,437	2,054,759	46.94	5.58	244,261	41.36	1,810,498
37 〃	4,634,520	3,205,380	59.16	5.86	271,583	53.30	2,933,797
38 〃	5,686,374	4,021,835	70.73	6.16	350,281	64.57	3,671,554
39 〃	6,910,498	5,307,430	76.80	5.49	379,386	71.31	4,928,044
40 〃	8,000,432	8,573,056	107.16	5.74	455,229	101.42	8,117,827
41 〃	8,794,817	6,138,948	69.80	6.03	530,327	63.77	5,608,621
42 〃	11,291,284	5,859,161	51.89	5.[illegible]5	604,084	46.54	5,255,077
43 〃	11,990,771	6,487,347	54.10	4.96	594,742	49.14	5,892,605
44 〃	12,932,235	6,895,995	53.32	5.03	650,491	48.29	6,245,504
大正元 〃	13,288,628	6,224,433	46.84	5.64	749,479	41.20	5,474,954
2 〃	12,645,990	7,154,755	56.58	6.75	853,604	49.83	6,301,151
3 〃	12,861,186	7,687,726	59.77	7.43	955,586	52.34	6,732,140
4 〃	13,152,540	8,466,672	64.37	6.08	799,674	58.29	7,666,998
5 〃	15,161,884	10,374,416	68.42	5.32	806,612	63.10	9,567,804
6 〃	17,004,002	10,524,682	61.90	6.37	1,083,155	56.53	9,441,527
7 〃	17,988,490	10,747,892	59.75	8.20	1,475,056	51.55	9,272,836
8 〃	22,096,237	13,046,626	59.04	8.51	1,880,390	50.53	11,166,236
9 〃	28,602,220	11,373,545	38.94	12.21	3,492,331	26.73	7,881,214
10 〃	28,499,247	9,474,204	33.24	10.36	2,952,522	22.88	6,521,682
11 〃	32,182,186	15,409,094	47.88	8.87	2,854,560	39.01	12,554,534
12 〃	38,237,520	19,930,709	52.12	8.71	3,330,488	43.41	16,600,221
13 〃	41,731,952	23,658,629	56.69	8.68	3,622.333	48.01	20,036,296
14 〃	50,646,631	19,245,797	38.00	7.81	3,955,502	30.19	10,290,295
昭和元 〃	52,009,771	20,733,190	39.86	7.00	3,640,684	32.86	17,092,506
2 〃	54,300,707	18,010,396	33.17	6.63	3,600,137	26.54	14,410,259
3 〃	55,281,408	22,801,215	41.25	6.16	3,405,335	35.09	19,395,880
4 〃	56,740,582	22,637,081	39.80	6.88	3,903,752	32.92	18,733,329
5 〃	55,455,897	22,475,933	40.53	8.15	4,519,656	32.38	17,956,277
6 〃	55,329,239	19,270,670	34.83	6.93	3,834,316	27.90	15,436,354

き專賣利潤率（並びに超過利潤率）の一因であることも容易に推斷し得るところである。

次に總利潤に就て見るに、第一期（明治三十七年度まで）の累計が一千四百七十二萬三千圓（四捨五入以下同じ）、第二期（明治三十八—大正二年度）のそれが五千六百六十六萬三千圓、第三期（大正三—九年度）が七千二百二十二萬二千圓、第四期（大正十—昭和六年度）が二億一千三百六十四萬六千圓、更に第一—四期全體の累計は三億五千七百二十五萬三千圓となつてゐる。これが各期別及び昭和六年度までの全期間に專賣事業が專賣以外の一般行政費の財源として臺灣財政に貢獻した實際の金額から餘り遠くない數字であると考へて大過あるまい。これを每年度平均として概觀すれば、第一期平均約百八十萬圓、第二期平均約六百三十萬圓、第三期平均約一千萬圓、第四期平均二千萬圓弱といふのが一年間の純益の趨勢であつた。その累增振りは可成顯著なものであつたことがわかるが、それにしてもこの計數を意外に少いと考へる人がもしあるならば、例の經費累增の原則が臺灣に於ても極めて顯著であつたこと（換言すれば第一期第二期時代の歲出總計が現在の眼から見れば如何に小さかつたかといふこと）と、且專賣局所管經費が總督府全經費中に於て甚だ小さくない割合を占めるものであるといふこと(專賣利潤はこれを全部賄つた上に猶殘つた金額で、從つてこれだけは專賣事業費以外の一般行政費に充用し得た額であること)をはつきりと思ひ浮べて此の數字の價値を考へて貰へばよろしい。事實砂糖消費税の大部分を內地に移管した以後卽ち第三期以降に於ては、それは全間接税收入を殆ど常に凌駕してゐるものであり、殊に酒税が廢されて酒專賣益金が之に代つた第四期に於てはそれは間接税に直接國税を合した國税收入總體にもよく匹敵するものとなつてゐるのである。卽ち臺灣の歲入構成上に於ける專賣利潤の重要性は後揭第二十二表(第九五頁)が之を示して餘りあらう。

次に之を利潤率に卽して見るならば、第一期平均四割四分三厘、第二期六割五分二厘、第三期五割八分九厘、第四期四割一分六厘といふ高率になつて居り、就中臺灣の專賣事業が最も高き率の利潤を擧げたのは第二期で明治四十年度の如き實に十割七分餘その前年の三十九年度も七割六分八厘といふ驚異的利潤率を示したが、第三期第四期と遞下して、第四期は第一期のそれよりも惡くなつてゐることがわかるであらう。利潤率低下の原因は財界一般の惡化が最も重なるものであらうが、同時に固定資本の增加と就中樟腦利潤率が第三期以來一二の年に於ける例外を除いては概して特によくなかつたことも與つて力がある(後者は第十七表に示す樟腦を除いた他の諸專賣事業の利潤率がこゝに掲げたそれをも含む場合の利潤率より殆ど常に高いことを見ても容易に推論し得るところである)。

更に超過利潤率は如何と云ふに、第一期平均三割八分五厘、第二期五割九分六厘、第三期五割一分三厘、第四期三割七分一厘で、其の大勢は總利潤率の動きと大差ない。

最後に超過利潤額であるが、平均利潤を控除したこの金額も猶その全額を以て臺灣島民の專賣負擔の大さを示すものと云ひ得ないことは、前に特殊專賣の益金問題を述ぶる際に明かにして置いた如くである。それを算定するには猶今少しの煩鎖を忍耐しなければならぬ。

それは第一に移輸出專賣品にかゝる超過利潤を控除すること、第二に島内消費の專賣品に就ては差益地代部分を控除すること、これである。實際問題として第一は樟腦と鹽とに就て問題となり、第二は鹽に就て問題となる(理論的には島内租税負擔算定上差益地代控除の問題は猶島内消費樟腦と臺灣產葉煙草に就ても存するわけだが實際的價値より見ればそれらは重要でない)。先づ第一から考察するのに、樟腦の大部分が島外に移輸出(更に移出の大部分は輸出)せられ、島内消費高が殆ど云ふに足りぬことは何人も知る如くで敢て論證を要しまい。鹽も島外移輸出(内地移出が大部分、我が領土就中朝鮮への移出が之れに次で多い)の方が島内消費よりも一二の年を除いては常に多く、專賣施行以來昭和七年度までの總累計に於ては島外六割二分五厘(四捨五入)島内三割七分五厘といふ割合(數量に於て)になつてゐる(第十六表)。ところが負擔の問題に關聯して是非同時に考慮しなければならぬ點がある。それは内地が食鹽に就て公益專賣制をとつて居り、又曹達工業其他の化學工業に對する所謂工業用鹽に對しても產業政策の見地より廉價に鹽を供給する方針を採つてゐる關係で、島内に於けると同じ價格では内地が臺灣鹽を買つて吳れない、といふことである。臺灣としては多數の製鹽者及び製鹽勞働者に生業を與へる爲めにも、到底島内で消化し切れぬことを承知で多年巨大な產鹽を續けて來る必要があつたのであるが、その爲めには幸ひ生產が不足して居る内地にこれを買つて貰はねばならぬのである。兎も角内地に對しては原則として原價で鹽を賣り時に原價を切つて賣つたことも一再でなく、其の結果島外賣は第十六表から累計平均しても一千瓩當り八圓六十九錢と云ふ臺灣に於ける賣

「臺灣の專賣事業」昭和八年版によつて算定）

輸出高		島內島外總計（B）		(A)の(B)に對する割合	
其他共島外移輸出總量	同上總價額	數量	價額	數量	價額
千斤	圓	千斤	圓	%	%
—	—	20,377	270,827	100.0	100.0
12,795	40,473	33,093	285,611	61.3	86.0
24,921	81,370	50,636	399,629	50.8	79.7
50,227	140,029	73,098	418,244	32.1	66.5
24,823	82,594	52,798	466,418	53.0	82.2
38,863	145,870	67,816	557,876	42.7	73.8
32,100	187,540	56,861	667,370	43.5	71.9
35,932	196,762	60,519	711,488	43.9	72.3
36,210	218,383	63,892	754,414	43.3	71.1
24,299	170,385	51,032	692,625	52.4	75.4
47,700	287,839	75,300	824,695	36.7	65.1
49,167	304,442	75,701	821,209	35 1	63.0
52,629	332,887	80,808	883,748	32.8	62.3
35,145	190,509	63,366	754,516	44.5	74.7
37,627	203,918	67,162	798,501	44.0	74.4
5 ,937	325,545	88,289	886,600	32.1	63.2
56,668	307,170	85,057	867,663	33.4	64.6
65,590	357,109	96,092	957,205	31.7	62.7
100,659	549,928	134,371	1,198,525	25.1	54.1
69,771	395,350	104,974	1,077,094	32.9	63.3
26,147	162,460	64,754	984,834	59.6	83.5
11,140	114,693	47,537	1,000,275	76.6	88.5
49,746	832,250	93,278	1,819,874	46.7	54.3
55,148	796,601	97,619	1,845,034	43.5	56.8
104,282	1,379,400	142,276	2,378,681	26.7	42.0
144,099	1,795,097	187,949	2,871,124	23.3	37.5
96,568	1,363,520	138,106	2,438,671	30.1	44.1
59,388	794,880	101,277	2,053,755	41.4	61.3
60,275	751,527	105,215	2,215,720	42.7	66.1
45,216	576,508	87,347	2,093,192	48.2	72.5
78,441	848,476	123,843	2,419,151	36.1	64.9
92,146	828,066	138,099	2,334,121	33.2	64.5
132,110	941,967	180,974	2,459,629	26.2	61.7
103,593	1,012,220	148,804	2,529,209	30.8	60.0
1,913,362	16,617,768	3,062,320	43,628,808	37.5	61.9
一千斤當り	圓 8.69	一千斤當り	圓 14.25		

十六　食鹽島內島外販賣高　（臺灣總督府專賣局編

年度	島內賣下高(A)		島外移	
	數量	價額	內地移出數量	同上價額
	千瓩	圓	千瓩	圓
明治 32 年度	20,377	270,827	—	—
33 〃	20,298	245,138	12,795	40,473
34 〃	25,715	318,259	24,921	81,370
35 〃	22,871	278,215	50,227	140,029
36 〃	27,975	383,824	24,733	81,946
37 〃	28,953	412,006	38,653	144,500
38 〃	24,761	479,830	29,100	173,200
39 〃	26,587	514,726	25,740	154,320
40 〃	27,682	536,031	31,110	185,743
41 〃	26,733	522,240	15,000	111,100
42 〃	27,600	536,856	36,000	218,719
43 〃	26,534	516,767	28,116	174,033
44 〃	28,179	550,861	38,279	227,623
大正 元 〃	28,221	564,007	32,745	175,529
2 〃	29,535	594,583	37,627	203,918
3 〃	28,352	561,055	59,847	325,020
4 〃	28,389	560,493	56,490	306,198
5 〃	30,502	600,096	64,820	353,348
6 〃	33,712	648,957	97,839	533,840
7 〃	35,203	681,744	69,755	395,274
8 〃	38,607	822,374	26,147	162,460
9 〃	36,397	885,582	11,140	114,693
10 〃	43,532	987,624	49,746	832,250
11 〃	42,471	1,048,433	55,148	796,601
12 〃	37,994	998,281	82,778	1,095,730
13 〃	43,850	1,076,027	100,128	1,236,002
14 〃	41,538	1,075,151	76,539	1,100,007
昭和 元 〃	41,889	1,258,795	45,217	600,348
2 〃	44,940	1,464,193	46,548	602,579
3 〃	42,131	1,516,684	45,216	576,508
4 〃	45,402	1,570,675	63,981	647,276
5 〃	45,953	1,506,055	76,375	640,704
6 〃	48,864	1,517,662	105,660	804,761
7 〃	46,211	1,516,989	86,300	781,180
累計	1,148,958	27,011,040	1,624,130	14,018,202
平均	一千瓩當り	圓 23.5	一千瓩當り	圓 8.63

捌價格の三分ノ一近くの價格が出て來るのである。又島內賣と島外賣との割合は數量に於てこそ上述の如く過半が內地賣であるが價額に於ける割合（昭和七年度までの總累計に於ける平均）は島內六割一分九厘、島外三割八分一厘といふ、數量に於けるとは正に逆の割合となつてゐるのもこの事情に基く。故に食鹽は數量に於ては過半を島外に移輸出してゐるけれど、益金は島內のみより擧げてゐるものと考へなければならぬ。そこで益金に關し結局移輸出關係を考慮すべきは樟腦だけであると云ふことになる。第二に製鹽地差益地代の控除であるがこれは既に述べた如く現在未だ發表し得る程度にまでその算定に成功して居らぬ。それ等の關係からいさゝか亂暴な嫌はあるが、便宜上樟腦利潤の全額を控除することによつてこれに代えた。卽ち島內消費臺灣樟腦（樟腦油其他副產物及樟腦を原料とするセルロイド其他の製品）にかゝる樟腦利潤と食鹽地代とを假に略々等しきものと想定したわけである。其の結果は左の如くである（第十七表參照）が、それは全專賣事業の總利潤から、他方その算出に於けると全く同樣の手續きによつて算出した樟腦總利潤を控除して四專賣總利潤をもとめ、更に前と同樣の方法でその場合の超過利潤を算出せるものである。唯明治四十一年度以前に於ける樟腦

十七　樟腦を除いた專賣事業の超過利潤 28)

年度	樟腦關係以外の專賣事業資本	同上總利潤	同上利潤率	推定平均利潤率	推定平均利潤	超過利潤率	超過利潤
	圓	圓	%	%	圓	%	圓
明治41年度	5,835,287	4,308,851	73.84	6.03	351,868	67.81	3,956,983
42 〃	6,195,235	4,282,260	69.12	5.35	331,445	63.77	3,950.815
43 〃	6,750,656	4,299,477	63.69	4.96	334,833	58.73	3,964,644
44 〃	7,638,900	5,112,339	66.93	5.03	384,237	61.90	4,728,102
大正元 〃	7,953,500	4,005,501	50.36	5.64	448,577	44.72	3,556,924
2 〃	7,778,354	5,005.806	64.36	6.75	525,039	57.61	4,480,767
3 〃	7,642,700	5,802,574	75.92	7.43	567,853	68.49	5,234,721
4 〃	7,790,805	6,620,967	84.98	6.08	473,809	78.90	6,147,158
5 〃	9,074,503	7,892,777	86.98	5.32	482,764	81.66	7,410,013
6 〃	10,793,449	7,441,594	68.95	6.37	687,543	62.58	6,754,051
7 〃	11,250,114	8,911,653	79.21	8.20	922,509	71.01	7,989,144
8 〃	14,595,031	8,312,071	56.95	8.51	1,242,037	48.44	7,070,034
9 〃	18,141,606	9,075,869	50.03	12.21	2,215,090	37.82	6,860,779
10 〃	17,722,018	10,469,008	59.07	10.36	1,836,001	48.71	8,633,007
11 〃	21,238,633	11,861,310	55.85	8.87	1,883,967	46.98	9,977,343
12 〃	25.552,118	18,048,622	70.63	8.71	2,225,589	61.92	15,823,033
13 〃	30,909,959	22,360,499	72.34	8.68	2,682,984	63.66	19,677,515
14 〃	38,475,732	15,778,683	41.01	7.81	3,004,955	33.20	12,773,728
昭和元 〃	40,479,375	19,730,531	48.74	7.00	2,833,556	41.74	16,896,975
2 〃	42,512,794	17,919,025	42.15	6.63	2,818,598	35.52	15,100,427
3 〃	43,466,141	21,558,656	49.60	6.16	2,677,514	43.44	18,885,142
4 〃	45,927,967	21,125,411	46.00	6.88	3,159,844	39.12	17,965,567
5 〃	46,532,266	21,132,692	45.42	8 15	3,792,380	37.27	17,340,312
6 〃	45,010,224	18,429,474	40.95	6.93	3,119,209	34.02	15,310,265

專賣事業の固定資本に就ての計數が累年的に得られなかつたのでそれ以前に遡ることを得なかつたことを一言せねばならぬ。これを以て私は今のところ臺灣在住民の過去に於ける專賣品消費稅負擔額の概數とする。

(28) 原數字の出所に就ては註(25)(26)を參照。

猶此の四專賣超過利潤が島內在住民の中內地人と內地人以外の在住者(本島人、外國人、高砂族)との間に略〻如何なる割合で負擔されたかに就て推定を試みることも無益ではあるまい。それは專賣品の推定消費割合から算定するより他ない。消費割合推定の標準は次の如くに定める。

一、阿片は勿論內地人以外の消費である。

二、食鹽は二者の人口割合に應じて按分する。

三、煙草は種類によつて之を分つこととし、(イ)口付、葉卷を內地人消費、(ロ)刻を內地人以外の消費、(ハ)兩切を二者の人口數に按分する。口付煙草(敷島、朝日、不二)を內地人以外も消費することは事實であるが、刻煙草の中には臺灣刻の他に少額ながら內地刻を含んでゐるから相殺とし、兩切煙草を人口に按分する結果は恐らく內地人の煙草消費(從つて煙草利潤負擔)は實際より少く算定される結果となるものと

十八　臺灣に於ける煙草推定消費割合（「臺灣の專賣事業」によつて算定）

	內地人消費				其他消費		
	口付	兩切	葉卷	計	兩切	刻	計
	圓		圓	圓	圓	圓	圓
明治38年度	233,679	10,420	3,729	247,828	535,129	709,327	1,244.456
39 〃	501,765	9,043	4,387	515,185	391,077	2,142,047	2,533,121
40 〃	657,462	7,220	8,303	672,985	287,456	2,520,308	2,807,764
41 〃	854,015	3,808	12,946	870,769	143,226	2,368,285	2,811,511
42 〃	1,188,606	2,198	9,843	1,200,647	77,425	2,434,631	2,512,056
43 〃	1,307,371	822	10,851	1,319,044	26,852	2,663,450	2,690,302
44 〃	1,638,154	881	13,886	1,652,921	26,131	2,737,785	2,763,916
大正元 〃	1,725,977	1,892	12,716	1,740,585	51,114	2,732,133	2,783,247
2 〃	1,906,701	2,357	10,531	1,919,589	59,332	2,740,188	2,799,520
3 〃	1,785,604	3,610	6,402	1,795,616	86,862	2,666,953	2,753,815
4 〃	1,851,658	4,081	6,783	1,862,522	102,205	2,703,553	2,805,758
5 〃	1,050,480	7,176	10,277	1,067,933	174,028	3,074,288	3,248,316
6 〃	1,191,779	11,304	13,830	1,216,913	272,707	3,321,722	3,594,429
7 〃	1,659,300	32,055	24,592	1,715,947	678,518	3,502,482	4,181,000
8 〃	2,604,270	43,598	43,009	2,690,877	1,012,032	4,958,347	5,970,379
9 〃	5,706,727	38,613	41,278	5,786,618	833,002	5,935,061	6,768,063
10 〃	5,667,783	22,782	26,371	5,716,936	477,929	5,336,984	5,814,913
11 〃	4,966,341	31,821	20,770	5,018,932	666,138	5,061,360	5,727,498
12 〃	4,977,741	30,073	22,413	5,030,227	627,984	5,096,934	5,724,918
13 〃	5,450,230	31,112	25,578	5,506,920	654,177	5,870,472	6,524,649
14 〃	5,840,787	53,848	29,216	5,923,851	1,124,448	5,407,857	6,532,305
昭和元 〃	6,571,108	73,054	30,754	6,674,916	1,508,203	5,685,482	7,193,685
2 〃	7,444,970	83,692	33,749	7,562,411	1,704,603	5,728,611	7,433,214
3 〃	8,164,297	91,584	34,813	8,290,694	1,832,460	5,749,205	7,581,665
4 〃	8,403,347	103,480	40,150	8,546,977	2,030,135	5,698,803	8,028,938
5 〃	7,760,025	120,543	29,801	7,910,369	2,309,755	5,491,187	7,800,942
6 〃	6,623,587	134,708	25,819	6,739,114	2,517,015	5,159,834	7,676,849

豫想される(兩切の消費は内地人が本島人よりも遙かに多いから)が、今のところかうして置く。其の結果は右表の如くである(第十八表)。

四、酒も種類によつて之を分ち、(イ)、淸酒、泡盛、白酒、味淋、洋酒、酒粕、を内地人消費、(ロ)、米酒、糖蜜酒、紅酒、糯米酒、高粱酒、紹興酒、を内地人以外の消費とし、(ハ)燒酒、藥酒、酒精は之を二者の人口に按分する(第十九表)。

右の標準に基いて各專賣品賣下代を夫々配分、按分した結果を各々合計して内地人と其他の人口との間に於ける四專賣品の消費割合を算定した結果は左の如くである(第二十表)。これによつて見れば、内地人の臺灣專賣品消費割合は、始めは食鹽だけであつた關係から第一期末(明治三十七年度)には僅かに全體の一厘七毛、煙草が加つてから增加して明治四十一年度には一割三毛となり、更に第二期末(大正二年度)には一割八分三厘二毛、第三期末(大正九年度)には二割八分九厘、酒專賣が始まつてから一層增加して最近(昭和七年度)には全體の三分ノ一(三割三分三毛)にまで上つて居る。猶此の表で興味深いのは、好況時(例へば大正五・六・七年度)には内地人の專賣品消費が相對的に減少し、不況時(例へば大正九年の反動以來、殊に大正十一年度及昭和三年度以降)には逆に却て相對的に增加することが甚だ明瞭にあらはれてゐることである。これは蓋し內地人の大部分が官吏を主とする定額俸給生活者である爲め、物價の高い好況時には却て內地人の購買力が相對的に(本島人に對して)低下し、逆に不況時にはその購買力が却て相對的に大となることから起る當然の結果に過ぎぬ。

この消費割合に應じて上述四專賣の超過利潤を二者の間に按分して最後に夫々の專賣消費稅負擔額を算定するのであるが、それには相當大きな假定が含まれてゐる。それは一切の專賣品が全く等しき割合の超過利潤を其の價格中に含んでゐるといふ假定である。それは明かに事實に反する。同じ煙草又は酒の中でも品種によつて利潤率從つて超過利潤率は同じくないに違ない。せめて四專賣別各個の超過利潤に四專賣品夫々の消費割合を乘じて之を合算するならば餘程實際に近い數字があらはれるであらうが、個別專賣益金に就ては前に述べた如き事情があるので、こゝでは無理な假定を承知で、兎も角超過利潤全體を簡單に按分する方法によつて得た計數を揭げることにした(第二十一表)。かくの如く阿片の如き超過利潤率の極端に高いものを他の專賣品と同じに取扱ふ結果內地人以外の人口の負擔が實際よりも輕くあらはれる嫌があるわけであるが主として、問題

酒推定消費割合（「臺灣の專賣事業」によつて算定）

外の消費					
高粱酒	紹興酒	燒酒	藥酒	酒精	計
圓 135	圓 ——	圓 8,621	圓 24,286	圓 33,952	圓 3,570,894
4,721	——	46,227	231,486	92,349	6,062,874
3,987	——	43,968	640,657	104,745	7,875,860
4,254	——	48,201	1,300,128	119,754	9,508,395
3,777	——	46,567	1,217,590	135,358	10,208,677
3,213	——	51,017	1,086,925	143,074	10,574,259
3,989	——	54,563	1,005,030	163,556	10,709,768
6,141	28,760	56,448	846,395	131,191	10,348,140
4,862	15,231	60,524	505,102	102,547	9,277,774
4,142	○	60,521	362,808	98,306	8,350,914

消費					
酒粕	燒酒	藥酒	酒精	本島味淋	計
圓 25,120	圓 412	圓 1,160	圓 1,622	圓 ——	圓 2,872,010
44,449	2,214	11,085	4,422	——	3,367,310
53,846	2,091	30,469	4,982	——	3,646,373
70,381	2,308	62,261	5,697	——	3,894,289
82,252	2,256	58,977	6,556	——	3,945,215
78,938	2,505	53,366	7,025	——	4,291.389
78,416	2,727	50,230	8,174	——	4,759,987
81,828	2,877	43,143	6,687	1,761	5,003,357
73,531	3,159	26,360	5,352	1,924	4,519,578
42,098	3,240	19,417	5,261	819	4,314,378

十九　臺灣に於ける

年度	内地人以			
	米酒	糖蜜酒	紅酒	糯米酒
	圓	圓	圓	圓
大正 11 年度	1,939,757	1,273,056	282,289	7,798
12 〃	3,091,997	1,750,044	561,320	284,730
13 〃	3,513,427	1,824,806	1,319,554	424,716
14 〃	4,126,781	1,838,0[illegible]4	1,602,528	468,935
昭和 1 〃	4,478,289	1,777,480	2,146,961	402,655
2 〃	4,762,117	1,753,956	2,443,042	333,915
3 〃	5,113,414	1,733,666	2,392,740	242,810
4 〃	5,579,535	1,744,181	1,799,917	155,872
5 〃	5,084,272	1,668,744	1,715,066	121,426
6 〃	4,564,263	1,579,141	1,601,427	80,306

年度	内地人				
	清酒	泡盛	白酒	味淋	洋酒
	圓	圓	圓	圓	圓
大正11年度	2,692,242	21,699	16,923	32,347	80,485
12 〃	3,012,743	58,308	13,617	47,181	173,291
13 〃	3,173,088	60,152	14,370	46,810	260,565
14 〃	3,265,639	62,105	15,268	46,914	363,716
昭和 1 〃	3,222,182	64,347	14,442	42,296	451,907
2 〃	3,426,968	58,934	13,122	46,440	594,091
3 〃	3,728,923	69,584	13,476	52,788	755,669
4 〃	3,918 592	74,414	14,615	51,242	808,198
5 〃	3,553,418	52,313	13,586	49,999	739,936
6 〃	3,370,210	40,506	13,233	50,827	763,767

（推定の根據，方法に就ては本文參照）

其他消費				合計	消費割合％	
食鹽	煙草	酒	計		內地人	其他
圓	圓	圓	圓	圓		
—	—	—	1,640,213	1,640,213	0.00	100.00
—	—	—	3,467,334	3,467,334	0.00	100.00
267,577	—	—	4,517,155	4,520,405	0.07	99.93
241,878	—	—	4,476,858	4,480,118	0.07	99.93
313,708	—	—	3,118,602	3,123,153	0.15	99.85
273,875	—	—	3,282,363	3,286,703	0.13	99.87
377,376	—	—	3,997,712	4,004,160	0.16	99.84
404,878	—	—	4,118,991	4,126,119	0.17	99.83
470,665	1,244,456	—	5,920,952	6,177,945	4.16	95.84
503,093	2,533,121	—	7,470,077	8,046,895	7.17	92.83
522,898	2,807,764	—	7,799,177	8,485,295	8.09	91.91
508,714	2,811,511	—	7,932,139	8,816,434	10.03	89.97
522,039	2,512,056	—	7,701,494	8,916,958	13.63	86.37
501,419	2,690,302	—	7,866,064	9,200,456	14.50	85.50
532,903	2,763,916	—	8,798,368	10,469,247	15.96	84.04
543,871	2,783,247	—	8,589,984	10,350,704	17,01	82.99
571,870	2,799,520	—	8,660,985	10,603,287	18.32	81.68
538,669	2,753,815	—	8,518,980	10,336,932	17.59	82.41
538,970	2,805,758	—	9,215,136	11,099,181	16.97	83.03
576,332	3,248,316	—	10,957,168	12,048,865	9.06	90.94
623,129	3,594,429	—	12,187,665	13,430,406	9.25	90.75
654,065	4,181,000	—	12,940,343	14,683,969	11.87	88.13
788,410	5,970,379	—	14,400,443	17,125,284	15.91	84.09
846,351	6,768,063	—	14,334,399	20,160,248	28.90	71.10
942,687	5,814,913	—	14,291,225	20,053,098	28.73	71.27
1,000,834	5,727,498	3,570,894	16,739,668	24,678,419	32.17	67.83
952,660	5,724,918	6,062,874	18,613,970	27,057,128	31.20	68.80
1,027,175	6,524,649	7,875,860	21,002,705	30,202,850	30.46	69.54
1,026,017	6,532,305	9,508,395	21,187,671	31,054,945	31.77	68.23
1,200,642	7,193,685	10,208,677	22,855,704	33,533,991	31.84	68.16
1,395,669	7,433,214	10,574,259	23,822,829	35,745,153	33.35	66.65
1,444,490	7,581,665	10,709,768	24,147,490	37,270,365	35.21	64.79
1,494,497	8,028,938	10,348,140	23,899,511	37,526,023	36.31	63.69
1,431,355	7,800,942	9,277,774	22,859,889	35,364,536	35.36	64.64
1,440,565	7,676,849	8,350,914	21,654,872	32,335,461	33.03	66.97

二十　臺灣に於ける四專賣品推定消費割合

年度	内地人消費				
	食鹽	煙草	酒	計	阿片
	圓	圓	圓	圓	圓
明治30年度	——	——	——	——	1,640,213
31 〃	——	——	——	——	3,467,334
32 〃	3,250	——	——	3,250	4,249,578
33 〃	3,260	——	——	3,260	4,234,980
34 〃	4,551	——	——	4,551	2,804,894
35 〃	4,340	——	——	4,340	3,008,488
36 〃	6,448	——	——	6,448	3,620,336
37 〃	7,128	——	——	7,128	3,714,013
38 〃	9,165	247,828	——	256,993	4,205,831
39 〃	11,633	515,185	——	576,818	4,433,863
40 〃	13,133	672,985	——	686,118	4,468,515
41 〃	13,526	870,769	——	884,295	4,611,914
42 〃	14,817	1,200,647	——	1,215,464	4,667,399
43 〃	15,348	1,319,044	——	1,334,392	4,674,343
44 〃	17,958	1,652,921	——	1,670,879	5,501,549
大正 1 〃	20,135	1,740,585	——	1,760,720	5,262,686
2 〃	22,713	1,919,589	——	1,942,302	5,289,595
3 〃	22,386	1,795,616	——	1,818,002	5,226,496
4 〃	21,523	1,862,522	——	1,884,045	5,870,408
5 〃	23,764	1,067,933	——	1,091,697	7,132,520
6 〃	25,828	1,216,913	——	1,242,741	7,970,107
7 〃	27,679	1,715,947	——	1,743,626	8,105,278
8 〃	33,964	2,690,877	——	2,724,841	7,641,654
9 〃	39,231	5,786,618	——	5,825,849	6,719,985
10 〃	44,937	5,716,936	——	5,761,873	7,533,625
11 〃	47,809	5,018,932	2,872,010	7,938,751	6,440,442
12 〃	45,621	5,030,227	3,367,310	8,443,158	5,873,518
13 〃	48,852	5,506,920	3,646,373	9,200,145	5,575,021
14 〃	49,134	5,923,851	3,894,289	9,867,274	4,120,954
昭和 1 〃	58,156	6,674,916	3,945,215	10,678,287	4,252,700
2 〃	68,524	7,562,411	4,291,389	11,922,324	4,419,687
3 〃	72,194	8,290,694	4,759,987	13,122,875	4,411,567
4 〃	76,178	8,546,977	5,003,357	13,626,512	4,027,936
5 〃	74,700	7,910,369	4,519,578	12,504,647	4,349,818
6 〃	77,097	6,789,164	4,314,378	11,180,589	3,686,544

になるのはこの阿片だけでありそれは現在四百數十萬人中二萬人許りの極めて小數の癮者のみが負擔してゐるのであるから、癮者以外の者に就ては實際が果してこの計數より重い負擔となつてゐると云ひ得るかは其の點から尠からず疑問で、阿片超過利潤の巨額なことから見れば或は却てそれは逆ではないかとも考へられることを附加して置く。

最後に臺灣に於ける專賣益金收入額(總利潤)が右の計算で明かとなつたから臺灣に於ける實質上の間接税收入の總額も自然知り得ることになつたので、之をも加へて直接税と間接税との割合を示して置かう(第二十二表)。その結果は大體豫想された如く、臺灣の事實上の租税體系が間接税主義によつて編成されて來たものであることを具體的に明白にしてゐる他、國税體系に於ては今日猶壓倒的に間接税收入が多く、地方税をも合した全租税體系を見ても殆ど最近までは間接税の方が直接税よりも多額であつたことを示してゐる。而して之を時代的に見ると、間接税が最も多かつたのは第二期で、第一期之に次ぎ、第三期第四期と漸次間接税の直接税に對する重要性は減じて來てゐる。我々はこれと臺灣の財政の「豐かさ」の消長とが極めて明瞭に相併行して起つてゐることを看過してはならぬ。

二十一　臺灣四專賣品消費稅負擔割合（推定）

年度	四專賣の超過利潤	消費割合		各負擔額	
		內地人	其他	內地人	其他
	圓	%	%	圓	圓
明治41年度	3,956,983	10.03	89.97	396,885	3,560,098
42 〃	3,950,815	13.63	86.37	538,496	4,412,319
43 〃	3,964,644	14.50	85.50	574,873	3,389,771
44 〃	4,728,102	15.96	84.04	754,605	3,973,497
大正 1 〃	3,556,924	17.01	82.99	605,033	2,951,891
2 〃	4,480,767	18.32	81.68	820,877	3,659,890
3 〃	5,234,721	17.59	82.41	920,787	4,313,934
4 〃	6,147,158	16.97	83.03	1,043,173	5,103,985
5 〃	7,410,013	9.06	90.94	671,347	6,738,666
6 〃	6,754,051	9.25	90.75	624,750	6,129,301
7 〃	7,989,144	11.87	88.13	948,311	7,040,833
8 〃	7,070,034	15.91	84.09	1,124,842	5,945,192
9 〃	6,860,779	28.90	71.10	1,982,765	4,878,014
10 〃	8,633,007	28.73	71.27	2 480,263	6,152,744
11 〃	9,977,343	32.17	67.83	3,209,711	6,767,632
12 〃	15,823,033	31.20	68.80	4,936,786	10,886,247
13 〃	19,677,515	30.46	69.54	5,993,771	13,683,744
14 〃	12,773,728	31.77	68.23	4,058,213	8,715,515
昭和 1 〃	16,896,675	31.84	68.16	5,379,901	11,516,774
2 〃	15,100,427	33.35	66,65	5,035,992	10,064,435
3 〃	18,885,142	35.21	64.79	6,649,458	12,235,684
4 〃	17,965,567	36.31	63.69	6,523,297	11,442,270
5 〃	17,340,312	35.36	64.64	6,131,534	11,208,778
6 〃	15,310,265	33.03	66.97	5.056,981	10,253,284

た臺灣の租稅收入(專賣益金を含む)

接稅		總計	%	
專賣益金	計		直接稅	間接稅
圓	圓	圓	%	%
—	1,665,770	2,429,072	31.42	68.58
707,686	2,111,787	3,331,703	36.62	63.38
924,545	2,523,969	3 811,503	33.78	66.22
1,232,035	3,717,236	5,440,302	31.67	68.33
2,372,900	4,549 714	7,153,238	36.40	63.60
1,352,943	3,786,848	6,592,251	42.56	57.44
2,872,308	5,587,812	8,612,780	35.12	64.88
2,054,759	4,740,853	7,987,770	40.65	59.35
3,205,380	6,686,520	11,274,081	40.69	59.31
4,021,835	8,338,011	13,809,918	39.62	60.38
5,307,430	9,923,790	15,607,403	36.42	63.58
8,573,056	12,757,183	18,884,022	32.44	67.56
6,138,948	13,357,123	19,637,339	31.98	68,02
5,859,161	13,068,464	19,666,442	33.55	66.45
6,487,347	20,441,230	27,595,558	25.93	74.07
6,895,995	19,472,959	27,101,180	28.15	71.85
6,224,433	15,789,837	23,818,027	33.71	66.29
7,154.755	15,026,780	22,745,134	33.93	66.07
7,687,726	16,649,110	24,462,345	31.94	68.06
8,466,672	13,016,835	22,155,522	41.25	58.75
10,374,416	15,505,077	25,511,551	39.22	60.78
10,524,682	15,913,067	27,155,256	41.40	58.60
10,747,892	17,749,641	29,255,112	39.33	60.67
13,046,626	21 634,721	37,902,789	42.92	57.08
11,373,545	23,967,984	43,614,230	45.05	54.95
9,474,204	23,466,657	50,075,755	53.14	46.86
15,409,094	26,524,170	51,439,517	48.44	51.56
19,930,709	28,961,392	52,844,786	45.20	54.80
23,658,629	31,829,581	56,702,260	43.87	56.13
19,245,797	28,873,171	53,185,468	45.71	54.29
20,733,190	34,018,160	59,018,728	42.36	57.64
18,010,396	27,470,318	54,486.397	49.58	50.42
22,801,215	34,781 548	62,254,907	44.13	55.87
22,637,081	35,080,320	63,839,030	45.05	54.95
22,475,933	32,578,648	61,327,740	46.88	53.12
19,270,670	29,009,297	56,757,473	48.89	51.11

銀行券發行稅を含む。猶地方稅の全部を便宜上直接稅として計算した。

(自大正3年度至10年度) 及び關稅(大正9年度以降)を含むものとす。

二十二　直接税間接税の割合より見

年度	直接税			間
	國税	地方税	計	間接税
	圓	圓	圓	圓
明治29年度	763,302	—	763,302	1,665,770
30 〃	1,219,916	—	1,219,916	1,404,101
31 〃	1,287,534	—	1,287,534	1,599,424
32 〃	975,599	747,467	1,723,066	2,485,201
33 〃	1,035,329	1,568,195	2,603,524	2,176,814
34 〃	1,018,787	1,786,616	2,805,403	2,433,905
35 〃	1,023,407	2,001,561	3,024,968	2,715,504
36 〃	1,054,491	2,192,426	3,246,917	2,686,094
37 〃	2,098,247	2,490,314	4,588,561	3,481,140
38 〃	3,068,383	2,403,524	5,471,907	4,316,176
39 〃	3,040,924	2,642,689	5,683,613	4,616,360
40 〃	3,071,194	3,055,645	6,126,839	4,184,127
41 〃	3,104,772	3,175,434	6,280,216	7,218,175
42 〃	3,181,264	3,416,714	6,597,978	7,209,303
43 〃	3,581,542	3,572,986	7,154,528	13,953,883
44 〃	3,640,474	3,987,747	7,628,221	12,576,964
大正 1 〃	3,928,244	4,099,946	8,028,190	9,565,404
2 〃	3,505,921	4,212,433	7,718,354	7,872,025
3 〃	3,571,858	4,241,377	7,813,235	8,961,384
4 〃	4,473,190	4,665,497	9,138,687	4,550,163
5 〃	5,075,730	4,930,744	10,006,474	5,130,661
6 〃	6,004,368	5,237,821	11,242,189	5,388,385
7 〃	5,695,253	5,810,218	11,505,471	7,001,749
8 〃	8,688,657	7,579,411	16,268,068	8,588,095
9 〃	13,117,374	6,528,872	19,646,246	12,594,439
10 〃	8,849,515	17,759,583	26,609,098	13,992,453
11 〃	7,902,404	17,012,943	24,915,347	11,115,076
12 〃	8,642,263	15,241,131	23,883,394	9,030,683
13 〃	9,425,512	15,447,167	24,872,679	8,170,952
14 〃	8,756,790	15,555,507	24,312,297	9,627,374
昭和 1 〃	8,826,548	16,374,020	25,000,568	13,284,970
2 〃	9,099,931	17,916,148	27,016,079	9,459,922
3 〃	8,813,793	18,659,566	27,473,359	11,980,333
4 〃	9,115,889	19,642,821	28,758,710	12,443,239
5 〃	8,940,853	19,808,239	28,749,092	10,102,715
6 〃	8,326 352	19,421,824	27,748,176	9,738,627
7 〃	7,815,312			7,595,572

直接國税は地租，鑛區税，所得税(明治43年度以降)契税(43年度以前)臺灣

間接税中には專賣益金の他，海關税（明治43年度以前）關税諸收入受入

三、臺灣に於ける租稅負擔

更に我々は今や右の如くにして臺灣在住人の負擔となるべき專賣益金卽ち專賣超過利潤の概數が明かとなつたので、ここに臺灣に於ける財政負擔の全貌を明かならしむることが出來ることとなつた。それには國稅中移管前の砂糖消費稅（製糖稅、蔗車稅をも含めて）、第一期及び第二期の輸出稅及び出港稅、第四期の酒精稅、全期を通じて製茶稅及噸稅、の夫々に就て、その轉嫁關係卽ちこれ等の租稅の前轉に關して、前に我々が樟腦專賣益金の轉嫁に就て試みたと同樣の考慮を拂ひ、島外負擔と見るべき部分を算定控除しなければならぬ。

ところで實際問題としては、先づ製茶稅に就て、臺灣茶の南支南洋北米市場に於ける市場支配勢力に、大體第二期頃までと其れ以後とでは至大の變化があり（具體的に云へば次第に市場支配力を喪失したこと）、これは製茶稅の轉嫁關係に甚だ重大且複雜な問題を生ずるものと考へられ、しかも其の間何年度から如何なる程度に於てかゝる變化が起つた、といふやうな明確な斷定を下し難い事情にあり、全期に亘つて輸出製茶にかゝる製茶稅の前轉の程度を略々妥當に推定すると云ふことは實際上甚だ困難であると云はねばならぬ。又製糖税、蔗車税に就いても島內負擔額と島外負擔額との割合を簡單に算定することが出來ず、殊に其の全額は小さいのでそのまゝにした。然し最も重要な砂糖消費税、噸税、輸出税、出港税、酒精税の五者に就ては全く控除を實行し得たのであつて、砂糖消費税に就ては大正三年度をも含めて同年以前に於ける島外收入額を、噸税に就ては其の半額を、輸出税、出港税酒精税に就ては其の全額を、夫夫島外負擔と看做して控除した。砂糖消費税の移管は大正三年度から實行せられたのではあるが、延納制度の關係を考慮して、大正三年度は猶移出糖關係消費税が多額に臺灣總督府の歲入となつた（前掲第五表―折込を參照）と見て、移管後の大正三年度をも委管前と同一に取扱ふのを適當と考へたからである。猶同じ論理からすれば移管後內地から臺灣に逆移入せらるゝ精製糖が背負つて來る消費税に就ても同樣の考慮を拂ふべきであるが（卽ち右の場合と逆にそれだけ加算すべきであるが）、さうすると內地より移入する織物に關聯して織物消費税や、內地を經由して臺灣に這入つて來る一般有税輸入商品及びそれを原料とする製品に就てもそれに附着する關税を考慮しなければならなくなり、それは事實上計算不可能なことであるのみならず、當面の目的は臺灣財

二十三　移管前臺灣砂糖消費稅收入中島內及島外負擔額の推定

移管後の增加率を基礎として移管前の島內負擔額を推定する方法		
年　度	島內砂糖消費稅收入	d=算術平均よりの偏差
	圓	
大正 4年度	907,855	$d_1=-485,594$
5 〃	928,173	$d_2=-465,276$
6 〃	1,202,545	$d_3=-190,904$
7 〃	1,635,810	$d_4=+242,361$
8 〃	1,400,768	$d_5=+\ \ 7,319$
9 〃	1,211,053	$d_6=-182,396$
10 〃	1,747,641	$d_7=+354,192$
11 〃	1,532,103	$d_8=+138,653$
12 〃	1,585,937	$d_9=+192,488$
13 〃	1,782,603	$d_{10}=+389,154$

大正4―13年度の算術平均は1,393,449圓

標準偏差の公式：$\alpha=\sqrt{\frac{\Sigma d^2}{N}}$ により

$\alpha=\sqrt{91,395,744,226}=302,317$(圓)

$$\frac{\text{標準偏差}}{\text{算術平均數}}=\frac{302,317}{1,393,449}=0.2169$$

そこで 1.2169 を以て大正4年度の稅收入額を除して大正3年度の島內負擔砂糖消費稅額を算定し順次同じ方法によつて明治34年度まで遡る。その結果獲たのが右表第三欄の計數である。

年　度	砂糖消費稅收入總額	推定島內負擔額	推定島外負擔額
	圓	圓	圓
明治34年度	372,190	58,089	314,101
35 〃	777,944	70,689	707,254
36 〃	761,790	86,021	675,768
37 〃	1,454,051	104,679	1,349,372
38 〃	1,866,546	127,384	1,739,162
39 〃	2,399,987	155,013	2,244,974
40 〃	2,000,877	188,635	1,812,241
41 〃	3,502,004	229,550	3,272,454
42 〃	5,467,863	279,339	5,188,524
43 〃	12,117,724	340,207	11,777,517
44 〃	10,715,581	413,998	10,301,583
大正 1 〃	7,435,711	503,793	6,971,918
2 〃	5,624,953	613,065	5,011,888
3 〃	5,309,056	746,039	4,563,017

政の豊かさとの關聯にに於て臺灣在住人の租稅負擔を論定するにあるのであつて、その爲めには臺灣總督府の歲入とならぬ租稅負擔は無視して差支ないので、こゝにはこれらの問題は一切考慮の外に置いて負擔關係を論定せんとした。其の結果は次の如くである（第二十三、及第二十四表。猶噸稅、輸出稅、出港稅、酒精稅に就ては前掲第四及第五表―折込―を參照）。

これが間接税の前轉が完全に行はれる限り大體臺灣在住人の負擔に歸したと考へられる臺灣の租税(地方税及專賣益金を含む)の全額である。もし我々の如き特殊な目的に關係なく單に臺灣の租税負擔の全額を算定しやうと云ふのであれば、前述の如くこの他に内地の消費税(例へば織物消費税の如き其の雄であり、更に大正三年度以後の逆移入精製糖消費税や、廢止になる前の石油消費税なども重要である)、内地及他の植民地會計の歳入となる關税等一般に他の會計の歳入となる租税に就ても移入商品に關してその負擔を考慮しなければ猶完全とは云ひ難いであらうが、その算定は、事實出來ることではなく、右の計數にしても通常用ひらるる臺灣租税負擔額の計數よりは、余程實際に近いものとなつてゐると思ふ。

では此の數字から果して臺灣の租税負擔が重いといふ結論がなされるであらうか。或は輕いといふ結論が出るであらうか。その爲めに先づ普通のやり方に從つて人口數に割當て、一人當りの租税配分額を算定して見るのも一方法ではある。その結果は第二十五表の如く、これを内地に於ける一人當りの租税配分額と比較すれば第二十六表の如くである(第二十六表は内地の專賣益金が不明である爲め臺灣側も之を除いた)。これによつて見ると、臺灣の租税配分額は直接國税に

者租税負擔

間接税			計
國税	樟腦を除いた專賣益金	計	
圓 1,385,898	圓 —	圓 1,385,898	圓 2,149,200
1,140,700	* 423,986	1,568,686	2,788,602
1,326,885	* 1,450,266	2,777,151	4,064,685
2,171,081	* 811,936	2,983,017	4,706,083
1,762,919	* 804,580	2,567,499	5,171,023
1,737,227	* 650,432	2,387,659	5,193,062
1,593,031	* 1,532,759	3,125,790	6,150,758
1,625,194	* 1,636,686	3,261,880	6,508,797
1,802,471	* 1,810,659	3,613,130	8,201,691
2,224,055	* 1,780,240	4,004,295	9,476,202
1,925,868	* 2,625,239	4,551,107	10,234,720
2,049,935	* 3,570,475	5,620,410	11,747,249
3,570,173	3,956,983	7,527,156	13,807,372
3,547,129	6,950,815	7,497,944	14,095,922
1,849,892	3,964,644	5,814,536	12,969,064
2,260,601	4,728,102	6,988,703	14,616,924
2,578,923	3,556,924	6,135,847	14,164,037
2,845,565	4,480,767	7,326 332	15,044 686
4,[illegible]98,367	5,234,721	9,633,088	17,446,323
4,538,692	6,147,158	10,685,850	19,824,537
5,119,918	7,410,013	12,529,931	22,536,405
5,377,036	6,754,051	12,131,087	23,373,276
6,988,597	7,989,144	14,977,741	26,483,212
8,572,490	7,070,034	15,572,524	31,840,592
12,579,525	6,860,779	19,440,304	39,086,550
13,974,686	8,633,007	22,607,693	49,216,791
11,093,724	9,977,343	21,071,067	45,986,414
5,369,142	15,823,033	21,192,175	45,075,569
5,318,003	19,677,515	24,995,518	49,868,197
6,298,805	12,773,728	19,072,533	43,384,830
8,049,260	16,896,975	24,946,235	50,146,803
6,380,578	15,100,427	21,481 005	48,497,084
7,770,457	18,885,142	26,655,599	54,128,958
7,851,272	17,965,567	25,816,839	54,575,549
5,713,776	17,340,312	23,054,088	51,803,180
6,731,685	15,310,265	22,041,950	49,790,126

度以前)出港税(自明治三二年度至四三年度)噸税半額，推定內地負擔砂糖消費税(自
外の各專賣事業超過利潤の計。從つて樟腦を含む總專賣事業の利潤總額(卽ち平均
前は專賣超過利潤の計算に成功しなかつたので,それ以前は收支差益金をかゝげた。

年度	直接税		
	國税	地方税	計
	圓	圓	圓
明治29年度	763,302	—	763,302
30 〃	1,219,916	—	1,219,916
31 〃	1,287,534	—	1,287,534
32 〃	975,599	747,467	1,723,066
33 〃	1,035,329	1,568,195	2,603,524
34 〃	1,018,737	1,786,616	2,805,403
35 〃	1,023,407	2,001,561	3,024,968
36 〃	1,054,491	2,192,426	3,246,917
37 〃	2,098,247	2,490,314	4,588,561
38 〃	3,068,383	2,403,524	5,471,907
39 〃	3,040,924	2,642,689	5,683,613
40 〃	3,071,194	3,055,645	6,126,839
41 〃	3,104,772	3,175,434	6,280,216
42 〃	3,181,264	3,416,714	6,597,978
43 〃	3,581,542	3,572,986	7,154,528
44 〃	3,640,474	3,987,747	7,628,221
大正 1 〃	3,928,244	4,099,946	8,028,190
2 〃	3,505,921	4,212,433	7,718,354
3 〃	3,571,858	4,241,377	7,813,235
4 〃	4,473,190	4,665,497	9,138,687
5 〃	5,075,730	4,930,744	10,006,474
6 〃	6,004,368	5,237,821	11,242,189
7 〃	5,695,253	5,810,218	11,505,471
8 〃	8,688,657	7,579,411	16,268,068
9 〃	13,117,374	6,528,872	19,646,246
10 〃	8,849,515	17,759,583	26,609,098
11 〃	7,902,404	17,012,943	24,915,347
12 〃	8,642,263	15,241,131	23,883,394
13 〃	9,425,512	15,447,167	24,892·679
14 〃	8,756,790	15,555,507	24,312,297
昭和 1 〃	8,826,548	16,374,020	25,200.568
2 〃	9,099,931	17,916,148	27,016,379
3 〃	8,813,793	18,659,566	27,473,359
4 〃	9,115,889	1,9642,821	28,758,710
5 〃	8,940,853	19,808,239	28,749,092
6 〃	8,326,352	19,421,824	27,748,176

直接國税及地方税に就ては前掲第二十三表註を參照。間接税は輸出税（明治四三年
明治三四年度至大正三年度），酒精税（大正十二年度以降）を除く。專賣益金は樟腦以
利潤を控除せず）である第二十二表の「專賣益金」とは合致せず。猶明治 40年度以
（＊ 印）。

於ても地方稅に於ても內地のそれよりは極めて小さい、唯間接稅のみは臺灣の方が內地よりも多いが、內地の間接稅中には關稅が含まれてゐないし、それにも拘らず直接稅間接稅の合計に於ては臺灣側は(關接稅中に關稅を含むにもかゝはらず猶且)內地の半以下、大體四割前後に過ぎないといふ結果になつてゐる。

この表が示す臺灣の一人當り租稅配分額が內地の四割前後(專賣益金を加算しても五割前後)であるとい、ことが勿論そのまゝ直ちに臺灣の租稅負擔が內地のそれに比して半以上も「輕い」といふことを意味するものでないのは云ふまでもない。この「一人當り租稅配分(負擔)額」なるものは一般に租稅負擔の輕重の判定には大した意味のあるものではないが、殊に臺灣の如く十萬餘の高砂族(その何割かは行政區域外に在り一錢の租稅負擔もしてない)を含む場合にはそれだけから云つても納稅人口構成の全く異つた內地のそれと漫然比較することは無意味である。また租稅負擔の輕重は、一方に負擔者の所得の高と比較して始めて云ひ得るものであることも衆知の如く、更には住民の安寧、福祉に關する行政的國家的給付の大さ、卽ち個別經濟が國家・地方行政によつて受くる有形無形の利益中少くともそれによつて個別經濟が現實に支出を輕減せらるゝ大さ、と相關聯して之を見て、始めて斷定し得る事柄であること

二十五　臺灣に於ける一人當り租税配分累年表

年度	一人當り直接税 國税	一人當り直接税 地方税	一人當り直接税 計	一人當り間接税 國税	一人當り間接税 樟腦ヲ除ク專賣超過利潤	一人當り間接税 計	一人當り總計
	圓	圓	圓	圓	圓	圓	圓
明治30年度	0.436	—	0.436	0.408	0.151	0.559	0.995
31 〃	0.479	—	0.479	0.493	0.539	1.032	1.511
32 〃	0.354	0.271	0.625	0.787	0.294	1.081	1.706
33 〃	0.364	0.550	0.914	0.619	0.273	0.892	1.806
34 〃	0.348	0.610	0.958	0.592	0.222	0,814	1.772
35 〃	0 341	0.666	1.007	0.530	0.510	1.040	2.047
36 〃	0.348	0.724	1.072	0.536	0.540	1.076	2.148
37 〃	0.681	0.809	1.490	0.585	0.588	1.173	2.663
38 〃	1.007	0.789	1.796	0.730	0.591	1.321	3.117
39 〃	0.987	0.858	1.855	0.625	0.852	1.477	3.332
40 〃	0.988	0.983	1.971	0.659	1.148	1.807	3.778
41 〃	0.990	1.014	2.004	1.140	1.263	2.403	4.407
42 〃	1.004	1.078	2.082	1.120	1.247	2.367	4.449
43 〃	1.113	1.110	2.223	0.575	1.232	1.807	4.030
44 〃	1.107	1.212	2.319	0.687	1.438	2.125	4.444
大正 1 〃	1.171	1.222	2.393	0.769	1.061	1.830	4.223
2 〃	1.026	1.232	2.258	0.832	1.311	2.143	4.401
3 〃	1.030	1.223	2.253	1.268	1.509	4.089	6.342
4 〃	1.284	1.339	2.623	1.303	1.765	3.068	5.691
5 〃	1.446	1.405	2.851	1.459	2.111	3.570	6.421
6 〃	1.686	1.471	3.157	1.510	1.897	3.407	6.564
7 〃	1.546	1.577	3.123	1.897	2.169	4.066	7.189
8 〃	2.393	2.088	4.481	2.361	1.947	4.308	8.789
9 〃	3.571	1.777	5.348	3.425	1.868	5.293	10.641
10 〃	2.359	4.734	7.093	3.725	2.301	6.026	13.119
11 〃	2.068	4.452	6.520	3.124	2.611	5.735	12.255
12 〃	2.221	3.966	6.187	1.379	4.066	5.445	11.632
13 〃	2.382	3.904	6.286	1.344	4.973	6.317	12.603
14 〃	2.156	3.830	5.986	1.550	3.145	4.695	10.681
昭和 1 〃	2.124	3.941	6.065	1.937	4.067	6.004	12.069
2 〃	2.141	4.215	6.356	1.501	3.553	5.054	11.410
3 〃	2.025	4.288	6.313	1.785	4.340	6.125	12.438
4 〃	2.043	4.402	6.445	1.759	4.026	5.785	12.230
5 〃	1.947	4.313	6.260	1.244	3.775	5.019	11.279
6 〃	1.766	4.119	5.885	1.428	3.247	4.675	10.560

人口は臺灣總督府總督官房調査課調べによる。

二十六　內臺比較一人當り租稅配分

年度	內地					臺灣
	一人當り直接稅			一人當り間接稅（專賣益金を含まず）	一人當り合計	一人當り租稅配分（專賣益金を含まず）
	國稅	地方稅	計			
	圓	圓	圓	圓	圓	圓
明治30年度	?	1.228	?	?	3.240	0.844
35 〃	1.298	2.222	3.520	1.544	5.064	1.537
40 〃	2.645	2.402	5.047	2.567	7.664	2.630
大正 1 〃	2.769	3.486	6.255	2.872	9.127	3.162
2 〃	2.663	3.330	5.993	2.917	8.910	3.090
3 〃	2.686	3.294	5.980	2.892	8.872	3.521
4 〃	2.515	3.222	5.737	2.634	8.371	3.926
5 〃	2.769	3.332	6.101	2.884	8.985	4.310
6 〃	3.607	3.751	7.358	3.259	10.617	4.667
7 〃	4.341	4.721	9.061	5.231	14.292	5.020
8 〃	5.783	6.807	12.490	7.642	20.132	6.842
9 〃	5.969	9.149	15.118	5.686	20.804	8.773
10 〃	6.277	10.350	16.627	5.958	22.585	10.818
11 〃	6.670	11.030	17.700	6.902	24.602	9.644
12 〃	5.160	10.358	15.518	6.901	22.419	7.566
13 〃	5.969	10.562	16.531	6.969	23.500	7.630
14 〃	6.489	10.580	17.069	6.756	23.825	7.536
昭和 1 〃	6.426	10.873	17.299	5.897	23.196	8.002
2 〃	6.020	10.224	16.244	6.227	22.471	7.857
3 〃	6.216	10.708	16.924	6.045	22.969	8.098
4 〃	6.009	10.818	16.827	6.019	22.846	8.204
5 〃	5.837	9.639	15.476	—	—	7.504

內地の數字は金融事項參考書による（關稅を含まず）

も改めて云ふまでもない。臺灣の現實に即して特に顯著なるものを擧げても、土匪の根絶、風土病、傳染病の絶滅の如き、在住人の生命財産の保全に關する最も根本的な國家給付の一であり、その經濟に及ぼした支出輕減の效果を計數的にあらはすことは到底不可能であるが、それと反對に臺灣の民度の低いことと即ち擔税力の低いこととは共に、右の如き租税配分額の多寡から租税負擔額の輕重を判定するに當つて充分考慮を要する重要な點である。國家行政給付の效果に就ては臺灣では甚だ大きいと云ふ以上に計數的な斷定は（前掲第一表所載一人當り經費に於ける臺鮮比較數字の如きから間接に推定するより他には）出來ないが擔税力に就ても實は臺灣に於ては國民所得の調査が最近税制整理の企圖と關聯して漸く昭和八年度から始められた許りで、其の暫定的結果が判明するのも少くとも九年度になつてからであると云ふことであるから、此の問題を充分確實な根據の上に論斷することはその結果の發表を待つた上でなければ不可能なことである。（それは勿論始めての調査であるから歴史的研究などは何度も同じやうな調査が行はれた後即ち更に遠き將來に始めて許されることである。）故に右の如き一人當り租税配分額もそれから間接に臺灣の租税負擔を判定する爲めの資料として今日のところでは意義があるのである。

唯幸ひこゝに昨年七月臺灣で行はれた、所得階級別の租税及公課負擔調べがある。これを內地の同種の調査と比較することによつて、極く大體ではあるが、內臺租税負擔輕重の一斑を比較判定する上に役立たしむることが出來るであらう。(唯臺灣の數字は猶多少調査上不充分な點があつたやうで、目下再調査を行つて居ると云ふことであるから、これは暫定的なものと考へて置かねばならぬ)。

これによつて見れば、極く僅かな例外(商工業の一部)を除いては、各業態、各所得階級共に臺灣の租税負擔は內地のそれに比して著しく輕い。農業が他の業態よりも重課されてゐるといふことは臺灣に於ても大體妥當するが、其の程度は到底內地のそれと比較にならぬ程輕微である。猶この表が示してゐる今一つ重要なことは、農工商共に臺灣は內地に比して大所得が輕課されてゐる點であらう。それは兎も角この統計は勿論專賣益金を含んでゐないが、前揭內地人及其他の專賣品消費税負擔の表と併せ見るならば、その大勢は概ね判斷に困難ではなく、これを以て臺灣の租税負擔が所得との關係に於ても內地より輕いと斷定して誤りはないやうだ[29]。

二十七　內臺比較租稅負擔

所得階級別	農業 臺灣	農業 內地	農業 內地に比して輕重(×)	商工業 臺灣	商工業 內地	商工業 內地に比して輕重(×)	平均 臺灣	平均 內地	平均 內地に比して輕重(×)
四百圓程度	圓 四八・五一	一七九・八二	一三一・三〇	四七・〇一	五一・七七	四・七六	四七・七六	一一五・七九	六八・〇二
八百圓程度	圓 一一三・三九	三四一・四二	二二八・〇三	八六・六三	九四・一二	七・四八	一〇〇・〇一	二一七・七七	一一七・七六
千二百圓程度	圓 一五七・二七	五三五・三七	三七八・一〇	一五七・六三	一四七・〇八	× 一〇・五五	一五七・四五	三四一・二三	一八三・七八
二千圓程度	圓 三三三・〇一	九六一・二三	六二八・二二	三三三・九六	二八六・一六	五二・二〇	二八三・四九	六二三・六九	三四〇・二〇
三千圓程度	圓 五二三・〇七	一、四八七・一四	九六五・〇七	四一二・四三	五〇三・〇五	九〇・六二	四六七・二五	九九五・一〇	五一七・八五
五千圓程度	圓 九二三・八〇	二、五八九・五三	一、六六六・七三	六二四・〇三	八八二・二六	二五八・二三	七七三・四二	一、七三五・八九	九六二・四七
七千圓程度	圓 一、四一七・三八	三、九八七・四九	二、五七〇・一一	八三二・八〇	一、二三八・三〇	四〇五・五〇	一、一二五・〇九	二、六一二・九〇	一、四八七・八一
一萬圓程度	圓 二、〇一八・二三	五、六七九・二九	三、六六一・〇六	一、六六一・二八	二、一〇五・六七	四四四・三九	一、八三九・七六	三、八九二・四八	二、〇五二・七三

備考。臺灣は財務局稅務課昭和八年七月の調査による昭和七年の計數。比較の都合上販賣業と製造業とを平均して商工業とした。內地は廣島稅務監督局の調査による同監督局管內昭和六年の計數―廣島財務、昭和八年二月號所載―共に國稅及地方稅の負擔額。平均は算出したもの。

(29) 猶臺灣の租稅負擔に關しては、臺灣總督府稅務課、鹽見俊二氏の研究がある(同課發行、稅務月報所載論文「租稅の負擔」參照。)右の點に關する同氏の結論も右と大體同じやうである。

四、結論

今や私は最初に提起した臺灣の豐かな財政が何にもとづくものであるかを漸く論斷し得べき場所に到達した。第一に私はそれが決して消極的經費支辨に基くものでない、否一般にそれに基いて財政の豐かさをながく持續することはあり得ない、と云つた。然らばそれは主として住民への過重な負擔の實を單に外觀上粉飾したものであるか。私はこれを檢討する爲に租稅として最もかくされ勝ちな專賣益金の分析に最も多大の勞力を費した。而して論定し得たるところは、臺灣住民の租稅負擔が阿片癮者の如き特殊の者を除けば一般には決して過重でないと云ふ結論であつた。それは實は當然なことでもあらう。過重な租稅負擔を基礎として豐かな財政のながき持續が困難なるはこれまた明なことであるから。臺灣財政の豐かさが住民の過大な負擔の犧牲によつて贖はれたものでないといふことは、臺灣の財政が眞に豐かであることを、卽ちそれは單に豐かであるのみならず「良き」財政であることを語るものである。それは本來決して矛盾を意味するものではない。

だが、それでは臺灣財政の豐かさのよつて基く究極的原因の探究といふ我々の問題はどうなるか。それは何に歸着して說明せらるべきであるか。それは實は以上の論述中に於て既に充分に說明せられてゐるのである。暫く以上の論述を回顧してみやう。

第一に我々は臺灣の歲入が專賣益金をも含めれば全く間接税によつて組織せられて來たと云つても過言でない程、間接税中心の收入組織をもつことを見た。就中第一期、第二期に於ける砂糖消費税、製茶税、專賣益金、第三期以後に於ける專賣益金、酒精税の重要性は顯著なものがあつた。

第二に之等の間接税中には明かにその一部否大部分さへも臺灣住民の負擔に歸着せぬと考へられる多くのものが含まれて居ることもこれまた詳しく述べたところである。その第一の部類をなすものは島外移輸出商品に課せらるゝ消費税及び之に準ずる間接税で、砂糖消費税、製茶税の如きは曾て然りしもの、樟腦益金、酒精税の如きは現在猶存する此の種の實例であるが、製糖税、蔗車税、輸出税、出港税、噸税(其の半)の如きものをも合する時は寧ろ各期に於ける臺灣の間接税の極めて重要な部分が却て此の種のものから成つてゐたことを知る。其の第二の部類に屬するものに、島内消費の對象でありながら、税收入の一部が差益地代の性質を帶ぶるが故に消費者の負擔に歸せずと論ずべきものがあり、食鹽益金及び煙草益金の一部はその實例であるとした。

この二點こそは臺灣の豊かな財政の直接的に基くところを示すものであり、ひいては其の中にこそその究極の原因も亦かくされてゐる筈である。先づ直接的には、臺灣政府が民度に比して過重な財政負擔を住民に强いることなくしてしかも多方面に極めて贅澤に金を使ふことが出來たこと、即ち比較的輕微な負擔を以てふんだんな事業費支辨を續け得た最大原因がこゝにある。臺灣財政の豊かさの直接原因はどうしても右の二つの點に於て島民負擔外たる間接税(專賣益金を含めて)を歳入の中心として常にその豫算を編成し來つたことにあると云はなければならぬ。更に進んでかゝる歳入組織が何故に臺灣にとつて可能であつたかといふことになれば、それは改めて云ふまでもなく明かな如く、結局熱帶臺灣の持つ豊富な土地生産力に歸さねばなるまい。第二部類の差益地代が大いなる土地生産力の具體的表現であることはいふまでもなく、第一部類に屬する消費税及び專賣益金課税の對象たる商品を見れば、砂糖と云ひ、樟腦と云ひ、製茶と云ひ、酒精(主として砂糖の副産物たる糖蜜より作る)と云ひ、各時代に於て歳入の中心を構成せる間接税の課税物件の殆ど全部が、熱帶臺灣の特産物乃至重要産物であつたことを知る。もし如何なる地方、如何なる國の財政も、外に負擔を轉嫁しつゝ其の歳入の重要部分を編むことが許さるゝならば、これを企てぬものはないであらうが、それは例へば光と熱とにめぐまるゝこと多き南方植民地臺灣の如きにして始めて實現し得るところである。こゝに我々は臺灣財政の「熱帶植民地」的特色を見る。もとより此の間の消息をよく洞察して糖業の奬勵、樟腦其他の專賣の施行等、或は産業政策に或は專賣制度に多大の力を致せる先人の先見と努力の功に歸せらるべきものが鮮少でないことは云ふまでもないが、それにしても臺灣の豐富なる自然の生産力を缺いては先人の明知も施して其の功の多からざるものがあつたであらう。畢竟臺灣財政と朝鮮財政とでは其自然的基礎が異るのである。

要するに臺灣財政の豐かさは、もとよりそれが唯一無二の原因なりと云ふのではないが、結局主として臺灣そのものの豐かさに歸着せられ、臺灣の「豐かな財政」は

「豐かな臺灣」の財政を意味するものであることを知る。この結果は餘りに平凡であり常識的であるとも云へやう。だが我々の仕事は本來必らずしも結論の非凡を目指すものでないので、此の平凡な結論を導き來る上來の論述過程に於て、多少でも「科學的」と云ひ得べきものがあつたならばそれで足りる。

さあれ「豐かなる臺灣」に賴つて臺灣は其の過去に於ける「豐かなる財政」を今後も永く享受し得るであらうか。成る程自然力そのものは槪して恒久的であらう(樟樹材積の漸減の如きを暫く別とすれば)が、それが如何なる大さの價値生產力として通用するかはもとより主として萬般の社會的條件の如何によつて定る。その限りに於て臺灣財政の基礎は永久に安固なりとは云ふを得ない。否現在のまゝ進むならば臺灣の赴くところが內地其他の一般財政の型でなければならぬことは、既に第三期以降次第に顯著となり來つたその特異なる歲入組織上に於ける「植民地性」の解消の傾向が之が示して餘りある。砂糖消費稅の移管は別とするも、世界恐慌と人造樟腦の壓迫による樟腦益金の減少(極く最近爲替相場の關係で增加傾向に轉じはしたが)と云ひ、製茶稅收入の漸減(後には廢止した)と云ひ、反對にこれと相伴つて起つた直接稅中に於ける所得稅の、又專賣益金中に於ける煙草、酒の、重要性の著しき增加傾向と云ひ、その指すところは全く同じであり、特異なる歲入組織の解消がそのまゝでは同時に「豐かな財政」の解消に終らうことも明である。此の云はゞ必然的とも云ふべき動きに遵つて策を立つべきか、或は初期爲政家の智に倣ひ、負擔を外に轉化し得べき新たなる課稅物件即ち特產物の發見培養に賴つて依然特異性の維持挽回に努むべきか、これは今日臺灣財政の局に當る者が思ひをめぐらすべき財政々策の根本問題でなければならぬ。私はこの意味からしても臺灣の產業政策に今日一大轉機の必要が迫りつゝあることを痛感してゐるものであるが、それに就ては別の機會に論ずることとし度い。（昭、九、一、三一）

年度	公債				
	鐵道建設	鐵道改 其他	鐵道買收	築港	水利 水
明治32年度	2,000,000円	—— 円	—— 円	350,000円	-
33 〃	4,500,000	——	——	800,000	-
34 〃	3,500,000	——	——	800,000	-
35 〃	2,500,000	——	——	490,000	-
36 〃	2,500,000	——	——	——	
37 〃	3,000,000	——	——	——	
38 〃	——	——	——	——	
大正 6 〃	2,000,000	——	——	——	
7 〃	2,000,000	——	——	——	
8 〃	5,000,000	——	——	——	
9 〃	5,300,000	——	——	900,000	
10 〃	5,666,000	6,252,000	——	1,424,000	1,
11 〃	5,003,620	3,407,561	1,150,000	1,911,000	1,
13 〃	2,260,597	1,318,534	——	848,030	1,
昭和元 〃	——	1,600,000	——	——	
2 〃	——	2,000,000	4,331,400	——	
3 〃	——	2,000,000	——	——	
4 〃	——	2,000,000	1,704,525	——	
5 〃	——	1,500,000	——	——	
6 〃	——	500,000	——	——	
7 〃	——	1,983,421	——	1,016,579	1
8 〃	——	2,695,182	——	576,718	1
計	45,230,217	25,256,698	7,185,925	9,116,327	6
%	77,672,840円 61.44%			9,116,327円 7.21%	

灣公債支辨事業費[1)]

辨事業費豫定								公債受入		
嘉南大圳補助	酒專賣	土地調査	大租權補償	監獄新營	官舍新營	其他	計	受入金	公債	計
円	円	円	円	円	円	円	円	円	円	円
—	—	500,000	—	150,000	200,000	—	3,200,000	3,200,000.—	—	3,200,000.—
—	—	600,000	—	300,000	200,000	—	6,400,000	5,500,000.—	—	5,500,000.—
—	—	900,000	—	200,000	—	—	5,460,000	4,864,382.554	—	4,864,382.554
—	—	1,600,000	—	150,000	—	—	4,740,000	4,740,000.—	—	4,740,000.—
—	—	1,300,000	—	—	—	—	3,800,000	4,068,751.997	—	4,068,751.997
—	—	860,000	6,000,000	—	—	—	9,860,000	4,489,012.870	(額面) 4,080,485	8,569,497.870
—	—	—	—	—	—	—	—	215,994.029	—	215,994.029
—	—	—	—	—	—	—	2,000,000	—	—	—
—	—	—	—	—	—	—	2,000,000	3,640,000.—	—	3,640,000.—
—	—	—	—	—	—	—	5,000,000	3,204,238.809	—	3,204,238.809
1,200,000	—	—	—	—	—	—	7,400,000	8,970,707.852	—	8,970,707.852
2,000,000	—	—	—	—	—	—	16,479,000	15,903,416.886	—	15,903,416.886
2,200,000	4,400,000	—	—	—	—	—	19,270,635	13,272,808.707	(額面) 5,550,000	18,822,808.707
1,646,535	—	—	—	—	—	—	7,683,830	7,000,000.—	—	7,000,000.—
1,400,000	—	—	—	—	—	—	3,000,000	2,821,255.068	—	2,821,255.068
3,000,000	—	—	—	—	—	—	9,331,400	4,615,994.913	(額面) 4,323,900	8,939,894.913
3,000,000	—	—	—	—	—	—	5,000,000	4,716,679.417	—	4,716,679.417
500,000	—	—	—	—	—	—	4,204,525	2,294,254.502	(額面) 1,642,050	3,936,304.502
—	—	—	—	—	—	—	1,500,000	1,386,228.648	—	1,386,228.648
—	—	—	—	—	—	—	500,000	499,996.800	—	499,996.800
—	—	—	—	—	—	402,709	4,644,000	—	—	—
—	—	—	—	—	—	600,000	5,000,000	—	—	—
14,946,535	4,400,000	5,760,000	6,000,000	800,000	400,000	1,002,709	126,413,712	95,403,723.052	15,596,435	112,000,158.052
…1,836円 …82%	4,400,000円 3.48%	11,760,000円 9.30%		1,200,000円 0.95%		1,002,709円 0.80%	126,413,712円 100.00%			

昭和八年度臺灣總督府特別會計豫算參考書によつて算定

清朝治下臺灣の土地所有形態

東　嘉　生

目次

はしがき

臺灣社會の成立を可能ならしめてゐる所の、從つてその主たる所謂廣義の社會問題發生の誘因をなす所の、經濟的基礎は、言ふまでもなく、農業生産である。而してこの臺灣農業の全形態を特徵付くる基礎の一つは、臺灣に於ける特殊な土地所有形態とその下に取り結ばれてゐる地代形態とである。臺灣に於ける土地所有關係の解明が臺灣經濟の理論的研究のために重要なる課題の一つとして提出さるゝ所以を吾々は此處に見出すことが出來る。

私は茲に清朝治下の臺灣を舊臺灣を以て表現せしめる。以下に於ける私の貧しき討究はこの舊臺灣をのみ問題とし、その土地所有形態の成立過程並びに樣相をそれが示すありのまゝの姿にて取り上げ、更にその本質を究明して、その崩壞の過程にまで及ばんとする。次に私に與へらるべき課題は、かゝる一つの外被たる土地所有形態の下に取り結ばれてゐる所の、而して此等の土地所有形態の生成と變化とを可能ならしめてゐる所の、地代形態の歴史的變遷の考察であるであらうが、茲には都合によつて、それを必要な限りに於て取扱ひその詳細は省略したいと思ふ。

だが、それだけでも問題の廣大さは、私の力の不足と資料蒐集の不充分さと相俟つて、文字通り資料の一應の取纏めを結果したに過ぎない。從つてその理論的組立は改めてなさるべきであるが、而かも尙この概說が臺灣資本主義發生過程解明のための一助とにでもなれば、私の幸これに過ぐるはない。

第一章　淸朝以前の臺灣土地領有

先づ私は舊臺灣の土地所有形態の樣相並びにその歷史的變遷を眺めようと思ふのであるが、それに先だち一應淸朝に到るまでの臺灣土地領有の沿革を概觀しなくてはなるまい。

史乘の傳ふる所によれば、明の成祖永樂の末年(一四二〇年頃)王三寶なる者西洋諸國遊歷の歸途颶風に遇ひ、宣德五年(一四三〇年)臺灣(今の臺南)に漂泊したるを以て明人臺灣渡航の嚆矢としてゐる。當時我國人にして尙未だ一人の荒蕪南陬の臺灣を顧みる者もなかつたのではあつたが、臺灣の島たる東に黒潮の躍るあり、南方に起りて臺灣海峽を通過し支那大陸へ突進する颶風あり、古來南洋人種の漂著渡來せるもの多々なるべく、又大陸地方より一葦の扁舟に棹して渡航を企圖せるものも尠くなかつたであらう。 これ皆臺灣記錄以前に係るものでその眞否を確かむるに由ないのではあるが、此等の人種が土着の民人となり何れの國にも服屬することなく渾沌瞑昧の中に歲月を經過し來つたことは爭ふべからざる事實である。（臨時臺灣土地調査局「臺灣舊慣制度一班」二頁參照）今日蕃人なる名稱を以て呼ばれてゐる先住民がそれである。

其後明朝臺灣征服を試み、嘉靖四十二年（一五六四年）都督兪大猷偏師を置きて澎湖に駐防せしめ、後之を罷めたるも更に巡檢司を置き萬歷二十年（一五九二年）澎湖の遊兵を增設し同三十五年（一六〇七年）衝鋒遊兵を設くるなど、（臺灣經世新報社「臺灣府誌」卷一建置臺灣經世新報社「臺灣縣誌」卷一疆域）着々その基礎を固めつゝありしも遂に統治の實を擧ぐる能はず、臺灣は專ら日本及支那の海賊の橫行に任せられねばならなかつた。當時自らを日本甲螺を以て稱せる閩人顏思齊及び鄭芝龍等は支那海上を橫行せる倭寇と深く結託し臺灣を占有して根據地と定めてゐた。 顏思齊は所部を率ゐ十寨を保有したと傳へられてゐる。天啓崇禎年間、鄭芝龍のこれに代るや、明朝は官爵を授けて招撫し、屢々劇盗を平げしめたが、時恰も全閩は大旱魃の慘狀に遭遇したるため餓民數萬を臺灣に移し各人に銀牛を給して島の荒蕪を開墾せしむることとなつた。此事は勢ひ臺灣の地方に聚落を形造るの端を開いたものであつた。

飜つて西歐諸國は當時政治的には國內の近代國家的統一が漸くその緒に就き、經濟的には資本は商業資本の形態に於て漸く發展の勢をなし、兩者の結合した實力と要求とは各國を驅つて組織的な植民地獲得運動を起さしめ東洋、南洋方面にもその手を延ばしてゐた。和蘭はその最たるもので明朝の臺灣開墾に從事すると殆ど同時に最早和蘭人は臺灣に據り、一地の分有を約して貿易を營み、その勢力の附植に餘念がなかつた。一たび鄭芝龍の去るに及んで、和蘭人は獨占の姿をあらはしバタビア駐在の東印度會社總督之を統治することとなり、臺灣には領事を駐在せしめた。彼等は力を經商貿易に致すと同時に、商業の目的物たる商品それ自體の生產を奬勵するがため內部の農業拓植に意を用ひ墾民を支那より招致し家畜を輸入し資本を支給し地制を定め且つ土蕃の敎化につとめ、所謂王田輸租の制を創始したが、一面漢民の私耕田園に至つては之をその自有に任して敢て賦課の拘束を加へなかつた。ために彼此の間に甚だしき衝突を避け得たものの如くであつた。然るにその後に至りて彼等の掠奪擅まゝなるものあり引いては苛税の賦課をさへ結果することとなつた。

一方日本人は和蘭人よりも早く臺灣に據り、我戰國時代の末葉以來倭寇は今の基隆、淡水、臺南地方及び澎湖島を武力的に侵占し、南支方面襲撃の根據としてゐた。德川時代に入るや彼等の活動は海賊的なるものより商業的なるものへと進み、臺灣に於ける地歩は强固となり和蘭人の統治布かるゝに至つてもその威令に服せず在住支那人の課せられたる人頭税賦課にも服する所がなかつた。寛永五年（一六二八年）には柏原太郎左衛門、濱田彌兵衛等の對和蘭領事損害賠償談判の如き事件もあるにはあつたが、組織的武力並びに政治の後援なかりしため、和蘭人の勢力を排除する能はず、寛永十六年（一六三九年）德川幕府の鎖國令と共に臺灣との公の交通は杜絶することとなつた。（矢内原忠雄氏「帝國主義下の臺灣」四頁）

既にして鄭芝龍の子鄭成功は父芝龍の明より清に貳するに及び衆を糾合して自ら忠孝伯招討大將軍と稱し順治十八年（一六六一年）三月遂に臺灣に入り和蘭人を驅逐して以て先人の故土を回復した。茲に於て赤嵌城を修築して自ら之に據り八方自彊の策を講じ、專ら兵を農に寓するの法(寓兵于農の法)を立て屢々移民を支那の本土に招徠して拓植に力め、且つ其開屯の地臺南を以て中心とし、南は鳳山地方の一半を委して極南の瑯嶠(恒春)にのび、北は諸羅(嘉義)、半線(彰化)の平原を越えて遠く苗粟、竹塹(新竹)より淡北地方(臺北淡水地方)の北端にまで及ぶこととなつた。而して澎湖の一島は、大山嶼を初め遠近幾多の島嶼に既に此時村邑の形を成しつつあつたといふ。(山崎繁樹 野上矯介著 臺灣史一四八―一五〇頁參照)

臺灣は實に叙上の複雜なる變遷を經て鄭成功の統治に及んだが、鄭氏の統治も僅かに二十三年、康熙二十二年(一六八三年)遂に清朝のために倒され、爾來二〇〇年の久しき間、臺灣は清朝治下に歸することとなつた。

然らば上述の蘭人及鄭氏時代に於ける臺灣の地制は如何なるものであつたであらうか。

和蘭人の移民又は土蕃をして土地を開墾せしむるに當つては、陂塘、堤圳、修築の費用及び耕牛、農具、籽種等は皆蘭人より支給し、且つ便宜合墾の制を立て數十佃を合して一結となし其中事理に通曉し且つ資力ある者一人を選びて之が首となし、名付けて小結首と謂ひ、又數十小結首中有力者にして衆に信望ある者を擧げて大

結首と爲し耕種の實力に應じて授田をなし秩序の紊亂を防ぐと共に公平を希圖したといふ。即ち

「自紅夷至臺、就中土遺民、令之耕田輸租、以受種十畝之地名爲一甲、分別上中下則徴粟、其陂塘堤圳修築之費、耕牛農具籽種、皆紅夷資格、故名日王田、亦猶中土之人、受田耕種、而納租於田主之義、非民自世其業按畝輸租也」（「彰化縣誌」卷六、二八三頁）と。（註）

（註） 此等の點に關して反對說がないわけではない、例へば、平山勳氏はその著臺灣社會經濟史全集第一分册「四七頁ー五七頁」に大結首小結首制の和蘭人によるものではないであらうことを述べられてゐる。だが今は暫く通說によつておかう。（「臺灣土地調査事業概要」中羅馬字證文參照）

要之、蘭人時代の土地開墾は工力の程度に應じて土地の分配を爲したのであり、其等の所有權者の地位に立つものは疑ふ方なく蘭人政府それ自體であつた。

其後鄭氏の統治に歸するに及びても依然舊政府の後を襲ぎたるもので、「鄭氏攻取其地、向之王田、皆爲官田、耕田之人、皆爲官佃、輸租之法、一如其舊、即僞册所謂官佃田園也」（「臺灣府誌」卷四租賦）即ち蘭人時代の王田を官田と改稱し耕田の人は皆官の小作人にしてその所有權は依然鄭家に存したるものといふべく、此部分については蘭人時代の官佃主義を踏襲し輸租率の如きもその舊に倣つてゐる。

鄭氏宗黨及文武僞官、與士庶之有力者、招佃耕墾、自收其租、而納課於官、名曰私田、卽僞册所謂文武官田也（「臺灣府誌」卷四租賦）

之に依れば鄭氏の宗黨及文武官が有力なる人民と協力し佃人を招徠して開墾せしめ、小作料を佃人より徵集して公課を官に納め其所有權は開墾者たる宗黨、文武官又は有力者に歸屬せるものなることを知る。當時之を稱して文武官田又は私田と言つた。舊記により此等私田に屬するものと認むべき一例を擧ぐるに、「永幸笑曰、吾固知吾命窮、徒損他人資無益、臺郡多蕪地、永幸募人闢之、歲入穀數千石、此獲委以遺親舊、量其所需、或數十百石、各有差、計己所存、足供終歲食而已。」と。推して知り得るであらう。私田も亦上中下の三則に分たれ之に相當する地租を徵收した。當時、土地淨鬆耕種三年に及ぶときは收獲菲薄なりしため舊地を棄て更に新地を開墾するを例とし、從つて三年に一丈量するを定法としてゐた。

其餘鎮營之兵、就所駐之地、自耕自給、名曰營盤（「臺灣府誌」卷四租賦三二六頁）

これ卽ち營盤田である。又當時の宣言に屯兵開墾地は「三年開墾、然後定其上中下則、以立賦稅」（「臺灣外記」卷一ノ二）とあり。玆に「自耕自給」とあるからには其所墾の地は墾者の所有に歸せるものと見るべきであらう。

以上によつて吾々は大雜把ながらそして其處には種々問題はあるであらうが一應、淸朝の臺灣領有に至るまでの臺灣土地開拓の沿革と並びにその下にとり結ばれたる土地制度とを知つた。玆に始めて吾々は淸朝に入ることが出來る。

第二章　舊土地所有形態の成立過程

蘭人及鄭氏時代に於ける臺灣土地開墾は既に述べたるが如く時代により其方策上に多々變遷があつた。然るに康熙二十二年(一六八三年)臺灣淸國の領有となるや蘭鄭時代より參差錯雜せる土地制度は一變した。當時既に商業資本主義の段階に上つてゐた淸國が封建の暗にとざされてゐた臺灣社會の下部構造を改變することによつて臺灣に淸國々法を附植したであらうことは想像に難くない。此等の諸努力は康熙の中葉より足繁くなつた淸國開墾成例による臺灣招民開墾によつて代表されてゐる。雍正五年(一七二七年)御史尹の奏文に「所有平原總名草地、有力之家、視其勢高而近溪澗淡水、趣縣呈明四至、諸給墾單、召佃開墾」といふもの卽ち其一證である。

如上の努力の上に、漸次臺灣社會の土地諸關係が或は成立し或は變遷して行つた。そして此等の舊土地所有形態は概して言へば方や自由農民による近代的零細土地所有と、方や封建的、身分制的土地所有との二つによつて構成されてゐる。前者卽ち零細農土地所有形態に屬するものとして吾々は、民有地及び熟蕃地（蕃地にして蕃人自耕以外のものを私はかくいふ）を、後者卽ち封建的土地所有形態に屬するものとして、官莊、莊園、屯田、隆恩田等々を擧ぐることが出來る。茲に注意すべきは莊園であるが、それは當初は墾戶と言はるゝ豪族によつて所有されてゐたものと王公によるものとの二種を含むのであるが、前者は後に小租戶と呼ばれる言はゞ自由農民によつて實權をうばはれてからは純粹なる民有地へと移行した。此事は吾々をして一應當初既にしてその莊園の近代性を認識せしむるのであり、從つて墾戶が佃戶を招來しそれへの支配力を有して居た限りに於ては、それを莊園と規定してもよいし、又しか規定せねばならないのであるが、後に述ぶるが如く、その期間たるや極く短く、又墾戶は大租戶となり、佃戶が小租戶となつても佃戶卽ち小租戶は通常の農奴ではなくして一種の物權的權利を取得し所謂一田二主の傾向を生じ、（臨時臺灣舊慣調查會「臺灣私法」第一卷上、二六九頁參照）既にして墾戶の領主性は失墜してゐたのであるから、換言すれば、それは高々、民有地の成立過程が變形的なものであつたことを意味するに過ぎずと考へ得るのであるから、私は假りに茲にその成立過程の概観に於ては便宜上民有地を以て其等をも包含せしめる。そこで先づ吾々は、臺灣に於ける此等の土地所有諸形態が何時成立したるやを年代記的羅列的に記述して行かうと思ふ。

まづ最初に數へねばならぬものは、墾戸による莊園、後には一般人民の所有にかかるとせらるゝ民有地である。これには移民によつて蕃地より民有地となれるもの、官地から民有地となつたもの、及び當初より人民の所有にかゝるものとの三種に分ち得る。

從前臺灣の內部は總て生熟蕃人公共の使用に資せられてゐたのであるから蘭人若しくは鄭氏占據の當時にあつては土地の何れの部分を問はず私法的權利主體を有しなかつたことは明らかである。換言すれば支那法制に所謂、荒閑無主之地であつた。從つて新領主たる蘭人若しくは鄭氏は土著の蕃人に向つては殆んど何等の交涉を爲したることなく、專ら支那內地に於ける無主地の例に準じて辨理した。然しかくの如くして蘭人若しくは鄭氏の最高權力によつて官產若しくは私産となつた土地は僅かに本島の一部分に過ぎず、その大部分はなほ蕃人部落の公共物として從來の儘に殘されてゐた。そればかりではない、各蕃社が其の公共使用に供した範圍内の土地を以て各自の領域であるとする思想は外來の壓迫を受くるに及んで益々鞏固となり、就中平埔蕃人の如き溪水分水嶺等によつて地界を定め、其地界の定め難い地方にあつては兩者の中間に共有的地帶を置く等、土地に對する自他の歸屬が益々明瞭となるに至つた。從つて明末清初の頃より此等の土地に侵入せんとする者は勢ひ蕃人との鬪爭を鬪はねばならぬか、或は彼等に款を通ずることによつて始めて蕃地の給出を受けなければならなかつた。領臺當時清朝は治臺政策の一として「臺灣は海外孤懸の地で奸究通逃の藪と爲り易し故に地を闢いて民を聚むべからず」との方針の下に臺灣渡航に對する禁制を發した。然るに此の禁令は唯政府の空文のみであり、閩人の潛かに渡臺する者夥しくなり、康熙の中葉粤人も盛に來り、その末年には支那の移民は殆んど全臺の半に分布したといふ。（山崎繁樹 野上矯介 著臺灣史一七四頁）

康熙二十五六年頃（一六八六年頃）廣東省嘉應州の民始めて下淡水溪沿岸平原への移住を企て、爾來其本籍民之を聞きて來集し、康熙の末年には儼然たる一大部落を形成するに至つた。

嘉義地方にも康熙二十四年(一六八五年)清國領臺の後二年にして既に漢民の移墾したるものがあつた(臨時臺灣舊慣調査會「臺灣私法」第一卷上七三頁)が、嘉義、臺南地方は概して清朝歸屬當時に於ては既に開墾も終り、此地方に漢民の開墾したるは僅かに山崙溪底の小區を私墾したるもののあるに過ぎない(註)。臺南地方に大租關係(後述)の尠きは當時開墾を爲すべき地域の少かりしに基因するものであらう。

(註) 此地方の海岸は年々海底の隆起すること著しきを以て此後に至りしも有力者は道臺の許可を得て之を魚塭、鹽田となし或は園に墾成したるものが尠くない。熟蕃社の管占せし楠梓仙溪地方は漢民蕃社より埔地の贌出を受け多數の佃人を分給して之を開墾したるものも尠くないだが此等二つの例外を除いては淸朝治下に於ける南部地方の開墾は敢て重視するには當らぬであらう。

彰化地方への移住は、康熙の末年(一七二〇年頃)泉州人施長齡、吳洛、楊秦、及び廣東人張振萬等の豪族線東、線西地方に渡來し、巨費を投じて田園の開墾に務めしに始まる。雍正元年(一七二三年)には官はその社會狀勢に應じて、諸羅縣より分ちて彰化縣を分設するに至つた。

南投、大墩(今の臺中市)葫蘆墩(今の豐原)地方も當初は土著蕃民の先占せる所なるも、康熙雍正年間、少數の移民あり、乾隆以後に於ては移民大いに增殖し、到る處炊煙揚るの狀勢を示すに至つた。

竹塹(新竹)地方には雍正元年(一七二三年)淡水廳設置せられ、南は大甲溪より北雞籠及び臺北平原一帶を管轄せしめた。是に由つて之を觀れば、竹塹地方の一部土地は既に移住開墾の緒に就きしものがあつたのであらう。

臺北平野一帶は當初「ケタガナン」と呼べる蕃族の棲住區域に屬してゐた。當時淡水河口はその幅員現今よりも廣く、又關渡門內は一面の大湖をなしたるものであり、現今とは著しく差違あり、更に北投附近は草木蓊翳僅かに五步の內尙從者も相見えざるの狀態をなしてゐた。(前掲「臺灣私法」第一卷上七五頁)然るに康熙四十八年(一七〇九年)に至り、閩人陳賴章なる者渡來し、酒肉及び布片の類を土蕃に與へ平原の中央なる大加蚋堡地方に部落を構へたるや次第に移住者增加し、遂に雍正九年(一七三一年)八里坌の巡檢設置を結果し、かくて平原一帶の地は殆んど全部開墾せらるゝに至つた。後海山口の市街成り、乾隆十五年(一七五〇年)には八里坌巡檢を此地に移し、一時臺北の首市となるに至つた。現今臺北の盛區萬華市街の如き、當時は茅屋數ふる程の小村であり、一府(臺南市)二鹿(鹿港街)三艋として並稱せらるゝに至りたるは、從つて艋舺と稱へらるゝに至りたるは、乾隆五十三年(一七八八年)八里坌口より對岸支那への航海路の開かれたる後の事である。(前掲「臺灣私法」第一卷上七六頁)

噶瑪蘭(現今の宜蘭)は本來蛤仔難と稱せし蕃地であり、康熙以來清國人にして此地に到りたる者なきにしもあらざりしも、土地開拓に奏效せしは乾隆の末年(一七九〇年頃)漳州人吳沙を以て嚆矢とする。彼は嘉慶元年(一七九六年)漳州泉州粵籍の民を招き所謂三籍合墾を行ひ、土蕃との衝突なきにしもあらざりしも、開墾日に進み、其姪吳化の之に代るや、嘉慶九年(一八〇四年)には其地の大半は清國人の開拓に歸したりといふ。(前掲「臺灣私法」第一卷上七八頁)

要之、康熙の末年には既に南部臺灣の地漸く耕地に乏しきを告ぐるに至り、其勢は海岸平地に沿うて次第に北進し、現時の臺北及宜蘭附近の平地に及び平埔蕃も亦化内の民となり一層其勢を進むるに至つた。是に於て退嬰これ事とせる清國當局と雖も移住民の先驅に促されて康熙五十七年(一七一八年)始めて淡水に守備兵を置き雍正元年(一七二二年)には諸羅以北に彰化縣を新設しついで彰化以北に淡水同知を置いた。嘉慶年間に至つて宜蘭の開拓となり或は咸豐年間には埔里社の開墾となり進んでは臺東の野に及ばんとし臺灣開封擴土の大半を成すに至つたのであつた。

以上は私墾に係るもの、蕃地より民有地となつたものであるが、其他續後の墾耕に對しては清朝は蕃界以外にあつて何人の占有にも屬せざる地は官地とし、墾戶の報墾(開墾の出願)によつて之を許し、熟蕃の埔地に屬するものは蕃人と妥協し一定の代償を與へて給出せしめ、墾者にはすべて墾照(開墾の許可證)を交付して事に從はしめた。此等墾成の後に於て一定の期間を經て其甲數を官府に申報せしめ、陞科(賦課の輸納)を了するを必要たらしめた。其後擅に土地を侵佔して私墾したり、或は開墾多きに係らず、申報すること尠きもの從つて陞科の輕減を計らんとするが如きもののある場合には欺隱を以て罪を論斷すべく、概して清律及び戶部則例に準據した。(前掲「臺灣私法」第一卷上八六頁參照)

次に官莊の成立過程に移る。

官莊は臺灣に於ては一に之を官庄といひ、官の有する莊田をいふ。その起源は區々として一定しない。後世初期資本主義の發端だとされる劉銘傳時代の土地清丈に於ける各縣の簡明總括圖冊には「官莊係田各衙門養佃給種墾成田園云々」とあり、又臺灣縣の原額中には「謹査、官莊田園、係田官募佃承墾、種粟者征粟、種蔗者征糖、云々」とある。　又臺灣府知府程、臺北府雷兩氏よりの淸賦意見書に、「官莊田園、宜通臺別議也、查從前荒地較多、乏人墾闢、曾有提動帑項、由各縣召墾者、名曰官莊」とある。　此等によれば官莊田園の多くは官に於て自佃人を招いて開墾せしめた土地であることを知るであらう。　彰化縣志に「官莊稅、以其田邑、充公歸官、而徵其稅也」とある所を見れば、官莊田園中には又民地を沒收して官有となしたるもの〻尠くなきを知ることが出來る。

臺北地方にあつた官莊は拳和官莊である。　舊拳山堡拳頭母山田卽ち現今の文山郡萬盛庄附近及新莊郡和尙洲地方に存在したるに基く名稱である。　此地方は乾隆二十二年(一七五八年)其大部分の開墾を終り同三十八年には全部開墾せられたと見ることが出來る。　蓋し文山郡地方は乾隆の初年漢人進入し開墾に從事したのではあつたが、蕃害甚だしく到底墾成の功を收めることが出來なかつたため、開墾者は保護を官に乞ひ官は此地方に戍兵を置くと共に未墾の埔地は之を收めて官庄となし、官に於て自ら漢佃を招來し之をして開墾せしめたるが如くである。而して最初漢人は蕃人より土地の給出を受け蕃大租なるものを負擔したのではあつたが、蕃害甚だしく實際墾耕を終了しなかつた埔地は之を收用して官庄とな

し之と共に其官莊となつた土地に於ては蕃大租は消滅に歸したるものであらう。（「淡水廳誌」卷四 賦役志官莊參照）

宜蘭地方に於ける官莊の起源は嘉慶年間、新福莊、辛仔罕兩所の閑散田地を以て官莊地となし、これより租穀五百餘石を徴收し、よつて以て文武衙署の修理の費用に充て、又吧荖鬱、抵美簡等に在る閑散田地を以て官莊地となし租穀四百餘石を徴して以て兵房修理の用に供したるに始まる。茲に注意すべきは此等の官莊地は地味多くは沙鬆であつたため、本地方の官莊租中には正供（これについては後に詳述）を包含することのなかつたことである。（「噶瑪蘭廳誌」卷二 賦役の部官莊參照）

中部地方に於ては先づ臺中廳管下捒東下堡蔴糍埔、鎮平、水碓、劉厝、新庄仔、三塊厝、永定厝、黑龍潭、潮洋、西大墩、梨頭店の十一庄に官莊租附帶の田園があつたが何れも同一の沿革を有してゐる。此等の地方はもと廣渺たる荒野であつたが、乾隆の始め、政府は普く各地の移民を招いて工資及び籽種を與へて開墾に從はしめ、墾成の後には悉く官莊田に編入したものである。當時官莊田の甲數は四百甲であつたが、光緒年間劉明傳清丈の時、民田と同じく清丈を行ひ等則を按じて千甲の多きに上つてゐた。

彰化廳下には十三の官莊あり、就中阿夷在土名下廓に在る官莊田園はその尤たるもので淸丈の際その田園の佃戸に對し業主として丈單を附與し地租を納付せしめたが、光緒十六七年間、丈單に「配完官租免征錢粮」なる印を捺し地租を免除したといふ。

嘉義廳下五十九庄にも各々官莊田あり、此等は當初官府自ら工資を投じ耕牛籽種等を備出し、移民の佃戸を招いて開墾せしめたる地方に係るものであり、墾成の後には田に在つては籾穀を徵し園に在つては砂糖を徵する等、一に生產物を以て收租の目的物とした。

其他臺南廳下に八つ、鹽水港廳下に四つの官莊があるが、その由來に於て殆んど今述べたる所のものと異なる所がない。

次に吾々は莊園の成立を見やう。莊園はその成立過程より見れば二つに分つことが出來る。一つは鄭氏時代の封建的土地所有形態たりし官田、文武官田が法律的に民業となりたる後にも尙經濟的本質的には莊園の樣相を示して居つたものであり、一つは先きに便宜上民有地の成立過程に於て述べた所の「前期の民有地」とも言ふべき莊園がそれである。前者について見れば、諸羅雜識に「及歸命後、官私田園、悉爲民業、酌減舊額、按則勻徵、既以僞產歸之於民、而稍減其額、以便輸將、誠聖朝寬大之恩也」(臺灣府誌卷四租賦より引用)とあり、鄭氏時代の官田(王田)私田(文武官田)は悉く之を民業とし、從來の租額を酌減し、等則を按じて徵收するに至つたもの丶如くである。だが、このものが私業に化することによつて直ちにその封建的色彩が消滅したのではない。それどころかその主たる王公は佃戶をして耕作に從事せしめ、又彼等の身分的支配の權能を持つてゐた。

此等の莊園は南部地方を根據とし、後に至つても小租戶を生ずることはなかつたのであるが、中部北部に成立したる移民墾戶による莊園は後に至り小租戶を發生せしめたことを忘れてはならない。

かくして成立したる豪族の莊園は、豪族なる家に世襲的にその業主權を與へられた所の、而かも農奴生產を基礎とした所の、半封建的領地であるが、それが詳述は、前に述べた官莊と共に第三章に讓るであらう。

次に屯田に移らう。屯田の目的は發生的には屯丁たる熟蕃の自給自足にある。乾隆五十年(一七八五年)林爽文なる者亂を起すや、各蕃社の熟蕃皆官兵に隨同し功績殊に著しきものがあつた。時の陝甘總督侯爵福康安は大いに熟蕃の用ふべきを主張し、乾隆五十三年(一七八八年)六月亂の平定を待ち、狀を具して清廷に上奏し、始めて屯丁の制を立て、屯所を設けて屯丁を配置し、土牛界外未墾の荒埔五千六百九十一甲を以て屯丁に分給し、彼等の養贍の資に充てしめたるに始まる。此の制度たるや、千總、把總、外委、屯丁の四階級により構成せられるものであり、臺灣全島九十三の蕃社を分つて十二屯として統轄せしめた。此等の屯丁に支給すべき糧餉は當時の土牛界外の未墾地五千六百九十一甲を當てた。各階級に之を給與して自耕作ならしめて養贍の地となさしめ、糧餉は官より支給することはなかつた。所謂養贍埔地がそれである。然るに此の中六百二十一甲餘は後に屯務の公用に補充すべきものとなしたるため、その實質に於て屯租地であつたことは明らかである。かくして各屯の屯丁は既に埔地の給與を受けたのではあつたが、此等の土地は荒蕪の埔地であり、自ら之を耕作するとしても將又之を他人に贌耕せしめても、これによつて收入を得るに至るまでには前途尚遼遠であつたため屯丁は此の給地を受けたにも係らず、直ちにこれによつて其糧餉を得ることが出來なかつたため、必然的に他に財源を求めなくてはならなかつた。偶々乾隆五十五年(一七九〇年)土地清丈に際して、漢人の土牛界外に侵耕せる丈量漏れの田園三千七百三十甲除を査出したため、此等を皆官に沒收して屯田となし、原墾佃人をして之が耕作に從事せしめ、其租をば屯租と名付け、佃首、通事、土目をして之を管收せしめ以て屯丁の糧餉に充當し、每年二月、八月に之を支給することゝし、同年下期より之が徵收を始め、翌五十六年（一七九一年）二月より發給した。屯租の起源である。

以上の外嘉慶十五年（一八一〇年）福建總督の方某再なる者、鹿港の理蕃分府、某をして北路各屯所屬の田園を實際に調査せしめ、又鳳山縣知縣顧某をして南路各屯所屬の田園を實査せしめ、以後繼續的に墾成せる新丈出の田園を以て屯租を補充した。（前掲「臺灣私法」附錄參考書第一卷第一編第二章第一節第二款第一段第一六七）充公屯租と言はるゝものがそれである。

次に吾々は隆恩田に少しく觸れて置かう。隆恩田の所在地はもと概ね蕃社の附近に屬し地味微力にしてよく開墾し得ざる所であつた。從つて、例へば北部地方に於ては嘉慶十六年（一八一一年）、時の噶瑪蘭營守備黃廷耀なる者が具狀して、總兵武隆阿に上申し此地を隆恩息莊となし漳泉兩籍の墾戶に對して自ら工資を投じ招墾に從はしめ、之より該地の墾佃は年々一甲につき八石を納付すべくその內二石を營租即ち隆恩租として武營に納入したに始まる。茲に納入すべき八石中四石は蕃租として蕃社に配納し、他の二石は墾戶租として墾戶の資本及辛勞に報償せるものである。彰下廳管下線東堡牛桐仔庄外十三庄に於ける隆恩田は乾隆五十一年(一七八六年)の林爽文叛亂の後軍資の剰餘金を武營に下附し、既墾田園の大租なるものを買收し彰化鎮營の營收に歸したるに始まり、臺中廳下捒東下堡及藍興庄の隆恩田は屯租の剰餘金を以て大租を買收したるに係つてゐる。南部に存在せる隆恩田も以上の地方に於けると殆ど同一であつてその過半は國庫金を支出して以て墾地の大租權若しくは未墾の埔地を買收したに始まつてゐる。

以上に述べたる土地諸形態の外、謀反其他の犯罪により人民の有する大小租權の全部若しくは一部を沒收して一つの官田となした場合がある。抄封租なる一種の官租を納入せしめた。臺北地方に於ては乾隆五十三年(一七八八年)林爽文の亂平ぐの後、之に與せる業主、蔡岡、吳意仁等の管業せる所の大小租を抄封せるものが殆んど其全部を占めてゐる。

次に吾々は蕃地を忘れてはならない。臺灣の始めて清國の領有となるや政府は一旦嚴に蕃地の贌耕を禁止した。康熙時代の戶部則例に「臺灣奸民、私贌熟蕃埔地者、依盜耕本律問擬、于生蕃界內私墾者、依越渡關塞問擬田仍歸蕃」とある。これによれば熟蕃に屬する埔地のあることを認むると共に該埔地は假令熟蕃の承諾あるも漢人にして之を私贌することを禁じ之を犯す者は論斷するに盜耕を以てし又蕃界内に於て土地を私墾する者は越渡關塞律に問ふべきものとした。然るに其後漢人の侵耕常にやまず寧ろ益々多きを加ふるに至つたため康熙六十一年（一七二二年）に至り土牛を築くの議となり、更に民蕃兩地の分界を定め界内は漢民の開墾を許すも界外は之を蕃人に歸し互に踰越侵墾することを得ずとした。所謂劃界遷民の議はこれである。かくて互の越墾を禁じたのではあつたが實際には行はるゝ所とならず、漢人の侵耕益々多きに至り、遂に雍正二年（一七二四年）政府は到底その禁止も行はれ得ずと見、蕃人の土地にして墾種し得べきものは之を漢人に租與し耕種を認許した。租與とは有償の借地の義であつて租贌と同意である。然し實際の事實より見るとき漢人間の給墾と同一の内容を有したものである（前掲「臺灣私法」第一卷上三四五頁）が、單純なものとは言へ租贌即ち小作であつたことに疑ひはない。

土牛の設置は實效を奏するに至らず遂に租地に限つて之を許可したのではあつたが、蕃地侵耕の大勢は滔々として底止すべくもあらず、時經るに及び、租贌の外典賣の名義を以て蕃地を侵略する者が多くなつた。其後數次の禁令あつたにも係らず、蕃地の賣買は租贌と相並び頻繁に行はるゝことゝなり既に挽回すべからざるの大勢を示した。

乾隆五十三年(一七八八年)屯丁設置に關する奏議の中には蕃地の典賣の盛に行はるゝ實狀を述べて寧ろ之を認許し、漢民租贌に係る地は蕃人を以て業主なりとし漢人を以て佃人となし、租税の賦課を免じ既に賣買に係る土地は漢人を以て業主となし之に租税を課するものとなすべきを論じ政府も亦之を採用した。(前揭「臺灣私法」第一卷上三五〇頁) 後者が民有地の一形態であることは既に述べた。

以上の蕃地にして、漢人の業主となりたるものは民有地に於て既に述べし所であり、蕃人自耕に係るものは清朝治下の臺灣を取扱つてゐる吾々には今は關係がない。從つて以下に於て吾々が熟蕃地として取扱はんとする所のものは、蕃人の業主にして漢人の佃人なるもののみに限定せられる。其等は勿論法律的には清朝の大權の支配下にあつたのではあるが、實質的には彼等の族長としての頭目の支配する所であつた。卽ち其等の土地は部族の族長たる頭目の所有地であり、更に適切には、部族の占有地であつた。

埔里社地方は其當初、埔蕃、眉蕃と稱する二種の蕃人の占據地であつた。乾隆十四年(一七四九年)臺南地方の蕃人四百名の五城堡地方への移住あり、道光五年(一八二五年)には東勢角及び葫蘆墩地方の熟蕃人男女七百名の移住あり、(臨時臺灣土地調査局「臺灣土地慣行一斑」第一編四七頁)從つて土地の開拓は此等蕃人に獨占せられたるものと言ふべく、これがため偶々漢人の之に入りて開墾を企つる者あるも、蕃人の阻害を受け屢々なる失敗を結果してゐる。 然るに同治十三年(一八七四年)以後は次第に熟蕃人も漢人に壓倒せられ、漢人移民は增加の傾向を辿り、光緒元年(一八七五年)には埔里社に北路理蕃同知の設置を見たことは注目に値する。

臺東及び恒春地方は清朝時代埔里社地方と共に化外蕃地として目され、その侵墾は嚴禁せられてゐたのであるから、時折漢人の移住開墾ありたりと雖も(註)、高々民の私墾に係るものであり、從つて墾首なく、大租關係の成立は勿論ない。

(註) 臺東地方に漢人の入りたるは康熙三十二年(一六九三年)陳文、林侃なる者卑南に漂著したるを始めとし、翌年には賴科なる者中央山脈を越えて蒚萊に達したることあり。(「臺灣私法」八十頁)恒春地方は乾隆初年頃より私墾さるゝに至つたと言はれてゐる。(「臺灣土地慣行一斑」第一編一一四頁)

以上に於て吾々は羅列的、個別的にではあるが、一應舊臺灣社會に於ける主たる本來的土地所有形態をその成立の過程に於て概觀した。 此の外に、寺廟地、學田、營盤地、及び血族若しくは民族による土地共有等が存在するのであるが、其等及び上述の隆恩田、抄封田については今は立入つて記述すべき充分な能力と資料とを持ち合さないし、又其等は凡て重要なる地目ではなく、それを省略した所で大勢に左したる影響はないと思はれるから、以下に於ては此等には言及すまいと思ふ。

既に述べたるが如く清朝治下臺灣の土地所有形態は二大別することが出來る。官莊、莊園、屯田等々の土地所有形態はその下に農奴生産を適應せしむる所の、封建的身分制的土地所有である。然るに當時の支那本土は、農奴生産によつて基礎付けらるゝ經濟生活の段階は既に經過し了へて、高度の商業資本の段階に入つてゐた。從つて高度の商業資本主義經濟の下に生活してゐた漢民族が、臺灣の地に流入したる後、その地に於て營む經濟形態は他の條件を暫く措けば、農奴形態よりも一歩高いものでなければならなかつた。此等の移住漢民族が臺灣の到る所に於て自由な零細農土地所有形態を建設して行つたことは、かくて又當然であらう。民有地及び熟蕃地は即ちこれに屬するといふことが出來る。

封建的、自分制的土地所有は、その後鞏固なる基礎の上には發達して行くことが出來なかつた。其等門閥の大土地は、その成立と殆んど同時に支那本土から大河の如くに押し寄せた流民と、これに伴つて臺灣に急霰の如くに入り込んだ所の、高利貸付資本によつて脆くも解體せざるを得なかつた。從つて舊臺灣に於ける身分制的土地形態の成立過程は同時に又その崩壞の過程でもあつたと言つても敢て過言ではない。この崩壞は主として嘉慶を中心として光緒に至るまでにあらはれてゐる。吾々は次に此等の崩壞過程の敍述に及ぶのであるが、それに先立ち、以上の土地所有諸形態の本質を探ぐることによつて、それが崩壞過程の歷史的原因を觀察せねばならない。

第三章　舊土地所有關係の諸構造

以上に於て私は極めて粗雜ながら清朝治下臺灣の一連の土地所有諸形態、民有地、官莊、莊園、屯田、隆恩田、熟蕃地等々を、目に映ずるが儘の姿に於てその成立と變遷との過程に於て述べてきた。玆に提起せらるべき問題は此種の樣々の名稱と形態とを持つ多くの土地が、支那國家との關係に於て如何なる構造を持つか、その所有關係の本質如何の問題でなければならぬ。以下私は此の問題を法律上の立場からではなく、經濟上の立場から取扱はうと思ふ。

先づ人民の所有にかゝるとせらるゝ民有地から考察することゝする。

臺灣は當初、より詳しくは康熙二十三年(一六八四年)より光緒十年(一八八四年)に至るまで、福建省に隷する府治の地方であつた時期と、光緒十一年(一八八五年)より同二十一年(一八九五年)日本の割譲に至るまで、臺灣省を立てたるの二期とされてゐる。が兎も角一般人民の行政事務を司つてゐたものは大體に於て福建省であつた。元來清朝の制度によれば、地方文治機關の組織は省の下に府あり、府の下に州及び縣があつた。而して二或は三省を總轄して總督を置き、文武の政權を統制せしめ、又各省に巡撫を置き專ら民政を綜理し總督の駐在なき省にあつては軍政を兼理した。卽ち總督巡撫の兩官は共に地方(卽ち省)の最高長官として殆んど同地位を占め、督撫に隷屬する正印官として省に布政使、按察使、道員がある。布政使は財政を司掌し、按察使は司法を司掌し、道員は專ら行政の監督に任ずる者であつた。(臨時臺灣舊慣調査會第一部報告「清國行政法」第一卷下、三六—四九頁參照)

福建省下の臺灣が又此の通制に從はなかつたわけはない。がその位置たるや本土と海洋を隔て、民蕃雜居の特殊たる地域であるがために、特殊なる編制の下に特殊なる權限を與へられたるものがないでもない。例へば、そしてこのことは重要なことであるが、一省を臺灣に分立せしむるに當つて巡撫の格式を高め、尚按察・使の獨立なる設置を見ずして他官の兼掌に歸し、府として州を置く事を缺きたる等その特例である。

何れにせよ、以上の行政組織を持つた臺灣府の命令を受けて民業の徵税の任に當つたものは地方の州縣たりし布政使であつた。布政使によつて徵收せられた地租は臺灣府に集められたうへ、更に臺灣府から戸部に納入された。戸部は國家の大權に直屬する中央機關であつて、國家財政を經理し地方財政を監理する傍ら全國の戸籍事務の統轄、産業行政の統治、救恤行政の統轄、貨幣制度の掌理等々をその職能とした。（同上「清國行政法」第一卷上 二一八―二二〇頁參照）

民有地の上部構造は以上の如きものであつた。ではかくの如き中央國家機關に上納する民有地の租税は如何なる性質を持つものであるか、換言すれば國家が人民に土地の所有權を附與したるの結果に基く公法上の負擔卽ち租税であるか、或は單に用益權のみが與へられてゐたことに對する報償卽ち地代であるのであらうか。

これには先づ此等民有地の負擔が如何なる率であつたか又如何なるものを收

めたかの問から分析しなければならぬ。

康熙二十二年（一六八三年）清國の統治に歸し、臺灣の官田及び文武官の私田は悉く民業となれることは既に述べたが、此等には舊額の租賦を酌量し田園の等級に應じて新率を制定し、徵するに粟を以てしたのであるが、今その租率を示せば次の如くである。（前掲「臺灣土地慣行一斑」第二編四一頁ヨリ作成）

等則	田（毎甲）	園（毎甲）
上則	八石八斗	五石
中則	七石四斗	四石
下則	五石五斗	二石四斗

茲に制定せられたる新率は唯兩種租率の均衡を取りたるに過ぎないのであつて絕對的に負擔を輕減したものではない。　雍正九年（一七三一年）一部の改正を行ひ、雍正七年（一七二九年）以前の墾成田園については舊額の租率に依つて徵收し、雍正九年以後開墾の田園及同年以後の自首墾に係るものは改めて福建省同安縣の則例に準じ一甲を以て十一畝三分とし、田園の等級に應じて賦率を分ち、各一畝に對する銀米の額を定め糗穀に換算して徵收した。　左の如くである。（同上四二頁ヨリ作成）

等則	田（每畝）	園（每畝）
上則	徵銀　八分五厘三毛四絲 徵米　六合六抄五撮	徵銀　六分五厘八毛八絲四忽 徵米　三合八抄七撮
中則	徵銀　六分五厘八毛八絲四忽 徵米　三合八抄七撮	徵銀　五分七厘五毛五絲 徵米　ナシ
下則	徵銀　五分七厘五毛五絲 徵米　ナシ	徵銀　五分六厘一毛八絲 徵米　ナシ

其後部議により同例を以て過輕の嫌ありとし再び本地の舊額に改正したが、乾隆九年（一七四四年）に至り上諭を發し以後に於ては雍正九年の定案に照して辨理することゝした。以上の如く雍正七年前後によつて賦率を異にするのみならず舊額田園の賦率はこれを新墾の田園に比較するに殆んど三倍の重きに亘つてゐる。從つて臺灣、鳳山、嘉義の三縣の如き饒多なる舊額田園地方は、その面積に於ては遙かに乾化、淡水、噶瑪蘭の如き新墾地方の下に位してゐたが、賦額は逆つて二倍以上の多額に上つたことがあつた。卽ち福建巡撫丁日昌の請將臺屬各項雜餉別豁除疏に「臺灣鳳山嘉義三縣、合長二百九十里、共額徵供穀十三萬餘石、而後闢之彰化淡水噶瑪蘭三廳縣合長五百八十里、僅額徵供穀五萬六千餘石」とあり、徵して知り得

るであらう。

從前臺灣の租賦は委く穀納であつたのであるが、道光二十三年(一八四三年)以後は銀納の制に改め粟(籾)一石を六八番銀二元に打算し以て光緒十四年(一八八八年)清丈の時に及んだといふ。　清賦事業の實施に伴つて改正せられた租率は次の如くである。(同上四三—四四頁ヨリ作成)

安平、鳳山、嘉義、彰化、雲林、苗栗、新竹、淡水、宜蘭の諸縣並に基隆廳に於けるもの

等則	田(毎甲)	園(毎甲)
上則	兩 錢分厘毫絲忽微 二、四六八四九〇〇	兩 錢分厘毫絲忽微 二、〇一八八一〇〇
下則	二、〇一八八一〇〇	一、六六四四三〇〇
下則	一、六六四四三〇〇	一、三三一五四〇〇
下下則	一、三三一五五〇〇	一、〇六五二四〇〇

恒春縣の田園に於けるもの

等則	田(毎甲)	園(毎甲)
上則	兩 〇、七二四七二四〇	兩 〇、六三三〇五〇〇
中則	〇、六三三〇五〇〇	〇、五〇六四四〇〇

下則	○、五○六四四○○	○、四○五一五二○
下下則	○、四○五一五二○	○、三二四一二一○

埔里社廳の田園に於けるもの

等則	田（毎甲）	園（毎甲）
上則	○、八一一七○○○兩	○、七 九○○○○兩
下則	○、七○九○○○○	○、五六七二○○○
下則	○、五六七二○○○	○、四五三七六○○
下下則	○、四五三七六○○	○、三六三○○○○

以上は專ら正供卽ち地租の正税に關するものである。然るに古來臺灣の田園たるや、正供の外に耗羨或は勻丁銀等々を負擔するがために實際の租率は非常に不公平たるを免れなかつた。勻丁銀とは鄭氏時代より賦課せる分頭税たりし人丁銀が、その後各管下の總額を以て田園の甲數に勻配し業主をして負擔せしむるに至れるを以て遂に分頭税たるの性質を失ひ、地租副税の種類に轉移して唱へらるゝに至つたものであり、耗羨とは納税物たる銀穀の耗損を補足するの目的を以て正供の定額以外に徵收する副税を言ふ。

「賦法、銀與穀、皆有耗、銀日爐火之耗、穀日鼠雀之耗、不徵其耗則、典守出內者病焉、耗必有美、從而徵之、與周官振掌事之餘財者、意頗相類、凡今所書見美不見耗也、法勻丁番丁賦銀一兩、徵耗銀七分、封平餘銀二分、凡九分田園、每正賦粟一石、徵耗粟一斗、折銀五分、雜餉銀每銀一兩、徵耗銀一錢、封平餘銀二分、一錢二分、如是者、以爲美。」（「臺灣縣誌」卷二、一五八頁）

これに依つて見るに以前勻丁銀に就いては一兩每に耗銀七分平餘銀二分計九分を加徵し、正賦粟に就いては一石每に耗粟一斗換算銀五分を加徵したるものゝ如くである。

然らば此等の地租の納入義務者は誰であらうか。

曩時臺灣にあつては大小租關係の成立しない一部の地方を除くの外は、正供納付の義務は一般に大租戶の負擔するものであつた。これは卽ち當初大租戶が墾成屆出によつて執照の下附を受け其墾成地に對する業主として認定せられたるが故である。然し其後年月を閱するに從つて土地に對する小租戶の勢力は次第に强大となり、遂には業主の有すべき全幅の權利を行使するに至り、巡撫劉銘傳に至つては實在の趨勢に鑑み、小租戶を以て土地の業主と公認し、地租を以て小租戶の負擔に歸せしめた。

だが、一般的に言つて吾々は地租の原則的負擔者を土地の業主權者に求むることが出來る。では此の業主權の實體は個人であつたか將又家族共同體であつたであらうか。

元來土地財產の理想型的發展過程をその歸屬主體より眺むれば、氏族共產制から家族集合制に移り、ついで家族單獨所有制に進み、最後に近代の個人所有制に推移したといふことが出來る。家族の土地所有關係もかくの如く集產制より單獨所有制との二段階に區別され得るが、前者に於ては土地最高の統制者は依然として先行の氏族共同體である。このものから各家族が必要なる耕地その他の土地を分割せられてその占有、使用並びに收益の諸權利を賦與せられる。從つて此の時代に於ては土地の所有權はなほ氏族共同體卽ち多數家族の集合體の下に置かれてゐる。土地の所有は、然し乍ら、多數家族のかゝる集合的所有の狀態から漸次分化して各家族の單獨所有に移り行くのである。家族の單獨所有は家族共同體の團體的共有を意味するものであり、家長は唯家族共同體のための土地の保存管理の責任者であり指揮者たるに止まる。

私は今、舊臺灣社會の土地所有權が家族共同體にあつたことを指摘した。それは言ふまでもなく家産集合制を意味するものではなくして、家族の單獨所有を指すのである。繰返して言へば、舊臺灣社會に於ける民業は原則として家族共同體の總有であつた。然し乍ら既に見たるが如く舊臺灣に於ける民業の創設者は主として支那本土に於て最早一千年の長きに亘つて、商業、高利貸資本に動員さるゝ所の土地所有形態を滿喫したる漢民族であつたのであり、從つて臺灣に渡來せる漢民族の傳統的經濟生活は商業・高利貸資本の生成とからんで、舊臺灣の家族共同體による土地所有を純粹な形態に於て存續せしめなかつたであらうことは想像に難くない。

由來商業資本の本質的機能はあらゆる財を商品化するにある。從つて臺灣社會に於ける家族共同體の所有地が、それが商業資本の支配下に永らく住み馴れた漢民族によつて創造せられたものである限り、また晩くとも清朝の中期以後の舊臺灣には商業資本の目覺ましい生成と發展とがあつた限り、自由に動員せられ得る性質を附與せられたことは當然であつた。換言すれば民業は家族共同體によつて、自由に使用し收益し得るのみならず自由に處分し得るものであつた。業主權はそれである。即ち業主權は土地の總括的支配力であつたと言はざるを得ない。臺灣土地慣行一班には「業主はその意義より言へば不動產の持主なりと雖も由來支那の法理は王土主義を以て根本の觀念とし土地に對する專屬の權利は之を人民に許さゞりしが故に業主の權利は全然所有權と同一なりとは言ひ難し且つ支那の舊記に依るも未墾の荒地は業と稱せざるが如く本島に於ても開墾成業等の文辭は舊來契劵類に慣用する所なるを見れば業とは幾分の勞費を加へて生產的狀況に至らしめたる土地を意味し隨つて業主とは同上土地の實權を有する者と見るを得べし」。（臺灣土地調查局編「臺灣土地慣行一班」第三編三頁）とあり、業主は土地の所有權を有しないものゝ如くであるが假りに、業主權が國家の第一次的土地所有の下に立つ用益權に過ぎないとし、從つてその處分權能を、土地物質それ自體の處分ではなく、土地にたいする此の用益の處分であるとのみに限定するならば、業主權の外になほ永佃權（永租權）なるものゝ存在を必要としなかつたであらう。然し現實には永佃權は業主權と並んで存在した。永佃權に關して「臺灣土地慣行一班」の說く所はかうである。

（一）小租戶は佃人の承諾を要せず何時にても自由に其土地を典賣することを得、此場合に於て新に典權又は業主權を得たる者は佃契約の期間內と雖も換佃するを妨げず。

(二) 佃人若し小租谷を滯納するときは小租戸は期限内と雖も其契約を解除し且つ損害を賠償せしむることを得。

(三) 小租戸は契約に定めたる時期に於て目的物及附屬田寮等を引渡さざるべからず。(「臺灣土地慣行一班」第三編八九頁)

以上は小租戸が次第に勢を得て大租戸より業主權を獲得せる場合であるが、かかる永佃權との關係に於て(永佃權と佃權とは殆んど異る所がない「臺灣私法」六一〇頁)業主權を見るとき、後者に於ける處分權能は、假令それが王土主義の觀念に基きたるために所有權とは同一ではないにしても、土地物質それ自體に關するもの卽ち所有權に近いものであると解するの外はないであらう。かてゝ加へて臺灣の植民地性は必然的に、吾々をして、經濟的に考察せられたる業主權は、全く近代的土地所有權と殆んど同一であるとの結論に到達せしむる。

かくの如く民業の特質は、その業主權が家族共同體にあるにも拘らずその賣買が自由に許容されてゐた點にあると考へられる。舊臺灣社會の民業が、家族共同體によつて總括的に支配せられてゐたこと、換言すれば自由に使用し收益し得たことは、既に述べた民業の諸種の負擔が、本質的には國家に對する小作料の關係ではなくして、明らかに土地の所有に基く公法的な負擔卽ち租稅の關係であることを論證する。かくして民業の戸部に納入する所の銀穀は正供錢糧(賦)卽ち租稅であつて、これは私法的關係に於て生ずる土地の租卽ち地代とは嚴密に區別せらるべきものであらう。(臨時臺灣舊慣調査會「臺灣私法第一卷上一〇五頁)

以上私は民有地を國家との關係に於て眺めた。既に述べたるが如く墾戸は其の始め、地區の開墾權を有し佃戸より年々一定の租穀を徵することを約したるものであり、その業主權者であつた。又當時の墾戸と佃戸との間に授受せる約字に徵しても、若し佃戸にしてその義務を履行せざるときは墾戸は直ちに別佃戸を招來するの權利を持ちその關係は一種の小作であつた。而して政府は墾戸をして正供卽ち地租納付の義務を負はしめた。

然るに後に至つて墾戸は唯小租戸に對し徵租の權を有するに過ぎざるものとなり、一方佃戸は變じて小租戸と爲り土地の實權を掌握し業主となるの氣運は既に此時に胚胎した。當時墾戸が佃戸に與へたる權利は小作權に過ぎなかつたのではあつたが、而かも一種の永小作權であり、實際に於ては我國法に於ける永小作權又は羅馬法の Emphyteusis の如く物權的效力を有したものであつた。墾戸にして一旦佃戸に此の如き强力なる權利を與へんか年を經るに從ひ墾戸の權利は漸く土地と直接の關係を失ひ、佃戸に對するの權利たるに止まり、佃戸は常に其土地の耕作に從事したるが故に、土地の實權は彼等の掌握する所となり、遂に彼等は自ら其地主たるの形を備ふることゝなつた。

以上は民有地についての考察であつたが、官莊はどうであつたらうか。

官莊は既に述べたるが如く、主として文武衙署の修理、兵房修理、土木工事のために設けられたものであつたが、その所有者は清朝、具體的には工部であつた。工部は中央にあつて主として土木工事を管掌してゐた。（前掲「清國行政法」第一卷上二四〇頁）その監督下にあつて、そしてその監督は充分に行き屆きたるものではなかつたのであるが、官莊の管理經營ならびに耕作に從事する人的要素は、莊頭、莊丁、現租戸であつた。莊頭は官莊の長であつて、官莊の管理は無論のこと、租の徴納に關する總ての事務を掌り、莊丁はこの莊頭の監督下にあつて世襲的身分的に莊園の耕種に當るものであつた。現租戸は官莊の一部を契約によつて借耕する官莊の普通小作人であつた。莊頭、莊丁の二者は形式的法律的には一種の官吏ではあるが、本質に於ては、その身分關係の故に官莊に隷屬してその世襲的耕種に從事する農奴であつた。而して、此の點に於て現租戸と原理的に區別せらるべきであると考へらるゝが、とも角、官莊が此等の農奴生產に基礎付けられてゐたことこそ、吾々をして官莊を封建的領土と規定せしむるのである。

淸國々法は行政上は屬人主義を採つてゐたものゝ如く、民人は地方の州・縣官の統治する所であつたが、莊頭・莊丁は行政上は工部大臣の政令に服してゐた。當時淸朝治下にあつては行政廳と司法廳とは確然と區別されては居らず行政廳は同時に司法廳でもあつた。此原則は官莊丁にも適用せられ、彼等は行政上主として工部に屬してゐたるが故にまた司法上に於ても工部に統治せられた。

官莊の管理經營の人的要素が、かくて工部によつて法律上の支配を受けてゐたことはかゝる官莊が國家との關係に於て獨立した領土權を所有してゐたことに外ならないであらう。

官莊はかくて二つの負擔を負擔した。租と賦とである。先づ租から始めやうと思ふのであるが、その租額に至つては各官莊によつて定まる所を知らない。試みにその代表的なる北部の拳和官莊を採つて觀るに、これは一つの官租を負擔し、又その中に正供を包含し、其租率は文山堡に在るものは田一甲につき、正供穀六石、園三石、和尚洲に在るものは田四石、園三石とし、尚此外、耗穀、及餘租若干を徴し、此の三者を合して全租額とした。（「淡水廳志」巻四、田賦）其全甲數は詳ではないが、合計四百二十甲を下らず、劉銘傳の清丈以前に於ては穀納であつたが、光緒十四年（一八八八年）土地清丈以後に於ては之を銀納に改めた。（前掲「臺灣私法」第一巻上、四〇四頁）

官莊の莊頭が莊丁及び現租戸より自らの責任に於て徴收したるものは即ち官莊租である。工部に交納された。茲に莊頭が此等の農奴及び自由農民から徴收する租額と工部に上納する額との差だけが、莊頭の私服肥大の重要なる源泉となつたわけである。

上述せるが如く官莊が本質的に封建領土である限り、莊頭を介して莊丁・現租戸の上納する如上の租は、從屬關係の具象としての封建的地代として把握さるゝであらう。そして舊臺灣に於ける官莊の地代が、封建的地代の本來的第一次的形態たる勞働地代の段階を經過せずして最初から物納地代の形態を採り、ついで銀納地代へと移行せることは全く當時に於ける支那國民經濟の影響であると解するの外はない。そして此の事は何も官莊の地代の封建性を決して否定するものでないことは論を俟たない。

私は先きに拳和官莊を見たる場合に其處に正供卽ち賦の存在したであらうことを言つた。つまりこのことは官莊の莊丁及び現租戶が官莊に納入する地代の一部が工部より國庫たる戶部三庫に納めらるゝことを意味する。戶部三庫は、國家の中央財政を管理し、地方財政を統轄する國家の財政機關であつた。（前掲「淸國行政法」二一八―二二九頁）

官莊がかゝる國家大權に直屬する公的機關としての戶部三庫に納入する賦は、莊丁及び現租戶が官莊に納入する既述の地代の一部分のさかれたものであることは勿論である。然し乍ら、このことは純然たる官莊租と賦との併立を現象的に分識し難からしむるに役立つではあらうが、經濟的に、本質的に、官莊に租と賦との存在したこととそれ自體を決して解消するものではないと私は思ふ。

官莊は既にみたるが如く、身分制的土地と直接小生產者との强力的結合であり、從つてこの强力的土臺から封建的地代たる官莊租が發生したのであるが、他方その中に公的負擔を有してゐたことは、吾々に官莊を中世歐洲の封建領土から原理的に區別せしめそれを特徵付くる一つの基礎を提供するのではないであらうか。

何故かならば、中世歐洲に於ては封建諸侯がその領土に對して領土權を有することは同時にその地の所有權を有することであり、封建諸侯が地租を國王に上納するが如きことはなかつたから。此の如く舊臺灣の官莊に地租の存在したことはこれだけについてみれば、官莊を性質的に民有地に近付かしむることである。更に此のものに現租戸なる自由小作人の存在したことは後に述ぶるが如く益々民有地への傾向を強むるものであつた。

次に吾々の見なければならないのは莊園であるが、それは官莊と全く同一の性質を有するから、玆では簡單に記述するにとゞめるであらう。

王公及び豪族の莊園の上部構造は莊頭が南部にては王公、中部北部にては豪族であるといふ點に於てこそ異なれ殆んど同一であつて、莊頭はその莊丁を行政上並びに司法上支配し得た。此等の莊園は、王公・豪族の世襲的私有地であつたが、然しその耕作は勿論、王公、豪族自ら之に從事したのではなかつた。南部莊園に於ては莊頭、莊丁(佃戸)が存在し、中・北部莊園に於ては莊頭(大租戸)莊丁(佃戸卽ち小租戸)佃人存在し、此等のものが、莊園の管理、耕種に從事したのであつて佃戸は土地を通じて王公豪族に隷屬する農奴であり、佃人は契約を以て莊園を賃借する小作人であつた。

(註) 大租戸、小租戸の關係は主として中、北部に存在したのであり、其始めは墾戸、佃戸の關係であつた。大租戸、小租戸の關係が玆に問題となるのは、大租戸に土地、及び佃戸への全面的支配權の存在したる限りに於てゞあり、其後に於ける關係は民有地の部に於て既に述べた。

此等の佃戸、佃人が、莊園を用益する代償として、年々一定の地代を、卽ち租を、莊園に納めねばならなかつたのは勿論であるが、そして、此の地代の徵收と上納の任に當つたものは官莊に於けると同樣に莊頭であつたことは勿論ではあるが、此等の農奴生產と封建的地代との存在が、莊園に封建的領土としての烙印を捺す主要なる基礎である。だが此の莊園もそれ自體その地の所有權をもつてゐる結果として、國庫に上納する賦卽ち租稅を負擔して居り、又墾耕によつて所有せる餘地に於ては國家に對して地代卽ち小作料を負擔した。此の二つのもの丶存在は、封建的身分制土地としての莊園を中世歐洲のそれから原理的に區別して、このもの丶性質を市民的自由所有地たる民有地に近付かしめる。

次に屯田所有關係の構造に移る。

臺灣に於ける屯田が、熟蕃の壯丁たる屯丁並びに原墾佃人の耕作に係る田園なることは前に見た。初めは屯丁團體の所有に係り政府はその管理者として屯租の經理に任せしに過ぎなかつたのではあつたが、一旦屯租を以て餘租中に編入せらるゝに及んで屯租は純然たる官租となり政府の權内に入ることゝなつた。乾隆五十五年(一七九〇年)の奏議によれば、屯租附帶の田園に在つては屯租の徴收は地方官の經理に歸し、通事土目をして徴收納付の責に當らしめた。其後年月を經るに從び通事土目の屯租を侵合する者相繼いで起り、そして吾々は此處にこそ屯田の本質的なるものを見出し得ると思ふのであるが、これがために小租戶の滯納は年々絕えざるに及んで一旦改めて屯官の徴收に任した。然し從來の宿弊改むるに由なく、依然屯官等の侵蝕する所となつた。今此の屯田の租率を示せば大體次の如くである。(前掲「臺灣土地慣行一班」第二編二二七頁ヨリ作成)

等則	一等	二等	三等	四等	五等	六等
田	二二石	一八	一四	一二	一〇	六
園	一〇	六	五	四	三	二

而して屯租一石の換算額は銀一元なりと公定した。

由來屯田の目的は發生的には軍費の自給自足を計るにあつたが、實際に於ては二つの性質の異なつたものが含まれてゐた。一つは軍隊の駐屯地に於て土地を給し、軍隊の費用に充當したものであつて、一つは邊境に在つて軍費の支給に充つると共に未墾地の開墾を行ふものであつた。屯丁は自らその屯田を耕作するものもあれば、小作人に耕作させるものもあり、共に屯租として毎年規定の穀銀を納めることは前に述べたが、なほ餘りあるものは布政使に送ることゝなつてゐた。

當時福康安の奏議を見るに、「該處田面大租已經歸屯則係屯爲業主」とある。これによれば小租權は舊來の佃戶に存在したるが如くであり且つ屯租業主と屯戶との權利關係は後年に及んで普通の民有地の大租戶との關係に相等しく佃戶は屯田園典賣の權利を有するに至つたものゝ如くである。（前掲「臺灣土地慣行一斑」第二編二百二十三頁）

屯田にして軍隊の費用のみに充したものは、次第に民田を侵し、自作の場合には生產高を減少し、然らざれば之を小作地として官憲地主の發生を促し、一地方に特殊の耕地を生ずるに至つた。然るに此種の屯田は清朝の末葉自然的に廢れて一部に存在するの外は普通の民有地に變つてゐる。軍費の支給に充つると共に未墾地の開墾を行つてゐた屯田は、未墾地の開墾によつて新たに耕地の增加を來したのであるが、これも後には、開墾と解散兵に職業を與ふるためのみで計畫さるゝもの多く普通の開墾と選ぶ所なきに至り、從來の如き屯田は殆んど消滅するに至つた。

最後に熟蕃地所有關係の機構に移らう。

蕃地の構成單位は、知らるゝが如く、部落である。部落の構成は氏族によつてなされる。（臺灣總督府蕃族調査會「臺灣蕃族慣習研究」第二卷一四一頁）蕃人の部落は「社」即ち蕃社といふ。此の蕃社の數個分布せる一地方を以て形成する一群を「部族」と呼んでゐる。「蕃社」にはその中より選擧せられたる最有力者がその社を支配した。頭目である。頭目は其蕃社を支配統轄するのみではなく、外政府に對してその社を代表するものである。かくて蕃地は部族共同體による民主的自治を基礎とした。

當時土地廣く人寡きの時代には何人も任意に自己の耕作せんと欲する土地を取得したるため、永遠に一定の土地を獨占するの必要はなかつた。蕃社にはかくて土地所有の觀念は固定してゐなかつた。土地財產所有の觀念は個人にあつては勿論部落にも全く缺けてゐた。然し氏族共同體によつて占據されてゐる土地の世襲的占有といふ觀念だけは明らかに發達してゐた。（同上「臺灣蕃族慣習研究」第二卷二四—二五頁）

かゝる部落の占有地が部落の共同體を構成してゐる各家族に分配されること

は部落共同體の主要なる機能である。が然しその分配は土地そのもゝ分配にはあらずして土地用益權の分配である。のみならずその用益權分配も永久的のものではなかつた。これは單に農耕地のみであるが、他の占有地即ち森林・湖沼等々は全く部落共同體の共同用益に充てられてゐた。かくて蕃人の自耕にかゝるものは蕃地の主要部分を占むるであらう。又現今に於ても臺灣の山地は殆んど蕃人の占有に屬してゐる。が私は法律的にではなく經濟的に清朝治下臺灣の土地關係にのみ限局して考察を續けてゐるのであるから、蕃地にして漢人との接觸なきものは茲では暫く問題の埒外に置かうと思ふ。

當初清國政府に於ては蕃地は總て供賦の義務なきものとし、唯漢人に賣斷したる土地に對してのみ下沙則田園に於ける租率に從つて賦課してゐた。然るに淡水廳は一時之を誤つて蕃田園も亦民有地の如く賦課したることがある。而して一旦課租地として奏上したるものは容易に免租の手續きを爲し難きため、乾隆三十年(一七六五年)蕃人の自耕に係るものと漢人に出贌せるものとを區別して後者に對しては全部課租することゝした。

蕃租は臺灣從來の慣習によれば口糧と稱せられる。又口糧租、口糧粟、蕃丁口糧、口糧蕃租等の名があるが、このことは蕃租を以て蕃族の生活口糧に供することを意味する。玆に蕃租とは、土著の蕃人と移民の漢人との契約に基き蕃人に歸屬する埔地を以て漢人に付し開墾せしむるに當りこれが報償として漢人より年々蕃人に納付すべき定率の租である。今此の蕃租の租額について一瞥せんに、一般的には蕃田は普通田園の六割を減じ毎甲田三石二斗、毎甲園一石六斗の蕃租を徵收するものとしてゐる。蓋し、當時は蕃地についでは正供の負擔はなかつたのであるから、通常の田園に於ける場合と同樣、毎甲田八石、毎甲園四石を徵收するときは、此等の土地は蕃租と正供との二者を負擔するが如き不公平に陷るからである。然し乾隆三十三年（一七六八年）以後は之を改め、此等の土地に付する蕃租は普通の率に從はしむることゝなつた。（前揭「臺灣土地慣行一斑」第二編一二五頁）かくて熟蕃地には賦課なきを本則とした。唯蕃人に對しては政府は所謂蕃餉なる人頭税を課徵してゐたのであつた。蕃人に蕃餉を課するは鄭氏の遺制であつて清國政府の踏襲せるところである。臺灣府誌に記す所は次の如くである。

此社餉一項、鳳山下淡水八社番米、在僞鄭原數五千九百三十三石八斗、蕩平後酌減爲四千六百四十五石三斗、諸羅社餉共七千七百八兩零、未邀裁減云云（「臺灣府誌」第十六番俗通考之部）

蕃餉は各社に通事土目一名を置き以て蕃社を代表せしめ之に賦課徵收せしめた。社餉、社課又は通事餉銀の名ある所以である。

蕃租は其權利の內容及び性質に於て阿里山蕃租の撫蕃費用たるの性質を有するが如き特別のものを除くの外は委く普通民有地の大租と異なる所はない。唯蕃租は、熟蕃地を目的とし、蕃社又は蕃丁を權利者とする點に於て差あるのみ。蕃租の性質に關し多少の疑惑を生せしむるものは蕃租に關する契字中に蕃租を目して蕃餉通事餉銀又は蕃丁銀と記するもの丶甚だ多い一事である。蕃餉、通事餉銀は今見たるが如く公的負擔であつた。蕃租に關して此等の名義を使用する所より見れば、或は蕃租はその性質私的關係にあらずして公的關係なるが如く又蕃餉は人頭稅にあらずして土地の負擔たるが如き感がないではない。然しこれは實は蕃人が漢人より收受する蕃租を以て社餉に充つるの意に過ぎないのであつて蕃租が直ちに蕃餉たり又は蕃餉が土地の負擔であるのではない。蕃地の給墾に關する契字に徵するに「倘有開成水田、照例按甲收租、其陞科課餉、係番衆自理、不干個人之事」と記するものあり、その漢人より收納したる蕃租を以て官に對する社餉に充當するを意味するものである。又承墾漢人にして蕃人の蕃餉の負擔に堪へざるを奇貨とし、名を蕃餉代納に假りて熟蕃地を侵耕する者を生ずるに至つた。

蕃租の物體は通常粟穀を以てし或は銀を以てし、時には想思樹を充てた。「歴年面約配納想思柴二十擔」（前掲「臺灣私法」附録參考書第一卷第一編第二章第一節第二款第一段）とあるによつて知り得るであらう。

玆に蕃地が蕃社或は時に蕃丁の所有に係るものであり、其の徵收する所の蕃租の負擔者が、此等の土地を贌耕せる漢人たる佃人であることは前に述べたる通りである。だが、蕃人と移住民との間に土地に關し爭を起すこと屢々にして、優勝劣敗の結果は蕃社を貧困に陷入れ佃人たる漢人は勿論或は通事土目（蕃通事も存在したが主として漢通事）にして其從前受領せる戳記を以て熟蕃地の典賣を受くるなどありて、かゝる熟蕃地は次第に漢人に侵されることゝなつた。熟蕃地はかくてその本質に於てその所有者たる蕃社或は蕃人とそれが墾耕の漢人との間には行政、司法の權能を有するが如き主從、從屬の關係は存在しなかつたのであるから、勢ひ吾々は此等を寧ろ近代的土地所有形態の變形的なるものと規定することが出來るであらう。

第四章　舊土地所有形態の崩壞過程

吾々は先きに淸朝治下臺灣の本來的、基礎的土地所有形態成立の過程が同時にその解體の過程でもあつたといふ相容れない矛盾のあることを指摘した。更に言へば此矛盾は封建制土地所有と、近代的土地所有との對立から發生する所の矛盾であり、此の解體過程は後者の前者に對する征服の過程である。

其處で吾々は、此の封建制土地所有形態と近代的土地所有形態との對立と、その發展的止揚の過程の、換言すれば舊土地所有形態そのもの丶崩壞過程の歷史的諸原因の探究に入らねばならない。

舊臺灣社會の本來的土地所有形態の解體を促したる最大の、而かも直接の原因は、一言にして言へば、一はかの尨大なる漢民の臺灣侵入と、一は其後引續き行はれた移民に伴つて支那本土から急激に持ち込まれた商業・高利貸資本とに求め得らる丶であらう。

私が先きに述べたる所を一言にして言へばかうである。即ち淸朝治下の臺灣は封建的上衣をまとへるそれであつた。換言すればそれは又主として封建時代下の臺灣であつたと見做し得るのであるが、更に强いて分類すれば、次の三つの時代に區分することが出來る。第一は、王公豪族の有したる莊園がその支配的土地所有形態であつた所の初期封建時代であり、康熙、雍正を經て、乾隆に至る間は之に照應する。第二は官莊、屯田の存在せる所の、而して豪族の勢力衰へ小租戶の勢力の盛となれる卽ち民有地の急激なる發展を釀した所の後期封建時代であり、乾隆以後光緒に至るまでがそれ。最後は封建の體制全幅的に崩壞し終へたる前期資本主義時代であつた。以下私は第一、二を包括せる封建時代に照應する身分制的土地所有形態崩壞の過程を眺むるであらう。

由來支那の村落を構成する單位は家族共同體であると言はれてゐるが、此の家族共同體は支那の家族制度に於てこそ集團的有機的に結合されてゐる。近世支那の農業人口の過剩現象の漸く顯著となつたのは明の萬歷以後であると考へらるゝのであるが、此の農村內部にうごめく過剩人口を、此の宗族組織が吸收したことによつて一應は舊支那社會の安定を保つことが出來た。所が淸に至つては最早宗族組織も此の過剩人口を抱擁するの力を持ち得なくなつた。惡いことには、此の農村過剩人口の增加に拍車を加へた他の契機があつた。商業、高利貸付資本がそれである。

元來商業資本が純粹なるそれに止まる限り、このものは生產それ自體には働きかけ得ずして、流通過程に在つて單に生產物を自己に從屬せしめ、より多き利潤の獲得のみに沒頭することによつて、一切の生產物及び生活資料を商品に轉化せしむるのであるが、高利貸付資本の舊生產組織に對して演ずる役割も、その樣相に於てこそ異なれ、これと全く同一である。高利貸付資本は常に獨立の小生產者からその生產手段をうばひとるのである。支那に於ける近世商業、高利貸付資本の生成期は宋に在ると思はれるが、此の發生を促したる主要なる經濟的原因は宋室の南遷に伴ふ南方支那の開發と生產諸力の發達、南方に於ける外國貿易の漸進、大運河の完成であつた。そして此の商業、高利貸資本がその發達の最高頂に達したのは清朝治下に於てであつた。「かくて清朝三百年の歷史は經濟的に見れば、まさしく、商業、高利貸付資本による舊支那經濟の衰退の歷史であり、生產過程より遠ざかり行く彷浪者集積の歷史でもあつた」。（大上末廣氏著「清朝時代に於ける滿洲の農業關係」二四頁）

所が支那に於ける特殊なる政治機構と尨大なる人口とは官吏への富の集積を

可能ならしめ、貨幣使用の普及特に銀錠の使用の一般化は官吏への富の集積を社會の表面に明白なる姿をとつて現はさしめた。かく官吏の手に蓄積せられた富は、いふまでもなく一部分、彼等の豪奢なる生活と權勢の維持のために費されたのではあつたが殘りの大部分は、まづ土地に向つて、ついで商業、工業、金融業に投下せられて、土地資本として、商業資本乃至銀行資本として活躍する。然るに支那にあつては、最も安全にして且つ最も名譽ある財産形態は土地である。從つて官吏が自己の資本を、何よりも先づ土地買收のためにふり向けたのは當然である。かくて官吏の資本は産業資本へと轉化されることは尠く、土地資本を形成して行つた。此の土地資本を基礎的要素とする官吏資本は其後支那自生の內國舊金融機關によつて中、小の生産業者や商人に融通されることになつた。（經濟論叢、昭和七年五月、六月號、大上末廣氏論文參照）商業、高利貸付資本の一變形物としての官吏資本を構成する基礎的要素は上述の如く土地資本であつたのであるが、而かもその根據地は中世歐洲に於けるとは全く反對に都市ではなくして農村であつた。此事は結局支那社會を驚くべく長い間、同一の基礎と同一の技術を持つた、限りなき反覆を繰返す單純再生産の上に固定せしむるの結果となつた。此の固定した支那社會の內部に於て、人口の增加が續けらるゝに於ては、支那社會は此の人口の增加を吸收し能はざるに至るであらうことは火を見るより明らかである。かくて生產手段より見放されたる人口は何處かに向つて流れ行かねばならないであらう。かゝる人口は海山の彼方に在りと傳へらるゝ黃金の花咲く國を夢見ながら南と北とに溢れ出た。前者の方向を辿つたものは卽ち廣東、福建より茲に問題とせる臺灣及び印度支那、南洋に渡つた流民であり、後者は直隷・山東より滿蒙の地に押しかけた流民であつた。

かゝる支那本土の一般的情勢に基いて南支那の尨大なる流民が臺灣に繼續的な流亡運動を起したのは大體に於て康熙の末葉からであつたが、この流れが本流となつてあらはれたのは乾隆から嘉慶にかけてゞあつた。かく臺灣に雪崩れ込んだ此等の流民は其處で二つの方向に於て自らの新しい生活の道を見付けた。第一には官莊、熟蕃地に入り込んで其處の佃人卽ち小作人となることであり、第二は無主の荒地を自らの力を以て開墾することに於てであつた。此の尨大なる流民の侵入とそれに伴ふ急速なる荒地の開拓が、官莊以下一連の封建的土地所有形態を直接的に破壞する所の、又未だ尙前期の變形的過程を辿つてゐた民有地を純化する所の、最も大きな要素であつたことに疑ひはない。

此等の流民は先づ安平附近の港灣に據つて嘉義、臺南附近の沃野に賴つて其處に第二の故郷を設定し、更に西部海岸を辿りつゝ北へ北へと向つた。當時清朝は私墾の田にして若し無主の地に係るときは原墾者に給與して課税することになつてゐたことは前に述べたが、又自首によつてその開墾權を承認せられてゐた（「臨時臺灣舊慣調查會第二回報告書」第一卷五四頁）ので、一般人民の所有に係る民有地の增加は甚大なるものがあつた。而かも墾戸たるものゝ、確認せられたる所有地以外に占有耕種する餘分の土地を開墾するに至りたるに於てをや。かゝるものは南と北とを問はず何れも荒蕪に任せられてゐた土地であつた。

だが、もともと臺灣に於ける移植漢民は二大勢力、閩、粤兩屬によつて占められてゐる。彼等は支那の本土に在つて、地疆を同じくせず、方言を一にせず、從つて移植の區域を此の海上の一島に求むるに及んでも、なほ兩者の間に融合を見ること能はず、又彼此生活の餘裕を欲求するためにする土地的競爭の衝突は發して積念の根を胚胎せしめ、康熙の中葉より早くも兩屬間に一種の私鬪が行はれ始めた。所謂、分類械鬪である。鳳山縣志に「惟々市肆間、漳、泉二郡常時角不相下、雖官司不能化導之止」と見ゆ。勢たるや斯の如くである。清領の當初、治臺の消極政策として、絕對に粤人の渡航を禁制した主たる所以のものは、海盜の積習の蟬脫にあつたではあらうが、又一に、閩、粤共存の結果、必ず勢力競爭の餘弊を伴生すべきを豫察したからではあるまいか。此の分類械鬪は其後益々多きを加へ、封建的色彩の存續を暫し可能ならしむるに役立つた。だが、此のものは又却つて無主地の開墾を刺戟するものでもあつた。

民有地に於ける大租戶小租戶の關係は素と大規模の土地開墾に因り墾佃の關係を生ずるに始まりたるものなることは前に述べたが、かゝる形勢は主として之を臺灣の中部北部に見たのであり、南部臺灣は蘭鄭二時代より移民既に多く盛に開墾を試み、蘭人の王田となり又鄭氏の官田となり清國に至つては民業に歸し、之を舊額田園と爲し、正供を徵收したるに止り大租關係を發生しなかつた。從つて概して言へば此地方には大小租の關係を有した土地は尠かつた。其等が莊園を形成したことも既に述べた。かの尨大なる流民と、それに伴つて行はれた農事の改良、流通經濟の確立並びに彼等自身の勤勉さは小租戶(則ち當初の佃戶)の地位を高め、大租戶は全くその影を潛め、土地の實權は全く小租戶に移り、大租戶は徵租の權を有するに過ぎずあつても無きが如くであり、かくて吾々は玆に民有地をその比較的純粹なる姿に於て眺め得ることゝなつた。

南部より北部へと渡つた其後の流民は次第に蕃地をも侵し始めた。蕃地への團體的侵入は大體に於て乾隆の末葉であつたと考へらるゝ。蕃地は既に述べたるが如く乾隆の中葉に至るまでは封禁の地であつたが、商業、高利貸付資本と手を組合し始めた流民が、一旦此地に侵入するや、本質的には氏族の共有地であつた蕃地は陽光に溶け行く雪の如くに脆くも崩壞し始めた。平和であり牧歌的であつた臺灣の蕃族は、商業、高利貸付資本にとつては最も儲多き對象であつた。從つて流民の流れと共に商業、高利貸付資本の蕃地に侵入し始むるや否や、頭目の生活は急速に破産へと導かれて行つたが、此等の破産を脱れるために、彼等は自ら流民を招いて牧地を田園にかへねばならなかつたし、もつと惡いことには、かくて得た蕃租權の賣買出典をさへ餘儀なくせしめられたのであつた。この事が又熟蕃地の民有地への轉化を意味することは言ふまでもない。

更に又蕃地及び官莊以下一連の封建的、身分制的土地に於ては先きにも少しく觸れたるが如く崩壞への道の他の契機があつた。それは流民に伴つて臺灣にもその具體的姿を表はし始めた所の、支那本土に於てはその極度にまで發達してゐた商業、高利貸資本であつた。其等は主として雜貨商の形に於て侵入し始めたのであるが、かゝるもの、侵入とその活躍は急速に臺灣の農業生產を商品化せしめた。このことは本來鋤以外のものを手にしたことのなかつた農民の中からも、雜貨商を營む者を發生せしむることであつた。卽ち雜貨商は其後漸次規模を增大して植民地のあらゆる需要を充すためにその內容の充實をはかつた。雜貨商はその商業によつて得たる利潤を以て農民に對する高利貸付を行ひ、かくて單純なる商業取引から農民の金融機關に轉化し始め、又流民の地域的擴大とそれに伴ふ農業生產力の增大に從つて、農業生產物の賣買を行ふに至つた。これは大體に於て嘉慶末年より咸豐、同治にかけての樣相であつた。かくて農業生產物の商品化の推轉を介して初期に臺灣に渡來せる流民の地位から彼等を商人、高利貸の地位にまで引き上げたのであり、そしてその最も鮮やかなる轉身を行つたものは莊頭卽ち大租戶であるが、彼等がかくて小資本を蓄積して、商人・高利貸にあり得るか否かは、彼等が臺灣に渡來した年月が早いか遲いかによつて殆んど決定されたのであつた。

かく臺灣社會に於ける商業・高利貸資本は、その內部に於ける生產力の發達の必然的結果として現はれたものでは殆んどなく、支那本土から急速に持ち込まれたものである。その結果臺灣の農業が次第に商品化の過程を辿つて行つたのであるが、生産物や生活資料の商品化は、貨幣の支出を急激に必要ならしめた。かゝることは限られた土地の上で生活する勢弱れる所の豪族並びに蕃社の生活を必然的に、商業、高利貸資本に依存せしむることを餘儀なくせしむる。此の因果の連鎖が鐵の如き堅き方則を以て封建的土地所有形態を貫いて行つたことは、茲には最早說明するの必要はないであらう。

吾々は中世歐洲諸國に支配的であつた莊園的農業を崩壊に導いた第一次的要因は都市に於ける市民階級の發生にあつたことを知つてゐる。農業からの手工業の分離とこれに基く商工都市の發生が、その偏倚なき歷史的背景と結合するに及んでは確かに封建制農業の第一次的基礎的否定の要素であるといふことが、出來る。とは言へ農村と都市との分離、その社會的生產分業の生成が、社會的生產の最下部に觸れない限り、このものゝ形成は封建的體制の徹底的爆破の要素としては作用せずして、唯その變質決定のための要素たるに止まる。

所が、臺灣に於ける都市をその歷史的發生の過程に於て見るときは殆んど總て行政的軍事的諸關係から生成したものであつた。從つて舊臺灣社會に於ける此等の諸都市の發生と發展とは如上の封建的土地形態並びに土地關係を崩壞せしむるための基礎的勢力たり得なかつたのみではなく、時には却つて封建的諸勢力の生存の場所たる如き傾向を示したものすらあつた。今尙臺灣に殘る濃厚なる封建的殘存勢力を解明するための一鍵は茲に見出し得るのではあるまいか。それはともあれ、吾々はかゝる身分制的土地に於ける封建的土地關係を爆破した諸要素を、茲では都市以外のものに、具體的には官吏・領主、並びに農民の販賣關心と貨幣經濟による農產物市場の不斷の擴大に求めざるを得ない。そして此等のもの、も亦、何も舊臺灣社會の封建的體制それ自體から生成したものではなく、畢竟臺灣が植民地であつたことのために外部から、卽ち支那本土から移植されたものであつたことは、寧ろ如上の傾向を益々强むるに役立つた。舊清朝政權下の初期に行はれた臺灣への移住農民はそれが植民地である限りに於てその母國たる支那本土と可成りに深い交易關係にあつたことは否定出來ない。臺灣よりの農業生產物、支那本土よりの手工業品とも言はるべき形態に於ける此の交易關係は、然し乍らその初期に於ては決して恒常的なものではなく、不規則な從つて例外的なものであつたと主張することの正しいのは勿論であるが、不規則なそして例外的な交易關係ではあつたにしても、原始產業の生產物が、富源剩餘を含むことは、此等の農業生產物の提供者たる臺灣農民をして僅かではあつたらうが、富の蓄積を可能ならしめた。一旦富の蓄積せらるゝや、その蓄積は加速度的に進む。此の蓄積の速度は土地の豐富、地味の肥沃、又此等移住農民の異常なる忍耐とによつて助成された。莊頭の封建的土地に隸屬する農奴の經濟生活は殆んどその主人の生活に吸收し盡されてゐたがために、農奴の手に富の蓄積さるゝ速度は、その他の自由農民に比して遙かに遲いが、然し極めて遲々たりとは言へ、富の蓄積の法則は搖ぎなく農奴をも貫いて行つた。

かゝる農民の富の蓄積はそれ自體として農民の社會的勢力の擡頭を意味するに外ならないのであるが、かゝる內部の變化が、その外部關係たる土地所有形態に變化を與へない筈はないであらう。

かくて何れの所有形態を問はず、名目上は國有地とされつゝも、その實質に於ては無主の地に過ぎなかつた尨大な荒地を、持つに物なき流民が、熟地に化することによつて、漸次、變質又は解體して近代的土地所有形態卽ち純粹なる民有地への傾向を高めて行つた。

以上私は粗雜ながら主として封建時代の臺灣の土地所有形態崩壞の過程を眺めてきたのであるが、光緒十一年(一八八五年)劉銘傳臺灣巡撫に任せられてより、臺灣最初の土地丈量をなして、納稅義務者の不明確なりし隱田を整理し、又不分明なりし土地業主權の所在を法律的に確定し、小租戸を以て業主と定め、之を納稅の義務者となすと共に、之に對する大租の四割を減じてより、卽ち減四留六の法を定めてより、その態樣は全く資本主義的なものへと變化した。吾々は茲に臺灣前期資本主義發端の具體化を見出す。劉銘傳の調査たる苛酷に過ぐるあり、人民の反抗を招くに至つて彼は事業の中途にして辭さねばならなかつたのではあつたが、知らるゝが如く光緒二十一年(一八九五年)臺灣の我領有に歸してより更に明確なる意識と周到なる計畫並びに强固なる權力とによつて土地調査の事業は達成せられ、茲に全く臺灣は資本主義時代に入ることゝなつた。

主なる參考書

Lee; The Economic History of China. (1921——22)
(Studies in History of Economics and public law vol. 99)

H. Cunow; Allgemeine Wirtschaftsgeschichte. 3Bde. 1926.

臺灣守備混成第一旅團司令部「臺灣史料」（明治三十年）

臺灣經世新報社編「臺灣全誌」全十二卷（大年十一年）

伊能嘉矩著「臺灣文化志」全三卷（昭和三年）

藤崎濟之助著「臺灣全誌」（昭和三年）

矢内原忠雄著「帝國主義下の臺灣」（昭和四年）

コイエット著谷河梅人譯編「閑却されたる臺灣」（昭和五年）

臺北帝國大學理農學部農業經濟學教室「農林經濟論考」第一輯（昭和八年）

平山勳編著「臺灣社會經濟史全集」第一分册（昭和八年）

田中忠夫著「支那經濟史研究」（大正十一年）

長野朗著「支那土地制度研究」（昭和五年）

長野朗著「支那資本主義發達史」（昭和六年）

大上末廣「支那國民經濟序說」（經濟論叢昭和七年五・六月號論文）

ウイットフォーゲル著平野義太郎監譯「解體過程にある支那の經濟と社會」上・下卷（昭和九年）

大上末廣著「淸朝時代に於ける滿洲の農業關係」（昭和八年）

臨時臺灣舊慣調查委員會編第一部報告「清國行政法」第一卷上・下（大正三年）

臨時臺灣舊慣調查會第一部「調查第二回報告書」第一卷（明治三十九年）

・臨時臺灣舊慣調查會第一部調查第三回報告書「臺灣私法」並附錄參考書（明治四十三年）

臨時臺灣土地調查局「臺灣舊慣制度一班」（明治三十四年）

臨時臺灣土地調查局「清賦一班」（明治三十三年）

臨時臺灣土地調查局「大租取調書附屬參考書」全三卷（明治三十七年）

臨時臺灣土地調查會第二部「調查經濟資料報告」上・下（明治三十八年）

臨時臺灣土地調查局「臺灣土地慣行一班」全三編（明治三十八年）

臨時臺灣舊慣調查會第一部「蕃族調查報告書」全五卷（大正九年）

臺灣總督府蕃族調查會「蕃族調查報告書」全八卷（大正十年）

臺灣總督府蕃族調查會「臺灣蕃族慣習研究」全八卷（大正十年）

藤崎濟之助著「臺灣の蕃族」（昭和五年）

昭和九年五月二十五日印刷
昭和九年五月三十一日發行

編輯兼發行者　臺北帝國大學文政學部

東京市神田區錦町三丁目十七番地
印刷者　白井赫太郎

東京市神田區神保町二丁目
發賣所　巖松堂書店
電話九段四一三五・神田二四六七
振替口座東京六五五六